Elsa-Aragon

DU MÊME AUTEUR

Histoire

L'Internationale communiste (Payot, 1970).
Les socialistes de l'utopie (Payot, 1971).
Les staliniens, une expérience politique, 1944-1956 (Fayard, 1975 ;
    Marabout, 1976).
L'année où le monde a tremblé : 1947 (Albin Michel, 1976).
La femme au temps des années folles (Stock, 1984).

Biographies

La banquière des années folles, Marthe Hanau (Fayard, 1968).
Introduction aux lettres de Rosa Luxemburg aux Kautsky (PUF,
    1970).
Flora Tristan, femme révoltée (Hachette-Littérature, 1972).
Flora Tristan, œuvre et vie mêlées (10/18, 1973).
Daniel, visage secret de Marie d'Agoult (Stock).
Drieu La Rochelle ou le séducteur mystifié (Flammarion, 1978).
Sacha Guitry, cinquante ans de spectacle (Grasset, 1982).
Les clés d'Elsa, Aragon-Triolet (Ramsay, 1988).
Sonia Delaunay, magique magicienne (Ramsay, 1988).
Le roman de Marina (Marina Tsvétaeva), Belfond, 1994.

Essais

Côte-d'Ivoire (Rencontre, Lausanne, 1962).
Nabokov (Julliard, 1994).

Romans

Les grands sentiments (Grasset, 1960).
Un métier de chien (Flammarion, 1971).
Personne ne se ressemble (Flammarion, 1977).
Le chemin du père (Grasset, 1981).
Rue Campagne-Première (J.-C. Lattès, 1987).
Les années-passion (Presses de la Renaissance, 1992).

En préparation : *Mémoires*.

Dominique Desanti

Elsa-Aragon
Le couple ambigu

belfond

216, boulevard Saint-Germain
75007 Paris

Si vous souhaitez recevoir notre catalogue
et être tenu au courant de nos publications,
envoyez vos nom et adresse, en citant ce livre,
aux Éditions Belfond,
216, bd Saint-Germain, 75007 Paris.
Et, pour le Canada, à
Édipresse Inc., 945, avenue Beaumont
Montréal, Québec H3N 1W3.

ISBN 2.7144.3228.X

Table

7

1

Ouverture

L'amour-du-siècle s'ouvre comme un opéra. Par une partition qui devance les voix, annonce l'action, et pourra devenir un « morceau de musique » joué à part.

C'est la naissance d'une légende. L'histoire d'une rencontre, annoncée puis réalisée. Aucun des partenaires ne pressent ce qui va suivre.

Nous entendons l'ouverture de cet opéra bizarre où se mêleront les grands airs, les duos, et les rythmes universels comme les aima Wagner.

C'était le 6 novembre 1928 à la Coupole, à Montparnasse. Au bar. La brasserie, ouverte depuis un an, concurrençait le Dôme et la Rotonde : on aimait sa verrière en coupole, précisément, au centre son jet d'eau et son bar tout brillant de cuivres et de cuir. La Coupole est vite devenue un lieu de rendez-vous pour les artistes, écrivains, intellectuels de toutes opinions venus de toute l'Europe et d'au-delà de l'Océan.

Les Russes émigrés depuis la révolution de Lénine y côtoyaient des Russes parisianisés depuis longtemps. Quelques-uns, déjà soupçonneux, prétendaient que le pâle barman était indicateur de police ; en tout cas, il avait des muscles de videur.

La veille, dans ce même bar — c'était donc le 5 novembre —, il avait poussé la porte-tambour, fuyant « l'automne noir et mouillé » du dehors. Une voix à l'accent étranger le héla. Un poète soviétique dont il connaissait le nom et le renom mais non les vers, Vladimir Maïakovski, invitait à sa table Aragon, poète surréaliste français. On lui avait parlé des surréalistes. Chacun était curieux de l'autre.

Gigantesque, le Soviétique, assis avec son feutre cabossé, le « trench-coat » usé. Elégant, le Parisien, nu-tête, ses cheveux flous calamistrés, en complet-veston, la cravate du bleu de ses yeux, chemise et pochette du blanc glacé de son sourire.

Pour le groupe surréaliste, l'Union soviétique, c'était « la clameur dantesque du film d'Eisenstein *Le Cuirassé Potemkine* ». D'ailleurs, ils avaient tenté d'adhérer en bloc au Parti communiste... en posant leurs conditions sur l'esthétique. On leur avait sèchement répondu que chacun adhérait individuellement et sans conditions. La scène s'était passée rue La Fayette, au 120. Depuis quelques-uns avaient pris une carte, comme ça, Aragon entre autres. Ils n'y pensaient plus.

Mais un poète soviétique ? Ce géant bizarrement vêtu à la voix tonitruante, au regard caressant ?

Un quart de siècle plus tard, Aragon écrira :

« Je m'assis à cette table avec tout ce romantisme au cœur et l'ignorance vertigineuse de Paris... J'ignorais que de ce fait, ma vie allait changer de fond en comble. Et le lendemain, dans le même lieu de confusion et de courants d'air... »

Ils se parlent par gestes autant que par interprètes improvisés. Ils récitent chacun quelques vers. Maïakovski se lève pour marteler, tonitruant, répondant à une question :

« J'irai où l'Union des écrivains prolétariens m'enverra. »

Aragon, ébloui mais provocateur, récite en riant : « *Chevaliers de l'ouragan. Mais où où où avez-vous mis vos gants ?* » Avec un peu d'aide, Maïakovski a compris et éclate de son rire de joyeux tonnelier.

D'ordinaire il sortait avec Elsa Triolet, sa « belle-sœur », la sœur de sa compagne officielle. Il habitait le même hôtel, rue Campagne-Première, et aimait garder à ses côtés cette guide-interprète-organisatrice, sœur de Lili Brik mais, avant cela, une ancienne conquête. Pourtant ce 5 novembre elle n'était pas là. Peut-être une querelle passagère ? Peut-être ce mal de vivre dont son *Journal,* à cette même date, se fait l'écho :

« Je pense que je dois acheter du véronal... vivre est trop douloureux. C'est comme de marcher sur du verre pilé. »

Donc, le lendemain, le 6 novembre. Un ami avait dit à Aragon qu'il voulait lui présenter une femme... Un ami « inventeur d'histoires insensées ».

Et voilà ! Dès ce début, les témoignages divergent... Georges Sadoul, un ami de chaque jour, croyait avoir fait les présentations. Membre du groupe surréaliste, il accompagnait Aragon aux réunions quotidiennes — en principe

10

même biquotidiennes — organisées par Breton dans un café de Montmartre, le Cyrano, juste à côté du Moulin-Rouge. Ces jeunes poètes, sortis de la boucherie de la Grande Guerre, avaient décidé de « changer la vie » en changeant d'abord la langue, la syntaxe, les images et par voie de contagion les mœurs, donc la société. On aimait la poésie du hasard, ce « hasard objectif » qui donnerait son nom aux poèmes collectifs composés pour la « beauté du geste ». Aux réunions, chacun était tenu de raconter ce qu'il avait noté d'insolite durant ses dérives à travers Paris — occupation essentielle, tout autre travail étant considéré comme « bourgeois » (de la même façon, le journalisme ou le roman étaient proscrits). La présence quotidienne à ces réunions était obligatoire sous peine d'exclusion — accompagnée parfois de gifles ou de pugilat, mais pas toujours définitive — prononcée par le pape André Breton, qui avait ainsi frappé d'anathème la tendance « Dada » du mouvement.

Aragon et Sadoul partageaient l'atelier d'un autre ami, communiste militant, André Thirion, 54, rue du Château, dans un étrange pavillon où souvent venaient dormir des gens de passage, des filles... Cet atelier, d'autres amis — Marcel Duhamel, les Prévert, Yves Tanguy — l'avaient habité. L'adresse aurait droit aux manuels de littérature si tout ce quartier de Plaisance n'avait été rendu méconnaissable. Aragon aimait, en entrant, monter en courant sept marches et regarder son image courir dans une glace en trapèze... Cette fascination pour le miroir aboutira en 1965 à la glace à trois faces de *La Mise à mort*, au héros que sa folie militante aura privé de son image, de son reflet dans les miroirs. Ces symboles, cette métaphore puisent dans une réalité de 1928, d'avant Elsa...

Donc Georges Sadoul croira longtemps avoir prononcé la phrase banale et qui devint fatidique, la phrase qui citait l'un à l'autre les noms d'Aragon et d'Elsa Triolet.

Il le croyait. La mémoire d'Elsa gardait un autre souvenir. Non. Ce rendez-vous avait été préparé et une phrase semblable prononcée par Roland Tual. Un surréaliste, lui aussi. Il était marié à une femme qui connaissait Aragon depuis leur première année de médecine, pendant la guerre. Le Dr Colette Jeramec. Cette femme avait eu pour premier mari quelqu'un dont Aragon avait été l'ami. Mais ils étaient brouillés. C'était Pierre Drieu La Rochelle.

Donc, Roland Tual. C'était un messager symbolique, titulaire d'une situation clé, à la fois par ses liens surréalistes et par son mariage. Il était désigné pour prononcer la phrase par laquelle le passé et l'avenir d'Aragon se joignaient.

Aragon le connaît assez pour savoir qu'il a raconté à l'inconnue sa tentative de suicide, fin septembre, à Venise, parce qu'une femme l'avait humilié. On l'avait sauvé. Il comptait vivre — à sa fantaisie — tant que durerait l'argent d'un tableau qu'il avait vendu. Une *Baigneuse* de Braque le cubiste, l'ami-rival de Pablo Picasso. Il ne lui restait plus grand-chose de la somme... Il méditait sombrement de recommencer.

Celle que l'on venait de nommer, Elsa Triolet, était menue, cheveux clairs sous sa toque beige. Elle portait une fourrure « brune et blonde comme rayée, s'ouvrant sur une robe-chemisier noire. J'ai tout de suite regardé ses jambes ». Elle a les mains petites et d'une immatérielle finesse. Les jambes : galbées, le pied : cambré.

Il se le rappelle au bout de trente-sept ans.

Donc voilà, face à face, le rescapé d'une tentative de suicide et une candidate hésitante à la mort qu'on se donne. Trente-sept ans plus tard, Aragon écrira :

« Je ne savais rien de cette femme. Un ami m'avait dit "une femme"... C'était un temps de moi qui ne me laissait pas celui de choisir. »

Lui, il la voyait vraiment pour la première fois.

Elle ? Non. Si cette présentation avait lieu, non par hasard mais sans doute sur sa demande, c'est qu'elle voulait tenter de revivre.

Et un homme aperçu pour la première fois derrière une vitre, voilà trois ans, et depuis quelquefois entrevu s'imposait soudain à sa rêverie.

Elle l'avait remarqué pour la première fois en juillet 1925, en s'arrêtant sur le bout du trottoir où finit le boulevard Montparnasse, avant la gare de métro de Port-Royal.

Elle s'était arrêtée devant son café habituel, la Closerie des Lilas, frais repeinte, devenue depuis Verlaine brasserie des poètes de Montparnasse. Sa terrasse tentait les amoureux au crépuscule et l'intérieur les discoureurs et les laborieux. Elle avait pris l'habitude d'y aller tous les matins, en sortant de l'hôtel Istria, rue Campagne-Première. Elle s'installait sur la moleskine d'une banquette solitaire et elle commandait du thé et « de quoi écrire ». C'est-à-dire un buvard, un flacon d'encre, un porte-plume à plume Sergent-Major et du papier. Ces lettres, qui portaient l'en-tête de la Closerie des Lilas, roulaient ensuite vers Berlin, vers Londres, vers Moscou. Parfois elle écrivait autre chose... qu'elle n'envoyait à personne.

Ce jour de juillet 1925, ceux qui se baptisaient depuis un an les surréalistes avaient, dans cette même brasserie, concocté un scandale. Choquer, c'était leur façon de se manifester. Des mots, des cris, des spectacles qui dégénèrent...

Ce jour-là, ils fêtaient en apparence un vieux poète, par un banquet en son honneur. En fait, ils insultaient les écrivains nationalistes et traditionnels. Des membres du groupe distribuaient en même temps, sur le boulevard, des tracts injuriant Paul Claudel, poète lauréat et — horreur suprême — ambassadeur de France ! Le tract proclamait aussi l'opposition des surréalistes à la guerre que menait la France contre les tribus du Rif marocain.

Elsa Triolet doit se trouver parmi les curieux, dehors. Quelqu'un lui désigne, à travers la vitre, un homme mince et jeune, debout, qui gesticule. Cheveux en arrière, brun, rebelle comme un gitan, il étincelle. Une gaieté froide, presque cruelle, rayonne de lui. Elsa apprend son nom : Louis Aragon. Insolent, il ressemble aux flexibles jeunes gens appointés par les dancings. « Très beau. Trop beau, dira-t-elle. Un danseur d'établissement. »

Bientôt, à l'intérieur comme dehors, on en vient aux coups... Elsa contemple André Breton, massif et l'œil de jade. Elle reconnaît un maigre et fiévreux garçon nommé Philippe Soupault. Un autre, immobile, a l'air d'un rêve, c'est Paul Eluard. Et ce petit qui crie et joue avec un monocle, Tristan Tzara...

Elsa garde le souvenir de ce Louis Aragon dont elle a lu *Anicet ou le panorama-roman*.

Brouillant les dates d'édition, Aragon écrira de ce premier regard — sans réciprocité puisque nul n'a désigné Elsa à Louis : « L'homme que tu as aperçu pour la première fois, debout dans la fenêtre de la Closerie des Lilas, c'était l'auteur du *Cahier noir* et tu n'en savais rien. C'est l'auteur du *Paysan* que tu voulais connaître. »

Le Paysan de Paris n'était pas publié encore. Trois années passeront. Et quand enfin se fera la rencontre du couple illustre, *Le Paysan*, trente pages du *Cahier noir* et *Le Libertinage* auront paru. Avec ce *Con d'Irène* qui choquera si fort la Russe.

De ce temps, elle dira : « La bohème ça se vit comme on joue à un jeu de hasard. »

La cristallisation a-t-elle commencé ce jour-là ? Elle aurait duré quarante mois pour la petite « blondorée », juchée sur ses talons Louis XV avec un chapeau « home-made », une robe certainement à la mode de la saison. A partir des genoux on voyait le galbe — parfait — de ses jambes, et ses pieds très petits. Elle portait sûrement — même l'été — des gants fins. Et des bijoux qu'elle s'inventait.

Mais trois ans et quatre mois plus tard,
QUI rencontrera QUI ?

2

L'inconnue de Moscou

... Moscou, j'y avais perdu ma place...
Et puis, j'avais Paris dans le sang...

Mon passé, c'est avant que nous nous soyons
rencontrés
Le passé qui nous est commun est toujours présent.

Elsa TRIOLET, *Œuvres croisées.*

Suffit-il donc que tu paraisses
De l'air que te fait rattachant
Tes cheveux ce geste touchant
Que je renaisse et reconnaisse
Un monde habité par le chant
Elsa, mon amour, ma jeunesse.

ARAGON, *Le Roman inachevé.*

Ella[1] Kagan est née à Moscou le 12 septembre 1896 ; sa sœur Lili avait alors cinq ans et jouait les enfants gâtées. De sa jalousie d'aînée détrônée nous ne savons rien. De la jalousie de la seconde, la petite, nous apprenons beaucoup à travers le premier récit d'Elsa, *Fraise des bois*, et de nombreuses confidences, et tous ses « Personne ne m'aime » et tous ses cris de solitude.

Cette sœur, les garçons la courtisent dès qu'elle a treize ans. Elle s'en amuse. Cette rousse à l'œil de flamme s'ennuie en classe, décourage la *Mademoiselle* française, le précepteur allemand. Ce modèle, la cadette voudra l'atteindre, le dépasser et l'annuler à la fois. Lili, c'est ce qu'Elsa veut devenir... en l'effaçant.

Sa jalousie parfois se déchaîne, au point qu'elle fait tomber... pas exprès bien sûr, la magnifique poupée de l'aînée (qui devait alors avoir dix, onze ans) et en contemple, terrifiée, les morceaux. Quinquagénaire, Elsa prétendra encore, dans un roman, que cette poupée lui était, à l'origine, destinée.

Les petites filles grandissent dans un milieu dont elles ignorent et les privilèges et la marginalité.

Le père, Youri Kagan, avocat, s'est spécialisé dans les contrats d'artistes, d'écrivains. La maison en est pleine, de ces clients-amis. Hélène, la mère, est pianiste. Pas tout à fait une professionnelle, mais une vraie musicienne. Lili, par réaction, refusera les leçons de musique. Elsa, en revanche, s'y acharnera : mais jamais ce ne sera « vraiment bien »... Elle se sait mal douée. La musique, la voix resteront son idéal.

La mère a des humeurs, des vapeurs, des migraines. Le ménage se dispute souvent. Stépanida, la nounou, une drôle, avait ses affaires d'amour et en apprendra long sur la vie à

---

1. Ella, son vrai prénom — avec des diminutifs comme Ellik, Ellotchka, etc. — se transformera en Elsa après son mariage avec Triolet.

Ella, plus tard. Elle sent bon le santal et la pomme, elle assure la tendresse toujours prête. Et aussi Dounia, la femme de chambre. A la cuisine on parle des hommes et de l'amour sans réserve.

Youri Kagan avait vécu dans un ghetto. Exerçant à Moscou — c'était un privilège accordé, comme à Saint-Pétersbourg, à un nombre limité de Juifs —, l'avocat voulait effacer ses origines. Devenir russe. Créer une famille assimilée. Mais à qui s'assimiler, sinon aux milieux d'avant-garde ? A Paris, les familles israélites de haute bourgeoisie, autour de Proust ou d'Emmanuel Berl, avaient certes connu le déchirement de l'affaire Dreyfus. Mais comment comparer ces Parisiens, leurs constants intermariages, l'éducation souvent chrétienne de leurs enfants, avec l'exclusion évidente que faisait subir aux Juifs la « bonne société » russe ? Swann et le narrateur de Proust charment la duchesse de Guermantes et les salons « fermés » par leurs façons, leur esprit, leur élégance. En Russie, les grands-ducs pouvaient épouser tsiganes et danseuses, les jeunes officiers de la garde s'atteler au traîneau de Rachel puis de Sarah Bernhardt : ces « folies » ne menaient à aucune évolution des mœurs. Les origines et les classes ne se mêlaient que parmi ceux qui remettaient la société en question : les révolutionnaires. Aussi maître Kagan était-il « avancé » d'idées.

La sauvage

Fraise-des-bois, c'est le surnom d'Ella. Petite, laiteuse à taches de rousseur, elle sent les gestes des gens, leur beauté, leur parfum. Agile. Petit animal, elle se réfugie sous le lit si l'odeur ou le contact des visiteurs lui répugnent. Alors son père la tire de sa cachette et lui applique une bonne fessée.

On la rattrape sur le seuil, pelisse et bottillons de feutre, déclarant qu'elle va vivre « chez le portier ». C'est-à-dire dans la misère.

Elle aime un chaton qui se fait à moitié écraser, une tortue qui disparaît. Lili la terrorise jusqu'à l'angoisse. « J'ai peur, nounou. » Elle se sent perpétuellement coupable d'elle ne sait quoi...

1905 — Révolution

Elle a sept ans et demi en janvier 1905, le fameux « lundi noir » où à Pétersbourg la foule s'avance, conduite par le

18

pope Gapone pour remettre une supplique au tsar et où la police tire et tue.

A Moscou, le téléphone est coupé, c'est le couvre-feu. Les Kagan vivent entourés de libéraux. Les adolescents sont révolutionnaires. A la cuisine, derrière le mur, Elsa entend le fils des voisins, Nicolaï le lycéen, qui chante *Nous, les victimes tombées dans la lutte fatale.* Nounou et Dounia, blasées, disent : « C'est Nicolaï qui parle de révolution. » Il faut camoufler les fenêtres, allumer les bougies... Lili veut aller à un meeting et papa lui barre la porte en hurlant : « A treize ans, pas question de révolution ! »

Puis parvient une nouvelle atroce : le fils du bon docteur, de l'ami intime a été tué « pendant un transfert de prison », en plein dans les jardins du Kremlin... par des cosaques, à coups de crosse. Il avait dix-sept ans. La révolution, la répression brûlent de leur foudre la petite Ella qui déjà lit et écrit en russe et en français. La révolution rend Lili adulte dès sa quatorzième année... Toujours au cours de ce janvier terrible, on sonne, un soir, très tard... Ella voit sa sœur courir dans l'escalier de service, la jupe pleine de brochures. « Ça y est, chuchote-t-elle, c'est la visite domiciliaire... » Maître Kagan va ouvrir. C'est une patrouille : les fenêtres sont mal camouflées, si on laisse passer la lumière ils vont être obligés de tirer. Lili sanglote. Elle a jeté toute sa « littérature révolutionnaire »... Pour elle, la révolution se mêle aux premiers élans amoureux. Adolescente, elle est aussi grande que sa mère (elle ne grandira pas beaucoup plus). Elle porte ses cheveux roux sur les épaules et, qu'elle soit heureuse, en colère, excitée, ses yeux immenses et roux se mettent à flamber. Elle affole les garçons, intéresse les hommes. Un soir de cette année-là, au théâtre, assise entre deux admirateurs, elle met son manchon sur ses genoux. Dans l'obscurité, elle sent que chaque garçon glisse une main dans le manchon et serre les doigts qu'il y rencontre. A l'entracte, Lili sort ses mains cachées par le manchon : les deux garçons s'aperçoivent en même temps qu'ils se sont caressés l'un l'autre. Elle rit.

Lili, à quatorze ans, rencontre un garçon de son âge qui fait des vers. Il se nomme Boris Pasternak. Il lui plaît. Six mois après, une « grande » du lycée, Vera Brik, emmène Lili dans un cercle clandestin où l'on étudie l'économie politique marxiste. Le rapport, ce jour-là, est prononcé par l'organisateur du cercle, un « vieux » de dix-huit ans, maigre, chétif, l'air studieux, les lunettes épaisses. C'est Ossip et il se glorifie d'avoir été exclu du lycée pour activité subversive, en février 1905. Vera demande à la belle Lili comment elle trouve son frère... « Très bien, comme conférencier. »

A Noël, les Brik donnent un bal. Le père est un riche anti-quaire et la mère s'intéresse au socialisme. Après le bal, Ossip raccompagne Lili en fiacre et lui fait, en l'enlaçant, une décla-ration voilée...

« Moi, personne ne me prête attention »

Ella, douze ans, tient un journal dont elle livrera des frag-ments sans retouche, dit-elle dans *Fraise des bois*.

Un été sa mère l'emmène, seule, « en Europe » comme on dit (l'Europe, c'est l'Occident) — à Spa, en Belgique, où il est élégant de prendre les eaux. Mais les humeurs changean-tes de la mère désolent la petite jusqu'à l'anxiété, la peur, la culpabilité...

« C'est difficile de voir clair en soi-même..., par exemple je ne sais pas si Paris me plaît ou non. »

C'est la première fois qu'elle écrit le nom de la ville qu'elle choisira pour patrie. Qu'elle choisira par deux fois en jetant son « dévolu », c'est-à-dire sa volonté de conquête, sur deux Français. Et, comme une prémonition, Paris est aussitôt pour elle ambigu. Symbole de l'ambiguïté de son caractère, ombre blonde, envieuse, dévorante, adorante de Lili la rousse.

« Moi, personne ne me prête attention, comme s'ils s'étaient mis d'accord exprès pour. » Ce journal de ses douze ans rejoint au bout de sa vie, dans son dernier roman, la phrase qui bouleversera Louis Aragon :

« Mes père et mère s'occupaient de moi, mais je ne leur étais pas sympathique. Je n'en savais rien, je croyais n'en rien savoir, je savais... »

Les parents se disputent, Lili fuit vers ses amis et ses adora-teurs. Ellik, parfois, se réfugie dans la maladie, devenant ainsi le centre.

Tout, même le premier bal, est gâché par la splendeur de Lili et sa propre insignifiance. A force de supplications, elle avait convaincu l'aînée d'aller à la fête, et ses parents de la laisser l'accompagner. C'est un bal déguisé, chez un riche marchand de thé. Alek, l'adorateur de Lili — qu'Ella voudrait conquérir —, avait insisté. Quand l'aînée téléphone à leur hôtesse qu'elle viendra, celle-ci dit sa joie. Quand Lili ajoute qu'elle amènera sa petite sœur, l'autre dit que ça lui est égal. « Ça m'a un peu vexée », dit Elsa. Pas au point de l'empêcher de se déguiser en Pierrot, d'être heureuse d'entendre la famille découvrir qu'elle est jolie. Mais c'est devant Lili que le jeune Alek s'agenouille pour boutonner ses sur-bottes.

Alek, c'est la transposition dans *Fraise* du copain de toujours, Romka, le rouquin, Roman Jakobson [1], dont les parents sont d'intimes amis.

Lili suit sa trajectoire, torturant sa sœur du récit détaillé de ses amours. La famille passe l'été 1906 en Forêt-Noire — toujours « l'Europe » —, Lili écrit à Ossip Brik. Il ne répond qu'au bout de plusieurs lettres. L'amour ? Non, décidément, il se consacre à la Révolution. Sur quoi la fille de treize ans connaît son premier désespoir, si violent qu'elle en perd les cheveux... Puis, les années passant, d'autres admirateurs proposent le mariage. Mais — dira Lili vieille dame — « chaque fois que j'acceptais, je rencontrais Ossip dans la rue et rompais mes fiançailles ».

A dix-huit ans, Lili part étudier la sculpture à Munich. Ses parents viennent la voir et son père s'indigne de ses mains abîmées par la glaise. Il la convainc de revenir. Elle rencontre à Moscou un « jeune homme très riche et très gentil » qui un soir l'emmène au théâtre avec lui. Ossip vient l'attendre à l'entracte.

Le lendemain, ils dînent en cabinet particulier, Ossip lui demande de l'épouser et, comme elle hésite, il trouve le mot qui la décide : « Essayons. » Il lui donne le roman de Nicolas Tchernychevski *Que faire ?* Ce livre, qui a tant influencé Lénine, continuait à pousser des jeunes gens vers le compagnonnage, l'union libre, l'union intellectuelle, la cause sociale.

Pudeurs

Quand elle lit à haute voix, Elsa, à quinze ans, est gênée de prononcer les mots « une femme dans une position intéressante »... Non qu'elle ignore les fameuses réalités de la vie, mais jusqu'où peut-on prétendre être renseignée devant maman ? Quand on l'emmène voir *La Veuve joyeuse*, elle fait celle qui ne comprend rien. Sa mère lui indique dans les livres ce qu'elle ne doit pas lire. Et voilà que maman a oublié de mettre la marque du refus sur une nouvelle de Tchekhov, *La Crise*, qui parle d'une ruelle S... donnant dans la rue Troubnaïa où des femmes se vendent. Avec une amie, Fraise court vers ce quartier. Elles errent, elles interrogent. Nul ne connaît de ruelle qui commence par un S. Mais quel quartier ! Le crépuscule rend les gens « de plus en plus redoutables. Il y avait beaucoup de Tatars, de boucheries chevalines, rien n'était comme ailleurs... ».

---

1. Le linguiste.

Il y a aussi cette camarade de classe dont on dit qu'elle s'enivre, se maquille... et le reste. Même dans ce milieu libéral règne la pudeur russe, le recul des Russes devant la gauloiserie qui est, pour eux, réservée aux jurons, aux insultes, le libertinage qui leur semble vulgaire. Cette sorte d'hypocrisie devant le charnel et l'érotique quand il n'est pas tragique ni mortel rappellerait le « *can't* » de l'Angleterre victorienne, s'il n'y avait aussi la « *dostoïevtchina* », le goût dostoïevskien de souffrir. Étrange choix, dans le XVIIIe siècle français qu'ils adorent, de la «vertu» robespierriste contre les libertés des mœurs... Les Russes le justifient par la nécessité de lutter contre la brutalité fruste des masses illettrées qui arrosent leur misère d'alcool. Le romantisme, l'exaltation du sentiment, la sublimation, c'est le raffinement de l'intelligentsia. Cette pudibonderie, très forte chez Lénine, aura par la suite une influence bizarre sur l'ensemble du mouvement communiste, bizarre en France surtout. Bizarre en Russie d'ailleurs : on exalte l'union libre, on est matérialiste, mais l'amour charnel reste suspect. Cette crainte de décrire «les choses de la chair» creusera plus tard un fossé entre les marxistes et Freud, ou Sade.

Elsa lit avec exaltation le *Journal de Marie Bashkirtseff*, petite aristocrate russe qui mourut en France à vingt-quatre ans, en 1884 ; ce *Journal* enchantera des générations de filles[1]. Elsa y trouve sa propre recherche du « noyau », du « centre » d'une pensée, du mystère nommé Vérité... Elle a « terriblement » peur de la mort : « Maman mourra sûrement avant nous et qu'est-ce que je vais faire sans elle ? » Elle se pose la question de la transformation du corps. Vivant parmi des matérialistes, elle sait que la chair retourne à la matière, et voudrait tant pourtant qu'à la fin du cycle on redevienne humain. Aucun mysticisme en cette période de la vie où il est si fréquent. Le goût pour Marie Bashkirtseff, c'est le goût d'être adulée, de devenir « célèbre » et d'aimer des hommes inaccessibles.

Elle voyage. Venise avec sa mère. Ces Italiens lui font peur à regarder ses tresses blondes. Ce marchand de colliers qui lui pose sur les épaules des mains chaudes et se colle à son dos, la serrant contre le comptoir. Fraise bondit de dégoût hors du magasin en saisissant la main de sa mère. Elle pleure, court, « s'efforçant de rejeter l'insupportable sensation »...

De Varsovie, la jeune fille, décidément peu consciente de ses origines, retient : « Des cochers qui ne veulent pas comprendre quand on leur parle russe. Des Juifs luisants à

---

1. Marina Tsvétaeva idolâtrait la jeune morte enterrée à Paris au cimetière de Passy (voir Dominique Desanti, *Le Roman de Marina*, Belfond, 1994).

longues basques, des Juives hirsutes très grosses ou très maigres, beaucoup d'enfants pouilleux aux grands yeux... » Elle pleure sur ce ghetto où « tout n'est que poussière, détritus, boue ».

Ah, rentrer à Moscou !

« Je ne vois que des couples »

Un jour, Elsa voit dans la rue un spectacle qu'elle gardera en elle comme la première vision des fatalités de la passion et de la résignation des femmes... Un couple est debout, près à se toucher, parlant bas. « L'homme leva la main et frappa la femme au visage. » Du sang ; pas un cri... Ainsi, des gens subissent sans se défendre ? Elle ne comprend pas ce qu'elle « sent comme un chien sent un cadavre ».

« Dis, maman, tu n'as pas du tout peur de la vie ?

— Peur ? Pourquoi aurais-je peur ?

— Les gens font pitié, ils ne remarquent pas eux-mêmes qu'ils sont malheureux... »

Tolstoï a dit : « Dieu voit la vérité, mais ne la dit pas vite. » C'est l'histoire d'un innocent accusé d'avoir tué. Personne ne croit en ses protestations et quand la vérité se dévoile, il est trop tard. Combien de fois, dans sa vie, Elsa se rappellera-t-elle ce récit ?

En attendant, l'idylle avec Alek-Roman se noue durant les promenades en traîneau, puis en fiacre. Un baiser. Elle : « Vous m'aimez ? » Lui : « En ce moment, beaucoup... » Comment comprendre ça ? Fraise-Elsa se réfugie dans une angine.

Un bal. La fin des études. Les discussions infinies sur l'amour avec les copines. Tout suit son cours.

Le 26 mars 1912, Lili Kagan épouse Ossip Brik. Lili n'a cessé de rire ; se faire unir par un rabbin quand ni l'un ni l'autre ne croient en rien ! Quelle farce...

Le jeune couple n'a pas de soucis d'argent : maître Kagan a donné trente mille roubles de dot à sa fille, dont le tiers passe à meubler l'appartement, « et vingt mille à vivre comme des rois ». Ossip voyage pour son père tout en finissant ses études de droit et en lisant Marx. Le voyage de noces les conduit en Ouzbékistan ; ils avaient emmené — déjà — un ami poète. Leur amour était, d'après Lili, peu physique, et quand Ossip fut mobilisé en 1914 dans le « train automobile », leurs rapports amoureux se sont effrités. Ils ont déménagé à Petrograd. Ossip partait tôt, rentrait tard, et il n'avait jamais pu dormir dans le même lit que sa jeune épouse.

Un soir, ayant bu, elle suit un homme à l'hôtel et l'avoue, sanglotante, en rentrant. Ossip assure que ça n'a aucune importance, qu'elle aille donc prendre un bain chaud et n'y pense plus. Le temps était venu d'inaugurer un « nouveau mariage », de révolutionner la vieille institution. Dans les milieux intellectuels avancés, on en parlait beaucoup : aimer ce n'est pas posséder, il fallait dissocier l'instinct de propriété du sentiment et tuer la jalousie. Chaque partenaire devait garder le droit de continuer ses propres expériences. Ainsi commence entre Lili et Brik une complicité totale que seule terminera la mort du mari.

Pendant ce temps, Elsa, ronde et laiteuse, entrait à l'école d'architecture.

« J'ai beaucoup mûri cet été, écrit-elle dans le journal de *Fraise*, ma seizième année s'est achevée, on dit que c'est la meilleure. Quand je regarde autour de moi, je ne vois que des couples, il n'y a que moi qui fais exception. Personne ne veut de moi, et même dans une nombreuse société je suis toujours seule. *Ah ! pourquoi faut-il que chaque fois que je plais à quelqu'un je commence à regarder cet homme avec d'autres yeux ?* Je remarque alors tout ce qu'il a de comique ou de pitoyable, *il commence aussitôt à m'agacer et j'éprouve un sentiment de répugnance...* » Un jour, un roman d'Elsa s'intitulera *Personne ne m'aime*. Le caractère semble en formation.

Alek (de plus en plus semblable à Roman Jakobson) lui demande si elle « se sent libre ». Elle l'accuse de faire courir le bruit de leurs fiançailles. Étonnante réaction de la moins de seize ans : « *Je n'avais pas envie de tout détruire d'un coup, bien que je sache avec certitude que je ne me marierai jamais avec lui.* » Elle lui demande s'il l'aime et il s'en tire par un : « Plutôt oui que non. »

Le poète comme tornade

Jusqu'au bout, Lili Brik affirmera que sa petite sœur et Maïakovski ne « pouvaient pas » avoir été amants, que c'était impossible [1]. Elsa parlera toujours de tendre amitié.

Elle opère ses habituels glissements dans le temps. Dix fois, elle a dit — et Roman Jakobson s'en souvenait fort bien — qu'elle avait seize ans quand, en 1913, chez des amis, elle voit et entend ce « phénomène de la nature » qui hurle ses vers

---

1. Elle le répète à Ann et Samuel Charter, ses biographes (*I love*), et insère des « Souvenirs » d'Elsa Triolet visiblement à l'usage de sa sœur dans *Héritage littéraire*, tome 65, 1958.

et au besoin des injures. La même année, elle assiste à des soirées poétiques où futuristes et partisans d'une poésie plus composée en viennent aux coups. Les écoles sont innombrables, chacune se proclamant d'avant-garde. Les étiquettes russes ne recouvrent pas exactement les françaises. Ainsi Alexandre Blok et Anna Akhmatova passent pour « symbolistes ». Ainsi Gorki, maître de l'avant-garde et réaliste, tente d'attirer les deux écoles. Ainsi les « décadents » — qui ressembleraient davantage aux symbolistes de Paris — se battent à coups de poing et de vers contre les « voyous mal embouchés », les loqueteux, les *hooligans* du futurisme, qui se sentiront plus tard frères des Dada puis des surréalistes français. Mais surtout les poètes du Futur, dont Maïakovski, s'associaient aux théoriciens du formalisme [1]. Et ceux-ci étudiaient les « formes » littéraires dans leur évolution sociale, idéologique. Ossip et Viktor Chklovski se situent parmi eux.

Dès ses seize ans, l'élève de l'école d'architecture change de passion. La peinture et les monuments cèdent devant la poésie. Elle court les soirées. Au café, chez des particuliers ou, quand la température le permet, sur les places publiques, les futuristes — et d'autres — déclament devant la foule.

Or, dans ses *Souvenirs sur Maïakovski*, Elsa place sa rencontre avec celui-ci après la mort de son père. Maître Kagan mourra en 1915, Elsa a dix-neuf ans et c'est le moment où elle présentera Maïakovski à sa sœur.

En réalité, à cette époque, Elsa et Maïakovski se connaissent depuis deux ans. Elsa voudrait garder ses quinze ans : dans *Fraise*, elle se montre orpheline adolescente, soudain responsable d'une mère que le chagrin rend enfant. Lili raconte qu'après l'enterrement Elsa part avec elle — et la mère peut-être — à Saint-Pétersbourg.

La perte du père, présentée comme un choc majeur dans *Fraise*, resurgit dans le dernier roman d'Elsa. Aragon notera [2] que l'ultime récit semble corriger le premier. *Le Rossignol se tait à l'aube* raconte : « J'ai une chambre en ville, je n'y couche plus depuis que quelqu'un a écrit sur ma porte "putain"... Je ne suis pas une putain, mon Dieu, bien qu'il y ait trop d'hommes qui montent chez moi. » Sa mère lui téléphone dans la loge du concierge — elle n'a pas le téléphone —, demande d'amener une infirmière. Puis retéléphone pour dire que ce n'est plus la peine. Le concierge la regarde « comme pour me dire : c'est tout l'effet que cela te fait, tu ne comprends pas que ton père, il est mort ? Aucun effet, en vérité... Je

---

1. Qui ne se « manifestent » en tant que tels qu'après la guerre.
2. *Œuvres croisées.*

25

n'avais pas de cœur, je sentais bien que je n'en avais pas... »
Ses parents ne l'ont pas aimée, voilà.

De même, la première expérience érotique complète est,
dans *Fraise*, déguisée, travestie. Le héros devient un petit
brun. Impossible à confondre avec un géant en blouse jaune,
en lavallière, en haut-de-forme provocant, qui effare par ses
extravagances, sa désinvolture, ses excentricités. L'atmosphère, en revanche, ressemble à ses relations avec l'auteur
futur du *Nuage en pantalon*. Fraise trouve l'inconnu — lui dit-
elle — « *insolent* ». Il répond : « On ne trouve que ce qu'on
cherche. »

Quoi de plus maïakovskien ? Par la suite, l'homme vient la
prendre chez une amie qui « a un passé », qui a vécu... et
l'emmène en cabinet particulier. Comment ne pas prendre
sa revanche sur ce cabinet particulier où Lili a conclu son
mariage avec Ossip Brik ?

« Tout se passa ensuite comme il se doit. Tout cela était
pour Fraise-des-bois stupéfiant, impossible ! Mais un insupportable plaisir noya tous les détails »... Un insupportable
plaisir ? Elle se décrit sur les genoux de l'homme. Alors ? Ce
plaisir ? Elle attendait, « comme aux aguets, ce qui allait suivre et rendrait tout plus merveilleux encore ». Lui se
demande si elle est une enfant ou une femme et « l'ôte » de
ses genoux. Il la raccompagne, se demandant si « cette sale
gamine s'était moquée de lui ? ». De quoi est-il question ? De
la virginité qu'elle avait prétendu ne plus avoir ? En tout cas,
il se demande si « on veut lui faire le coup du mariage forcé ».
(Cela sonne inventé : nul n'est venu, dans ce cabinet particulier, les surprendre.)

Elle le sent « étranger » et, selon son mot préféré, « désagréable ». « Allons, tout est donc perdu, à présent... à présent
le pire est ce qu'il y a de mieux... A quoi bon s'apitoyer sur
soi quand tout a péri ? » Elle maigrit, n'ose plus embrasser
son amie de ses « lèvres souillées ». Elle évite l'initiateur un
certain temps. Mais parfois elle croit voir le « visage insolent »
sur le fond des rideaux rouges et alors elle pense « avec désespoir qu'une autre fois, que chaque autre fois ce serait aussi
honteusement merveilleux ».

Ainsi, Fraise a découvert son goût de l'homme... mais jusqu'où sont-ils, comme on dit, « allés » ? Des jeux « sur les
genoux » ?

Blouse jaune et haut-de-forme

Était-ce lui, ce « premier » du cabinet particulier ? En tout
cas il joue dans la vie d'Elsa, pendant longtemps, des rôles

26

alternés : le scandaleux, et celui qui construit votre fierté intérieure, l'invivable... et celui que vous arrache la plus proche, l'éternelle rivale.

Vladimir Maïakovski a trois ans de plus qu'Elsa, deux de moins que Lili. Il est né en juillet 1893. Fils d'un forestier mort prématurément, flanqué d'une mère qui confectionne ses blouses et ses cravates et de deux sœurs aînées qui l'admirent sans comprendre, il grandit — comme Aragon — au milieu de femmes qui l'idolâtrent, et dans la pauvreté (ici c'est la vraie). Sa mère, comme celle d'Aragon, prend des pensionnaires, mais ce ne sont pas de belles étrangères parfumées, ce sont des étudiants socialistes qui entraînent Vladimir dans le parti de Lénine. A quatorze ans, il se fait arrêter, libérer, reprendre. La prison, dit-il, lui donna les poètes étrangers, l'amour-rêve, et lui apprit qu'on peut être prêt à sacrifier tout au monde pour un rayon de soleil sur un mur.

Libéré, il se lie avec des poètes et peintres d'avant-garde (qui finiront presque tous émigrés en Occident) : comme Bourliouk ou les peintres Larionov et Natalia Gontcharova, célèbres aux USA à la fin du XXe siècle. Ces jeunes gens trouvent le roi des poètes russes, Alexandre Blok, trop « symboliste » : ils veulent écrire « concret » et « cubiste », par phrases-chocs créant des volumes et couleurs sonores, violents. Une écriture-coup-de-poing. Des images poétiques vrillées par marteau-piqueur. Les étiquettes françaises ne collent pas ici.

A trois, Maïakovski, Bourliouk, Kaminski parcourent l'empire des tsars, donnant des récitals-scandales intitulés « Une gifle au visage du goût public ». Ces récitals organisés par un imprésario les font survivre tant bien que mal.

En décembre 1913, au Luna-Park de Saint-Pétersbourg, Maïakovski se joue lui-même : *Vladimir Maïakovski, tragédie.* La scène ? Une rue pleine de toiles d'araignée. Le poète s'y dresse au milieu de marionnettes encadrées (et vivantes). Vladimir a pris des leçons de diction. Il abasourdit l'auditoire, et notamment Elsa, seize ans, qu'il appellera « Ellik ». Ainsi commencent ses rapports avec l'homme-typhon, édulcorés dans ses *Souvenirs* à l'usage de sa sœur.

Ossip — comme sa femme — ne lit pas Maïakovski, mais ils l'entendent à une soirée, voyou *sans manières* faisant le coup de poing contre les « décadents ». « Je défendais ses poèmes à en devenir aphone, comme les candidats pendant une campagne électorale », dit Elsa.

Maïakovski, sitôt qu'ils ont fait connaissance, l'excède au téléphone. Maître Kagan, déjà malade, a horreur des futuristes : il était d'une autre avant-garde, celle de Gorki plutôt. Elle sait que le poète sera mal reçu, mais que faire ? Un jour, il la rencontre dans la rue, en haut-de-forme et frac brodé, jouant avec une canne, de quoi épouvanter Dounia quand elle lui ouvre la porte. Pourtant, il s'impose, critiquant tout dans l'appartement. Elsa lui dit qu'elle a ses devoirs à finir, qu'il peut rester s'il se tient tranquille, et il reste, il scribouille sur des bouts de papier. Un autre jour, il dépose sa carte de visite, grande comme une affiche, que Mme Kagan lui retourne avec un mot : « Vous avez oublié votre enseigne chez nous »... Mais on avait pitié de lui.

Évoquant Brik et ses pareils qui font carrière simplement en traitant Maïakovski de voyou cynique, en se moquant de ses phrases-chocs : « le soleil me sert de monocle », ou « Moi et Napoléon », le poète hurle : « Édicter ? Je ne comprends pas, ce n'est pas un jugement. » Les masses paysannes ne pouvaient comprendre Pouchkine puisqu'elles ne savaient pas lire.

D'ailleurs la clé de la poésie, c'est la Voix. Un poème est fait pour être dit et non pas lu. D'où l'obsession de la Voix chez Elsa, qu'elle communiquera à Aragon. Elle, dans ses romans, se veut chanteuse ou comédienne. A la fin, *Le Rossignol se tait à l'aube*. Aragon dans *La Mise à mort* fait d'elle la plus célèbre cantatrice d'Europe. Quand il offrira, après la mort d'Elsa, quelques clés-« pilotis » de ses romans, Aragon dira que Maïakovski est travesti dans la Jenny de *Personne ne m'aime*; Elsa dira qu'il est l'historien mort du *Grand Jamais*.

Elsa fréquente donc Maïakovski à Moscou.

Pendant ce temps, dans son appartement de Saint-Pétersbourg, Lili se désennuie en affolant les hommes de Tsarskoïe Selo. Un jour, dans le train, un ventru étrange, bizarrement vêtu et les mains sales, s'est mis à lui faire la cour : c'était Raspoutine. Mais à ce flirt-là, Ossip a catégoriquement mis fin.

Lili vient à Moscou, chez les siens, à cause de la maladie du père, et critique Elsa : « Ce Maïakovski qui vient te voir... maman en pleure. »

Alors Ellik et Vladimir se sont vus ailleurs. Par exemple, à la Société de la libre esthétique, où le poète joue au billard et écrit des vers sur elle.

Elsa a dix-huit ans. C'est l'été 1914. Maïakovski écrit dans son *Journal* :

« *La guerre.* Je l'accueille avec émotion. Tout d'abord, son côté décoratif, ses bruits. Poème : *La guerre est déclarée*. Je dessine des affiches qui me sont commandées. »

« *Août.* Première bataille. La guerre apparaît dans toute son horreur. La guerre est ignoble. L'arrière l'est encore plus. Pour dire la guerre, il faut l'avoir vue. Je m'engage comme volontaire. On me refuse. Manque de garanties politiques. »

Elsa écrit : « Les mots "guerre" et "révolution" se glissèrent hors des manuels d'histoire, se secouèrent, se donnèrent un coup de neuf et retrouvèrent leur taille naturelle. C'est comme si on avait réveillé brusquement Fraise et que tout ce qu'il y avait dans son sommeil se fût révélé une terrible réalité. Le "danger de vivre"... »

Ainsi ses peurs prennent corps. Par centaines de milliers des hommes partent vers le front oriental. D'autres sont envoyés dans des pays dont le nom même leur est inconnu : France, Belgique, contre un ennemi mythique : l'Allemagne.

« La vie bien tiède de Fraise-des-bois se fondit dans les vies épouvantables des autres. »

Autour d'elle, tous ne parlaient que de l'inévitable Révolution.

Au printemps de 1915, la famille s'installe dans une maison de campagne à Malakhova, autour du père malade.

Maïakovski vient voir Elsa. « Dans l'obscurité, sa voix qui ne s'adressait pas à moi glissait des vers au long des palissades. J'étais habituée à ce que Volodia crée ses vers sans arrêt quand il était avec moi, tantôt tout haut, tantôt en lui-même. Je n'avais jamais prêté attention au fait qu'il était poète mais soudain, dans ce soir de Malakhova, je me suis réveillée... soudain, j'ai entendu ces mots prononcés tout bas :

> *Écoutez !*
> *Puisqu'on allume les étoiles,*
> *C'est qu'elles sont à quelqu'un nécessaires ?*
> *C'est que quelqu'un désire qu'elles soient ?*

« Je me suis arrêtée ; excitée, j'ai demandé : *De qui sont ces vers ? — Ah tu les aimes ! Tu vois bien !*" dit Volodia, triomphant. Nous avons continué à marcher et puis nous nous sommes assis quelque part sur un banc bas sous le ciel plein d'étoiles et pendant longtemps Maïakovski me récita ses vers. *Ce soir-là s'est allumé en moi un sentiment de crainte merveilleux, énorme, infini et la plus fidèle des amitiés. En un instant, j'ai su avec clarté et simplicité que je pouvais rencontrer Maïakovski en secret et sans le moindre remords. Je me suis mise à partir à Moscou, dans notre appartement qui sentait l'antimite avec ses tapis roulés, ses deux grands pianos sous leur housse ; semblables à des chevaux caparaçonnés.* »

Ellik sait tout des amours dispersées, éternellement instantanées, du poète. Qu'il aille parler à Odessa et il tombe à jamais amoureux de Maria. A Moscou, il présente Ellik à Sonia, sa maîtresse en titre et à Tonia, étudiante en art.

Jamais Elsa n'est citée dans les poèmes ; toutes les autres le sont... C'est qu'elle dure. C'est qu'elle est à part. C'est qu'elle est « pour toujours ». C'est ce qu'elle a besoin de croire, celle qu'il surnomme tendrement son « porcelet gris ». Elle le trouve « gigantesque, incompréhensible et insolent ».

Les autres, on les voit passer dans *Le Treizième Apôtre*, long poème-roman dont il change le titre dans un compartiment de chemin de fer. Il y « drague » une jeune personne terrifiée : « N'ayez donc pas peur, madame, je ne suis pas un homme, je suis un nuage en pantalon. »

Voilà. Il le tient, son titre : *Un nuage en pantalon.*

La conquérante

Lili Brik avait aperçu Maïakovski un soir d'été, à la datcha. Précédé de la lueur de sa cigarette, il surgit d'un bosquet et sa voix profonde dit : « Ellitchka, allons nous promener. » Elsa s'était levée et l'avait suivi sans un mot. Ils sont revenus beaucoup plus tard. Lili était restée à les attendre sur le banc, n'osant rentrer sans Elsa pour ne pas inquiéter la famille. (Tout ce récit est ahurissant : les deux sœurs jouissaient d'une grande liberté et Mme Kagan n'avait rien d'une mère poule...) Enfin les voilà : sa sœur arrivait à peine à l'épaule de l'homme qu'elle présente. Lili trouve belle la voix de Maïakovski... Elsa dit : « Tu vois, je t'avais dit qu'elle serait furieuse. » Il disparut, tenant toujours sa cigarette.

En juillet 1915, après la mort du père, Elsa entre dans un deuil difficile. Oubliées les querelles qui l'avaient constamment opposée à l'avocat ; elle se fabrique un père mythique.

Maïakovski séjournait près d'un ami à Petrograd. Il vient de faire la connaissance de Gorki, qui lui prédit un avenir difficile. Le futuriste répond que l'avenir, il le veut tout de suite. Sans joie, il n'a pas besoin d'avenir et, de joie, il n'en ressent pas. Gorki était déjà le maître de l'avant-garde révolutionnaire. Il avait entendu le poète au Chien errant, café littéraire, et l'avait cité avec éloge dans un article sur le futurisme.

A « Piter [1] », comme à Moscou, les intellectuels s'entre-déchirent à propos d'esthétique, de politique et le plus souvent des deux. Libertaires, anarchistes, socialistes-révolutionnaires s'opposent aux partisans de la social-démocratie. Ceux-là mêmes se divisent en « mencheviks » qui croient aux réfor-

---

1. Nom familier de Petrograd.

mes de structure et en « bolcheviks » (majoritaires à un seul congrès, mais déterminant) qui ne croient qu'en la révolution. Ils se groupent autour de Lénine, Trotski, Zinoviev, en pensée — car leurs chefs se trouvent à l'étranger. Ils exaltent la violence et la dictature du prolétariat. Volodia Maïakovski les dépasse d'une tête et les approuve en hurlant.

Parfois, on se bat au seul nom de la poésie [1]. Les nuits passent, enfumées, entre le samovar et la vodka. La réunion se mue en « quelque chose comme un combat de boxe ». On hurle, on siffle. Maïakovski vomit des insultes.

Un autre soir, à la salle de l'École polytechnique, on procède à l'élection du « roi des poètes » sous la présidence de Balmont. Elsa tremble d'excitation. On élit un pâle versificateur. Hurlements de Maïakovski. « Regardez-moi cette gueule de cuite ! Et ça ose se nommer poète ! Le roi des poètes, c'est moi ! » Lili, à cette soirée, l'avait trouvé insupportable.

Elsa admire le courage de s'avancer ainsi devant une foule hostile, comme dans ces cauchemars où on se voit avec sa robe mal boutonnée et disant le contraire de ce qu'on veut !... Plus tard, quelqu'un lui demandera si pour un prix fabuleux elle consentirait à vivre pendant huit jours derrière une vitre, poursuivant ses petites habitudes livrée aux spectateurs. Elle a répondu que ce serait pour elle l'enfer... Toujours, nous trouverons ce besoin de nid secret, d'intimité inviolée, que l'enfant manifestait en se cachant sous les lits. Le grand cri contre la solitude est contredit par le refus de trop s'exposer, et le désir d'être acclamée par la crainte des foules.

Les poètes de Moscou et de Petrograd ignoraient qu'en Suisse, dans un cabaret, à Zurich, un groupe de jeunes gens en colère décidait la révolution du langage et des mœurs. Parmi eux, un petit Roumain excentrique et monoclé, propulsé par un feu intérieur qui lui faisait disloquer sa langue de culture, le français, baptisait le groupe Dada et lui-même Tristan Tzara.

Elsa, en 1915, se trouve donc à Petrograd. Un soir, raconte Lili, Maïakovski vient chercher son amie chez les Brik, mais Lili est seule. Elle est en grand deuil de son père... avec ses longs cheveux roux, et cette peau comme allumée de l'intérieur, et ces yeux phosphorescents. Maïakovski a jeté : « Vous êtes devenue catastrophiquement maigre... »

(Comment ne pas penser à la phrase d'entrée de l'*Aurélien* d'Aragon, histoire d'un don juan qui tombe soudain dans l'amour éperdu : « La première fois qu'Aurélien rencontra

---

1. Ce sont les « Années d'argent » des acméistes avec Goumilev, Akhmatova, et des futuristes. La poésie est dominée par Alexandre Blok.

Bérénice, il la trouva franchement laide »... Longtemps, Aragon sera hanté par Maïakovski. Il ne pouvait ignorer cette première rencontre : Lili Brik adorait son beau-frère[1] et adorait raconter.)

Lili, elle, trouva « catastrophiques » les manières de Maïakovski. Il lui affirma que seuls Anna Akhmatova et lui écrivaient de la vraie poésie en Russie. Cette phrase prend son poids quand on pense au mépris haineux des Brik pour Anna Akhmatova quand elle tombera en disgrâce. Elsa dira : « Peuh, c'est une sorte de comtesse de Noailles russe »... au temps où ce merveilleux poète femme n'aura pas de quoi vivre, tous les siens étant arrêtés et elle jamais publiée. Mais nous sommes en 1915, vingt-cinq ans plus tôt. Maïakovski a tendu à Lili une brochure qu'elle lui rend, l'ayant lue, sans un mot. « Vous n'aimez pas ? — Pas particulièrement. »

Il est parti. La semaine suivante, Elsa l'amène pour le thé. C'était le 15 juillet 1915. Maïakovski écrira : « Ce fut le jour le plus joyeux de ma vie. »

Cet homme en blouse faussement paysanne, ce gigantesque excentrique qui jouait ses poèmes, ses déclarations, sa vie entière, avait vraiment l'air de Gulliver chez les Lilliputiens dans le trois-pièces minuscule, tout en haut d'un vieil immeuble, près de la perspective Nevski, ces Champs-Élysées de Saint-Pétersbourg.

Une salle à manger, un salon qu'un immense sofa et un piano remplissaient, plus une chambre aux lits jumeaux. Au mur, une grande peinture montrait Lili dans l'herbe au soleil couchant. Le « modern'staïle » et l'avant-garde voisinaient : des éventails japonais, des coussins de soie, quelques beaux dessins. Lili a toujours gardé le goût de ce que les Viennois baptisaient le « kitsch » et les Parisiens le « style concierge » (bref, le dernier chic en notre fin de siècle).

Dans la « grande » pièce (très modeste), la table était mise pour le thé, avec samovar, confitures et gâteaux. Le géant trouve à peine la place de se glisser et, adossé au mur, s'est mis à réciter ses vers sans que personne l'en ait prié, profitant du premier silence... Il était venu pour « se produire », rien n'aurait pu l'en détourner. Lili n'oubliera jamais sa voix disant :

> *Vous croyez que je délire de fièvre ?*

Il lisait à sa manière. Du théâtre. Cet homme jouait, mais c'est sa vie qu'il jouait.

Et soudain il s'est tu, s'est penché sur Lili et a demandé

---

1. Elle l'avait baptisé « Aragocha ».

une tasse de thé. Puis il a dit que personne ne se risquait à publier ce poème en entier et Ossip Brik dans un élan demanda combien coûterait l'impression.

Les dés étaient jetés de cet amour à trois. L'amour moral admet d'insolites combinaisons. Maïakovski a cette magie de provoquer des passions au-delà de la chair. Bourliouk, Ossip Brik, Pasternak, bien d'autres étaient électrisés, dominés par lui. Au début, avec Elsa, ce fut un amour à quatre. Elsa écrira :

« Je pense que ce même soir les destins de ceux qui écoutaient le *Nuage en pantalon* étaient scellés. Le poème a mis les Brik en transe. Ils sont tombés amoureux de ces vers, sans réserve. Et Maïakovski est tombé amoureux de Lili Brik, sans réserve. »

Comme plus tard pour Elsa et Aragon, il y a pour le couple Lili-Maïakovski une rencontre « officielle », celle de la légende, le 15 juillet 1915, et une première rencontre, ou plutôt « des » premières rencontres où ils s'étaient « passionnément » déplu...

Depuis son mariage, la vie de Lili flottait. Plus d'amour charnel avec Ossip... Des hommes ? Elle dit : « Des flirts, sans plus »... On sait qu'au moins une fois, il y eut plus. Et pourquoi cette femme au long cou, cette rousse flexible au grand rire, aux yeux de flamme, se serait-elle abstenue d'aimer ? Elle dira si souvent plus tard qu'elle a connu « des hommes magnifiques ».

Ce mois de leur première rencontre, Ossip devient éditeur et promet à Maïakovski cinquante kopecks par ligne « pour toujours ».

Peu après, le salon est plein, comme d'ordinaire, Volodia et Lili sont assis sur la fenêtre, cachés par les doubles rideaux, et il s'est mis à lui caresser les jambes, et elle a promis de le rejoindre le lendemain.

Dès novembre, tout en gardant sa chambre, il reçoit son courrier et ses amis chez les Brik. Parmi ces amis, il y avait Viktor Chklovski. Chklovski soutient qu'en littérature les formes nouvelles naissent non pour présenter un contenu nouveau, mais parce que la forme ancienne a perdu sa valeur littéraire. Chklovski est râblé, musclé, coléreux, émotif. Il tombe amoureux d'Elsa au premier regard.

Elsa est repartie pour Moscou. Le 19 décembre 1916, elle reçoit une lettre :

« Chère et douce Ellik. Viens vite. Excuse-moi de ne pas avoir écrit. Tout ça ne sont que des bêtises. Tu es pour le moment, je crois, la seule personne à qui je pense avec amour et tendresse. Je t'embrasse très fort. Volodia.

« P.S. : Mes nerfs ne tiennent déjà plus sur leurs jambes. »
Elle prend le train de nuit pour Petrograd. Avant même
d'aller chez sa sœur, elle court vers la chambre meublée sinis-
tre. Terreux, il a bu, il boit, la reçoit distraitement... Pourquoi
est-elle venue ? Il marche de long en large...

(Étrange constante : Aragon ne boit pas mais il marchera,
lui aussi, inlassablement de long en large.)

« Au bout de quelques heures, je me sentais prête à
hurler », avoue Elsa. D'ailleurs on l'attend, dehors... Elle le
dit. Maïakovski entre dans une rage démente. Elle aussi est
comme possédée :

« J'aurais préféré mourir plutôt que de ne pas partir. »

« Allez au diable, toi et ta sœur ! » Elle s'enfuit. Il la rattrape
dans l'escalier : « Pardon, madame ! »

Elle avait dit vrai : un traîneau attendait Elsa devant la
porte, avec dedans le peintre Alexandre Koslinski. La laisser
partir avec un autre ? Maïakovski s'impose et leur fait passer
une soirée infernale, persécutant le peintre... Un cauchemar.

Elsa rentre chez sa sœur, jurant de ne jamais revoir ce fou
furieux. Mais déjà Lili exerce sur le poète indomptable un
empire assez fort pour l'obliger aux excuses.

Maïakovski a lu *La Guerre et l'Univers* chez les Brik. L'amoureux transi d'Elsa, Viktor Chklovski, sanglotait la tête sur le
piano. C'est lui ce « Ch. » de *Fraise des bois* à qui elle trouve
tous les défauts, parce qu'il l'aime... et qui ne peut s'arrêter
de l'aimer.

Pourtant l'amour de Viktor Chklovski pouvait la flatter. Dès
1916, à l'intérieur d'un groupe qui veut rénover les critères
de l'art, il proclame la nécessité, pour porter un regard neuf
sur les objets, les êtres, de s'en éloigner, de gommer la rou-
tine. Les mettre à distance. Lui baptise sa méthode « l'estran-
gement », nous dirions « l'étrangéité » (peut-être). Son ami
Tretiakov en parlera à Brecht qui adoptera la manière et la
nommera « distanciation »... Le mot fera des ravages dans le
spectacle international, une génération plus tard. Chklovski,
en 1929, écrira une œuvre originale sur Tolstoï. Dans sa vieillesse [1], il dira que Picasso peint un objet en tournant autour,
le montrant sous tous les angles à la fois. Que *Crime et Châtiment* est un grand roman parce que Dostoïevski s'y montre
contradictoire : c'est qu'il avait d'abord voulu écrire l'histoire
d'un ivrogne, puis celle d'un misérable tuant pour voler,
enfin celle d'un jeune homme tuant pour savoir s'il en est
capable...

---

1. Voir *Vladimir Pozner se souvient de...* (Julliard, 1972).

Maïakovski, Pasternak, tous les amoureux de Lili trouvaient Chklovski novateur, original, admirable...

Mais Elsa n'aime pas le genre musclé-viril. Nous dirions les « airs macho ».

Dernier réveillon d'ancien régime

Le 31 décembre 1916, les Brik déguisent leur appartement. Les murs sont tendus de draps blancs. On a suspendu un sapin la tête en bas : les bougies y brillent comme sur un lustre. On l'a orné de toutes les verroteries que les sœurs ont pu trouver et de cheveux d'ange. On a acheté des boucliers-jouets et on y a fixé des bougies. Le jeu c'était que rien ne se ressemble. Détourner. Travestir. C'est du futurisme. A Paris, dix ans plus tard, on nommera surréalisme ce contre-emploi de tout objet.

Maïakovski arrive peint en blanc ainsi que Vassili Kaminski, son copain très blond aux yeux bleus. Ils se sont mis une cuillère à la boutonnière. Bourliouk, le troisième inséparable, en redingote et face-à-main, révèle « sa vraie nature de bourgeois romantique ». Chklovski, en marin, s'est collé des boucles noires (il commence déjà à perdre ses cheveux).

On est assis en rang d'oignons, le dos au mur tant la salle à manger est petite. La servante tend les plats, qu'il faut saisir et faire glisser à ses voisins.

Vassia Kaminski tombe amoureux d'Elsa et la demande en mariage. Il parle de ses propriétés dans l'Oural. Maïakovski hurle : « Dans l'Oural ? Ses propriétés ? Tout ce qu'il y possède c'est une fleur, une toute petite fleur. » Vassia rit de sa « bouche moelleuse de menteur ». Il ne demande pas à être cru. Il rejoindra Elsa à Moscou. La bande compte aussi un ingénieur polonais cosmopolite, S..., qui finira plus tard directeur d'une grande usine soviétique. Il est snob, chauvissant, élégant et pudique dans ses sentiments. Lui aussi se déclarera amoureux d'Elsa mais plus tard, à l'étranger, à Berlin ou à Paris. Elle s'apercevra qu'« on ne peut pas compter sur lui ».

Un an avant les événements, tous les poètes, Alexandre Blok le « classique symboliste », Serge Essenine « l'Imaginaire », lyrique et rustique, ou Maïakovski le futuriste, prédisaient le grand bouleversement. Blok écrira *Les Douze* avant de mourir, déçu, en 1921.

> *Portant la couronne d'épines des révolutions*
> *S'avance l'an Mil neuf cent seize*

RÉVOLUTION, le mot revient partout, dans les groupes qui se

forment autour des soldats mutilés ou dans le salon des Brik. Bientôt le couple déménage dans un très grand appartement du même immeuble où Maïakovski cette fois a son domicile, tout en conservant l'affreuse chambre où Elsa l'avait vu.

Le froid intense en cet hiver 1917 n'empêche ni les attroupements ni les défilés.

Rien de chaotique comme la marche des femmes du 8 mars, une marche de la faim qu'aucun groupement politique n'avait organisée. Trois jours après, les mutineries commencent. Le Parlement, la Douma, se scinde. Les plus à gauche forment un conseil, un soviet.

Chez les Brik, amis mencheviks et amis bolcheviks s'affrontent. Lénine est rentré, puis s'exile en Finlande tandis que des conseils se forment partout. Les paysans venus chercher du travail dans les villes, les soldats déserteurs ou blessés, les affamés veulent un changement... sans savoir lequel. Dans les rues gelées, tous marchent et courent vers tout lieu où quelqu'un parle d'avenir.

Le chef du gouvernement provisoire, Kerenski, avocat libéral, éloquent, d'idéologie « humaniste » comme il disait, ne pouvait gagner contre des révolutionnaires déterminés. Il tentait de poursuivre la guerre, d'obtenir l'appui des Alliés.

Puis vint octobre 1917 (ou plutôt, selon le calendrier russe, novembre)... Ce qui restera dans l'histoire sous le nom de révolution d'Octobre a pour symbole cet acte fou : la prise du palais d'Hiver où se tenait le gouvernement. Le coup d'État était si risqué que les compagnons de Lénine les plus éprouvés le déconseillaient... Mais il réussit.

Fini, Kerenski. Finis les essais de conciliation d'Avksentiev. Tout avait eu lieu. Le soviet de Petrograd siégeait au palais Smolny et gouvernait. Le mercredi 7 novembre 1917 la « révolution d'Octobre » était faite. « Tout le Pouvoir aux Soviets ! Paix, Pain, Terre ! »

Maïakovski courait partout où « ça tirait ». Lili trouvait les fusillades moins attirantes et Chklovski cherchait son ami. Bientôt l'état-major du poète s'est tenu au café Le Chien errant. Le crâne presque rasé, hurlant, éclatant, sautant, courant, gesticulant, Maïakovski trouva dans cette révolution son océan nourricier. Il partait en guerre, comme toujours, jusqu'à l'absurde. Au commissariat des Arts qui voulait conserver les trésors nationaux, il criait qu'il fallait les détruire. Faire table rase... sinon pas de progrès.

Sans craindre les contradictions, il interdisait aux politiques de se mêler d'art et de poésie.

Par Lili, la petite sœur de Moscou, elle-même prise par le tumulte, apprenait tous ces excès.

Bien avant que le nouveau gouvernement ait décidé de transporter la capitale de l'État socialiste au siège des vieux tsars absolus, le poète débarqua dans la ville en rumeur où les soviets siégeaient partout, y compris à l'école d'architecture d'Elsa.

Révolution au jour le jour

Elsa et Mme Kagan, Elsa surtout, participaient à l'excitation générale... mais quand il fait -30°, le chauffage devient aussi préoccupant que l'avenir du prolétariat. Les rues se transformaient en congères où les enfants s'exerçaient au « ski sauvage », glissant sur des planches. Elsa s'informait des lieux où l'on pouvait trouver des pommes de terre. Déterrer des tubercules, gelés ou pas... mais où trouver des sacs ? et des véhicules [1]...

Viktor Chklovski, toujours Elsa au cœur, vint à Moscou. Il savait conduire, qualité rare chez un intellectuel russe de 1917, il avait même été instructeur de conduite automobile dans l'armée et y avait gardé des amis. Viktor, en dehors de l'écriture et de la linguistique, avait des muscles de lutteur de foire : il pouvait plier un sou de métal d'une seule main. Il apportait du bois et des pommes de terre chez les Kagan, sans espoir de récompense. Elsa l'embrassait, était tendre, l'écoutait... et soupirait qu'elle ne pouvait l'aimer d'amour. Ce jeu durera sept ans.

Elsa trouvait la vie excitante : beaucoup d'hommes la comblaient de déclarations, ceux du moins qui ne connaissaient pas Lili. Lili avait pris Volodia. Les autres hommes « intéressants », amoureux ou non, parlaient de la grande sœur. Lili et Maïakovski, c'était le sujet de conversation favori de ce camarade d'enfance retrouvé, Boris Pasternak. Les artistes d'avant-garde, Chklovski en tête, admiraient les écrits et le caractère de cet être de bonté et d'orage. « Pasternak est un homme heureux. Il ne sera jamais aigri. Il doit vivre toujours aimé, choyé et grand », disait Viktor.

Au Café des poètes, rue Nasstassinski, à Moscou, sous les graffiti provocants du style : « J'aime voir mourir des enfants », Pasternak, « jeune, sain, moderne », dit Ehrenbourg, écoute Maïakovski. Hypnotisé... Pasternak avait fait le voyage de Pétersbourg pour rejoindre Volodia. Quand il revoit Elsa, au Café des poètes, il lui parle du lien merveilleux qui unit Volodia et Lili. Ce n'est pas seulement la « complicité

---

1. Voir *Le Roman de Marina*, ouvr. cité.

des corps », dit-il, c'est une « amitié naturelle » qui ne peut plus se délier, une communauté... Elsa sourit : oui, Lili est une magicienne. Pasternak avoue qu'il « adore, idolâtre » Maïakovski... Bien sûr, cette passion poétique est pleine de tempêtes.

Au Café des poètes, chacun prenait parti pour l'un ou l'autre. Un journaliste, écrivain, poète parfois, un nomade, Parisien d'adoption, Ehrenbourg, dit Ilya l'Ébouriffé, préférait Pasternak à Maïakovski. Maigre, agile, la chevelure en toison, le nez long, l'œil vert étroit, la repartie coupante.

Ehrenbourg, oiseau volage, trouvait que Pasternak « n'avait pas le sens de l'Histoire ». Chklovski s'enflammait : « Si, il l'a. Mais pour lui l'Histoire, ce ne sont pas ces politiques qui avalent un sandwich à la Maison de la presse en discourant. »

Pasternak n'aimait pas *La Guerre et l'Univers* que Maïakovski lui avait récité en se rasant, un matin, Volodia devrait bien envoyer tout ce futurisme au diable. Maïakovski a ri.

Mais déjà le milieu littéraire reproche à Pasternak de ne pas comprendre la Révolution. « Il entendait battre un cœur et pousser l'herbe, mais il n'a pas su distinguer le bruit du siècle en marche », écrira Ehrenbourg quarante ans plus tard, quand Pasternak sera devenu l'auteur du *Docteur Jivago*. Pasternak affirma toujours qu'un poète ne doit pas se lier à l'État.

Elsa non plus ne comprend pas la Révolution : elle en subit de trop près les conséquences. Les grands moments historiques sont, surtout quand on les vit sans agir, des heures difficiles. C'est après que l'on sent les ailes de l'Histoire.

Elsa assistait avec ferveur aux joutes du Café des poètes, salle sombre au plancher couvert de sciure de bois. Au fond, sur une estrade, les futuristes se produisaient et touchaient un cachet à minuit.

L'ami de Volodia, Bourliouk, poudré et maniant un face-à-main avec grâce, prononçait sur l'estrade :

« Il me plairait de voir un homme enceint ! » Bourliouk jouait chez les futuristes russes le rôle que jouera, chez les surréalistes français, Jacques Rigaut (le futur personnage du *Feu follet* de Drieu La Rochelle) : peu d'œuvres, mais le sens du moment insolite, du « happening ». Bourliouk se peint une rose sur la joue [1]. Il joue aussi l'Archer-cyclope. Un de ses camarades a montré au Café des poètes « sa propre statue » en s'exhibant, nu et doré, sur l'estrade. Le « living art », l'art du geste, était inventé. On les imitera, ces Inimitables, un demi-siècle plus tard, en Occident.

---

1. Mode lancée avant guerre par Natalia Gontcharova, peintre.

Un soir, le commissaire à l'Instruction, un homme d'une exceptionnelle largeur d'esprit, Anatole Lounatcharski, est venu au Café. Discret, il s'est assis au fond. Maïakovski l'assaille de hurlements contre les classiques dont il faut faire « table rase ». Il le prend à partie : Que le camarade commissaire répète donc en public ce qu'il avait dit des vers du poète. Lounatcharski, enlevant son lorgnon et lissant sa barbe, dit d'une voix douce combien il aime le talent de Maïakovski, mais critique la position des futuristes sur l'art.

D'autres fois, le poète lisait tout haut les lettres de ses critiques et ses réponses. « Vos vers ne réchauffent pas, ni ne font chavirer, ni ne sont contagieux », écrit une lectrice. « Je ne suis ni un poêle, ni la mer, ni la peste. »

Fuir, là-bas, fuir...

Oui, à certaines heures, Elsa s'amuse et à d'autres elle désespère, et de toute son énergie se fixe un nouveau but : partir.

Ici, les hommes qui l'intéressent ne s'intéressent pas à elle. Et elle n'en peut plus des exigences de Maïakovski que rien ne justifie. Elle n'est que « la petite sœur » de Lili. Mais lui se prétend maître de son temps, de ses pensées. Sans rien donner en échange. Partir pour toujours ? Non, seulement le temps que les choses s'arrangent. Quoi ? La Révolution dans laquelle Maïakovski nage comme dans son élément ? Ossip, converti au bolchevisme, s'efforce d'en adopter et d'en exprimer les théories. Il a trouvé sa place dans des revues, des comités. Chklovski croit à la Révolution, non sans en souffrir. Elsa rêve des pays où la faim, les engelures, les épidémies sont pour « les autres ».

Elle fréquente les rares étrangers de Moscou, les Français surtout, puisque leur langue est sienne depuis l'enfance. Les membres de la Mission française. Le capitaine Jacques Sadoul aux yeux bleus, à la galanterie fleurie, et ceux qui l'entourent. La Mission espérait dissuader les bolcheviks de signer une paix avec l'Allemagne. Mais le capitaine Sadoul, le lieutenant Pascal et le soldat Robert Petit, entre autres, avaient été à l'inverse convaincus par Lénine. Ils fondèrent un Groupe communiste français avec les compatriotes qu'ils avaient trouvés en Russie : des gouvernantes, comme Suzanne Girault, véhémente, ardente, ou Jeanne Labourbe au courage de martyre. Cette section française de la Troisième Internationale en formation se réunit dans une petite maison de bois où il fait à peu près chaud. Ils parlent de l'Internationale future dont le premier congrès se tiendra en 1919 et qui, dans l'esprit de ses fondateurs, doit embraser le monde sitôt la paix revenue. Et on sait tout, ici, mystérieusement, sur les mutineries qui éclatent en France comme en Allemagne et sur leur répression...

En 1946, je (l'auteur de ce livre) connaîtrai Jacques Sadoul et Robert Petit, ainsi d'ailleurs que Suzanne Girault (elle, le PCF la tenait à l'écart : elle jurait dans le tableau du Parti aux couleurs de la France, son fils étant membre des services secrets soviétiques). Sadoul et Petit évoquaient les années révolutionnaires comme on chante son amour suprême. D'avoir les oreilles, les orteils, le nez gelés leur semblait le prix inéluctable d'un éternel printemps des peuples, d'un dégel définitif. Gonflés de farine de gruau sans lait ni beurre, un morceau de savon leur paraissait un luxe quasi décadent et le tabac une volupté. « On peut très bien vivre en avant de soi », assurait Robert Petit en citant Louise Michel. Il se rappelait Lili Brik, au pied des tribunes où tonitruait Maïakovski. Il avait souvent parlé avec Ella, sa jeune sœur, si réservée, si touchée de tout compliment, riant d'un air confus. C'est lui qui riait, en 1946, de penser que cette petite fille modèle du Moscou révolutionnaire était devenue la Dame de Pique des intellectuels du Comité national des écrivains. « Mais tu sais, me disait-il, elle avait le visage arrondi, les cheveux mousseux et la voix musicale... et dès qu'on mettait un disque sur le phono... hop ! elle était partie à danser... »

Jacques Sadoul, marié en France, a rencontré ici une amie. Elsa, que l'Internationale ennuie, remarque un autre Français d'une autre mission. Très élégant, assez drôle et qui semble sensible à son charme.

André Triolet

Toujours soigné, cet officier affiche deux passions : les femmes et les chevaux. Il porte un nom qui dans le dictionnaire — Elsa le découvre avec ravissement — désigne à la fois une plante, une mesure de musique et une forme de poésie. Triolet. Un nom qui chante... André, fils de Pierre. Du coup Elsa l'appelle par son patronyme : Petrovitch. Elle le nommera toujours ainsi. Il est célibataire...

Où l'a-t-elle rencontré ? Chez Jacques Sadoul, au Café des poètes, chez des amis ? En prologue à son premier roman français, *Bonsoir, Thérèse*, publié en 1938, Elsa écrit : « Un jour, vous vous êtes attardé au café, ou vous êtes allé à pied au lieu de prendre un tramway, et voilà, votre vie continue tout de travers. » L'a-t-elle connu ou revu dans la rue ?

Triolet lui explique comment il s'est glissé dans cette mission, lui qui parle un anglais parfait mais pas un mot de russe : pour tenter de fuir la guerre... Ils étaient chargés d'éviter l'inévitable : ce que Lénine lui-même appelle « la honte nécessaire ». Mais le traité de paix séparée était signé à Brest-Litovsk avant que la mission n'arrive.

Triolet ne partage pas la foi de Jacques Sadoul mais juge absurdes les gens de l'ambassade qui espèrent l'écroulement des soviets. D'ailleurs, fils de propriétaires de terres et d'immeubles, il trouve la réforme agraire en Russie inéluctable et bénéfique, et les généraux alliés d'une rare médiocrité. A vrai dire, la stratégie amoureuse le passionne plus que la politique.

Maïakovski était à Moscou sans Lili, se racontant qu'il voulait faire du cinéma, comme acteur. Elsa traduit les édits d'élégance de Triolet au dandy gigantesque qui soupire : « Va-t'en donc imiter un Parisien ! »

A Elsa aussi Triolet donne des conseils de toilette. Elle, assise devant sa coiffeuse, regarde son visage rond et commence à tenter des modifications. Il la photographie, enfantine et rêveuse, devant ses flacons, ses poudriers et un petit singe fétiche en peluche.

Soixante ans après, des hommes qui ont connu André Triolet admirent encore ses leçons de tenue et de conquête. Grand pêcheur, grand cavalier, grand navigateur à voile, il aimait par-dessus tout ce qu'il nommait « la piste » et que nous appelons la « drague ». Suivre une femme dans une rue élégante. L'aborder devant la vitrine la plus attrayante, lui demander ce qu'elle vous permet de lui donner...

A Moscou, en 1917, les vitrines offrent peu de ressources. De plus, Eisa Kagan sortait du cadre des femmes vite enjôlées, vite oubliées. Est-ce l'atmosphère de la Révolution ? Il tombe amoureux.

Le blond doré des longs cheveux, tressés ou roulés, le teint laiteux taché de roux, qu'elle soit si petite, qu'elle ait de beaux seins et les mains et les pieds si fins, si menus... et ces jambes galbées, entrevues, tout le ravit. En homme de cheval, il la trouve « racée ». Il s'amuse du goût qu'elle a pour les objets, bibelots, écharpes, bijoux. Il l'imagine lâchée dans le faubourg Saint-Honoré. Au marché noir qui se tient dans les portes cochères ou dans les buvettes, il lui trouve des houppes en cygne pour sa poudre, de l'eau de Cologne pour ses flacons. Ce collectionneur s'aperçoit que les yeux d'Elsa, si prompts à passer du gris opaque au pervenche éclatant, savent distinguer la qualité d'une toile, d'une statue, d'un objet.

Elsa est éblouie par Triolet. L'a-t-elle aimé ? Il disait son amour, le prouvait, et il avait ce pouvoir magique : la faire sortir... lui obtenir un passeport avec des visas. Mais pour le moment, elle est encore Elsa Kagan et part avec sa mère — du moins jusqu'à Stockholm.

La guerre n'est pas finie. Nous sommes le 4 juillet 1918. Elsa et sa mère, avant d'embarquer à Petrograd, cherchent Lili, enfuie avec Maïakovski dans un hôtel, à la campagne, à Levashova pour fuir la famine et le choléra. Curieusement, d'après Lili — et ses biographes — Mme Kagan fut choquée que sa fille vive seule avec son amant. C'est en tout cas un trait de la légende familiale.

Elsa trouve sa sœur étendue dans une chambre, très hâlée. Volodia marche de long en large. La cadette sent que les rapports des amants passionnés ont changé. Bientôt, ils se sépareront pour six mois.

Lili revient pour accompagner sa mère et sa sœur au bateau. A Petrograd, les gens tombent dans le tram, dans la rue, se tordent dans les douleurs du choléra.

Elsa raconte à sa sœur que Roman Jakobson (Alek) a mal pris son départ. Elle lui a dit non pas : « Je pars pour me marier », mais : « Je me marie et je pars dans quelques semaines ». Il l'accuse de chercher « une vie sans aspérités ». Elle répond distraitement : « Pourquoi vous fâcher ? » Il commet quatre vers :

> *Entre toi et moi soit dit*
> *Que de tout mon cœur je t'aime*
> *Si tu pars pour Tahiti*
> *Ma douleur sera extrême*[1].

La dernière image de la patrie sera celle de Lili, dressée sur la pointe de ses pieds d'enfant. Près d'elle se liquéfient des fruits que le choléra rend vénéneux. Elle tend vers sa sœur un paquet de sandwiches à la viande...

A Stockholm, les vitrines des pâtisseries lui donnent la nausée : elle ne peut chasser l'image de Lili, tendant son paquet, et si belle.

Les années de sa passion, Maïakovski les a célébrées :

> *ni trop*
> *nourries*

_____

1. Ces vers traduits par Vladimir Pozner ont été « reconnus » par Roman Jakobson. Elsa les a publiés dans *Fraise des bois*.

43

> *ni trop*
> > *affamées (...)*
> *si*
> > *jamais*
> > > *j'ai dit*
> > > > *mot qui vaille,*
> *c'est la faute*
> > *aux yeux-cieux,*
> *les yeux*
> > *de ma bien-aimée*
> *et ronds,*
> > *et marrons,*
> *et chauds*
> > *jusqu'au roussi (...)*
> *Je vais*
> > *chez ma bien-aimée*
> > > *comme un invité,*
> *portant*
> > *deux petites carottes*
> > > *par leurs queues vertes.*
> *J'ai souvent offert*
> > *des bonbons, des bouquets,*
> *mais*
> > *mieux que toute*
> > > *offrande coûteuse,*
> *je me souviens*
> > *de ces carottes de prix*
> *et*
> > *d'une demi-bûche*
> > > *de bois de bouleau.*

C'est l'image même de ces années-là. Lili malade, Volodia passant des heures pour trouver deux précieuses carottes. Cette quête de deux carottes payées plus cher qu'un parfum, c'est ce qu'Elsa voulait fuir.

Devenir Mme André Triolet à Paris. « Je déteste la violence humaine qui régit tout et est plus forte que les tremblements de terre et les épidémies. »

André Thirion dit, en 1982, qu'Elsa haïssait la Révolution : mais elle exprime avec précision ce qu'elle déteste. Son mot favori : « C'est très désagréable », s'applique au quotidien de Moscou. Sans compter la violence : les combats, les arrestations, les gens qui se font saigner pour des étiquettes, des abstractions. Parce que l'on est anarchiste ou socialiste-révolutionnaire ou menchevik et que l'autre est — souvent depuis peu — bolchevik, comme Ossip par exemple.

Si Mme Kagan ignorait les façons de Lili, Elsa, en revanche, savait tout. Et aussi qu'Ossip et Maïakovski, certes, s'aimaient plus que des frères, mais qu'Ossip devait à Volodia sa place au ministère de Lounatcharski [1] et dans des revues... et son appartement, et la relative facilité de ses déplacements (même une chambre d'hôtel s'obtient par protection). Maïakovski gagne sans compter et Lili dépense de même. Ossip s'est trouvé une compagne, qui l'écoute et l'admire : Genya Gemtchoujina, mais il reste incapable de vivre sans Lili. Pour démontrer à Volodia qu'elle ne dépend pas de lui — et pour compenser les constantes conquêtes du *Nuage en pantalon* — la femme-flamme encourage des admirateurs, y compris un producteur de films à Moscou. En 1918, Maïakovski et elle ont tenté de tourner un scénario : *Entravé par le film*. Titre prophétique, l'affaire s'est effondrée, il n'en reste que des images de Lili en tutu de danseuse.

Voilà ce qu'Elsa fuit. Sa mère rejoindra à Londres son frère, qui réussit dans les affaires et lui trouvera du travail.

Elsa écrira : « J'ai quitté la Russie en 1918 pour épouser un Français qui ne faisait pas de vers. Je l'ai rencontré en 1917 à Moscou, ma ville natale... Mon mari sortait de la guerre, il en avait assez des cadavres et des vivants et ne rêvait que solitude, île déserte. En 1919, nous sommes partis pour Tahiti. »

C'est vite dit. En fait, Triolet adopta pour son retour un itinéraire très compliqué. Elle part l'attendre... La voilà donc seule dans la garçonnière de l'avenue de Friedland, dans un Paris où elle semble ne connaître personne.

A cette époque, Elsa s'est-elle vraiment engagée comme femme de chambre (ce qu'elle raconte dans *Fraise*) ? Est-elle vraiment allée faire la « tournée des grands-ducs » avec le fils de la maison en terminant par le célèbre bordel qui admettait des voyeurs ? Monsieur Pierre l'a-t-il vraiment menée à l'hôtel ? « Il va falloir que Fraise-des-bois se couche sur le lit non défait. Dehors, c'est le printemps. » Et elle envie ces gens, qui sont dehors « comme lorsqu'on passe des examens et qu'on envie les chats qui n'en ont que faire ».

Elsa et André Triolet se rejoignent enfin et se marient à la mairie en 1919. Puis c'est le voyage au bout du monde.

A Tahiti

Ils ont pris le bateau pour New York. Ils ont traversé les États-Unis, côte est-côte ouest.

---

1. Commissaire du peuple à l'Instruction publique.

Ils s'embarquent sur le *Tufua* et mettent deux semaines, Triolet André et Triolet Elsa, à traverser le Pacifique.

La vie à Tahiti, elle la décrira au retour. Elle traduira ce livre en français pour les *Œuvres croisées*. Elle aurait, dit-elle, écrit autrement pour des Français, avouant ainsi combien l'écriture est pour elle un moyen de plaire, de se faire aimer.

Leur vie ?

Le matin Elsa fait des courses en ville, à vélo. Elle a un cuisinier chinois, Apaou, qu'André comble de cadeaux, et une « vahiné » assez capricieuse à son service, qui lui enseigne l'insouciance des Maoris, qui danse et boit.

Aux heures chaudes, Elsa, dans un lit-tente, c'est-à-dire sous une moustiquaire, lit pêle-mêle la Bible ou *L'Illustration*... rêve... « J'existais. » André Triolet sur la véranda aux stores baissés compulse des livres sur les chevaux.

Elsa pour la première fois doit tenir une maison : jusqu'alors Stépa la nounou et Douniacha la femme de chambre se chargeaient de tout et à Paris elle vivait seule. Ici, comment expliquer, en français, à un cuisinier chinois la recette des boulettes de viande à la russe ? Pourquoi ne pas manger les plats qu'Apaou savait faire ? Est-ce un clin d'œil au lecteur... ou nostalgie ?

Elle tente d'enseigner le russe à André Triolet, paresseux et réticent, qui devait se demander à quoi bon ! Les après-midi, note Elsa, passent à se disputer. Puis à quatre heures viennent les habitués, pour le thé.

Le hasard m'a fait connaître — est-ce en 1945 ou dans les deux années qui suivirent ? — un Français qui exerçait alors à Papeete je ne sais quelle fonction administrative. Il compta parmi les « habitués », et parmi les admirateurs d'Elsa, très nombreux, dit-il. Sa façon d'évoquer une femme qu'alors je voyais souvent — et d'un tout autre œil — me semblait « assez comique », comme aurait dit Fraise-des-bois.

« Ella, Ellik ? Ah, quelle danseuse, quelle valseuse, quelle joueuse, quelle charmeuse, quelle embêteuse, quelle enjôleuse...

— Dominatrice ?

— Oh ! séductrice plutôt ! Quand on lui disait son désir, son ardeur, ce qu'elle vous inspirait, elle riait et son œil tournait du gris au lavande, au pervenche... Les jolis pieds, souvent nus, s'agitaient ; elle était étendue dans un hamac, montrant ses jambes, ou bien elle vous versait du thé avec des grâces étudiées, des gestes d'une harmonie charmante. Elle disait : "Oh, mais vous me faites peur ! Vous savez, moi, j'ai peur de tout, sauf des objets... Et encore, la nuit les objets savent vous faire peur." Elle vous remerciait de vos déclara-

46

tions, elle soupirait, elle disait que vous étiez un ami si cher...
Qu'elle s'ennuierait tant sans vous... Mais que votre ardeur...
elle attirait en repoussant... »

André avait offert à sa femme une jument qu'elle baptisa
Tanioucha et que le domestique nommait Tanussi. Un jour,
Triolet naviguant parmi les îles, Elsa, terrifiée par la nature
et les bruits, vit Tanioucha s'enfuir. Le domestique tente en
vain de la retrouver. Elsa souffre de rhumatismes et de solitude, souffre d'abandon, souffre tout court. Elle demande au
domestique de coucher en travers de sa porte et il l'entend
pleurer toute la nuit. Ce qu'il attribue — elle le comprendra
plus tard — à la crainte d'être battue par son mari quand il
apprendrait l'évasion du cheval. Le serviteur lance une nuée
d'adolescents à la recherche de Tanioucha, qu'ils retrouvent.

André Triolet, rentré, s'est fâché contre la jument. Pour lui,
les chevaux avaient les mêmes sentiments que les humains.
Tanioucha avait fait preuve d'une telle ingratitude qu'elle ne
méritait plus de vivre avec eux. Il l'a vendue.

Elsa riait beaucoup. Mais qu'avait-elle en commun avec cet
homme ? Les voilà côte à côte... pour combien de temps ? Le
rhumatisme devenait de moins en moins supportable.

Elle se met à rêver de Moscou. Elle oublie les engelures qui
lui avaient déformé les mains et les pieds, les heures d'attente
pour le pain. Sous le soleil de Tahiti, sous les vagues, les palmiers, autour du hamac se profilent en invisible silhouette les
soirées où l'on se demandait comment transposer le cubisme
en littérature, Maïakovski criant des vers « cubistes », futuristes, à pleins poumons. Et les assauts sur le formalisme et le
réalisme.

A Tahiti personne, parmi les Européens qui venaient prendre le thé, n'abordait ces thèmes. Et la vahiné, quand elle
avait bu, dansait en clamant des prophéties parmi ses obscénités, mais on ignorait lesquelles.

Oui, les Brik et Volodia Maïakovski l'invivable, l'inoubliable, et Viktor Chklovski avec son amour malheureux et ce
Polivanov auquel on accordait du génie parce qu'il possédait
trente-deux langues, et Serge Essenine le rival de Volodia,
et Pasternak son admirateur... Elsa s'ennuyait d'eux. Et des
longues tirades sur le rythme et le fait littéraire...

« Colibri, disait André Triolet, madame Colibri...
— Petrovitch !... »

Ils riaient, mais cette solitude parmi des Européens un peu
ridicules et des Tahitiens impénétrables leur pesait. Parfois ils
recevaient et soudain, quand les couples exaltés par le rhum
tanguaient, s'enlaçaient, balbutiaient, eux, les Triolet, par-

taient en les laissant danser, allaient respirer les nuits océanes.

Elsa est prise de nostalgie, même pour son enfance si mal vécue. Quand elle était malade, maman venait poser une friandise sur son lit le soir. La coutume survécut aux angines et aux crises psychosomatiques et ce sur-dessert nocturne fut baptisé « le sur-l'oreiller »...

Triolet est un sportif qui aime la pêche, les chevaux, suppute longuement si le produit de tel étalon et de telle jument sera bon pour les courses. Elle rit : quand le poulain sera en âge de courir, ils seront partis, du moins elle l'espère, alors qu'importe ?

Triolet s'embarque sur un voilier, entre hommes. Elsa surveille le rangement *rationnel* de la valise du mari. La voilà seule pour des semaines et cette angoisse de l'obscurité qui ne l'a jamais quittée devient une peur panique de la nuit tahitienne. Elle écrira : « Chères nuits moscovites, nuits blanches de Finlande, nuits étouffantes d'Italie, claires et vastes nuits de Californie, petites nuits grises de Paris, de Berlin, nuits du Caucase, en quoi donc différez-vous de celles-là ? »

Dans les situations trop dures, c'est toujours dans la maladie que fuit Elsa. Cette fois c'est une crise de rhumatisme si violente qu'on la calme à la morphine. Elle en garda « une douleur dans le bras gauche quand ses nerfs se détraquaient ». André revient, mais rien ne reprend, semble-t-il. « André rôde tristement autour de moi. »

Les Européens d'ici ? En a-t-elle distingué ? Un aviso mouille à Papeete avec un capitaine et le lieutenant B. dont chaque fois la visite est annoncée par la course bruyante de deux fox blancs. « Était-il vraiment si séduisant ou seulement par comparaison ? »

Cette fois Elsa n'est plus nostalgique ni malade. L'enjôleuse, la charmeuse, la rieuse, la danseuse ressuscite, le charme slave coule à pleins bords. Cette fois elle accompagne André, le capitaine et le lieutenant dans le tour des îles. Trois hommes, une femme, un bateau... les deux fox aussi. Elle dira plus tard avec des mots simples, où perce le regret, qu'elle ne reverra plus le lieutenant. Un an plus tard, il vient à Paris et passe la voir en son absence, laissant un mot. Il s'embarque le lendemain.

En 1920, Elsa revient en Europe, seule. C'est toujours par des héroïnes de roman qu'elle dit sa vérité : « J'ai la vie que j'ai choisie. La présence d'un être humain m'empêche de penser, je n'ose plus, comme si les pensées se voyaient. »

La vie qu'elle mène est solitaire. André Triolet lui octroie une mensualité... dans laquelle on a l'impression qu'il y eut des trous, des moments de gêne. Le mari reste quelque temps encore à Tahiti. Nous le retrouverons dans le Paris des années vingt, donnant des conseils d'élégance aux hommes autour d'Elsa, lui présentant ses nouvelles conquêtes. Un ami, qui lui permet de mener une existence de voyageuse modeste à travers l'Europe. L'ex-épouse est devenue sa complice. Ne pas divorcer sous prétexte de « laisser son nom à une étrangère pour la protéger des tracasseries » donnait à Triolet une certaine liberté de faux célibataire. Qu'elle publie sous son nom, qu'elle le garde à vie paraît l'avoir rempli d'une certaine fierté. Trop élégant intérieurement, de toute façon, pour s'en plaindre.

Brumes de Londres

Elle se fixe un moment à Londres et travaille chez un architecte. Il paie si mal qu'elle n'a pas de quoi s'acheter du rouge à lèvres, et renonce à s'en mettre. Qu'elle n'a pas assez d'argent pour de vrais repas et se bourre de sandwiches. Qu'elle ne peut payer les autobus à impériale et marche à travers les rues brumeuses.

Curieusement, elle ne fait aucune mention du frère de sa mère, son oncle Berman, industriel à Londres qui l'a pourtant accueillie, aidée, habillée. Ni de la présence de sa mère qui travaille à la représentation commerciale soviétique, l'ARKOS. Pourtant, à l'époque, elle n'a pas rompu avec l'oncle puisqu'elle lui amènera, neuf ans plus tard, Louis Aragon. Mais, de ce parent généreux, Elsa ne fait jamais mention parce qu'il était conservateur, votait tory, proclamait sa loyauté à la couronne et un antisoviétisme argumenté. Elle se vengera de lui en écrivant, après sa mort, qu'elle marchait dans Londres jambes nues à cause du prix des bas... M. Berman fabriquait des bas, précisément.

Elle parle dans ses souvenirs sur Maïakovski de « ... ma famille, celle qui ne dépend pas des liens du sang et qu'on acquiert au cours de la vie. Et qu'on perd peu à peu ».

Lili restait, ambivalence éternelle, un modèle à dépasser... Comment ? Bizarrement Elsa ne dit pas que Lili, après des mois d'attente, avait obtenu un visa, se trouvait à Londres en septembre 1922 et redécouvrait avec ravissement les bonheurs de la bourgeoisie. Elle avait avoué à une amie de Maïakovski : « Je suis communiste dans l'âme mais terriblement bourgeoise par le corps. »

Ici, le corps bourgeois s'épanouissait. Plus besoin du « tub » de caoutchouc pliant qu'il faut transporter partout et dans lequel on se douche avec l'eau du samovar. Elle portait les bas de soie de l'oncle, des robes de jersey, tissu de mailles souple et infroissable qui allait quatre ans plus tard conquérir la haute couture parisienne à travers Chanel, et que l'oncle fabriquait déjà.

L'aînée a mis la cadette au courant de ses nouvelles complications. Maïakovski restait le Grand n° 1, *the Big One*, mais il y avait à présent un « OBO » *(Other Big One)*, un « Autre Grand », Tobinson, qui occupait encore une place importante dans les organisations gouvernementales.

Elles dansent, les deux sœurs, des nuits entières avec des jeunes Anglais connus à l'ARKOS, si galants — dont l'un bien sûr devient fou de Lili... Londres, c'est amusant. « Elsa valse et valsera », mais décide — à cause de l'architecte qui paie trop mal ? à cause de sa mère ? — de partir pour Berlin où sont réunis tous ses amis de Moscou. D'ailleurs, c'est par Berlin que Lili veut rentrer.

Exsangue Allemagne

Par suite d'un accord germano-soviétique — une des conséquences de la paix de Brest-Litovsk — les Soviétiques pouvaient vivre en Allemagne sans visa [1]. Aussi Berlin était-il devenu comme une annexe de Moscou, Petrograd, Pouchkino et autres lieux de repos. Les Soviétiques venaient reprendre haleine dans cette Allemagne vaincue que l'inflation rendait encore plus exsangue.

Qui pensait à la défaite des spartakistes, à l'assassinat de Rosa Luxemburg et de Karl Liebknecht, le 15 janvier 1919 ? Les Russes ne se mêlaient guère aux « indigènes ». A peine constataient-ils que le prix d'une paire de chaussures à leur arrivée payait juste un magazine deux semaines plus tard. Ils voyaient surgir des êtres hâves qui, honteux, suppliaient de leur donner « quelque chose ». Parfois des mutilés dont la capote militaire gardait la trace des épaulettes, des galons, et une décoration sur la poitrine. Il arrivait même que ce soient des Russes. Émigrés tout à fait, ou à moitié, hésitant — tel Alexis Tolstoï venu de Paris, comme tant d'autres — entre le désir d'entendre parler leur langue dans la rue et le grand saut dans la vie soviétique.

A Berlin, des poètes comme André Bély qui croyaient en la Révolution et des écrivains comme Ivan Bounine qui la détestaient, non seulement se parlaient amicalement mais

---

1. Il leur fallait toutefois le visa de sortie soviétique.

collaboraient aux même revues, ou lisaient leurs dernières créations aux soirées littéraires du Romanisches Kaffee ou d'une brasserie du Kurfurstendamm. Ils vivaient entre eux, avec non loin d'eux leur père mythique, Maxime Gorki, parti de Russie « pour sa santé » — et sur le conseil de Lénine. Peut-être parce qu'il intervenait un peu trop pour les uns et les autres [1].

Le 8 octobre 1922, Lili et Elsa, à Berlin, retrouvaient Brik. Et Maïakovski, peu curieux de la ville, de ses musées, spectacles, ou habitants, qui restait à jouer aux cartes avec un copain russe.

Ossip Brik, lui, redevenait un camarade d'errance ; son allemand était assez bon pour qu'il puisse faire des conférences. Il a parlé chez les tenants mêmes de l'avant-garde architecturale et graphique, les gens du Bauhaus, établis à Weimar. Ehrenbourg chuchotait à Brik qu'il détestait cette maison de verre, que c'était le symbole du « culte de la froide raison ». Il jugeait terrifiants les immeubles d'habitation construits dans ce style.

Ils furent tous invités chez Gropius, l'architecte. Sa demeure ? L'odyssée de l'espace. On manie des manettes, on appuie sur des boutons, et le linge de maison est envoyé par tube d'un étage à l'autre, et même les assiettes sont propulsées de la cuisine à la salle de séjour par courroie. « Tout est parfait et d'un inexprimable ennui. » Ehrenbourg se désespère que leur enthousiasme d'avant la guerre pour le cubisme, le constructivisme, aboutisse « au cube-dépotoir ». Les Brik-Maïakovski trouvaient à ce pauvre Ehrenbourg des goûts petits-bourgeois, qui étaient, hélas, ceux du gouvernement à Moscou...

Gorki, le maître à penser de ces écrivains russes, vivait à Bad Saarow, et les émigrés qui y étaient conviés revenaient avec des airs de pèlerins bénis.

A Berlin, Maïakovski traitait des tablées de dix émigrés dans les meilleurs restaurants, leur commandant de la soupe à la tortue et des doubles portions de compote. Et beaucoup de vin : lui goûtait une bouteille, puis passait à une autre. Après quoi les deux sœurs, Elsa et Lili, allaient se livrer à leur folie : la danse, engouement de tout Berlin. On voyait sur des cafés écrit en allemand « Five-o'clock dancing à partir de trois heures » *(Five-o'clock ab Drei)*.

Maïakovski donna cinq conférences pour payer ce séjour.

---

1. Toutefois Vladimir Nabokov évitait les nombreux restaurants russes où l'on pouvait se trouver « dos à dos avec des intellectuels qui songeaient à rentrer ».

Il avait retrouvé tout son groupe : Viktor Chklovski, Bourliouk, Lissitski.

Les Berlinois découvraient l'avant-garde picturale russe : c'était l'éblouissement de Malevitch, de Tatline, de Rodtchenko, Archipenko[1]. Et Chagall qui avait assumé pour le gouvernement soviétique les fonctions les plus inattendues.

Comme au Chien errant de Petrograd, ou au Café des poètes de Moscou, les conférences de Maïakovski se terminaient souvent en tumulte. L'une d'elles, au Café de la Nollendorfplatz, faillit dégénérer en pugilat général. Les flirts publics de Lili, qui jouissait ouvertement de ses succès, n'arrangeaient pas l'humeur du poète.

Elsa avait d'abord vécu comme les autres près du Kurfürstendamm, sur le trajet de tous. Elle déménage chez une ancienne femme légère qui, sans doute en mémoire de son passé, n'était « ni méchante ni tracassière ». Elle dispose, pour le prix d'une chambre d'hôtel, de deux pièces qui font rire par leur absurdité.

Sur la cheminée de faïence, toute en carreaux — de celles qu'en France on appelle « cheminées prussiennes » — on a posé un hibou empaillé... ou est-ce la chouette de Minerve ? Elsa s'en amuse. La pièce du fond, la chambre, elle la destina, dès qu'elle eut loué ce logis, à Lili et Maïakovski quand ils viendraient.

Elle se décrit, assise sur le vilain divan confortable au dos. Ses rhumatismes sont, pour le moment, endormis. Le poêle chauffe ; elle regarde le dessin « stupide et monotone » des carreaux de faïence. Pour elle, les objets vivent, comme toujours. La théière est une femme, une main sur la hanche, « l'autre bras recourbé, c'est le bec ». « Tous les objets ont l'air réservé et silencieux de personnes bien élevées. Les fleurs, elles, déclarent ouvertement : nous savons tout mais nous n'en disons rien ; seulement, ce qu'elles savent, on l'ignore. »

Parfois, elle joue du piano, pas toujours, et elle sait bien qu'elle joue médiocrement.

Viktor Chklovski lui présente Vladimir Pozner. En fait d'adorateur platonique, elle préfère cet adolescent mince et brun qui sait écouter et a quelque chose de discret, de naïf et d'intense. Vladimir était né à Paris et ses parents l'avaient amené à Petrograd pour la Révolution. Puis ils étaient retournés à Paris, discrètement déçus.

Vladimir Pozner vient à Berlin pour retrouver ses amis russes. N'avait-il pas, à quatorze ans, été le benjamin des « Frères

---

1. Kandinsky, établi depuis longtemps en Allemagne, était chef d'école.

Sérapion », groupe de jeunes écrivains d'avant-garde ? A peine était-il étonné de timbrer ses lettres à cent mille marks le lundi et à un million le jeudi. Les mendiants décorés, les prostituées aux bottes rouges, les espoirs des spartakistes de recommencer leur révolution ratée ? Il partageait l'indifférence des Russes.

Il s'attache à Viktor Chklovski vêtu de beige clair, jouant les dandies malgré ses muscles d'athlète, qui ne lui parle que de son amour pour Elsa : « Hier j'ai frappé du poing le bord de sa cheminée ; le coin est tombé en éclats. »

Lui ne s'était même pas fait mal à la main. Mais elle s'était « calmement fâchée ». Elle en avait assez de ces lettres quotidiennes qu'il venait lui apporter, s'asseyant en attendant qu'elle les lise. Assez de sa volonté de diriger sa vie.

« Femme sans métier, à quoi passes-tu ton temps ? » Elsa ne répondait pas. A l'époque elle aimait vivre pour vivre : danser, charmer, conquérir, flirter. Aimer ? Mieux vaut être aimée. Une fois Lili rentrée en Russie, elle se sentait plus sûre d'elle.

Chklovski, parlant de son amour malheureux, entraînait le jeune Pozner de café en café, de l'Alexanderplatz au Kurfurstendamm et d'éditeur en éditeur. Car si à Petrograd et à Moscou subsistaient encore des maisons artisanales, à Berlin les éditeurs russes s'arrachaient les auteurs. Pas de censure ni de rationnement de papier, et l'inflation réduisait les frais.

Pozner se souvient : « Nous marchions à travers cette forêt pétrifiée, Elsa, Chklovski et moi, et soudain, au milieu d'une rue qui portait le nom de Kleist, surgissait un homme aux yeux hagards, aux pommettes saillantes qui, lui, s'appelait Pasternak. »

Vladimir Pozner, à dix-sept ans, pose un regard enthousiaste et naïf sur ce monde en ruine et les représentants de la Grande Révolution qui viennent s'y reposer. Les amours que suscitait Elsa Triolet — leur musique —, il les attribue à une fine division, une rigole qui lui creusait la lèvre inférieure. C'est lui qui la surnomme la « blondorée ». Les yeux — qui n'étaient encore célèbres qu'en milieu clos — lui paraissent selon la lumière bleu-gris-vert, vert-bleu-gris ou gris-bleu-vert. Il ne remarquait pas leur regard sur le peintre Ivan Pougny.

Ivan Pougny, long, mince, n'est pas encore connu en Allemagne. Sa femme, Xana Bogouslavkaïa, réussit à mieux vendre, ce qui permet de chauffer un peu l'atelier[1], où tubes et pinceaux traînent par terre, sur des sièges, sur le lit. Dans un coin, Xana travaille. Les toiles de Pougny por-

---

1. Ivan Pouni — plus tard Pougny — est devenu après sa mort un peintre recherché des collectionneurs.

tent une force de drame ou une dérision qui peut le faire, tout seul, rire aux éclats. Celles de Xana semblent un peu « à l'eau de rose », mais elle le fait exprès, pour faire naître un sourire sur la toile, un plaisir... Les copains, Chklovski, Roman Jakobson, Bogatyrov, Elsa et parfois Pozner débarquent vers une ou deux heures du matin. Les Pougny, ils les surnomment la Sainte Famille où Pougny serait la Vierge, le tableau le divin enfant... et Xana le charpentier. Cette curieuse inversion des rôles, notée par Ehrenbourg, a frappé Elsa. Pougny ne semble jamais sortir de son rêve, obsédé qu'il est par la peinture. On fait cuire des pommes de terre sous la cendre.

Elsa s'amuse, flirte, mais c'est Pougny le possédé, l'obsédé qui l'intéresse. Elle finira par l'éveiller. Elle cherche, comme malgré elle, la difficulté, la rivalité, l'impossible conquête. Le sournois affrontement, tout enrobé d'amour, que fut son adolescence d'éternelle cadette l'y obligera toute sa vie.

De longues décennies plus tard, Picasso dira en évoquant ce temps où à Paris il fréquenta Pougny, et Elsa : « Elle s'intéressait à lui. Moi, je ne l'ai jamais intéressée... »

Lettres de non-amour

En 1922-1923, à Berlin, elle garde ses secrets. Chklovski crie : « Tu n'auras jamais raison contre moi. » La colère le prend.

« Et à quoi ça me sert d'avoir raison contre une créature qui peut juste me jeter : "Je ne t'ai pas demandé de m'aimer" ? »

Il se plaint à Pozner. Parce qu'il se plaint aussi à Elsa, mais... Il exagère ! Elsa rit. Assez ! Il l'ennuie avec son amour [1].

Il lui écrira pourtant : « Tu m'as chargé de deux affaires : 1. Ne pas te téléphoner, 2. Ne pas te voir. Me voilà donc un homme fort occupé. Il y a bien une troisième affaire : ne pas penser à toi. Mais ça, tu ne m'en as pas chargé. »

Il écrit, bien sûr. Et elle répond. Et ils se voient. Et il revit tout ce qu'ils font dans de fausses lettres qui forment un journal.

Entre-temps, « Romka le rouquin », Roman Jakobson, l'amoureux d'enfance est arrivé à Berlin, venant de Prague. Il reprend avec ferveur ses discussions avec Chklovski.

---

1. Chklovski est un spécialiste des amours sans réciprocité. Avant la révolution en Russie, il aima ainsi celle qui deviendra Sonia Delaunay (voir D. Desanti, *Sonia Delaunay*, Ramsay).

N'avaient-ils pas ensemble, avant la Révolution, formé un cercle au sigle étrange, OPOJAZ (Société d'études de la langue poétique) ? Romka, amoureux des deux sœurs, s'était bien entendu épris de Maïakovski dès qu'Elsa (ou était-ce Lili ?) le lui avait fait connaître. Devenu vieux, illustre — et américain (comme un autre ami de Maïakovski, l'excentrique Bourliouk) —, Roman Jakobson aimait rappeler ces années étonnantes. Un Moscou où il avait, dit-il, « été élevé au milieu des peintres », Kandinsky, Malevitch, Larionov. Tous les artistes participaient à ce mouvement et obligeaient les linguistes à se poser des questions sur l'art abstrait. Les cercles se multipliaient. Les cercles avaient un rôle traditionnel dans la culture russe.

Bien entendu, la colonie russe de Berlin en avait formé. A la Prager Diele, dans l'arrière-salle, ils discutaient, récitaient des vers, se disputaient. André Bély, qui avait dirigé le Bureau littéraire du Proletkult (mouvement de « culture prolétarienne », le plus ouvriériste de tous), hurlait au philosophe Berdiaev et à l'historien-romancier Merejkovski : « La culture authentique est restée en Russie »...

Maïakovski, quand il arrivait, descendait chez Elsa. Mais elle avait horreur des scènes qu'il déclenchait. Maïakovski déménagea à l'hôtel, chassé par son « porcelet gris ».

Autour d'Elsa, ce sont toujours les mêmes. Ils sont trois, écrit-elle à Lili. « Le troisième s'est définitivement voué à moi. Je le considère comme la plus honorifique de mes décorations bien que je sache qu'il tombe facilement amoureux. Il m'écrit tous les jours deux ou trois lettres ; il me les apporte lui-même, s'installe sagement à côté de moi et attend que je les lise. »

Le premier — « Romka », Roman Jakobson — se contente d'envoyer des fleurs [1]. Le deuxième — auquel Lili l'a confiée — la comble de déclarations et exige qu'elle lui confie tous ses soucis.

L'inflation multiplie le tarif des taxis par cinq mille. Elsa a la nostalgie de Londres, du rythme régulier d'un paisible travail. A Londres, elle avait une baignoire. A Londres, de gentils jeunes gens l'emmenaient danser. Ici, « il y a trop de malheurs tout autour pour qu'on puisse les oublier, fût-ce un instant ». Sa sœur, « ma douce, ma plus belle », elle la remercie de son amour. A Chklovski, son « Tatar », elle écrit avec assez de tendresse pour qu'il ne se détache pas, tout en décourageant le désir : « Mon gentil, mon mien. Ne me parle

---

1. Mais il revient toujours à Elsa. Il me dira dans les années soixante-dix à Paris : « Elsa, en comptant les intervalles, fut mon amour le plus constant. »

plus d'amour. Il ne faut pas... Comme tu l'as dit toi-même, je suis à bout de souffle. »

Ce qui n'empêche qu'elle écrive de son lit parce qu'elle a dansé tard. Le jeu est subtil : cet homme qui la désire est informé qu'elle va prendre un bain, mais on lui déclare : « Je ne t'aime pas et ne t'aimerai jamais. J'ai peur de ton amour, tu me blesseras un jour parce que tu m'aimes tant aujourd'hui... Peut-être ton amour est-il grand, mais il n'est pas joyeux. »

Reproche étrange : a-t-elle jamais cherché l'amour « joyeux » ? Et celui, libertin et rieur, d'André Triolet, n'a-t-elle pas trouvé qu'il manquait de drame russe, de grandes explications, bref d'excitante tragédie ? Aussitôt elle se reproche son imprudence. Donc elle écrit à Chklovski :

« J'ai besoin de toi, tu sais m'arracher à moi-même. Ne me parle pas uniquement de ton amour. Ne me fais pas de scènes sauvages au téléphone. »

Chklovski n'est pas écrivain pour rien. De ses émotions, il compose un livre. Il y mettra les lettres d'Ella (qu'il signera Alia) et les siennes où il décrit ce qui leur arrive, ensemble.

Il parle de leurs soirées dans l'atelier d'Ivan Pougny, le peintre qui aime l'art comme Elsa reproche à Viktor de l'aimer avec tristesse.

Quand le « gentil petit Tatar » lui envoie des fleurs qui embaument la pièce, Elsa, heureuse, lui écrit. Ces fleurs et les objets autour d'elle, elle en parle selon la philosophie de Berkeley, ce comble de l'idéalisme et de l'antimarxisme...

Les objets ? « Je les emporte comme un reflet dans le miroir, je m'en vais et ils n'y sont plus, je reviens... et les voilà. On n'arrive pas à croire que c'est grâce à soi-même qu'ils vivent dans le miroir. »

Ce qu'elle souhaite ? Que l'été revienne... Elle rêve de Tahiti, là où elle s'est tant ennuyée, où elle a attrapé ces rhumatismes tenaces, où elle a eu si peur, où elle a passé tant de nuits à pleurer. Ah les îles ! la chaleur ! les palmiers... Elle rêve d'être « jeune et forte. Alors d'un mélange de crocodile et d'enfant, il ne resterait que l'enfant, et je serais heureuse. Je ne suis pas une femme fatale, je suis Alia, rose et potelée. C'est tout. Je t'embrasse, je dors ».

D'autres fois, correcte et solitaire elle écrit à Viktor au restaurant, en attendant son *schnitzel*.

« Tu dis savoir comment est fait *Don Quichotte*, mais tu ne sais pas faire une lettre d'amour... Je ne comprends pas grand-chose à la littérature..., mais pour ce qui est des lettres d'amour, je m'y connais. »

Elle lui avoue qu'en effet, comme il le dit, en entrant quelque part, elle *sait « aussitôt qui concerne qui et qui s'occupe de quoi »*. Ce don de sentir les tensions entre les gens a permis à Elsa de naviguer entre les courants, toute sa vie.

Chklovski publie aussi les lettres de sa bien-aimée à sa sœur. Lettres qui, sur les pages imprimées du livre, seront barrées de deux traits en croix. « Dix-neuvième lettre qu'il ne faut pas lire. Elle a été écrite par Alia lorsqu'elle est tombée malade, le papier qu'elle a trouvé était du papier réglé, et c'est la meilleure lettre du livre tout entier, mais il ne faut pas la lire, aussi est-elle barrée. »

Rien qui soit plus d'époque et d'avant-garde dans ce petit livre d'apparence si classique, ce roman par lettres si stendhalien, le roman d'un amour malheureux.

Tout y est, dans cette lettre. Le mauvais chauffage, et la nourriture à la russe, et la violence fatigante de l'amour de Chklovski... Et l'impitoyable coquetterie de l'aimée, sa redoutable franchise, sa folie de la danse (« Elsa valse et valsera » : pour Aragon, elle sera toujours la valseuse, la danseuse, l'amoureuse). Et ce besoin de tendresse qu'elle eut dans l'enfance et que seule combla Stépa la nourrice.

« En amour, une fois lancé, tu es incapable de t'arrêter, ça fait un peu peur. C'est même tout bonnement terrible. Tu cries, ta propre voix t'irrite, et tu cries encore davantage. »

Une clé d'Elsa : elle a peur des irritables qui ressemblent à son père, l'avocat aux colères bruyantes, chaleureux mais difficile. Elle cherche les hommes qui ne déploient pas leur virilité à coups de voix et d'autorité. Les raffinés fuyants et subtils, les difficiles, ceux que leur art absorbe et qui quêtent la tendresse. Ceux qui ont besoin d'être protégés contre leurs fantômes intérieurs.

Au trop fort, trop bruyant, trop simple Viktor, elle conseille de se faire faire un complet, d'avoir six chemises — « trois chez la blanchisseuse, trois chez toi ». Elle lui fera cadeau d'une cravate. Qu'il cire donc ses bottes... Elle transmet en somme les préceptes d'André Triolet : « Quant à moi, parle-moi de livres, je me tiendrai sur les pattes de derrière au garde-à-vous, toute dressée, et je t'obéirai. »

Le mythe du chien. Le goût de Lili et de Maïakovski pour les chiens. Le poète signe ses lettres d'amour « Sjen » qui est le nom d'un chien. Lili en a toujours eu un ou deux, épagneul, bull, bien d'autres.

Elsa évoque l'Anglais — connu à Londres sans doute — qui l'emmènera danser, si elle n'est pas malade, le lendemain. (Chklovski devait danser très mal.) « Un Anglais si bien et si bon danseur (deux vertus d'égale valeur). »

Puis vient le rêve de la nourrice, l'histoire de la nourrice, Stépa la vivace qui disait : « Ma maîtresse a une amie chez elle, je n'y comprends rien, on dirait des nonnes ! » Stépa rieuse et tiède qui sentait comme son coffre en bois « l'indienne et la pomme ».

« J'aime tellement Stépa que je n'ai même plus envie de dormir. Je t'embrasse, chéri. Pourvu que je ne tombe pas malade ! »

La réponse « écrite on ne sait quand » n'offre sur la page qu'une seule phrase :

« J'étais sous tes pieds, Alia, comme un tapis ! »

Décidément, la vie vous change. Cette Elsa déjà cruelle, mais si féline, comme elle a su, au cours des ans, durcir son masque.

Chklovski a porté le livre à l'Arbitre, à l'Ermite de Bad Saarow, Maxime Gorki.

Zoo — Lettres qui ne parlent pas d'amour ou la Troisième Héloïse (en russe, dans « Troisième Héloïse » on retrouve les lettres d'Elsa Triolet : Tretia Eloïsa). Gorki lit avec plaisir. Ce qu'il préfère, ce sont les lettres d'Alia, la bien-aimée réticente. Informée par Chklovski, le 2 juin 1923, Elsa écrit à Gorki qui lui répond trois jours plus tard. Il l'invite à venir le voir.

Il lui conseille d'écrire. Ainsi la lettre sur Tahiti, dans *Zoo* : puisqu'elle a eu cette expérience des îles lointaines, pourquoi ne pas la conter ? (Elle tiendra, sur le conseil de Gorki, un *Journal* intermittent, jusqu'au jour où elle deviendra Mme Aragon.)

Elle écrit *A Tahiti*. Elle envoie le manuscrit, ou plutôt le fait envoyer par Chklovski. Le pape de la littérature révolutionnaire répond. Elle modifie le manuscrit :

« Songez que j'écrivais en russe pour des Russes... Je racontais l'inconnu par rapport au connu. »

C'était le procédé même de Gorki.

Maïakovski revint d'une semaine passée à Paris où il s'était, grâce à Diaghilev, lié d'amitié avec un peintre qu'il trouvait « digne d'être un constructiviste russe » : Fernand Léger. Diaghilev, l'homme dont les ballets faisaient délirer Paris avant la guerre, avait invité Maïakovski ; il lui présenta ceux qui pouvaient le mieux lui plaire [1].

A Berlin, où il fait halte au retour, Volodia pose au Parisien d'expérience. Il prétend qu'on « avait fait la queue » pour

_____

1. Maïakovski est venu chez les Delaunay, Robert et Sonia. Il a peint son nom sur la porte, boulevard Malesherbes. Sonia, Philippe Soupault et lui s'entendaient si bien !

l'interroger ; entre autres, sur « la nationalisation des femmes à Saratov ». Elsa s'en irrite. Le poète conférencie sur Paris devant des gens comme Alexis Tolstoï, qui y avait vécu des années. Un génie n'a pas le sens du ridicule.

Chklovski s'en amusait. Pour lui — et pour Roman Jakobson — le poète était avant tout un adolescent tragi-comique. Un jour, ils étaient partis seuls, Chklovski et Maïakovski, au bord de la mer. Maïakovski taquinait son ami sur son amour malheureux pour Elsa... et Chklovski, qui portait son plus beau complet beige, a roulé son pantalon et s'est mis à courir dans l'eau, Maïakovski le poursuivant. Chklovski en a fait un poème où il chantait, en cette course folle, la fin de leur jeunesse.

Moscou ne croit pas aux larmes

En 1924, Maïakovski — et Gorki peut-être — a arrangé ses « histoires de papiers et de visas », et Elsa revient à Moscou. Elle y retournera en 1925 et en 1927. Cette première fois, elle ignore combien de temps elle restera. Elle a deux manuscrits dans ses valises : *A Tahiti* et *Fraise des bois (Zemlianitchka)*, l'histoire de son enfance...

A la gare, Lili et Maïakovski l'attendent parmi l'incroyable désordre des familles assises sur leurs balluchons dans l'espoir d'un train imprévisible.

Ces illettrés hurlent le nom de Maïakovski quand ils voient le géant qui rit. C'est qu'il continue ses tournées, déclamant des poèmes dans les usines, les bureaux ou les villes lointaines. Les photos suffisaient, sans cinéma ni télévision, les Moscovites reconnaissent le chantre futuriste. Les cochers aux bêtes exténuées, aux fiacres défoncés se battent pour la joie de le conduire.

La vie reste difficile à chaque instant. Pourtant la NEP, commencée sous Lénine, se poursuit après sa mort. Cette nouvelle politique économique, qui tolère l'artisanat et la revente privée, portait ses fruits. « En 1925, Moscou commençait seulement à manger des gâteaux et s'en mettait jusque-là », note Elsa.

Les rares autos tiennent par des ficelles et l'odeur des appartements collectifs donne la nausée quand on vient d'Allemagne.

Serge Essenine s'était suicidé. Maïakovski juge que c'est « contre-révolutionnaire » et accuse de cette folie l'alcool et Isadora Duncan qui l'avait épousé.

Mieux vaut
mourir de vodka
que d'ennui
Et dans cette vie, ce n'est pas dur de mourir.
Vivre sa vie c'est bien plus dur

écrit-il. Quand on l'interroge sur Essenine à la fin de ses conférences, il s'en tire par le sacrilège : « Après la mort, je crache sur tous les monuments et toutes les couronnes. Prenez garde aux poètes. »

Lili emmène sa sœur dans leur datcha en rondins à Sokolniki, ce Vésinet de Moscou, banlieue résidentielle entourée d'arbres où vous amène un tram bringuebalant aux horaires capricieux.

Maïak et Lili se disputent, se déchirent, s'apaisent. Lui est infidèle mais jaloux des hommes que Lili ne cache plus.

L'été, c'est la joie. Sokolniki est un lieu de foule, de promenades, et leur minuscule maison décharge ses visiteurs dans le jardin. Une petite pièce suffit juste à contenir un billard immense, mais on y a glissé en plus un piano et un divan. De sorte qu'on n'arrive plus à poser la soupière sur la table. C'est le style de Lili, surmeubler sa vie et ses lieux. L'été, on mange dans le jardin, tout va bien. L'hiver, on se glisse entre les meubles, le chat trône sur le piano et Charik (« petite balle »), le chien, tourne comme un fou autour de la maison.

Si petit que soit le logis — grand privilège —, ils y sont seuls. C'est-à-dire Lili, Maïakovski, Ossip Brik et parfois sa nouvelle compagne Genya. L'hiver, la datcha n'est pas sûre : le tramway passe rarement et parfois la voie est bloquée. La maison est si mal protégée qu'on leur attribue un permis de port d'armes. C'est pourquoi ils ont obtenu d'emménager à Moscou au troisième d'un vilain immeuble, juste en face de la salle du Musée polytechnique, à Guendrikov Peréoulok. La belle chambre est pour Maïakovski. La fenêtre donne sur de la verdure. Lili et Ossip ont droit à deux petites cellules. Le cœur de la maison bat dans la salle à manger avec son poêle de céramique blanche et une longue table vissée au sol. Tout le long du mur, un canapé de cuir où l'on s'entasse.

Quand elle en avait assez du bruit, Lili tirait un paravent et s'endormait sur le canapé, laissant les autres jouer aux cartes, boire et crier dans la pièce.

Maïakovski est parvenu à se faire attribuer, en plus, une chambre dans un appartement collectif où il installe *LEF* (le « Front de gauche »), sa revue, sa raison sociale. Il y vit, quand il a besoin de solitude, entre un grand bureau en désordre et un canapé noir, dans une odeur d'épicerie. La chambre était située tout près de la terrible prison de la Loubianka. C'est dans cette chambre, où le drap glisse sur la moleskine de la banquette-lit, qu'Elsa dormira durant son séjour de 1925.

Malgré des aventures multiples, Lili se sentait malheureuse. Elle tombera amoureuse de Poudovkine le cinéaste, sans réciprocité. Elle avalera une dose mortelle de somnifère et sera sauvée.

Cette triple installation : la concession de la petite datcha, l'appartement moscovite et en plus cette chambre-bureau, c'était le luxe. Maïakovski gagnait beaucoup d'argent. Ses amis de jadis qu'il surnommait « les esthètes » trouvaient qu'il cédait à la mode des thèmes d'actualité, aux conférences dans les usines (souvent largement « dédommagées » par le comité d'entreprise). Les livres pour enfants aussi se vendaient.

L'argent, Maïak le gaspillait joyeusement en tournées offertes, en boîtes de nuit, en voyages, en voitures louées, et pour Lili. Le confort ? L'élégance ? Il prétendait les apprécier mais s'en souciait peu.

> *Et sauf d'une chemise toujours fraîche*
> *Je n'ai besoin de rien*

Il exécute d'énormes affiches polémiques, aidé par Lili, dort dans le bureau, une bûche sous la tête, pour ne pas s'amollir.

C'est toujours la gloire populaire pour le géant tantôt joyeux tantôt effondré qu'Elsa a retrouvé. Mais dans les milieux littéraires, c'est la haine. Les petits groupes se jalousent tous entre eux mais s'unissent dans la haine de Volodia le géant. Pourquoi gagne-t-il tant d'argent ? Pourquoi ne réadhère-t-il pas au Parti ? Pourquoi est-il d'accord avec le Proletkult (la culture prolétarienne), ce mouvement ouvriériste ?

Lui demeure le même, travaille partout sauf à son bureau, élabore ses vers en faisant la cour à une femme, dévore toute nourriture qu'il trouve, boit avec des inconnus.

A présent qu'Elsa écrit, il lui transmet ses secrets de fabrication : « Fais attention, n'épuise jamais tes réserves en un seul manuscrit, gardes-en. Et surtout aie toujours sur toi de quoi noter. »

Au milieu d'un groupe joyeux, soudain, il se concentre, il se tend à tel point qu'il ne saura plus où, en quelles circonstances, lui est venue telle image, tel éclatant assemblage de mots. Il opère ces « collages » qu'André Breton trouve antisurréalistes. Tous les jours il écrit en moyenne huit à dix lignes... en plus des notes, des « réserves » qui ne comptent pas.

Le rythme lui vient en marchant.

L'écrivaine débutante case ses livres chez de petits éditeurs artisanaux qui refleurissent (ils dureront jusqu'aux environs de 1934-1935) : Aténee, Kroug.

Elle apprend le nouveau Moscou, avec les marchands sous les portes cochères qui vous soufflent des noms de parfums français : Origan, Chypre, Quelques-Fleurs.

D'immenses banderoles, « Prolétaires de tous les pays, unissez-vous »... « C'est ici que commence la langue russe »... « Tu jurais sur la croix et sur l'or. Jure sur la faucille et le marteau ».

Elle voit des rassemblements, et des mendiants qui supplient : « Responsable ! donne-moi un petit kopeck ! », quand passe un homme à serviette de cuir...

Ilya Ehrenbourg aussi était rentré de Berlin et sa vue de la NEP (du moins quand il l'évoquera dans ses *Mémoires*) montre ces mêmes mendiants variant leurs répliques : « Un petit kopeck, camarade ! », si le passant porte le blouson de cuir du militant communiste, ou « un petit kopeck, barine », s'il a l'air d'un ci-devant. Le journaliste-romancier — qu'Elsa rencontre à coup sûr à des dizaines de réunions — montre aussi l'amertume de ceux qui continuent à trimer dix-huit ou vingt heures dans des bureaux inconfortables, nourris dans des cantines parcimonieuses, en regardant vivre les Nouveaux Riches, les « pusher », les Nepman comme on disait... Cette langue russe, que la Révolution enrichissait de sigles et de surnoms, avait forgé ce nom, Nepman, pour les habiles, les ingénieux qui savent se faufiler, obtenir des permis de transport, des bons de matières premières et vendent ou troquent, au plus haut prix.

Après, ils s'attablaient dans les restaurants privés, nichés dans des buvettes, des arrière-boutiques, des appartements secrets. Ils s'empiffraient, s'enivraient, hurlaient des obscénités... Les ci-devant haussaient les épaules. Même pour rouler sous la table, il faut ces « manières » que donne la tradition...

L'état d'esprit avait changé au point qu'Ehrenbourg comme Elsa se demandaient parfois si la Révolution ne se fanait pas déjà dans les cœurs. Un jour, dans un train, une paysanne monte avec ses paniers, dans le wagon « rembourré ». C'est ainsi qu'on désigne à présent les ex-première classe, les ex-troisième se nomment « wagon dur ». Un milicien crie en la faisant descendre : « Où te crois-tu donc ? Tu te crois encore en 1917 ou quoi ? »

Au Mosselprom, commissariat au Ravitaillement, Maïakovski et Brik se faisaient assez d'argent pour dîner parfois dans les restaurants « privés »... après avoir passé la journée à inventer, dessiner, peindre des mots d'ordre contre le marché noir... « On ne devrait pas », soupirait Lili tout en mangeant à petits gestes élégants sans rien laisser. On peut imaginer que, plus tard, les sorties de *Tahiti* puis de *Fraise* seront dignement fêtées par Elsa dans des lieux de ce genre. Pourtant, dès 1924, Maïakovski n'a plus fabriqué de « pub » gouvernementale et a dû recommencer les tournées à travers le pays... Ses rapports avec Lili se compliquent malgré les lettres toujours aussi brûlantes dont il la comble.

« Tout le monde a besoin de quelqu'un. Moi, c'est de toi. C'est vrai. »

Lili avait déjà rencontré un officier — qui travaillait pour les services secrets, le savait-elle depuis le début ? — mais Maïakovski traînait après lui tant de femmes qu'il n'avait rien à dire. Ehrenbourg m'a dit du Maïakovski de ce temps-là qu'il était comme tous les idéalistes de la Révolution, profondément désarçonné..., même s'il se jetait à corps perdu dans les plaisirs de gueule et les facilités qu'offrait la NEP.

Il gardait sa chambre si proche de la prison, et vivait toujours dans les deux pièces assignées aux Brik. Les petites chambres étaient habitées par Ossip et Genya, la silencieuse comparse, qui l'écoutait discourir sur la culture révolutionnaire. Elle était mariée à un homme de cinéma et Lili l'avait admise après de longues protestations. Les Brik occupaient les pièces sur le devant de l'appartement, mais partageaient la cuisine et le téléphone avec une famille installée dans les pièces sombres de l'arrière. Qui finira par s'en aller.

Elsa, ne pouvant se glisser dans ce logis surpeuplé, avait d'abord résidé à la datcha de Sokolniki. La grande pièce seule étant chauffable, on y dormait sur le sofa, entre le piano, le billard, la table. Il y avait une autre chambre où la température était tolérable.

A la datcha, Elsa avait encore plus peur qu'à Tahiti. Rien ne fermait vraiment, ni fenêtres ni portes. On s'en tirait avec une « barrière psychologique » de chaises attachées aux poignées des fenêtres de plain-pied, en espérant qu'elles feraient du bruit en tombant si quelqu'un tentait d'entrer. Des revolvers traînaient, qui effraient plus les innocents que les voleurs... Elsa trouvait ces armes dangereuses : « Dieu seul sait ce qui peut se passer dans un esprit à demi réveillé et on tirerait facilement sur quelqu'un qui se serait levé au milieu de la nuit. »

Elsa hésite, ses livres sont acceptés, ils n'ont pas encore paru, mais... vivre à Moscou ?

Parfois, l'alcool violent des foules agit. Quand une voix sonore crie : « Camarades ! », « un frisson d'enthousiasme parcourt le dos de Fraise-des-bois ».

Mais, à la dernière scène du livre, un milicien pousse

devant lui un vagabond pieds nus, ensanglanté, blessé et qui pleure... c'est qu'il a enfreint la morale socialiste : il a volé...

Devant une église, l'homme se jette à terre, proteste : « Mais je suis blessé. » Le milicien le relève sans douceur : « Avance, Moscou ne croit pas aux larmes. »

Derniers mots du roman, dicton souvent invoqué, cette phrase-programme servira de tête de chapitre à Ehrenbourg, puis de titre de film dans les années quatre-vingt.

Elsa commentera plus tard : Moscou ? « *J'y avais perdu ma place et j'avais déjà Paris dans le sang.* » Elle et les siens — même Lili malgré ses vêtements de Berlin, ses chaussures de Londres, ses parfums français — avaient pris des chemins divergents. « *Ils avaient vécu la guerre civile, la famine, les hivers assassins pendant que moi, j'avais été dans quelque Tahiti paradisiaque.* »

Étrange façon de soudain plaider coupable alors qu'à Tahiti elle rêvait du Kremlin, de la Néva, de Lili.

Charleston de Montparnasse

Elle retourne donc à Berlin. Puis décide de s'installer à Paris. D'abord dans un hôtel, place du Panthéon. Puis aux Ternes. Puis à Montparnasse.

A Paris, elle fréquente surtout les exilés de Moscou. Et ceux — comme Fernand Léger — qu'elle a connus parce qu'ils connaissent Maïakovski.

Triolet ne tient toujours pas au divorce et à présent qu'Elsa n'est plus qu'une amie, ils s'entendent bien. Elle devient la confidente de ses « pistes » et se laisse volontiers inviter en même temps que Nicole de F..., liaison dont il est las... Thirion admirera cette faculté de Triolet de garder autour de lui ses « anciennes » et ses « actuelles » en bonne intelligence.

De 1924 à 1928, l'émigrée qui va sur ses trente ans se sent comme un parachutiste qui n'ose pas sauter.

Au début, elle habite un meublé du côté des Ternes. Fernand Léger, auquel Maïakovski avait demandé de veiller sur sa *belle-sœur*, la surprend en pleine crise : les hôteliers l'injurient parce qu'elle reçoit trop et elle sanglote sous l'insulte... Elsa montrera ce moment clé de l'exil : la femme seule livrée à la calomnie, à l'insulte parce qu'elle reçoit des hommes... Dans toute son œuvre et jusqu'au *Rossignol* final surgiront des hôteliers, concierges, propriétaires mesquins qui font sentir à l'isolée combien elle est vulnérable. Aux années trente encore, des « rapports » se demandent si elle est un « agent secret ».

Fernand Léger, avec sa bonté bourrue, règle la question en quelques phrases rudes. Après un coup de téléphone, il emmène Elsa à l'hôtel Istria, rue Campagne-Première, où habitait d'ailleurs, avec bien d'autres amis, sa première femme.

L'hôtel Istria deviendra un lieu quasi mythique, chanté par Aragon, qui montrera Elsa descendant ses marches...

« Le hasard qui m'avait conduite à Montparnasse était plus malin que moi : *c'était bien le seul endroit à Paris où je pouvais exister. Je n'y étais pas seule à être seule* », dira-t-elle.

Y est-elle si seule ? Camaraderies d'hôtel ou de café, partenaires de nuits de danse, elle paraît en apparence très entourée. Et un joueur d'échecs devenu champion professionnel est assez longtemps mêlé à sa vie. Puis ce sera, romancier français célèbre et nomade, Marc Chadourne.

Elle voyage aussi, malgré les complications de visa. Plusieurs visites à Moscou, à Berlin, en Tchécoslovaquie.

Toute cette période, Elsa l'a transposée dans un roman, *Camouflage (Zachtchitniy tsvet')*. Tous l'ont trouvé raté — et elle aussi pour finir. Aujourd'hui, c'est un document clé.

D'abord, elle se sent double et *Camouflage* la montre en deux femmes.

Varvara, Russe brune, exilée sans le sou, vit d'abord avec sa mère. Dès l'enfance elle se considère comme un « objet inutile et gênant ». Restée seule en terre étrangère, « Varvara se transforma définitivement en "indésirable", c'est-à-dire en étrangère au passé et aux papiers douteux ». Des hommes de la Sûreté la surveillent, et même l'interrogent. D'ailleurs :

« Tout étranger ordinaire, apprenant les origines russes de Varvara et son mode de vie... la trouvait suspecte, et chaque fois qu'elle faisait la connaissance de quelqu'un, il lui fallait de nouveau démontrer qu'elle était inoffensive. »

Par hasard, Varvara la brune rencontre Lucile la blonde, qui possède tout ce qui lui manque. Un mari très riche, indulgent à tous ses désirs et dont la séduction agit sur tous. Si immatérielle, si inexistante cette Lucile, qu'elle est comme l'ombre projetée de Varvara, avec le charme capricieux de l'irrésistible Lili. Varvara devient l'ombre de Lucile. Or, la séductrice tombe amoureuse d'un errant, « l'éternel voyageur des pays et des gares » baudelairien retouché par Paul Morand. Amour malheureux : l'aimé fuit sans cesse — le bonheur de Lucile s'écroule... On sent affleurer les vrais désespoirs d'Elsa dans la subite passion qui bouleverse l'intangible poupée blonde. Une scène fait charnière : Konrad, l'amant insaisissable, va partir en croisière. Lucile l'accompagne jusqu'au port, mais là, défense lui est faite de se montrer à ceux

qui vont dire adieu au partant. Ils se séparent dans le taxi...
et alors Lucile se met à aimer follement celui qu'elle croyait,
comme les autres, une distraction de passage... Un jour,
Konrad s'endormira dans les bras de Varvara la brune, chargée de l'observer, de le guetter.

Elle se déteste, désespère de tout, dissèque cruellement
ceux qu'elle approche. Elle erre dans les cafés et boîtes de
Montparnasse, trop chers pour elle. Les soupirants ? « C'est
toujours vexant et ennuyeux »... Du travail ? Difficile à trouver. L'amour ? C'est son rêve, mais à Paris on aime pour la
beauté, pour la renommée, pour l'argent. Que peut-elle
apporter, sinon... « mes échecs, ma santé ruinée... ». Pourtant
l'amour reste son espoir. « Elle n'espérait qu'une chose, c'est
que quelqu'un tombe amoureux d'elle comme on attrape le
typhus. » Elle rêve d'amour « comme un cul-de-jatte rêve de
béquilles », et elle ne croit plus pouvoir aimer, jamais. Elle se
trouve « vraiment par trop antipathique » avec sa manière de
toujours tout voir, de tout remarquer, de tout disséquer et
détruire...

« Dans ses bons moments, Varvara avait envers les gens une
attitude gourmande, comme un dégustateur. Elle avait su vite
apprécier en Konrad son extrême sensibilité. Il réagissait au
moindre souffle. » Elle le traite en « être imaginaire », en
« fiction ». Elle reste « simple comme toujours et ne cherche
pas à persuader Konrad qu'elle avait une nature hors du
commun ». Moyennant quoi, « lorsqu'il fut habitué à elle,
Konrad se laissa aller ». Et elle décida que leur liaison durerait
quelques semaines...

Cette façon qu'elle a d'observer, de guetter l'amant rend
Varvara redoutable. Risible, l'exigence de Konrad envers le
bonheur « comme s'il avait sur lui des droits acquis ». Mais il
était pris parfois d'angoisse terrible, peur de la mort, « terreur
à l'idée qu'il ne toucherait pas son bonheur ». Aussitôt Varvara s'attendrit, « tout désespoir lui était parent »... et elle le
berce jusqu'au sommeil de son « chuchotis russe, pour lui
incompréhensible ». Puis elle descend le long escalier.

Pour rendre plus inextricable le duo Varvara-Lucile
l'héroïne brune capte aussi le mari de la blonde... Mais à la
fin, Varvara est tout envahie de « l'odeur de cadavre » de ce
monde et décide de fuir à Marseille. Elle ne se voit d'autre
avenir qu'un asile d'aliénés ou la prostitution, deux faces de
la mort au ralenti. Être celle qui dans les rues chaudes du
Vieux-Port (un cliché des années vingt) avait murmuré à
Konrad : « Tu es le quatre-vingt-huitième aujourd'hui »...

Varvara dit à Lucile, ce travesti de Lili :
« ... au fond... je n'ai jamais aimé que toi... Je t'ai aimée

pour tout ce que je n'avais pas... pour la grâce divine dont tu portais la marque... » Écartant le spectre de sa propre *vieillesse*, cette femme de trente et un ans qui n'est plus d'après elle une jeune femme mais « une femme encore jeune » imagine Lucile (Lili ?) devenue une « petite vieille rose en coiffe noire ». Mais Lucile est *aussi* une Elsa rêvée.

Sous le camouflage du roman, Elsa sort mal d'un amour malheureux pour un grand voyageur en effet, un romancier de renom, Marc Chadourne. Il habite tout en haut d'une maison de l'île Saint-Louis d'où l'on découvre l'arrière de Notre-Dame[1]. Tout près, en ce temps — mais Elsa ne les connaît pas — demeurent Nancy Cunard et, à ses côtés, épisodique mais immortalisant, Aragon. Tout près habitera quelques mois plus tard Drieu La Rochelle, l'intime ami, brouillé, la part d'ombre d'Aragon, comme Varvara est celle de Lucile : Elsa est donc venue dans cette maison. Marc C., à l'époque, a le cœur promis, le corps aussi... mais, toujours incertain et curieux, il n'en donne pas moins des espoirs à la Russe.

L'incendie

Elsa se sent rejetée, isolée, étrangère, malheureuse. En 1927, elle part soigner ces rhumatismes de Tahiti dont elle prétendra plus tard qu'ils la déforment. La ville d'eaux, Franzensbad, fut autrichienne, et avant Lénine beaucoup de Russes la fréquentaient. Elle est devenue tchèque sous le nom de Frantiskovy Lazné[2]. Elsa, dans son hôtel, écrit fébrilement.

Une photo la montre dans le parc, l'air tendu. Un jour on doit la changer d'étage. Imprudente, elle sort « pour laisser faire la femme de chambre ». Est-ce que le vent a dispersé les feuillets tout raturés ? En tout cas, la servante crut à des paperasses jetées... et les a lancées dans le feu de la cheminée...

« J'ai passé toute ma journée à pleurer, *ma vie avait brûlé avec ces vieux papiers.* »

Peu de mois auparavant, Aragon, dont elle connaissait deux livres, s'était mutilé lui-même en mettant au feu, feuille à feuille, les centaines de pages de *La Défense de l'Infini*. Il écrira : (j'avais) « brûlé quatre ans de ma vie secrète ». Ainsi par correspondances invisibles, par coïncidences étranges, avance-t-on parfois sans le savoir vers celui ou celle par qui le sort tournera.

---

1. Marc Chadourne habita une maison semblable en ce temps.
2. « Les Aragon » y reviendront après la guerre.

Pour Elsa, l'atmosphère de la ville d'eaux tchèque atteint cet absurde que les futuristes russes cultivaient autant que les surréalistes français. Quand, au soir de sa journée de pleurs — où l'a-t-elle passée ? —, la désemparée revient vers son hôtel, le bâtiment entier flambait, allumé, crut-elle, aux étincelles de son roman.

En tout cas, elle réécrit *Camouflage* et part pour Moscou, vers les possibles éditeurs.

Un très grand écrivain russe, originaire d'Odessa et juif, Isaac Babel, l'auteur de *Cavalerie rouge* et des *Contes*, l'aide à corriger le livre que plusieurs lecteurs trouvaient manqué. Le grand Babel revoit avec elle les épreuves quand finalement — et à coup sûr avec l'aide de Maïakovski et de Lili — le roman est accepté par Le Cercle, éditions de la Coopérative des écrivains. Le conteur d'Odessa ne lui cache pas que le livre n'est pas réussi.

« *Camouflage* va bientôt paraître, écrit Elsa dans son journal. Ce malheureux bouquin, contre lequel on a lutté avec le fer et le feu, essaie de paraître réellement. »

Toujours, pour Elsa, les objets ont leur volonté, leurs sensations... un manuscrit est une chose autonome, qui peut vous jouer des tours.

« Je n'y croirai que lorsqu'il aura été universellement engueulé. Dieu, comme on va l'engueuler ! Rien que d'y penser ! »

Elle résume la « biographie » : l'incendie de l'exemplaire unique. Puis, refait : « Pendant des mois, il a moisi à la censure. Enfin, on l'y a repêché. »

On imagine les interventions des Brik, et peut-être quelque puissant et occulte personnage, ami de Lili, insistant sur l'intérêt de ce « désespoir provoqué par la décomposition en pays capitaliste ». Et les répliques du censeur sur le manque de héros positif, de « hé.pos. »... Seulement, en 1928, les consignes demeuraient floues.

« Ça m'ennuie que ce livre ait le genre "cœur brisé". Il ne faudrait pas écrire "avec sentiment", ça fait honte et n'est possible qu'avec beaucoup de naïveté ou de virtuosité. »

A relire les épreuves, Elsa comprend à quel point elle s'est exposée dans le récit. Même si elle s'est coupée en deux : Lucile la blonde, frivole et prodigue, Varvara la brune, pauvre et sans avenir. Elle s'empresse, dès 1928, de jeter une nuance de sépia sur l'histoire :

« Je voulais dire plusieurs choses à la fois et je les ai réunies de force. Le véritable sujet de ce livre est la peur (ou la lâcheté) devant la vie. »

Cette vieille peur qui faisait demander à Fraise : « Maman, tu n'as pas peur ? »

La femme du 2 septembre 1928 ajoute :

« Quand j'aurai définitivement décidé que cette peur est de la lâcheté, j'en aurai tellement honte que je deviendrai courageuse. »

C'est donc avant de rencontrer Aragon qu'elle le sera devenue. Courageuse ? Capable de sauter dans le vide, dans le non-avenir d'un homme impossible, avec la décision de le transformer... de l'attacher, et par là de s'attacher à lui et à la vie.

De l'héroïne, Babel dit : « Une vie de cadavre. » L'auteur se défend : « Une vie de cadavre par accident. Il y a dans Varvara assez de vie pour dix. Une femme née pour créer, mais choquée depuis l'enfance. Une peur convulsive devant la vie... »

Un grand thème, certes, mais que n'est-elle allée jusqu'au bout ? Que ne s'est-elle « expliquée »...

Quand Elsa, septuagénaire, publie cette page de son *Journal*, sait-elle que Babel lui avait, en 1927, livré la clé de son œuvre dont elle ne se servira pas ? Qu'elle a toujours tenté de rendre ses souffrances par allusion, et que le *travesti* les absorbait comme un buvard ? Que son « vrai » était corrodé par son « menti » ?

Un quart de siècle après la tragédie, Elsa met une note en bas de cette page de *Journal*, révélant, alors qu'elle croyait prouver le contraire, combien le reproche du conteur de *Cavalerie rouge* restait indélébile :

« Babel, un des grands écrivains soviétiques, qui a péri lors de la terreur stalinienne, en 1941 »... Une ligne en note ? donc, plus rien à se reprocher ? aucune responsabilité pour ses trente années de silence ?

« Une fois le livre paru, on disait couramment que c'était un prologue au suicide. On disait que c'était un livre raté. Et on avait raison... J'ai donc cessé d'écrire, et je semblais ne pas y tenir... »

Après la mort d'Elsa, Aragon publiera *Camouflage* en français avec la bande : « Son dernier roman en russe. »

Les mots prémonitoires, elle les y avait déjà tracés :

« Il ne restait à Varvara que *la langue russe, et même, elle était bien obligée de la maltraiter parce que son mode de pensée, souvent, ne se pliait pas aux tours de cette langue.* » Elle parlera plus tard du « malheur insupportable de n'avoir pas de langue ».

Elsa est revenue rue Campagne-Première, à l'hôtel Istria, où Man Ray, Jeanne Léger, Picabia et Max Ernst cohabitent avec elle. Tous voisinent, à l'hôtel, au café. Marcel Duchamp, autre locataire, lui dessine une « obligation » de la roulette de Monte-Carlo que signent « RRose Selavy », nom travesti de Robert Desnos, et « Un administrateur : M. Duchamp ». Elle connaît donc déjà des surréalistes. Mais elle n'est pas admise dans le groupe. Elle reste « la charmante Russe de l'hôtel Istria ».

Prête pour la Rencontre. Vide. Désespérée. Ayant renoncé à écrire. Mais voulant devenir quoi ?

Quel amour ?

Elsa va franchir la première des marches-années qui, en seize fois douze mois, la mèneront vers sa légende.

L'amour, « béquille de cul-de-jatte », qu'a-t-il été jusqu'alors pour cette femme de trente-deux ans qui a, comme on dit, « vécu ». Maïakovski ? L'éblouissement, le zénith, l'objet d'un combat jamais avoué qui dure depuis qu'elle a ouvert les yeux : la compétition avec l'aînée. Lili a gagné.

Chklovski ? Chauve, trop musclé, coléreux, dominateur. Elle aime — écrira-t-elle à travers ses fictions — les hommes minces, élancés, aux faux airs fragiles, aux manières vieille France. (Maïakovski échappe à cette figure-là.)

« Alek » et « Fraise » ? L'adolescente Ella et Roman Jakobson ? Le vert-paradis-des-amours-enfantines ? Oui, baisers et bouquets, traîneaux et fiacres, caresses échangées, sentiments retenus selon la mode de leur milieu « avancé ». « Est-ce que vous m'aimez ? — En ce moment, beaucoup. » Cynisme bon-chic-bon-genre.

Mais le désir ? Dans le cabinet particulier, le « premier » déguisé en « brun trapu » assied Fraise sur ses genoux. Cette position se retrouve souvent dans les scènes toujours très voilées des romans et nouvelles. Elsa, petite, les attaches fines, imagine volontiers son héroïne sur les genoux de l'homme, femme-enfant...

Rarement surgissent des scènes d'une violence brève de style « dostoïevskien ». Dans *Le Cheval blanc*, la romancière se projette à la fois dans Michel Vigaud, irrésistible et fuyant, chercheur d'absolu sans le savoir, et en Elisabeth, une Suédoise (donc étrangère), irrésistible et vulnérable elle aussi. La femme fuit cet homme dangereux. Ils se retrouvent par hasard. Il la viole ; elle crie... puis au matin voit en cette « démence » une preuve d'amour. Une nouvelle, écrite juste

70

avant, en 1941, montre l'héroïne se tapant la tête contre les dalles du sol et, parmi ses reproches, jetant à l'amant perdu « ... notre enfant dont tu n'as pas voulu »...

Bien avant, la Varvara de *Camouflage* parle d'un premier amant à Moscou dont elle fut enceinte et dut se faire avorter. La sage-femme est une blonde oxygénée sordide. Le « docteur » porte l'uniforme (Elsa eut vingt ans en 1916, en pleine guerre) et Varvara se souvient qu'elle était, elle ne sait pourquoi, « sur ses genoux ».

Dans la génération et le milieu d'Elsa, les interruptions de grossesse — comme nous disons aujourd'hui — étaient fréquentes. Mais, même à la génération précédente, la mère d'Aragon en témoigne, certaines femmes choisissaient d'être mères sans mari.

Varvara dans *Camouflage* parle de sa vie finie, de sa santé « ruinée », mais elle est à Paris, et elle n'a plus vingt ans. Elsa aime travestir et les personnages et les temps.

Beaucoup plus tard, vers les années soixante, une jeune Française enceinte surprend sur elle le regard douloureux d'Elsa qui finit par lui parler « de l'enfant qu'elle avait porté, dont elle avait failli mourir, et qu'il avait fallu sacrifier [1] ». Elsa dit en avoir gardé une peine « incurable ». Une autre amie, militante communiste, voyait Elsa s'attendrir devant ses enfants avec, lui avait-il semblé percevoir, un regret. Enfin, la fille adoptive du plus fidèle ami des Aragon — dont le père était lui aussi un ami — se souvient des attentions, embarrassantes pour sa timidité, que lui portait le couple, en ce temps déjà « royal ». En 1967, dans *Le Rendez-vous des étrangers*, Elsa parle d'une militante communiste qui accouche, puis se suicide... parce que son mari était fasciste.

Dans les romans, les enfants sont souvent adoptés — l'enfant s'entoure toujours d'une auréole dramatique.

A lire l'œuvre, à regarder vivre Elsa, le désir d'enfant apparaît peu. Le fantasme d'enfant semble exister, pourtant. Or le désir du corps doit ses pulsions les plus physiques à l'imaginaire...

Elsa nomma très vite Louis « mon petit », publiquement. Dans *Vie privée* (ce grand aveu de son mentir-vrai, en 1943), nous voyons se dérouler la possessivité de l'épouse maternelle-sororale, qui dit indissoluble son lien avec le mari en raison même de leur rapport frère-et-sœur, leur réciprocité de quasi-jumeaux... Aragon parlera de cette « patience » d'Elsa dans leurs premières années... Elsa-genitrix d'un homme, son presque-jumeau par l'âge mais qui restait frustré

---

1. Colette Seghers. Entretien avec l'auteur.

d'enfance ? Elsa triomphante et durcie comme ces mères qui ont « tout » donné, sacrifié et se sentent tenues à distance ?

Son besoin profond était-il d'asservir, en s'emparant de ses secrets, un homme éblouissant... et qui allait l'éblouir ?

3

Un Parisien ambigu

Pour moi, concrètement, Autrui c'est Elsa...

ARAGON.

Quand on arrive à cerner le moment et l'endroit où la graine est tombée, quand on réussit à la voir devenir plante, on comprend d'évidence comment la biographie d'une œuvre dépend de la biographie de son auteur.

Elsa TRIOLET, Préface a la *Clandestinité.*

Aragon, enfant de personne

Aragon est né le 3 octobre 1897 et fut déclaré à la mairie du
XVIe arrondissement, vaste bâtisse au coin de l'avenue Henri-
Martin et de la rue de la Pompe où la bourgeoisie parisienne
a officialisé tant de ses unions et de ses venues au monde.

Cet enfant de sexe masculin est-il « né de parents
inconnus » ? L'état civil prétend avoir égaré ce registre, ou
cette page. Lui proclame : « Aragon, *nom inventé par mon père
à ma naissance*, n'est donc pas un nom "de famille", mais
m'appartient en propre par jugement. »

Quel jugement, de quand ? Mystère. Quant au nom, celui
qui le porte dira que Louis Andrieux, préfet, parlementaire,
chargé de multiples missions diplomatiques, l'a choisi pour
perpétuer des amours anciennes avec une Espagnole de naissance royale.

Mais ce fils, Louis Andrieux l'a eu, à cinquante-sept ans,
d'une Française. Une fille de bonne famille, Marguerite Toucas, dix-sept ans [1], dont la mère descendait des Massillon, avait
l'illustre prédicateur pour arrière-arrière-grand-oncle. La
famille Massillon avait considéré le mariage de la grand-mère
comme une mésalliance. Fernand Toucas passait, dès sa jeunesse, pour un « mauvais sujet »... D'ailleurs sa mère à lui
n'était-elle pas une Lombarde d'origine, une Biglione ? En
effet, après avoir eu de sa femme trois filles et un fils, le
« mauvais sujet » a quitté sa famille, allant ouvrir à Constanti-
nople des cercles de jeu et reprenant le nom de Biglione pour
mieux se mettre à l'abri.

La famille Massillon soupirait : que pouvait-on espérer

---

1. Sa carte d'identité de 1941 la dit née à Toulon, le 13 juin 1880.

d'autre d'un homme qui dans sa jeunesse avait été communard à Marseille, en 1871 ?... Ce secret, ce cadavre dans le placard, Aragon ne l'a découvert que quand sa mère fut mourante, en 1942... Elle l'avoua pour « te montrer mon petit que tu avais de qui tenir ». La grand-mère avait des « vapeurs » dès qu'on prononçait le nom du fugitif.

En tout cas, Mme Fernand Toucas, née Massillon, trouve qu'une personne de sa condition ne doit pas effectuer de travail salarié... Que faire alors quand on n'a pas d'argent ? On se cache pour gagner sa vie. Très vite ce sont les filles, surtout l'aînée, Marguerite, qui doivent ajouter aux très petits revenus. Très douée, Marguerite : elle traduit, et même elle écrira, plus tard. Comme son frère Edmond qui, lui, est poète. Elle peint des éventails, des paravents. En cachette. Par périodes, elle et sa sœur Madeleine s'embaucheront comme vendeuses au Bon Marché : la famille demeure rue Vaneau.

Le jamais-né

C'est sans doute pour des travaux de traduction et de secrétariat que Marguerite rencontra Louis Andrieux, homme politique laïc et républicain. Il est marié et père de famille. La Commune, aimée par le père de Marguerite, il l'a réprimée à Lyon, sans douceur. Par contre, en 1880, l'année même où naissait la future mère d'Aragon, vêtu de noir et les mains gantées de gris perle, il est allé annoncer aux religieuses que leurs terres étaient nationalisées... Anticlérical voltairien, il admettait un Être suprême (peut-être fut-il franc-maçon ?) mais ni Église ni clergé.

C'est donc, aux yeux de Mme Toucas mère, le Diable que ce monsieur Louis Andrieux. Et le diable remarqua Marguerite.

Elle n'est pas grande, brune. Sa maturité sera trapue avec un soupçon de moustache. Jeune, elle est fraîche, douce et très naïve... Louis Andrieux ? Elle lui trouve du génie.

Un jour, elle doit confesser qu'elle porte un enfant. Pour Mme Toucas, née Massillon, c'est le déshonneur sans phrases... L'enfant naît ; Andrieux le marque de son prénom, de son initiale et de ce patronyme romanesque : Aragon... On l'envoie en nourrice en Bretagne. On quitte la rue Vaneau. On s'installe 11 bis, avenue de Villars, dans l'ancien appartement des parents d'Henry de Montherlant. On raconte aux gens que Mme Toucas adopte l'orphelin d'un couple ami qui a péri dans un accident.

Voilà donc Louis fils de sa grand-mère ; frère de sa mère et de ses tantes, Madeleine et Marie, et de son oncle Edmond. Puis Mme Toucas investit un petit héritage dans une pension de famille, avenue Carnot, lieu qui hantera les romans d'Aragon.

Dans *Les Voyageurs de l'impériale*, la pension sera dirigée par un homme qui aura le caractère d'Edmond, le « frère-oncle » ; le roman lui donne une famille. Dans *Les Cloches de Bâle*, l'héroïne révolutionnaire, Catherine Simonidzé, habite avec sa mère une pension du même genre comme, dans *Les Communistes*, un sculpteur.

Septuagénaire, Aragon affirmera : « La clé des décors n'est pas celle des personnages. »

L'enfant prend le goût des belles étrangères, de leurs douceurs exotiques et des airs qu'elles font tourner sur leurs gramophones en passant leurs doigts dans ses cheveux d'or filé. Les sœurs-tantes, la sœur-mère, la mère-grand-mère, les étranges passagères... Seul homme dans le méli-mélo matriarcal, l'oncle-frère Edmond, avec ses vers contournés qu'il publie dans d'éphémères revues et des plaquettes.

Ainsi le « féerique » petit garçon grandit entre le DIT et le NON-DIT. Marguerite la sœur ? Comment ne pas sentir qu'elle est « autre chose » ? Le MENTIR-VRAI est son premier langage.

> *Le mot n'a pas franchi mes lèvres (...)*
> *Ce lourd secret pèse entre nous (...)*
> *Et tu me vouais au mensonge*
> *A tes genoux (...)*
> *Te nommer ma sœur me désarme.*

Apprendre à vivre, c'est apprendre à croire au mensonge, à naviguer entre les mensonges.

> *Marguerite, Marie et Madeleine*
> *Il faut bien que les sœurs aillent par trois*
> *Aux vitres j'écris quand il fait bien froid*
> *Avec un doigt leur nom dans mon haleine.*

A l'Exposition de 1900, il connaît des Américaines, deux sœurs et une cousine. Grace, qui avait douze ans, était sa fiancée et ses poupées leurs enfants. Puis elle est repartie. Il dit : « Ah, voilà ce que c'est que d'épouser des étrangères, elles vous laissent avec des enfants sur les bras. » Est-ce vraisemblable à trois ans ?

Louis Andrieux, c'est le parrain, le tuteur. On le rejoint avenue Bugeaud ou avenue du Bois, et l'enfant entend d'étranges querelles. Marguerite balbutiant qu'elle pourrait bien « refaire sa vie », et lui sifflant qu'il ne l'en empêchait pas, et elle se mettant à pleurer. Ces rencontres toujours tendues, Marguerite en sort désemparée.

Avant de savoir écrire, Louis dicte à ses « sœurs » *Une âme divine*, qu'il publiera plus tard parmi des textes automatiques sans que nul détecte l'âge du rêveur : six ans. Même avant, il avait dicté un roman, *Les Enfants de Cléo*. Cléo, c'est Cléopâtre reine d'Égypte, mais aussi Cléo de Mérode, célèbre demi-mondaine dont il avait vu la photographie.

A sept ans, en 1904 donc, il sait écrire et se met à un grand roman : *Les Rouné...* Souvent il entend parler des *Rougon-Macquart* que lisait sa mère, plus souvent il entend dire : « ruinés ».

On a vendu la pension de l'avenue Carnot pour s'installer à Neuilly, avec un salon et un piano mais dans une pauvreté si grande que l'enfant parfois reste sur sa faim. De ce temps date l'indifférence à la nourriture, l'habitude de manger distraitement, de se lever pour marcher ou gesticuler au milieu d'un repas. La nourriture aurait pu l'obséder... Il l'annule. Marguerite, sur les exigences de sa mère, a mis Louis dans un collège religieux, Sainte-Croix de Neuilly[1], ce qui lui vaut de terribles scènes d'Andrieux : quel obscurantisme ! Louis, qui est très pieux, entend son « parrain » fulminer contre les curés.

> *Que si j'ai feint, c'est pour toi seule*
> *Pour toi seule fait l'innocent.*

Les vers sont écrits par un homme qui « sait »... mais il se souvient que l'enfant sentait-savait, et qu'autour de lui aucune certitude, jamais, ne fut sans fissure. De même que l'on feignait de vivre comme les camarades de classe mais qu'on se « serrait » dans la gêne, aucun sentiment, aucune identité n'était garantie. Faire-semblant. Faire-croire.

Mentir-vrai

Un jour que Louis est malade, le tuteur vient à la maison... Il voit au-dessous d'une image de piété la photo d'un homme barbu solennel. Il interroge : qui est-ce ? Louis répond que c'est son père, son papa mort. Le parrain-tuteur se jette dans une incroyable colère, arrache la photo. Il en apportera une de lui à sa place... Ainsi, l'enfant, qui s'était accoutumé au fantasme du barbu mort, est à nouveau brutalement déraciné.

---

1. Il a écrit « Saint-Pierre de Neuilly », confondant le nom de la paroisse et celui du collège.

Parrain-tuteur ne peut pas être papa... Alors où est le père puisqu'il n'est plus au ciel ? « Je n'aimais pas cet homme, ayant assisté entre ma mère et lui à des scènes parfois violentes où ses propos à lui étaient d'une espèce qui m'empêche même de les répéter [1]. » Mais ce parrain-tuteur est plus lié à la famille Toucas que son fils ne le dit. Dans ses campagnes électorales, il emmènera l'oncle Edmond dont il fera un sous-préfet vers 1919.

Aragon brouille les pistes de cette histoire comme de tant d'autres, et prétend que s'il employait le prénom de Marguerite ou, quand ils étaient seuls, « des façons douces de l'appeler », il ignorait qu'elle fût sa mère. Dans d'autres demi-confessions c'est moins évident, comme dans le *Mentir-Vrai*.

« Je ne savais rien de leur histoire. Je n'en ai jamais rien su même si, un peu plus tard, j'avais été pris de quelques doutes que je m'abstenais bien d'approfondir... »

Et pour reconstituer « un moi irretrouvable » il avait « inventé de toutes pièces » un petit garçon... « dans mon genre, bien sûr, pour présenter son histoire en raccourci ». Et il a « supposé » que « *sa mère, pas la mienne*, avait tout dit à l'enfant », dès l'incident du portrait. Cependant, ce Pierre, avec qui était-il fabriqué ? De qui venait sa façon « de dissimuler son secret à tous *puisque chacun n'a connaissance que d'un côté de lui* » ? Aragon dit qu'il n'a, lui, « rien à vraiment cacher »... Et aussitôt nous raconte une histoire bizarre où, niché avec un autre petit garçon dans des « buissons épineux » sur les dunes, il se distrait en lui racontant d'imaginaires histoires — pas si imaginaires, puisqu'y figure le grand-père Toucas, sous-préfet à Guelma, et « l'histoire de la photo dans la poche de [son] parrain »... Le confident trahit tout. Le père, Lyonnais vertueux, vient « déterrer » le conteur, le traitant de « salopiaud », de « gosse perverti ». S'il recommence, il le fera chasser de l'hôtel, « en disant tout à sa mère » (c'est-à-dire à la grand-mère Toucas). Ce mélange de confidences sous le buisson d'épines et d'imbroglio sur la naissance en dit assez... Pourtant, Aragon affirme, après avoir détaillé les mensonges faits au petit copain : « Je n'ai jamais menti : je croyais ce qu'on me disait, *moi, je ne discutais pas la vie ; elle était comme on me la donnait* »... Le petit garçon se prénomme Guy comme le « meilleur copain réel » de Louis... et comme l'enfant des *Cloches de Bâle*.

Un mentir-vrai qui rend toute chose dans cette existence à la fois vraie puisque rêvée (quoi de plus vrai et révélateur qu'un fantasme ?) et tissée de faits superposés qui fuient. Une

---

1. *Henri Matisse-roman* et le *Mentir-Vrai*.

eau vive où l'on ne distingue pas les poissons du courant tant la lumière brille, et se brise, et fait tout étinceler.

Rapports inexplicables, profondément déséquilibrants. Louis Andrieux apportait au « bâtard » les rebuts des « légitimes ». Par besoin de créer un lien secret ? Par avarice ? Jamais Louis ne se remettra d'avoir dû cacher à ses condisciples les compas rouillés qui le dégoûtèrent du dessin et les dictionnaires tachés.

Atroce, donc, l'enfance.

Avec des compensations parfois. L'amitié (l'un de ses camarades deviendra médecin, directeur de l'Institut Pasteur, et, bien que très conservateur en politique, gardera pour Aragon une admiration éblouie). Louis, à onze ans, est en sixième et on lit sa narration dans la classe de quatrième où se trouve Henry de Montherlant auquel l'unit déjà le hasard d'un appartement repris. En fin d'année, Louis reçoit pour prix de français les *Vingt-cinq ans de littérature* de l'abbé Bremond. Il parle encore, soixante ans plus tard, de son bonheur à découvrir Barrès... A onze ans ? Oui. Il lisait aussi Dickens et dit que le poème où il répétera indéfiniment le mot « Persiennes » vient de *Dombey & Sons* où l'enfant malade, devant la mer, répète sans fin les mêmes mots...

Mais, en classe, quelle constante humiliation de porter les défroques de ceux dont il ignore qu'ils sont ses demi-frères, les fils Andrieux.

Se sentir une marchandise en solde, une fin de série (...)
Il y a des sentiments d'enfance ainsi qui se perpétuent
La honte d'un costume ou d'un mot de travers T'en souviens-tu ? (...)
Même aujourd'hui d'y penser ça me tue !

dira l'homme de soixante ans parvenu au sommet de la gloire.

Les hommes dans sa vie : des professeurs, des camarades, le parrain, figure imprévisible et terrifiante.

Le grand-père Toucas ? Il en a deux souvenirs. Revenu à Paris, Fernand Toucas, dit « Biglione », avait ouvert un cercle de jeu boulevard Haussmann. Puis un jour Clemenceau — l'ami du parrain — a fait fermer les cercles... Le grand-père se croit obligé de fuir à Genève et réclame à Marguerite l'argent du billet. Qu'elle n'a pas. Et elle demande à Louis de casser sa tirelire[1]... Il se dépouille ainsi pour celui qui abandonna toute la famille, pour ce tortionnaire par absence.

---

1. Quand il a neuf ans, Marguerite lui avoue : « C'est mon père » et aussi les folies gaspilleuses, les exigences de sa mère. Son malheur, en somme. A neuf ans, Louis se sent charge d'âme, de femme. Quel poids !

De Marguerite, sa fille aînée, ce père inconscient exigera, quand il sera rapatrié en 1914, qu'elle l'entretienne. Tout en la couvrant de son mépris : une fille mère... Quant à Louis, le *bâtard* que Marguerite tente de lui présenter, il le regarde à peine.

Les hommes de l'enfance ? Capables mais sadiques ; ridicules comme l'officier général qui épousera sa « sœur » Marie. Ou doux et doués, mais fuyants et mal adaptés, comme Edmond.

Femmes, toujours

Des femmes, toujours. Femmes exigeantes, tendres, dominatrices et douces. La mère, présente et à jamais cherchée... La mère qui est aussi la sœur, mais qui soudain se transforme en enfant. Marguerite n'a-t-elle pas, un jour de désespoir, supplié Louis de lui jurer qu'il l'emmènerait quand il serait « grand », loin de Mme Toucas, génitrice capricieuse et folle ? Loin de cette descendante des Massillon, qui mangeait ce que gagnait sa fille en prétendant aux yeux du « monde » qu'elle n'avait pas à gagner sa vie. Qui avait vendu les tableaux achetés par son mari : Monticelli et des impressionnistes... Pour rien !

Femme folle vivant dans un monde imaginaire. Ou femme dévouée se tuant au travail pour les siens. Femmes effacées, apeurées, résignées. La tante qui se marie et fuit... a-t-elle avoué à son mari qui était Louis, petit frère adopté ?

Le secret, toujours. Qui donc pourrait aimer l'enfant issu des hontes de toutes ces femmes-là et du mépris ou de la veulerie de ces hommes ?

A dix-huit ans, les études secondaires sont finies. Alors Marguerite exige de Louis — comme elle avait exigé le trésor de la tirelire, comme elle exigeait le respect pour le parrain et la compassion pour le grand-père — exigera qu'il embrasse, comme on dit, la profession qui lui répugnait le plus : « S'il y avait quelque chose dont je ne voulais pas dans la vie, c'est d'être médecin. » Pour Marguerite, la médecine, c'était la fin des soucis d'argent et la reconnaissance sociale. Un médecin, c'est le maître de la vie.

Pour Louis, c'était fouiller les gluances du sang, du pus, des sécrétions. Écrire, en revanche, était une occupation masculine dont il rêvait. Auteur de quatre recueils, l'oncle Edmond se croyait poète. Et la seule gifle qu'il ait donnée à Louis venait des dures insolences de l'adolescent, en pleine phase de révolte, sur le « Modern Staïle ». (« De cette gifle-

81

là date ma rupture avec l'art 1900. ») Le parrain, avant des souvenirs sur *La Commune de Lyon* et des biographies, avait commis un récit, *Le Poste de la gaieté*, où, en 1863, il racontait une nuit au poste de police après un chahut. Écrire ou faire de la politique semblaient à l'adolescent les plus prestigieuses des occupations. L'oncle Edmond devient le secrétaire de Louis Andrieux et se présente même, sans succès, à des élections cantonales, soutenu par son patron. Louis, à quinze ans, avait vu une campagne électorale en pays rural montagnard. Tout ce qu'il raconte dans *Mentir-Vrai* sur cette expérience et ses propres réactions montre qu'il « savait sans savoir »...

A dix-sept ans, la guerre

La guerre a frappé dès qu'il a eu sa première partie de baccalauréat, le 27 juillet 1914... Quelques jours après... Mais lui a docilement préparé sa deuxième partie, s'est inscrit en année préparatoire à la médecine. Il rassemblait autour de lui des filles fortunées, à l'esprit avide, qui se pâmaient devant sa svelte et arrogante beauté autant que devant le scandale de ses théories. Colette Grunebaum, alliée à Léon Blum, qui épousera plus tard le banquier Philippe Bernier et deviendra romancière sous le nom de Constance Colline, lui fait connaître son amie Colette Jeramec. Elles l'écoutaient expliquer la nécessité de la révolte contre le symbolisme pour atteindre la Beauté moderne, telle que la présentaient Guillaume Apollinaire et Max Jacob.

En 1917, Colette Jeramec lui présenta son fiancé, Pierre Drieu La Rochelle qui, blessé, revenait du front et écrivait des vers. Ils se plurent au premier regard.

Mais dans la famille Toucas, déjà, les deuils s'amoncelaient. Dès août 1914, commençaient les massacres. La tante-sœur, Madeleine, y perdra son mari, et Marie — qui ne voyait plus sa famille — tremblait pour son époux, le général.

L'horreur de la tuerie se mêlait chez Louis au besoin de participer des jeunes hommes. Un indéniable courage physique l'attirait obscurément vers cette épreuve mortelle. À présent, être homme, c'est se battre. Non plus en duel, comme au temps d'Andrieux. Non, s'exposer au feu, ne jamais savoir si l'on vivra l'heure suivante.

En attendant, Louis fréquentait, rue de l'Odéon, la librairie Les Amis des Livres. Là régnait Adrienne Monnier, vêtue comme une moniale, vestale de la littérature, que le jeune homme à la moustache naissante subjuguait. Elle le trouvait le plus subtil, le plus gentil, le plus intelligent de ses jeunes visiteurs. Et sa courtoisie le rendait plus familier à la libraire, vite devenue une amie protectrice. Il achetait Verlaine et Laforgue. La libraire lui conseille Valéry et aussi, dans un style plus insolite, *Les Soirées de Paris*, la revue d'Apollinaire. Sans doute aussi du Léon-Paul Fargue qui deviendra, vers 1920, un compagnon de dérive parisienne et qu'Aragon, bizarrement, prétendra ne pas avoir connu.

C'est l'année où, au cinématographe, on pouvait voir l'extraordinaire Musidora, dans un film-feuilleton tout à fait présurréaliste, *Les Vampires*, de Louis Feuillade. C'est l'année, mais Louis l'ignore, où Franz Kafka écrit *La Colonie pénitentiaire*. En revanche, l'étudiant en médecine a peut-être lu *La Psychanalyse des névroses et des psychoses* de Régis et Hesnard.

Est-ce chez Adrienne Monnier que quelqu'un (« une femme, je crois », écrira-t-il vers 1970) *a fait tomber* un livre de Rainer Maria Rilke entre ses mains ?

« ... tout l'écho de l'âme, alors chez nous maudite, des Allemagnes, m'était une contrebande enivrante, et qu'avais-je alors, dix-sept ou dix-huit ans ? »

1917. Les grands massacres s'amplifient. Louis aura vingt ans en octobre. Dès le 20 juin, étudiant en médecine de première année, il est incorporé et envoyé, le 15 septembre, au Val-de-Grâce. Le besoin en médecins auxiliaires, « med-aux » avec grade d'adjudant-chef, était si grand que l'on formait en accéléré des étudiants de première année.

Les premiers élus

Breton l'enchanteur

Comment aurait-il pressenti, dans son dégoût du défoulement bruyant et obscène des conscrits chahuteurs, qu'il allait rencontrer l'amitié capitale de sa jeunesse ?

Il l'évoquera dans *Les Lettres françaises* du 1er juin 1967. Un demi-siècle après, tous les détails lui restent présents. Il contemple le chahut, grimpé sur des rayonnages, par une fenêtre donnant sur la cour. En face, à une autre fenêtre, il voit un visage qui exprime un dégoût pareil au sien et lui semble vaguement familier... Le lendemain, dans la cour, l'inconnu s'approche. Sa « politesse légèrement affectée » protestait contre l'atmosphère de la caserne. « Nous avons été présentés l'un à l'autre, me semble-t-il, il y a de cela quelque temps, rue de l'Odéon, chez Mlle Monnier, vous lisiez un numéro des *Soirées de Paris*. »

Il a dix-huit mois de plus que Louis, il hait la guerre, il s'intéresse aux désordres mentaux. Il se nomme André Breton.

Dès les premiers mots, ils prennent — Aragon le dira — « conscience d'appartenir (et ceci l'un par l'autre) à une génération nouvelle... c'est-à-dire un petit nombre d'esprits caractéristiques de leur temps... la genèse d'une formation nouvelle. Tels furent jadis Keats, Shelley, Hölderlin ou Hegel ». Pas de modestie superflue.

Ils se promènent sur le boulevard Raspail, au crépuscule, « une sorte de couleur exaltée », « un moment de magie ».

André Breton, massif, le sourire sardonique, unissait l'exigence de tout renouveler — tout : le vers, le vocabulaire, la métaphore, la syntaxe — au rare et réel talent d'entraîner les hommes. Un créateur d'école. Le 10 mai 1916, il avait rencontré le maître dont il rêvait : Guillaume Apollinaire, déjà trépané, qui mourra de l'épidémie de grippe espagnole de fin 1918. André Breton transmettait l'enseignement de ce « très grand personnage... le lyrisme en personne ». Tout poème, disait-il, doit devenir « une refonte totale des moyens de son auteur ». Chaque fois, il fallait abandonner les gains précédents et courir l'aventure.

Ainsi l'ardent provincial de Neuilly se trouvait-il brusquement plongé dans une exigence qu'il désirait, pressentait, mais dont il ignorait encore le chemin. Par Apollinaire, Breton connaissait son amie, Marie Laurencin, et André Derain ; il avait entendu discourir familièrement Valéry et il fréquentait le singulier Max Jacob...

Ébloui, Aragon. Cet aîné de dix-huit mois, devenu son maître, mit quelque temps à lui présenter un autre intime, un long et mince jeune homme, sorti d'une grande famille médicale. Philippe Soupault, né en 1898, qui échappera à la guerre. Pendant quelque temps, Breton s'amuse à mener parallèlement l'amitié avec Louis et avec Philippe — c'est sa manière : séparer pour mieux dominer. Puis il les réunit.

Aragon séduit Breton par « une mobilité d'esprit sans égale ». Étincelant, « extrêmement chaleureux et se livrant sans réserve à l'amitié ». Quand Breton perçoit-il le danger de « son trop grand désir de plaire », qui l'oblige à toujours se couler dans les moules proposés ? Bon étudiant. Toujours le premier partout.

Breton s'enchante des vers du jeune homme, où il découvre certes l'influence d'Apollinaire — il ne s'en défera jamais — mais aussi une tentative neuve :

> ROSA *la rose et ce goût d'encre ô mon enfance*
> *Calculez cos*
> *en fonction de*
> *tg. 2*

et

> *Le premier arrivé au fond du corridor*
> *1 2 3 4 5 6 7 8 9 10 MORT*

> *Une ombre au milieu du soleil dort*
> *c'est l'œil*

... et c'est le jeu qui les attend : après les disciplines d'enfance, la course mortelle et dérisoire des hasards guerriers.

Talent, nouveauté, solitude, désir extrême d'un groupe où s'intégrer. Pour Breton, ce cadet devient aussitôt le frère. Aragon rappelle leurs premières dérives, les découvertes dans les livres prêtés, les spectacles ; ainsi en juin la première des *Mamelles de Tirésias* d'Apollinaire, rue de l'Orient à Montmartre. Ces moments ouvraient « la perspective de passions communes, nous découvraient ce fait singulier et merveilleux que désormais nous n'étions plus seuls l'un et l'autre » — Louis, enfant de trop de femmes, en quête inquiète d'un semblable, avait trouvé l'ami frère ou croyait l'avoir trouvé.

André Breton peut communiquer à ce garçon vibrant même le plus insolite. Ainsi, son attirance passionnée pour la folie, ce moment où la raison s'ouvre sous un choc et déverse en vrac ce qu'elle nouait, contenait et cachait. Le nommaient-ils déjà « l'inconscient » ?

Mil neuf cent dix-sept. L'année de la Révolution russe et des mutineries en France et en Allemagne. Pour Aragon, l'année des premiers tournants créateurs. La venue à l'âge d'homme révolté... Même si Breton lui trouvait à l'époque « peu de révolte ».

Louis Andrieux enjoint à Marguerite Toucas de révéler à leur fils un « secret » qui ne l'était plus : « Il ne voulait pas que je pusse être tué sans savoir que j'avais été une marque de sa virilité. »

Mais déjà la haine amoureuse pour le tyran de sa mère s'était effacée. Louis se donnait sans réserve à la grande affaire de ses vingt ans : l'amitié.

André Breton lui avait donc présenté Philippe Soupault. Il était d'eux tous le plus détaché des anciennes admirations littéraires. Le premier à laisser à ses textes leur état primitif, sans retouche. A n'attacher pas plus de valeur au poème qu'à l'objet insolite soudain fabriqué avec une boîte trouvée, du papier d'argent, un fil de fer.

Les morts en masse de Verdun et les bombardements, toutes les nuits, accentuaient leur goût de la dérision, seul pouvoir sacré. Soupault se souvient : « On s'est plu comme on se plaît à cet âge. Mais, à cette époque, chacun se savait un mort en sursis. Ça donnait une profondeur de champ particulière. »

Davantage encore qu'à l'amour, c'est à l'amitié que la guerre prête la dévorante urgence du péril.

Louis est possédé du besoin de s'arracher aux admirations de naguère. Surtout à Barrès, idole de son adolescence à Neuilly où il regardait passer, glorieuse silhouette de nuit, la cape noire de ce Culte du Moi. L'œil-fixé-sur-la-ligne-bleue-des-Vosges, il était devenu le Déroulède du riche, lui qui avait commencé par le déracinement. N'empêche, Aragon, deux guerres plus tard, s'enchantait encore du chant barrésien...

Désormais voisins de lit au Val-de-Grâce, Aragon et Breton s'arrangent pour rester de garde les mêmes nuits, à veiller sur les « 4ᵉ fiévreux » : les fous. Soupault leur avait prêté son exemplaire des *Chants de Maldoror*, livre introuvable. Ils vivaient des « nuits dont on n'a pas idée ». Les fous cadenassés hurlaient des obscénités et se battaient à grand bruit, tandis que les deux infirmiers déclamaient à tue-tête et Lautréamont et Isidore Ducasse. Aragon déclare Lautréamont plus grand que Rimbaud. Belle audace.

Juin. Ce ne sont pas seulement *Les Mamelles de Tirésias* d'Apollinaire avec participation de Picasso, farce propre à distraire des bombardements, c'est aussi pour Louis, qui avait applaudi la représentation, le départ au front. L'horreur imprévisible d'une mort déchiqueteuse, omniprésente.

La Champagne au « ricanement de squelette ». Le Chemin des Dames « arête vive du massacre ». Il réduit l'enfer à quelques mots-chocs.

En août, Breton se trouve à Saint-Mammers. Pour ne pas devenir officier, il avait échoué à l'examen... D'Aragon, soudain, plus aucune nouvelle.

Le 6 août, la terre soufflée par les obus l'avait enseveli par trois fois.

La guerre ? La mort ? Quand elles vous entourent, il faut en rire. « Ah Dieu, que la guerre est jolie... » Il faut la nier en écrivant comme si elle n'existait pas.

« *Anicet ou le Panorama-roman* »

Aragon — sa correspondance le prouve — avait achevé quatre chapitres d'*Anicet ou le Panorama-roman*, avant l'armistice.

En 1930, par besoin d'argent, il fabriquera une préface qui donne de fausses clés, de fausses dates (l'aveu sera fait trente-quatre ans plus tard). Il prétendra l'avoir écrit après la guerre, « le genre ancien combattant étant mal vu parmi nous ». Il affirmera n'avoir pas eu de « présomption de roman » car « la volonté de roman ne nous apparaissait pas de moins mauvais goût que cette croix de guerre dont il me fallait rougir »... Beau défi d'inscrire le mot roman dans le titre même.

Qu'on ait décoré Louis, quelle occasion pour Breton de le cingler de sa pire ironie. Comment aurait-il compris le sentiment de revanche de l'illégitime, du renié, face à Louis

Andrieux, préfet, parlementaire, père d'une légitime famille ? Lui, le « bâtard », se distingue même au champ des honneurs et valeurs admises.

En octobre, permissionnaire, il montre quatre chapitres d'*Anicet* à André Breton qui se sent ainsi doublement dépassé. Lui, chef des subvertisseurs de lois, reste à l'abri tandis que son ami est tout auréolé de mort vaincue. Et de plus, Louis sait nier le danger en écrivant comme s'il n'existait pas. Ils parlent des mutineries, qu'ils admirent en commun. Ils ne seront plus ensemble quand parviendront les nouvelles de Russie.

C'est l'armistice. Dès mars 1919, André Gide lit les chapitres d'*Anicet*, parle à Gaston Gallimard, qui réclame le texte, le reçoit en mars 1920, le publie en 1921... Douze ans plus tard, Aragon mystifiera ses lecteurs en prétendant que Mirabelle, incarnation de la Beauté moderne, était une femme mariée dont il fut, en ce temps, amoureux. Quant à Bleu, c'est Picasso — « dont c'est la période bleue ». On voit passer aussi le peintre mexicain Diego Rivera, dont plus tard la politique (Rivera fut un intime de Trotski) le sépara. Chipre, c'est Max Jacob et le professeur Omme c'est Valéry que le jeune poète va écouter chez lui, rue de Villejust. Tendrement, Cocteau est baptisé Ange Miracle et André Breton, initiales inversées, devient Baptiste Ajamais que l'on reconnaît à sa tyrannie. Anicet bien sûr parle pour l'auteur... Mais les ressemblances sont « les appeaux d'un piège à alouettes où le miroir éblouit ».

En 1920, le mouvement Dada (formé à Zurich en 1916-1917 par un groupe dont le promoteur fut Tristan Tzara) se fond avec le groupe d'André Breton : le sur-réel est le but commun. Il faudra les manifestations, les querelles, les excès, pour que le surréalisme rompe avec Dada, exclue Tzara, proclame son autonomie. Entre 1919 et 1924, dadaïstes et surréalistes se confondaient dans l'esprit du public. Et, ensemble, ils concurrençaient, dans les faveurs de l'avant-garde, cette *Nouvelle Revue française* fondée par Jacques Rivière, éditée par Gaston Gallimard, dont André Gide devenait le pape. La toute-puissante *NRF* (où d'ailleurs André Breton travailla comme correcteur) se déclarait hostile à cette bousculade de la langue et du style par le hussard roumain Tzara et le hussard français Breton.

André Breton, quand ils seront brouillés, prétendra que Louis supportait en réalité avec « allégresse » et « les impositions de la guerre » et « l'orientation professionnelle ». Le Voyant suppute chez l'enfant à l'identité incertaine ce besoin de s'affirmer le meilleur en acceptant les règles du jeu. Le chercheur de l'Insolite, lui, se tournait vers les asociaux délibérés, tel Jacques Vaché, ce « déserteur à l'intérieur de soi-même ». Vaché, Breton individualiste, fils d'officier supérieur, blessé en 1916, se fit, sitôt guéri, embaucher comme débardeur à Nantes. Il se suicidera à l'opium le 6 janvier 1919. Aragon ne le verra jamais mais gardera l'image de cet antihéros comme un mythe.

Le sur-réel

La mort de Vaché assombrira pour Breton toute l'année 1919. En communion intime avec Soupault, qui est présent alors qu'Aragon ne peut être atteint qu'au 355ᵉ régiment d'infanterie, 5ᵉ bataillon, secteur postal 219, Breton élabore ce qui constituera les fondements du surréalisme.

Rester en état d'ouverture au quotidien trivial, avec ce qui n'a rien de poétique et ne participe d'aucune élaboration esthétique. Se promener dans la foule des boulevards, des passages et des squares. Décrire non la photo qui se présente aux yeux comme à l'objectif mais les courants souterrains qui soudain, au vu d'un visage, à l'écoute d'une réplique, se relient au plus profond de soi, au plus absurde : au rêve, au surgissement du sub-, de l'inconscient. Faire taire la raison, les déductions, les arguments, l'enchaînement logique des idées et des phrases. Faire surgir le cri, l'onomatopée, l'association imprévisible... Devenir en pleine veille cet inconnu qui se manifeste en vous quand vous dormez. Traquer ce qui surgit, ce qui s'invente.

André Breton autant que ses amis, mais plus constamment, avec plus d'exigence, veut apprendre ce qu'on ignore de soi. L'association libre, le rêve et l'invention. Les bêtes, les plantes que l'on *pressent* et non celles que tout le monde nomme *réelles*.

Il veut que leur groupe parvienne à voir sous (sous et sur : c'est la même chose, cela dépend de la position : surplomber ou plonger dedans) la réalité de tous. C'est-à-dire qu'ils se maintiennent en état d'extrême concentration. A l'affût du secret.

Le dé-voilé

Pour Pâques, Breton envoie de Nantes — la ville où s'est tué Jacques Vaché — une carte au médecin auxiliaire. Le portrait de Mme de Sennones, par Ingres. La dame en robe rouge bordeaux avec sa *guimpe transparente* qui la voile-dénude jusqu'à la naissance des seins. Cette carte, cette dame, trouble extraordinairement l'homme de vingt-quatre ans qui vient d'échapper au massacre. Un demi-siècle plus tard il en parlera encore.

« Nous étions de cette génération qui à dix-huit ans, quand vint l'an 1915 — et l'on comprit que ce ne serait de sitôt que les hommes seraient arrachés des tranchées... — de cette génération qui eut cette chance extraordinaire... de voir la cheville des femmes dans la rue. » Il y avait, dit-il, environ cinquante générations de garçons de dix-huit ans qui en France n'avaient plus vu ça. Il se rappelle qu'en janvier 1915 sur la scène du théâtre Antoine, « on voyait "presque" le mollet ».

Et devant Mme de Sennones, il comprend les jeunes contemporains d'Ingres... Aragon aimera toujours le voile, ce qui dérobe et dissimule les « dessous ». Quoi de plus surréaliste que le dé-voilement[1] ? En voyant Mme de Sennones il pense que les garçons de dix-huit ans devant ce portrait ont dû sentir une « envie barbare des mains de déchirer, de libérer la poitrine ». En 1921, il est allé « visiter » la toile à Nantes, exprès.

Il n'avouera pas cette escapade à Breton. C'était presque, dit-il, comme si l'ami lui avait parlé d'une femme qu'il aurait rencontrée dans une « maison » et que des années plus tard il soit allé « choisir » la même.

En 1923, sortant de l'exposition Ingres avec le jeune Jacques Baron, ce « gamin », ce benjamin du surréalisme, il verra une femme rue du Faubourg-Saint-Honoré et s'écriera : « La voilà. » A la question de Jacques Baron, il répondra : « Mme de Sennones. » Et l'autre contemplera, surpris, une boulotte en chapeau à plumes.

Quoi de plus surréaliste que cette vision ?...

C'est au nom de la fiction surgie du réel qu'André Breton condamne le « roman ». Au lieu de guetter, sous l'apparence, insolite, le sur-réel, le romancier traditionnel *fuit* sa réalité en inventant des personnages et des intrigues. Le romancier « construit » son intrigue et sait comment les personnages évolueront, ce qui est le contraire de la vie. Et le contraire de la relation surréaliste, toujours ouverte sur l'inimaginable, sur le vent du large.

En cette même année 1919, Aragon était déjà pris par la peinture de Matisse au point d'inventer un personnage, une

---

1. Elsa portera souvent, même chez elle, une voilette au ras des yeux.

femme dont Matisse est le prénom. C'était au temps où il fréquentait à Paris des Américaines, les « *Exiles* », les exilées. Il écrira : « Matisse est une rousse qui naquit aux Batignolles »...

Une nuit en 1919

Mais avant ce retour au Paris d'après-guerre, avait eu lieu pour Louis la nuit de Volklingen, dans la Sarre. On les envoie, ses hommes et lui, dans un village de mineurs pour y réprimer une grève. La situation même du Lucien Leuwen de Stendhal, découvrant que son « devoir militaire » le dresse contre des hommes en lutte pour survivre. Cette nuit-là, le fils — désormais avoué — de l'écraseur de la Commune de Lyon a su à jamais *de quel côté il était*. Au point qu'il parlera de cette nuit en racontant *La Semaine sainte*, l'histoire de Géricault, le peintre qui apparaîtra à la postérité comme le *Matisse* de 1815...

Mais entre Volklingen et la prise de conscience s'étendra le tapis baroque du dandysme.

Après cette dernière initiation, enfin démobilisé, Aragon revient à Paris. Il y trouve, entre Soupault et Breton, le représentant du mouvement Dada, avec son monocle, sa dérision, sa cocasserie et sa malice : Tristan Tzara.

Pas grand, agile, inventif, homme de mercure, de vif-argent, ce Roumain avait appris en même temps le français et la langue de son pays, que ses parents trouvaient bien peu distinguée. Le français, Tzara-le-Hussard avait bien l'intention de le prendre d'assaut, de le disséquer, de lui faire rendre gorge en des râles et des cris de plaisir inconnus. L'absurde, il s'en donne le brevet d'invention.

> *Lavez vos chocolats à l'eau*
> *Dada, dada, mangez du veau.*

D'autres, depuis, ont réclamé la paternité de Dada. Ce fut sans doute, à l'origine, une création collective. En 1919, elle répondait point par point au besoin de scandale et d'innovation des rescapés du massacre. Ceux du moins qui entouraient André Breton.

Il y eut des revues : *SIC* (Sons, Images, Couleurs). Il y eut des manifestations provocatrices, des improvisations préméditées avec soin. Aragon en tête, toujours son besoin de choquer, de braver, de provoquer, jette ici ses feux les plus vifs. Il a l'éclat arrogant d'un oiseau exotique et la prestesse d'un reptile chatoyant.

En 1918, le manifeste Dada parvenu de Suisse disait :

« Expliquer : amusement des ventrerouges aux moulins des crânes vides DADA NE SIGNIFIE RIEN. »

Le plus urgent pour eux, c'est de « tuer l'art ». C'est exactement ce que clamait à Moscou en 1917 le groupe de Maïakovski.

Le 4 avril 1919 Breton avait écrit à Tzara : « Louis Aragon a passé quelques jours à Paris. Nous avons consacré deux soirées à la relecture de vos vingt-cinq poèmes. Louis Aragon est mon plus intime ami, et je crois à son avenir plus qu'au mien. »

Tuer l'art ? Pour Tzara, c'est tout simple. Mais pour Aragon et Breton ? « Nous ne pouvons guère opérer en plein jour », avertit Breton.

La Nouvelle Revue française, puissance régnante de la littérature à la fois « neuve » et « admise », avait, avant-guerre, attaqué le cubisme. A présent, elle renouvelait cette « manœuvre inqualifiable » contre le mouvement Dada.

En réalité, Breton, Aragon et Soupault avaient leur œuvre à faire. S'ils ont appelé leur revue *Littérature*, par dérision, le public ne l'en a pas moins accueillie comme une revue « littéraire ». Et ils lancent une enquête : « Pourquoi écrivez-vous ? » qui prouve la primauté, pour eux, de l'art du langage sur toute autre activité de l'esprit.

Breton et Soupault, en l'absence d'Aragon, ont tenté l'écriture automatique à deux, sous le titre : *Champs magnétiques*. L'un a l'expérience des poèmes jaillis et non corrigés, « immédiats », l'autre de l'association libre freudienne. A la mi-juin, Aragon revient à Paris avec les trois chapitres d'*Anicet ou le Panorama-roman*. Bloqué. Les retrouvailles des amis furent étranges. Le plus étrange étant qu'aucun n'en ait plus jamais parlé et qu'Aragon ait enfin évoqué ces souvenirs *après* la mort de Breton.

L'amitié est une passion plus absolue qu'on ne l'admet. A l'enfant tâtonnant qu'Aragon demeurera toujours, le groupe des poètes offrait enfin une colonne vertébrale... Il venait de vivre la mort de près, l'injustice en face à face. Il avait pu ressentir d'autres fraternités plus intimes peut-être. Mais il éprouvait plus qu'avant le besoin de chaleureuse communication. Non plus devant la mort ; dans la création même.

André Breton l'emmène dans un café du boulevard Saint-Michel, tout près de la faculté de médecine, et lui avoue qu'ils ont, Philippe et lui, écrit « à deux ».

Exclu de la légitimité, de la famille, du nom, de la fortune, voilà qu'il l'était même de cette intimité suprême : l'écriture à deux. Cette jalousie sur laquelle, venue des profondeurs, jaillie d'outre-volonté, il écrira des pages terribles, le poignait en amitié comme en tout sentiment. Pas le droit de revendiquer ce que chacun possède : sa mère... et à présent pas le droit d'écrire-avec, d'écrire-ensemble ? Que son meilleur ami écrive-à-deux avec un autre l'insupporte.

Breton commet avec Louis un texte automatique, *Le Démon du foyer*.

Dès 1920, le mouvement Dada devient mode et snobisme. Donc il convient de changer pour ne pas se faire momifier.

Aragon, par goût du scandale secret, avait, dès 1919, publié dans *Littérature* le texte dicté à six ans : *Quelle âme divine*. Qui pouvait après ça contester son antériorité dans l'écriture automatique ? Belle revanche prise sur les *Champs magnétiques*.

Premier pas vers le PC

En 1920, à Noël, il y eut scission au parti socialiste à Tours. La Section française de l'Internationale communiste (SFIC) est née, qui bientôt se nommera Parti communiste français (PCF).

A ce congrès parut une communiste allemande, Clara Zetkin. Moins de deux ans après la guerre, c'était hardi. Cette femme, Aragon ne la verra en ce temps qu'en photo. Ses yeux clairs, son entrée illégale, sans visa, ses paroles, un appel pour adhérer à la IIIe Internationale, ont donné au paysan de Paris le choc poétique de l'insolite grandeur. La photo de Clara Zetkin servira de fin optimiste aux *Cloches de Bâle*.

Cette ex-ennemie nationale dressée en ennemie de l'ordre bourgeois international exerce une emprise si symbolique qu'Aragon et Breton vont rue de Bretagne, à la fédération du nouveau parti, pour se mettre à sa disposition. Aragon le dira en vers dans *Les Yeux et la Mémoire*, quand viendra le temps des bilans :

> *Ah cela me brûlait et je n'entendais guère*
> *Tout ce sang, Allemagne, Allemagne, entre nous*
> *Que le défi lancé d'une femme à la guerre*
> *Tout ce sang qui montait encore à nos genoux*

Cette démarche rue de Bretagne, à l'aube de 1921, sera le premier pas vers des virages décisifs. Quatre ans plus tard, le Groupe, définitivement baptisé *surréaliste*, proposera au Parti communiste une adhésion massive à condition de conserver sa ligne esthétique, et ses vues sur la « vie surréaliste ». Cette prétention, dans la phase ouvriériste du Parti, ne pouvait que sombrer dans une incompréhension réciproque. Elle eut pour résultat public une lettre de Drieu La Rochelle à Aragon, véritable cri d'amour déçu, et la réponse d'Aragon, virulente et passionnée. Puis, Eluard les précédant, Aragon et Breton adhéreront réellement au PC, le 7 janvier 1927. Pour Breton, ce sera un bref passage.

Ligne imprévisible, pointillée, piste de brousse sans cesse brouillée par des plantes nouvelles, Aragon ne pouvait deviner que ce chemin de la révolution le menait à une femme. A se heurter non plus à un miroir, mais à un regard.

Les dandys

Pendant trois ans, Louis demeure externe des hôpitaux, tant il craint de décevoir sa mère. Le jour du redoutable concours de l'internat, « *connaissant trop bien la question* », il ne remettra pas sa copie. Sinon, c'était l'engagement définitif. Marguerite se résignera.

Louis Andrieux — décidément soucieux de la famille illégitime, clandestine — avait obtenu pour Edmond Toucas un poste de sous-préfet à Commercy. Sous prétexte de préparer ses examens, Louis y va et, en fait, s'y livre à l'écriture.

Pour vivre, le voilà conseiller-secrétaire d'un grand de la haute couture : Doucet. Le mécène accepte l'inconnu sur la recommandation d'André Breton, d'Emmanuel Berl et celle du mari de Colette Jeramec, ce Drieu La Rochelle, qui, de plus en plus, devenait « l'autre » ami. L'ami autrement. Un symétrique, un contre-Breton. L'ami du côté de la croix de guerre, de la *NRF* et de ce dandysme hérité d'un Barrès désormais honni.

La passion littéraire que Louis traversait comme un brise-glace faisait de sa vie une houle de miroitements.

LES femmes ? Oui, contrairement à la « gravité » affectée par la suite, il allait au bordel comme on y allait alors : aussi facilement que dans une boîte de nuit, et en bande. Avec Drieu, souvent... UNE femme ? Assez souvent il était, ou se croyait et, en tout cas, se disait amoureux jusqu'au délire, avec toujours une nécessaire jalousie.

La part saturnienne ? Les amours masculines ? On a parlé d'un très jeune poète surréaliste qu'il aurait initié. Le monsieur d'âge avait bien le droit de contourner la question quand je la lui ai posée. On a parlé — avec plus d'insistance — d'une brève liaison avec le seul membre du groupe surréaliste qui se déclarait officiellement homosexuel : René Crevel. Qu'importe, d'ailleurs ?

En 1980, il écrira, après des années de liaisons déclarées

avec de jeunes hommes : « Je me souviens des premiers jours, quand me commença la surprise, d'une nouvelle façon d'aimer... Le premier dont j'eus l'image, seul et rouge, se promenait. Ses cheveux noirs au vent, qui voltigent, avaient de noirs pointillés. Que dis-je, que dis-je (je dis : qui suis-je ?) ? Il y avait souvent du vent. Ça faisait voler la cravate sous des points noirs, les yeux rêvant. » A une interview sur les hommes à l'école, il a répondu : « Les jeunes hommes, c'est toujours la même histoire, il y a ceux avec qui on se battait, et ceux qu'on embrassait. Ce sont deux catégories bien différentes mais très difficiles à reconnaître dans la rue en se disant : celui-ci appartient à la catégorie 1 ou à la catégorie 2[1]. »

Les désirs d'Aragon ? On l'a toujours vu avec des femmes. Il parle du « pilotis » de Bérénice qu'il aima platoniquement. De celui de Carlotta, une bouquetière bien en chair presque de sa taille qu'il aima totalement mais brièvement en un temps — l'immédiat après-guerre, peut-être ? — où il gagnait son argent de poche à ouvrir les portières devant les boîtes de nuit. La description de la bouquetière évoque si bien un tableau de Manet que l'on peut se poser des questions. Pour la dame des Buttes-Chaumont a-t-il pensé à Eyre la rousse, Élisabeth de Lanux, peintre et américaine, qu'il convoita, que Drieu lui « souffla », qu'il reprit ensuite et qui valut en fin de compte une gifle à Drieu et donna longuement à potiner autour de la *NRF* et du café Cyrano ? Tous ont connu Nancy, tous ont connu Léna Amsel. Puis Elsa.

Alors ?... Comme il balbutiera, très vieux : « Que dis-je (je dis : qui suis-je ?) ? »

De qui connaît-on les vrais goûts sauf de ceux qui les ont décrits... vrais ou mentis ?

Drieu

A son habitude, Aragon s'était avec passion jeté dans plusieurs voies. Dans l'affaire Dada qui, en 1924, prend son premier tournant avec le *Manifeste surréaliste*. Ensuite, dans une amitié d'homme, tout opposée en apparence aux visées surréalistes, mais pour lui tout autant — autrement — insolite. Leur lien était fait de sensibilités vite exacerbées, de jalousie réciproque, constante, de violent attrait, mais par femmes interposées.

Le héros en était Pierre Drieu La Rochelle. Ce long dandy très parisien, de quatre ans son aîné, publiait poèmes, textes

---

1. *Gay Pied*, 1er janvier 1983.

et nouvelles. Il avait quitté la camarade d'études de Louis, Colette Jeramec, qui avait, elle, achevé sa médecine. Elle était l'héritière d'une jolie fortune. Quand Drieu avait décidé leur séparation, elle lui avait assuré une « dot de divorce » confortable pour qu'il écrive. Seulement Drieu préférait vivre, et invitait fastueusement ses élus. Aragon surtout, qu'il admirait. Entre les femmes et les amis, la fortune eut ainsi vite fini de lui brûler les doigts. Pour *Les Nouvelles littéraires*, leur fondateur, Maurice Martin du Gard, interroge Drieu en juin 1921. « Qui aime-t-il ? » La réponse mêle *l'Action française* (organe du nationalisme maurrassien et royaliste) aux femmes et aux Dada. Qui, chez les Dada ? « Louis Aragon. Le défi ! Le joli tigre. La littérature. Son aisance de plume. Ses dons ! Moi, je griffe le papier, lui, ça court. Je n'aime pas achever. Chez lui, la moindre chose, c'est rond, c'est net, ça luit. *Et puis nous aimons séduire, hein ! Mais moi, il m'a toujours. Son orgueil est sauf.* » Il prit un temps et, avec une douceur désarmante : « *J'aime aussi beaucoup déplaire, lui pas.* »

Amitié étroite, donc. Où Aragon a le dessus sauf pour les femmes et l'élégance. Au moment d'en finir avec lui-même, Drieu regrettera de ne pas avoir habillé Aragon de neuf de pied en cap... il lui donnait parfois des vêtements à lui, sans savoir quelle humiliation c'était.

Cette amitié aussi avait besoin de s'affirmer par des provocations publiques. Aragon entraînera Drieu dans des « actes gratuits » qui déplaisaient fort au dandy mais amusaient Breton. D'un coup de dents très *dada*, il livrait Drieu, cet élégant à mauvaise conscience, ce bourgeois qui aurait aimé se croire révolutionnaire, au scandale parfois grossier. Drieu s'en vengera cruellement dans son roman *Gilles*, mais ce sera quinze ans plus tard.

Procès Barrès

Le 13 mai 1921 Breton, en barrette de cardinal et blouse blanche, préside un tribunal, dans une salle louée rue Serpente au quartier Latin, une salle des « Sociétés savantes » pour faire mieux. En son absence, on y jugeait Barrès (qui mourra en 1923). Tzara joue le procureur : Barrès ? la phrase classique, l'harmonie, « l'œil fixé sur la ligne bleue des Vosges... », tout ce qu'il hait. Aragon s'est donné — ou l'a-t-il accepté ? — le rôle de défenseur de son ancienne idole.

La salle est comble, le chahut incessant. Le défilé des témoins montre combien le mouvement est encore hétérogène. Déjà se dessinent des groupes, et des excommunications. Déjà l'on peut pressentir de qui, pour régner, André Breton, le pape, devra se débarrasser.

Ungaretti, un futuriste italien, Romoff, un émigré russe qui, un jour, retournera en URSS et y mourra de tristesse. Rachilde, l'étrange esthète, auteur de *Monsieur Vénus*.

Et Jacques Rigaut, leur énigme, surréaliste sans œuvre. On peut lui appliquer la phrase constamment citée de Cocteau : « Et puisque ces mystères nous dépassent, feignons d'en être l'organisateur. » Jacques Rigaut, ancien combattant désaxé par la guerre, vivait d'épouses légitimes, américaines, ou de maîtresses de toutes nationalités, très riches. Il promettait sans cesse d'écrire une œuvre sans précédent, mais préférait la drogue à l'écriture. « Une vie surréaliste. » Quand il venait aux réunions apéritives biquotidiennes d'André Breton, il savait conter et provoquer l'insolite. Quand il se tuera, le 5 novembre 1929 — anniversaire du jour où Aragon avait parlé pour la première fois à Elsa Triolet —, ses amis seront saisis de désarroi.

Surtout Drieu La Rochelle, qui lui avait consacré des nouvelles dédaigneuses et qui se torturera d'avoir pris une tragédie pour une vantardise. Jacques Rigaut survit dans le roman de Drieu *Le Feu follet*.

En ce 13 mai 1921, Jacques Rigaut, devant le président André Breton, le procureur Tzara et le défenseur Aragon, liquide en quelques mots Barrès, l'accusé. Massif et mat, l'œil clair, l'allure peut-être vulgaire mais fascinant par l'inattendu, Rigaut s'amuse à stupéfier l'assistance. Il fait l'apologie de celui qui vit des femmes. Maquereau ? Et puis après ?

La salle n'est pas remise de son étonnement quand paraît Drieu cité par Aragon. Témoin de la défense ? Ami de Rigaut, sans doute, mais son opposé. Le complet gris comme les chaussures, le tout sur mesure. Les accessoires sont harmonisés aux prunelles : pochette, chemise, cravate, chaussettes, tout est bleu.

Barrès ? Il est allé le voir comme un « représentant de la sensibilité contemporaine ». Mais il lui préfère la génération suivante. Péguy, qui en se laissant mobiliser dans l'infanterie « a détruit son génie sans précautions ». D'Annunzio, « un beau militaire ». Romain Rolland, qui aurait pu avoir « une belle attitude »...

Le contraire de tout ce que le groupe admet. Les noms les plus honnis. Fureur et stupeur... Aragon est-il devenu fou ? Ou est-ce une nouvelle manifestation de sa manie provocatrice que d'amener ici Drieu, cet insolent « bourgeois » ? Car l'accusé, ici, n'a pas à être défendu.

Breton sous sa barrette de mineur éclate : « Barrès vous est-il antipathique ou sympathique ? » Drieu regarde Aragon ; l'un et l'autre savent qu'ils relisent tous les ans *L'Homme libre*. Drieu sait aussi que ce livre « excellent pendant vingt ans », il faudra un jour le « brûler » dans leurs cœurs... ou sur la place publique. Mais il répond en 1921 : « Je ne sais, mais j'ai le sens du respect. » Et, conscient du scandale, il s'en va. « Respect », le mot banni.

Désarçonné, Breton dédicacera son *Clair de terre*, le 14 décembre 1921, « à Pierre Drieu La Rochelle. Mais où est Pierre Drieu La Rochelle ? ».

Personne n'en savait rien. En 1922, Drieu écrivait à un ami, Jean Boyer : « Aragon ? charmant, insupportable, pur, indigné, logique, exaspérant, plein de talent comme devant. »

« Gifler un cadavre »

En 1924, Drieu se trouvait en vacances joyeuses avec Aragon à Guéthary — ils y étaient allés parfois avec Rigaut, c'était un lieu à la mode. Emmanuel Berl, fuyant la propriété de sa femme, les y rejoignait. Ils s'amusent. Soudain ils apprennent la mort d'Anatole France et les funérailles nationales qui lui seront faites, tout communiste qu'il se déclarât.

Plus tard, sans générosité, Aragon prétendra que l'idée d'un pamphlet contre ce « cadavre » venait de Drieu. Ce qui est peu vraisemblable : des deux, c'est Aragon qui aime le plus scandaliser. Drieu offrit d'en assumer les frais. En tout cas, Aragon a bien écrit lui-même : « Avez-vous déjà giflé un mort ? » Il l'a écrit dans le train qui les ramenait vers Paris. Et la phrase constamment citée — celle qui a dû peser sur le plateau négatif mais excitant du poète lors de sa rencontre avec Elsa Triolet — est bien de lui dans son mouvement :

« Je tiens tout admirateur d'Anatole France pour un être dégradé. Il me plaît que le littérateur que saluent aujourd'hui le tapir Maurras et Moscou la gâteuse et, par une incroyable duperie, Paul Painlevé lui-même, ait écrit pour battre monnaie d'un instinct tout abject la plus déshonorante des préfaces à un conte de Sade, lequel a passé sa vie en prison pour recevoir à la fin le coup de pied de cet âne officiel [1]. »

C'était une belle revanche sur les admirations culturelles et laïques de Louis Andrieux, préfet, député et père...

Pour Drieu aussi, c'est une vengeance contre les admira-

_____

[1]. Un journal, à la mort d'Aragon, a reproduit la tirade, en remplaçant le nom d'Anatole France par celui de l'auteur.

tions de ses braves gens de grands-parents : « Ce grand-père a bafoué tous ceux que nous aimions parmi nos pères ou nos oncles. »

Breton participe au pamphlet avant de le renier bruyamment. Il voit en Loti, Barrès, France « l'idiot, le traître et le policier ». Avec France, c'est « un peu de la servilité humaine qui s'en va ».

Drieu toujours

L'amitié avec Drieu ? Une nouvelle de Drieu, écrite en 1943, raconte, d'évidence, l'histoire d'une femme aimée par tous deux (Élisabeth dite Eyre de Lanux). Quelques faits — peut-être simplement l'épisode montrant la femme trop désirée survenant un soir où l'homme, las d'attendre, était allé faire la fête — se retrouveront dans *Aurélien*. La nouvelle de Drieu parle de leur amitié :

« Ce serait une longue et belle histoire à raconter que celle de mes rapports avec cet homme, de notre courte et impressive amitié — à l'âge où seulement l'amitié est possible et où elle enfonce des marques si profondes, si indélébiles —, de notre rupture soudaine, *consommée irrémédiablement* en quelques mois, de notre longue inimitié qui couvre presque toutes les années de notre vie [1]. »

Drieu trouve à l'ami « une petite tête de faune tendre ». Il a mauvaise conscience d'avoir l'argent quand l'ami a le talent. Après *Un cadavre*, Jacques Doucet refuse de garder Aragon pour conseiller. Drieu écrit au couturier ; son admiration sans réserve pour le poète rend le texte poétique :

« Vous et moi, monsieur, nous sommes dans le siècle, Louis Aragon n'y est pas. Il a prononcé des vœux qui l'en excluent... Louis Aragon est dans ces années 1920 pour faire vivre quelque chose dont nous nous nourrissons tous et qui est l'Esprit. Aujourd'hui, il est poète, en un autre temps il eût été aussi l'homme de Dieu. Il est parmi nous pour défendre un autre ordre que le nôtre... La méditation perpétuelle de l'absolu fait à Louis Aragon et à quelques autres la paupière crispée, leur regard coupe les choses, y fait des angles qui nous blessent et qui semblent entamer la surface des choses. C'est à nous, et nous ne le faisons que trop facilement, d'empêcher les amants de la vie absolue de rompre les organes de notre vie relative, sordide et délicieuse... Les rois sages ont toujours nourri les moines fous. »

---

1. Drieu La Rochelle, *Histoires déplaisantes*, « L'intermède romain ».

Comment Aragon, avec son besoin absolu d'être admiré, c'est-à-dire accepté, n'aurait-il pas aimé un homme qui lui vouait une telle dévotion ?

Drieu, dans *Gilles*, écrit qu'en parlant à Galant (caricature d'Aragon) il détourne toujours les yeux quand il est question des femmes : « *Il craignait de voir les blessures qu'il faisait.* » A un autre endroit, dans une première version, Drieu parle de la « *jalousie des hommes dans l'amitié* ». Il constatera qu'un « *homme est toujours prêt à quitter un ami pour suivre une idée* ». Dans la première version de *Gilles*, Drieu fait dire à l'« autre » que c'est ce « charme professionnel » avec les femmes qui « l'épatait ». En réalité, il le méprise... parce qu'avec « ses procédés de femme », il leur ressemble et c'est pourquoi il leur plaît... Ce portrait ressemble plus à Drieu qu'à Aragon pour qui les femmes ne sont à aucun moment inférieures ni méprisables : elles ont toujours été et resteront le « modèle »... Avant de devenir « l'avenir de l'homme », la femme incarne déjà ce courage devant la vie (Marguerite peignant la nuit en tenant son travail secret), cette fidélité qui résiste à tout (Marguerite avec Andrieux), ce sens des responsabilités (Marguerite avec son propre père) dont l'homme est loin... Dans cette esquisse de roman, d'ailleurs, Drieu fera dire à une femme à propos de Gilles et de Galant-Aragon : « Vous ne me retirerez pas de la tête que vous vous aimez. »

Jacques Baron dira d'eux : « L'un admirait l'homme et l'autre l'écrivain. »

Quant à l'article de Maurice Martin du Gard, qui a donné lieu au saccage de son bureau par les surréalistes et à une plainte par la suite retirée, il date du 8 mai 1926 : Aragon est invité en Espagne par une société de conférences. Il rencontre Martin du Gard à la gare et aussitôt veut commencer un « scandale » surréaliste. Martin du Gard, sans nommer le poète, écrit :

« Dès la gare, il voulut faire scandale, selon son habitude. Pris au jeu, plus d'un jeune intellectuel renchérit, et comme notre surréaliste *se vantait d'avoir été arrêté plusieurs fois pour un délit qui naît d'une déviation sentimentale*, si l'on peut dire, il lui fut répondu que, s'il n'avait pas dans sa propre *famille* connu et développé ce goût particulier, il n'avait rien à apprendre à l'Espagne. »

Le goût de la provocation, si fort chez Aragon, rend plausible cette vantardise. Quant à la *famille surréaliste* elle réagit par l'expédition punitive.

Drieu a su l'affaire et a offert (ou consenti) de témoigner en cas de procès...

Drieu a l'homosexualité en terreur... Mais il a pleine

100

conscience de son « étrange nature sexuelle », comme il l'écrit à Beloukia : sa difficulté à s'attacher, puis à se détacher. Ce qui est aussi — avec les femmes, même si sa relation à elles est différente — le tourment d'Aragon. D'où son désespoir de 1928, et le culte de celle qui saura le fixer aux yeux de tous.

S'aimer jeunes, se haïr dans la maturité... Comme cette amitié ressemble à une passion que, quant à moi, je crois « morale » comme on dit, c'est-à-dire sans les rites de l'acte charnel. Mais pour ce qui est des élans...

Quant à leurs vues du monde, à ces deux seigneurs du dandysme intellectuel, elles s'opposeront très vite. Dès qu'il faut prendre position, ils divergent. Dès que les colonies, l'Empire sont en question, par exemple, Aragon est attiré d'instinct, lui, l'insolent, l'aristocrate, vers ceux qui défendent les colonisés. « Je suis allé directement vers le seul parti qui se dressait contre cette guerre », dira-t-il.

La revue *Clarté* lance une enquête sur la guerre du Rif. Aragon répond le 15 juillet 1925 et trouve que *Clarté* emploie un langage trop nationaliste pour son goût.

Drieu à l'époque est « révolutionnaire », il sera plus tard fasciste, par esthétisme. Dans la *NRF* du mois d'août, il reproche violemment aux surréalistes de ne pas agir par leur écriture, de se rallier à un parti. En somme, de n'être pas assez indépendants dans leur protestation. De se grouper pour ne pas s'assumer : « Vous avez fait une entreprise de solitude à plusieurs pour que chacun d'entre vous puisse y éluder sa solitude. »

« Un homme perdu et que je perds... »

Aragon répond par une lettre. Que Drieu n'oubliera jamais, qui sur le moment lui produit un choc tel qu'il la qualifie seulement d'« assez désagréable »...

Que s'est-il donc passé en Drieu ? demande Aragon.

« Mais cette amitié pour toi, de laquelle je reconnais à plusieurs le droit, aujourd'hui, de me demander compte puisque tu t'en sers contre eux, il faudrait qu'elle eût été bien mensongère pour se poursuivre... » Et il l'accuse de mépris, et d'être aimé par l'Action française, « ces crapules ». Il l'assure que si demain on lui interdit ce cri, il braillera : « Vive Lénine » — « ce cri après tout salue le génie et le sacrifice d'une vie : tes coquetteries à Maurras me semblent plus intéressées. » Et Freud ? et la République ?

Saisi d'une colère-passion, voilà qu'il se déclare, lui, le fils de Louis Andrieux, « tant pis pour le ridicule », « prêt à mourir » pour « le mot République que tu me reproches ». Et il ajoute : « Ce n'est sans doute pas *parisien*, mais Freud non plus n'est pas parisien. » Et il lance à celui des deux qui s'infligera le coup extrême : « L'extrême n'est pas fait pour toi. »

Trop d'événements et de délires ont passé entre ces hommes et trop sont restés à jamais incertains pour assigner une date définitive à la rupture.

Apparemment, c'est sur l'amour, sur une femme, sur l'attitude envers les femmes que la rupture se fera. A propos d'Eyre de Lanux. L'histoire — confirmée de plusieurs sources — montre Drieu, ivre ou provocateur, prononçant devant Emmanuel Berl, qui me l'a répétée, la phrase[1] : « Quand je la baise, je ne sais jamais si je la touille. » Aragon s'est levé et l'a giflé. C'était un chevalier. Mais, d'après Philippe Soupault, ils étaient coutumiers de ces détails érotiques précis... et nommés.

Un romancier et journaliste[2] m'a raconté qu'en 1979 il avait abordé Aragon rue de Varenne. Apprenant la fascination de l'inconnu — qui ne s'était pas même nommé — pour les Années folles, pour Jacques Rigaut, pour Drieu... et avant tout pour lui, Aragon le fait monter dans l'appartement de haut baroque. Il marche de long en large, et raconte. Entre autres, raconte que l'Américaine qui avait abandonné Drieu, le menant au bord du suicide, Connie W..., était revenue à Paris bien après le désespoir de son amant et avait invité Aragon au Ritz où elle était descendue. Elle l'avait, dit-il, « littéralement déshabillé ». Drieu a conçu de cette affaire un violent ressentiment..., mais comment l'a-t-il sue ? Le récit passe ce détail sous silence. Une nuit, à la sortie d'une boîte, Drieu, très ivre, voit Aragon et crie qu'il veut lui casser la gueule, et pourquoi. « Alors, conte Aragon en mimant la scène, alors j'ai mis les mains derrière la nuque, comme ça, et j'ai tendu mon visage vers lui : "Vas-y donc ! frappe-moi !" » Une femme s'est interposée en embrassant Aragon sur la bouche « pendant dix minutes », ce qui déconcerta — et dégrisa — Drieu qui disparut...

Emmanuel Berl, l'ami d'eux tous, se rappelait l'année de sa mort que Drieu, au temps de la grande intimité avec Louis, l'ennuyait pendant des heures entières en supputant la probabilité de l'homosexualité d'Aragon. Inimitable, Berl commentait avec détachement : « Impossible de me dérober car je l'ennuyais, moi, pendant tout autant d'heures avec mes histoires de femmes, avec Suzanne qui me préférait André Breton,

---

1. Entretiens avec l'auteur.
2. J.-M. Rouart.

etc. Cette discussion aurait dû m'intéresser, et si elle me pesait, c'est — je vous l'avoue avec honte — que je ne croyais pas en l'avenir littéraire d'Aragon... en ce temps-là : c'était en 1924 ou 1925. »

Dans *Mémoires d'un surréaliste*, Maxime Alexandre prétend qu'Aragon lui aurait dit en 1923 « que Drieu et lui s'étaient livrés un jour — ou une nuit et une seule fois — à des exercices de gymnastique pas tout à fait orthodoxes ». Aragon l'aurait même répété le lendemain matin. Possible. Drieu pourtant ne parle que d'une seule tentative homosexuelle dans sa vie et qui tourne court, en 1914, avec un compagnon de guerre... D'ailleurs qu'importe ?

Fin octobre 1925, le premier roman de Drieu, *L'Homme couvert de femmes*, contient la confession sexuelle d'un don juan frappé de difficultés de jouissance — il reste dédié à Louis Aragon malgré leur brouille.

Jusque-là ce n'est qu'une querelle très ordinaire dans le milieu surréaliste, coutumier des invectives et des excommunications. Le groupe s'est séparé de Dada, donc de Tzara, et on exclut tantôt l'un tantôt l'autre. Quand Drieu aura subi un échec amoureux avec son Américaine, son Étrangère, Connie W..., la Dora de *Gilles* et songera au suicide, Aragon pour quelques mois lui reviendra. Mais la fin de la lettre demeure, et Drieu l'évoquera au moment de se donner la mort, presque exactement vingt ans plus tard :

« *Tu n'es qu'un homme comme les autres, et pitoyable, et peu fait pour montrer le chemin aux hommes, un homme perdu et que je perds. Tu t'en vas, tu t'effaces. Il n'y a plus personne au lointain et, tu l'as bien voulu, ombre, va-t'en, adieu* »...

Avec celle de Breton, cette amitié fut la plus forte des tendresses d'Aragon pour des hommes hétérosexuels. Il voudra longtemps faire croire que leur séparation eut la profonde divergence politique pour motif essentiel, racontant qu'en 1934, dans une réunion d'amis, Drieu s'étant déclaré « fasciste », il lui avait crié : « Tu n'es qu'un lâche ! » En 1935, il l'insultera à la tribune d'un congrès.

L'apéro-rite

Les rites étaient alors bien établis. Le groupe, avec ses exclusions et aller et retour constants, n'en siégeait pas moins deux fois par jour au Cyrano, place Blanche... Toute absence non motivée était aussi mal vue qu'au collège ou au travail. On pouvait amener des invités, sur autorisation.

103

> *Ma jeunesse Apéro qu'à peine ont aperçue*
> *Les glaces d'un café lasses de tant de mouches*
> *Jeunesse et je n'ai pas baisé toutes les bouches*

A Dada, qui relève encore du *cubisme littéraire* sans le dire, les auteurs des *Champs magnétiques*, les rédacteurs de *Littérature* substituent autre chose : « La main qui écrit invente ainsi plus vite que l'esprit qui pense. »

L'écriture en flagrant délire

Cette grande première de l'écriture : traquer l'esprit jusqu'à le saisir en *flagrant délit d'absence* dans l'écriture même, Aragon la retrouvera plus tard, ravi, chez Matisse. Les peintres ont, sur les écrivains, une longueur d'avance. Une fois fixé le thème du modèle, l'artiste s'accorde des variations, laissant courir sa main, laissant les traits déborder l'espace et le volume, même si c'est sur un visage qu'il « joue ». Le tracé se précipite en une folle rapidité. C'était, traduit dans cet art si différent, la tentative même de l'écriture automatique. Les jeux visaient à *transpercer le hasard*, à lui extraire ses absurdités. Ainsi le « *cadavre exquis* », papier plié, passé de l'un à l'autre, où chacun inscrit un mot unique, arbitraire qui, le papier déplié, montre les plus étonnantes associations collectives.

Plus tard, Breton — et Aragon l'accompagne dans certains de ces voyages — s'amuse des révélations des tarots, des lignes de la main, des prédictions hasardeuses, des tables que l'on fait tourner, des médiums. Tout ce qui est distillé, décanté dans *Nadja* sort de leurs pérégrinations quotidiennes. Leur émerveillement devant les folies de la Réclame, devant les titres voisinant dans les journaux, sur des affiches...

Vers le milieu du siècle, se réclamant d'Antonin Artaud, commensal quand il n'était pas exclu, se dessina toute une école : le théâtre de l'absurde.

Aragon toujours gardera confiance en la rapidité. Quitte à tout recommencer, ses premiers jets jaillissaient en geyser, vidant ce qu'il portait en lui sur le papier. Il prenait — ils prenaient tous — le contre-pied des tâtonnantes recherches de vocables, du pas à pas précautionneux d'un Valéry.

Souffles croisés

« En 1918-1919, nous n'avions pas la moindre idée de l'existence de Maïakovski », dit Aragon, parlant de Breton et de lui.

Ces involontaires convergences entre Paris, Moscou, Zurich et aussi Vienne, Berlin montrent que « l'air du temps », après le massacre, soufflait en typhon. D'un poème, Breton et Aragon se demandaient s'il garderait son pouvoir « si on en faisait une affiche »... Maïakovski, depuis longtemps déjà, transformait ses vers en affiches.

Entre Aragon et Elsa, quel étrange chassé-croisé. Lui ne sait pas qu'elle existe. Elle, rentrant de Tahiti, lit *Anicet*, est éblouie par cette « flamme » qui montait tout droit. Elle a compris que Mirabelle était la Beauté moderne. Elle a aimé ce feu de joie. A Paris, à Londres, à Berlin, elle entend parler de Dada. Elle a rencontré Soupault et Tzara. Mieux, en 1923, Aragon était venu à Berlin où elle habitait. « Le milieu que nous fréquentions n'était pas le même, moi vivant parmi les Russes et toi parmi les Américains. » Pourtant tous deux rencontrent les Allemands de la revue *Querschnitt* (Traverse, Oblique) et les rédacteurs du *Broom* (Balai) américain. « Mais le hasard devait être occupé ailleurs », conclut Elsa... Plus tard — six ans plus tard —, quand elle le connaîtra, elle l'imaginera comme dans les films, entrant par la porte tournante d'un des cafés du Kurfurstendamm au moment même où elle en sortait. « Nous ne nous sommes pas rencontrés à Berlin. » A Berlin, Aragon a écrit *Paris, la nuit*.

Quand il commençait *Anicet*, Elsa quittait la Russie, croyant ne faire qu'un voyage. « Je ne savais pas encore que le destin c'est la politique, et si je me rendais compte de la grandeur de la révolution d'Octobre, je n'ai point songé que les portes de ce pays en seraient verrouillées de tous les côtés. »

C'était la vie créée par la Révolution qu'elle fuyait. Cette Révolution, les surréalistes, en 1925, n'en imaginaient que la grandeur et le pouvoir libérateur.

Le Groupe surréaliste, deux fois par jour au café Cyrano, était comme une tablée de chasseurs : « Nous faisions nos tableaux de la journée, *le compte des bêtes que nous avions inventées, des plantes fantastiques, des images abattues.*

« La proie de cette accélération, nous passions un nombre croissant d'heures à cet exercice qui nous livrait d'étranges contrées de nous-mêmes. *Nous nous plaisions à observer la courbe de nos fatigues, l'égarement qui les suivait.* »

La drogue ? Aragon ni Breton n'en usaient. Les plus jeunes, eux, s'adonnaient « à des expériences » : Benjamin Péret, Robert Desnos, René Crevel.

Puis des prodiges apparurent

La tyrannie de Breton — qui prenait seul les décisions engageant le Groupe — provoquait des querelles. Politiques, parfois. Breton avait posé les conditions de leur adhésion au Parti communiste, sans résultat... De son côté, Henri Barbusse, l'auteur du *Feu*, l'idole des anciens combattants pacifistes et de gauche, a pris la direction des pages culturelles de *L'Humanité*. Il propose d'ouvrir ces pages « à un grand art humain et collectif »...

Aragon est en pourparlers avec *Clarté*, l'organe de Barbusse. Mais Breton déclare *L'Humanité* « ... puérile, déclamatoire, inutilement crétinisante »... Mener cette discussion à l'intérieur du Parti ? Mais le Groupe serait bientôt acculé à une opposition intérieure isolée.

Paul Eluard avait adhéré au PC individuellement, en septembre 1926. Le 6 janvier 1927, Aragon, Breton et Sadoul le suivront.

C'est une période où Breton tonne en son cratère, à sa table du Cyrano, chez lui, rue Fontaine, dans les petits restaurants où ils vont dîner ensemble, payant chacun son écot, dans l'atelier, encore, du peintre André Masson. Des reproches s'enflent en accusations. Soupault devient éditeur — délit majeur. En réalité, il travaille pour un éditeur. N'importe ! Antonin Artaud ? Ses activités sont incompatibles avec la « vie surréaliste »... Pourquoi ? Ce n'est pas clair.

Par peur d'être exclu, Aragon fait partie des Cinq qui rejettent Soupault et Artaud. C'est son premier acte d'exterminateur.

En 1916 est publié *Le Paysan de Paris* qui enthousiasmera Elsa, lui donnera le désir de connaître l'auteur et commencera la cristallisation.

La séductrice capricieuse de Chklovski devait se sentir obscurément touchée par l'empressement à souffrir d'un poète si beau : « Qui est là ? Qui m'appelle ? Chérie. Je ne me révolte pas, j'accours. Voici mes lèvres. Alors se dérobe. Et puis après Moi naturellement, pas difficile. Damné, damné. Que je m'écroule, bats-moi, effondre-moi. Je suis ta créature, ta victoire, bien mieux ma défaite. Mais ce que tu veux, ce que tu aimes, ce serpent sonore, c'est une phrase où les mots épris de tout toi-même aient l'inflexion heureuse, et le poids du baiser. » Nancy aura raison : souffrir lui est nécessaire pour aimer. Comment ne pas frémir quand on croit se prouver son pouvoir par la douleur de l'autre ?

Le Paysan de Paris, Breton a daigné ne pas le qualifier de roman... A cause des « collages » de publicité de la première partie ? Surtout — car ces collages pouvaient être suspectés de « cubisme », école dépassée — à cause du surgissement de l'insolite érotique des lieux publics, cette base de l'inspiration surréaliste.

Mais la querelle du *Paysan* a repris plus tard. C'est qu'Aragon appliquait la méthode du rêve *endormi*, mêlé au rêve éveillé, l'exploration des automatismes de l'association libre *pour décrire le monde extérieur*. Les Buttes-Chaumont, par exemple. Alors que cette spéléologie parafreudienne devait, d'après Breton, être réservée aux profondeurs de l'individu. *Le Paysan* profane les champs magnétiques en les projetant sur de vrais terrains, des « champs » qui sont pelouse, asphalte ou bosquets. Impardonnable sacrilège.

« Il y a des possédés que tient la hantise de la rue : là seulement, ils éprouvent le pouvoir de leur nature. Vous avez rencontré ces hommes sombres au creux des foules, ces femmes folles dans les premières du Nord-Sud vers les cinq heures. Combien de fois, au doigt de la voyageuse, avez-vous senti une alliance ? Et rien pourtant, elle ne cherchait rien que ce dérèglement passager. »

Ce passage du Nord-Sud, Aragon a dû le raconter au Cyrano — où précisément il se rendait par ce métro. L'aventure quotidienne, insolite, érotique : le récit idéal pour leurs réunions. La « vie surréaliste » pleins feux.

Les fifres de la femme

Nancy tintinnabulante et brûlée

Celle qu'il s'est mis à aimer jalousement vers la fin de 1926, Nancy Cunard, l'a désiré, voulu, avant de lui vouer autre chose que cet « amour fou » assez abstrait dont on ne sait jamais s'il est fait de chair ou de mots. « Il m'admirait, moi je l'ai désiré », me dira-t-elle juste vingt-cinq ans après. « Une femme qui était entrée en moi comme un courant d'air dans sa chambre, dira-t-il. Elle me racontait ses amants, moi je lui taisais mes médiocres aventures. » Nancy Cunard durera quelques saisons dans la vie d'Aragon et secrètement toute la vie dans sa mémoire.

Elle est très mince ; tout en elle : ses jambes, sa brève chevelure qui a la couleur de ses taches de rousseur, est fait pour stimuler les photographes amoureux d'insolite et les peintres avides de mouvement. Tout danse. Les jambes que la jupe bat aux genoux, jupe de franges ou de plis. Tout bouge en elle. Du poignet, les bracelets d'ivoire et de métaux, d'ébène ou d'émail, les bracelets de sa collection sans cesse enrichie grimpent presqu'au coude. La tête est coiffée court et l'œil, même sans alcool, brille clair. Quand elle a bu, les mots se font insultes et les bracelets laissent des égratignures sur les joues des hommes.

Le père de Nancy Cunard fut l'armateur le plus important de Grande-Bretagne, reine des mers. Ses bateaux portent son nom : la Cunard Line. La mère de Nancy règne sur le snobisme londonien, elle reçoit avec faste et ses amours font chuchoter. Le père avait été fait pair et lord.

L'argent, Nancy trouve qu'il n'a d'autre importance que de

servir le plaisir. Et le plaisir ne va pas sans la poésie — la musique. La danse, le jazz, le rythme sont pour elle un besoin. L'argent sert à l'achat de maisons et d'objets introuvables.

Nancy, Aragon l'avait déjà rencontrée avant l'amour chez elle, rue Le Regrattier, dans l'île Saint-Louis, avec cette vue sur le chevet de Notre-Dame et le fleuve qu'il ne cesse de décrire dans *Aurélien*... Drieu aussi habitera l'île avec la même vue, après la mort de leur amitié. Aragon est venu chez Nancy, avec René Crevel, Cocteau, Radiguet et André Breton. Il était déjà venu avec Drieu et Philippe Soupault en 1924. Ils aimaient les murs de cet appartement : deux Chirico, des Yves Tanguy, un Picabia. Aragon y rencontra une jeune photographe qui lui laissa en guise de souvenir son prénom : Bérénice, Miss Abbott. Plus tard, cette vue de la Seine et le nom de Bérénice se sont fondus en lui pour entrer dans *Aurélien*. Pour le romancier, les époques s'entrelacent avec bonheur.

Nancy Cunard prit leur cercle d'assaut. Tzara voulait monter le *Faust* de Marlowe et elle décide de le traduire. Aragon a dû lire les poèmes de la féerique Anglaise : *Parallax*.

Le 3 novembre 1925, son père, Sir Bache Cunard, meurt. René Crevel est venu la voir en Angleterre ; elle s'était déjà lancée dans sa collection d'objets africains : ivoires, masques, fétiches, dont ses fameux bracelets, de huit à dix centimètres de large.

Aragon, au contact de Nancy, prendra le goût de l'objet exotique que Tzara aussi commençait à communiquer autour de lui. Et le goût des bijoux qu'Elsa lui permettra de multiplier.

La vraie rencontre entre Louis et Nancy eut lieu en 1926, en pleine période dandy d'Aragon.

Un peintre anglais, John Banting, parle du couple qu'ils formaient, de leur grâce quand ils dansaient ensemble. Ce goût de la danse qu'Aragon perdra, il le chantera dans *Elsa valse et valsera...*

Un jour, Nancy apparut au Cyrano... Comment elle, excentrique et poète, aurait-elle échappé au magnétisme des surréalistes ?

Georges Sadoul décrit l'apparition... L'Anglaise approche de la table où Breton, assis au centre de la banquette, avait vue sur la place Blanche et l'angle de la rue Fontaine, sa rue... Thirion parlera d'« yeux de serpent ». Il la nommera « ophidienne ». Harry Crowder la montrera « si blanche, si mince et fragile ». Sadoul voit des yeux « d'un bleu soutenu et fort étranges, son beau visage aux arêtes vives, sa blonde crinière de lionne ». Visage triangulaire au regard intense, angoissé, elle avait de « bons os » *(good bones),* ces pommettes dessinées, ce nez droit qui permettent d'affronter les rides. L'œil maquillé, le cheveu en casque et de minces lèvres très rouges. Elle aimait se vêtir de vert émeraude ou de lamé or.

Elle s'est approchée, a posé les mains sur la table et tous ont regardé sur les bras minces et nus les « manches » que formaient, du poignet à l'épaule, les bracelets.

Aragon a-t-il hésité, s'est-il dérobé d'abord ou a-t-il plongé dans ce dangereux amour ? Nancy, vers 1946, étourdie d'alcool, m'a raconté qu'elle l'avait « obtenu » dans un taxi. Mais s'il aimait l'agression, Aragon connaissait l'intensité de sa propre jalousie, son besoin d'être aimé exclusivement, au point que toute passion, même non amoureuse, lui semblait arracher de lui l'objet aimé... Il ne pouvait pas ignorer la réputation de Nancy — qui n'a jamais choisi de se limiter à un seul homme plus de quelques semaines. Nancy connaissait la réputation d'Aragon, ce qui devait l'exciter à l'extrême.

Nancy au pays des errances

De tout le *Roman inachevé* de sa vie, cette première longue errance avec une femme rend, trente ans plus tard, le son le plus tendre et le plus vrai, et qu'on le cite toujours n'y change rien. Toute leur vie ensemble, et leur lien, sonne impossible mais juste, depuis leur goût commun de Lewis Carroll jusqu'au désespoir. Ce besoin qu'il a de Nancy préfigure l'indéchirable lien à Elsa plus tard. En 1956, sous les yeux d'Elsa, il ose, à propos de la femme quittée, aller plus loin dans l'amour perdu :

Un amour qui commence est le pays d'au-delà du miroir (...)
Ah Seigneur Dieu le vent qu'il fait à Londres quand il fait du vent (...)
Te souviens-tu de la chanson le ton grave de ses paroles
Le rythme en est précisément le rythme de la nursery
Mais j'ai beau comme lui mon vers exactement le mesurer
Un jour hélas tu t'en iras Alice avec Lewis Carroll (...)
Tu me parles de ton enfance et ta tête est sur mes genoux (...)
Raconte-moi ton univers raconte-moi ta solitude (...)
Il y a une maison d'ombre et d'ordre avec l'argenterie (...)
Tu n'as pas le droit de courir le parc sur le sable des sentes (...)
Tout ce long temps, tout ce long temps de notre enfance qu'on gaspille
Chaque mot que tu dis en moi s'enfonce à la façon d'un clou
Chaque mot que tu dis de ton passé me rend triste et jaloux
Femme, ô femme que ne t'ai-je connue alors petite fille
Tes amants n'en souffle pas mot qu'ai-je à faire de tes amants (...)
Dame de cœur je le sais bien un jour il faudra que tu partes

Sa jalousie au-delà de celle des étreintes est le fondement même qui l'attache à une femme « comme un chien », il dira que c'est là sa *manière*... Il aime à l'extrême sa douleur et celle dont elle peut être la source. Devenir ainsi le centre de la souffrance de l'autre, la partager...

Elle n'aimait que ce qui passe et j'étais la couleur du temps
Et tout même l'île Saint-Louis n'était pour elle qu'un voyage
Elle parlait d'ailleurs toujours d'ailleurs Je rêvais l'écoutant
Comme à la mer un coquillage

Une femme c'est une porte qui s'ouvre sur l'inconnu.

Il évoque tout cet entourage bizarre qu'elle traîne de boîte en boîte, « ce monde qui l'accompagne ». Y passent les blues du temps et celui que plus tard Sartre écoutera dans *La Nausée* : « *Some of these days You'll miss me Honey* », chanté par la « négresse irlandaise » qui lui paraît soudain sortir d'un tableau de Manet.

Une strophe mystérieuse se relie à une phrase de Nancy vingt ans après : « Ah, pourquoi Louis restait-il obsédé par Drieu La Rochelle plus que par aucun autre ? » Celui qui aime nommer ses héros Gilles passe, travesti :

Essayons de retrouver le grand air Mets tes doigts dans les miens
Gilles Pierrot la coterie oublions un peu leurs visages

Comment Louis aurait-il résisté à Nancy ? à ses invitations au voyage pour trouver des bracelets africains, des masques et des fétiches ? Amsterdam, Londres, Rome, Florence, Madrid. Il aimait être enfermé dans cette chambre où le soleil couchant semblait « un chien jaune ».

Elle l'emmena en Normandie pour acheter à La Chapelle-Réanville une vaste demeure délabrée, le Puits carré, il s'amusa beaucoup à planifier l'installation, l'utilisation des pièces en enfilade... (ce goût d'imaginer un lieu, il le partagera aussi avec Elsa).

Les meubles de Sir Bache juraient entre des murs de pierre sans revêtement. Jaunes. Les bracelets s'enfilaient sur des barres à la manière de gigantesques bouliers... Sadoul pense qu'il y en avait peut-être six cents et peut-être mille. La salle à manger, verte pour répondre au paysage normand, au-delà des fenêtres, offrait l'art, la civilisation européenne à sa pointe extrême : Chirico, Tanguy, Picasso...

Les soirs d'été, qu'elle ait une réception ou qu'ils soient seuls, ils observaient les papillons de nuit ; ils mangeaient alors sous les tilleuls, près du puits carré. Même la cuisine s'ornait de masques africains.

Avant leur rencontre, en février-mars 1926, Aragon avait publié dans *La Revue européenne*, sous le titre « Le cahier noir », un fragment de *La Défense de l'Infini*.

André Breton, mécontent qu'Aragon, à cause de ses voyages, se montre moins assidu au Cyrano, plus fuyant aussi, pose la question clé : « Est-ce que le *Cahier noir* et l'ensemble dont il fait partie ne serait pas un... roman ? ? ? ? »

Un roman ? Injure. Motif d'exclusion plus grave, désaveu plus flagrant de la doctrine surréaliste que les peccadilles de Soupault et d'Artaud. Déjà le blâme d'utiliser l'investigation automatique, c'est-à-dire l'affleurement du subconscient, pour décrire le monde extérieur avait menacé *Le Paysan de Paris*.

Pourtant, André Breton observait mal ses propres principes. D'abord, celui de la monogamie-amour-fou. Marié à une femme riche, Simone, il enleva la maîtresse d'Emmanuel Berl, un camarade du Cyrano. Suzanne avait été découverte par Berl dans une « maison », avec son visage pointu de Parisienne d'Aubervilliers, ses grands yeux, son fantasme de grandeur, ses inventions et mensonges perpétuels qui la rendaient insolite, déroutante...

Breton l'avait enlevée, mais sans l'épouser. Elle bouleversa le 42 rue Fontaine. Berl avait conçu de cette fugue, de cet arrachement, une fureur d'orgueil blessé — mais peut-être une autre douleur, qu'il refusait d'avouer. Désespérant de devenir Mme Breton, Suzanne revint à Berl qui finit, lui, par divorcer de sa riche épouse, propriétaire à Bétouzet, et donna son nom à Suzanne. Ce qui n'empêcha pas la bourgeoise respectable, qu'elle avait tant voulu devenir, de repartir avec Breton... pour retourner ensuite au mari. Les aller et retour entre l'Amour fou et le confort avec un désabusé ont duré trois ans. Vers 1930-1931, Berl se séparera de Suzanne. Entre-temps, il aura perdu l'intime amitié de Drieu. Toujours à cause de Suzanne.

Ces à-coups de sa vie privée auraient pu disposer le pape du Cyrano à l'indulgence, mais le rendaient plus tyrannique. Beaucoup plus gravement, sur le plan littéraire, Breton n'a pas reculé devant *le récit* dans *Nadja* qui demeure, malgré ses dénégations, un *roman* de l'autobiographie fantasmée.

La peur d'être exclu a-t-elle saisi Louis Aragon, une fois de plus, au point qu'il se mutile volontairement ?

De la destruction de *La Défense de l'Infini*, il donnera des explications glissantes, contradictoires en apparence seulement, l'une tentant de rendre l'autre raisonnable. Pour ne pas avouer sa peur d'être repoussé, il écrira (dans *Henri Matisse-roman*, achevé en 1970) : « Ce roman que j'ai détruit quand il eut atteint des dimensions monstrueuses... (on)... n'en pourra lire que quelques morceaux épars... c'était... un essai dément d'antithèse à la vie par la vie même. » Plus de cent personnages, dira-t-il, dont certains ne resservent jamais, ne conduisent nulle part.

Il décrira minutieusement un jour de novembre 1927, où il faisait à Madrid « ce froid de couteau qui n'est d'aucune autre ville ». Ils sont, Nancy et lui, dans un hôtel de la porte du Soleil, la Puerta del Sol (ce quartier qu'il reverra, lieu de guerre et de mort, en 1936). Ils allument un feu dans la cheminée. Le domestique aux mains gelées, « avec toutes sortes de cratères dans la peau du visage », regarde par le trou de la serrure. Tout ce feu, il espère que c'est pour faire l'amour... Et il ne voit, ce pauvre homme, « que moi assis par terre... ».

« Enfin, je l'ai détruit ou pas, ce roman, je l'ai, vous dis-je, ce roman, détruit, de ces mains-ci, mis en pièces, brûlé, les feuilles qui s'envolent, on les rend au feu... brûlé assis devant, dans mes jambes par terre, brûlé, quatre ans de ma vie secrète, quatre ans de ma folie, et j'en avais bien pu montrer des bouts... »

Détruit sans en garder trace ? Nous le saurons un jour. Plus tard, même ses articles, Aragon les recopiera à la main, plus tard, il vendra des manuscrits, des variantes de manuscrits, comme tous les surréalistes... *La Défense de l'Infini* en tout cas n'a jamais encore resurgi. Sinon utilisée autrement, subvertie, travestie... qui sait ?

Nancy assiste à cette mutilation, et d'en avoir été la complice lui donne dans la mémoire d'Aragon une trace ineffaçable.

> *Elle immobile à force de voir ses belles mains*
> *Promenant leurs doigts dans les cheveux défaits*
> *L'aller-venir des doigts dans l'or pâle des boucles*

(ce *Chant de la Puerta del Sol* date des années soixante-dix). Après cet incendie il ne pourra, pendant six ans, écrire de roman, malgré « une envie atroce comme des brûlures d'estomac »... Comment se remettre du sacrifice de ces « centaines de pages couvertes de cris et d'écriture... grouillant de mots impurs, de ratures, d'intrus, d'ivrognes, de putains, de collages »... C'est donc son auto-analyse qu'il a brûlée ?

Nancy paie les notes. Drieu était riche par le divorce d'avec sa femme et l'invitait. Drieu ? Leurs rapports de femmes choisies ensemble, dans les *maisons*, l'un appelant l'autre à assister à ses ébats, en sont-ils restés à cette communication par corps féminins interposés ? Aragon racontait à Nancy ce qu'un jour il fera connaître : Drieu dans une maison lui criant « Louis ! Louis ! je suis impuissant ! » Lui arrivant et le voyant « une femme accrochée à ses reins »...

Louis Aragon use les dictionnaires et les compas des demi-frères légitimes, il ne veut plus être l'éternel obligé de l'héritière de la Cunard Line. Nancy fera travailler les amis de Louis, surtout Georges Sadoul et André Thirion, pour Hours Press, sa maison d'édition, dont le cœur se trouve rue Guéné-gaud. Les poèmes élus seront fabriqués sur une presse à bras... quel meilleur défi à l'époque, à l'industrialisation de cet après-guerre, et à la Cunard Line ?

Aragon publie « pour des raisons commerciales » un morceau de l'immense ouvrage détruit La Défense de l'Infini. Ce fragment, il lui donne un titre « commercial » en effet, du moins pour la vente clandestine : Le Con d'Irène. Il ne le signe pas et, sans le désavouer formellement, ne l'avouera jamais, même quand vers les années soixante-dix il sera republié sous le titre d'Irène[1]. On en trouvera des fragments de sa main, dans les papiers de Nancy.

Ils parlent, interminablement. Lui s'émerveille qu'elle n'ait pas d'accent. Ils se racontent leurs enfances, malheureuses pour des raisons inverses. Elle avait en « trop » tout ce qui lui manqua à lui, moins l'amour d'une mère...

Assez tôt, Nancy confiait à un ami[2] qu'Aragon « était trop exigeant dans le domaine de la sexualité ». Il réclamait sans doute que la polygamie de sa maîtresse en titre soit moins publique, qu'il ne semble pas un comparse, un « bagage ». Qu'on le préfère. Ou autre chose ? C'était de plus l'époque où ils cherchaient tous « l'amour fou ».

Rue Fontaine et au Cyrano, le juge suprême s'irritait de Nancy comme il s'irritera d'Elsa. Toutes ces femmes qui éloignaient ses compagnons d'aventure l'agaçaient. Amour fou ? D'accord, mais il fallait deux pauses par jour, place Blanche, pour en parler.

Tout le printemps de 1928 Aragon et Nancy, ayant installé dans l'étable une presse à bras, ont appris le métier d'imprimeur à La Chapelle-Réanville.

C'est alors qu'Aragon décida de traduire La Chasse au snark de Lewis Carroll et de l'imprimer. Et il inventa quatre vers en signes de ponctuation qu'il signa « composition d'Aragon — 1928 ». Le titre dit : « A toi Nancy l'amour » et les vers (qu'il

---

1. Réédité par Régine Deforges.
2. Voir Nancy Cunard par Anne Chisholm, Olivier Orban.

reprendra dans *La Grande Gaîté*) brisent tout lyrisme et toute illusion. Rien de plus « bretonien » :

> *Comme il allait de con en con*
> *Il devint terriblement triste*
> *Comme il allait de con en con*
> *Terriblement triste...*

Venise, mortelle Venise

L'été de 1928 Nancy avait loué — comme souvent — un palazzo à Venise. Mais Aragon s'était promis d'« inviter » Nancy. Il avait vendu une *Baigneuse* de Braque acquise à bon compte ; on ne lui avait versé qu'une partie du prix, promettant un chèque... qui tardait. Aragon prétendra que son désespoir venait de cette situation humiliante lourde de trop de souvenirs. Cette version est si vraie pour lui qu'il dira quarante ans plus tard : « Dans ma vie il y avait une femme qui était très belle, avec laquelle j'ai vécu plusieurs années et avec laquelle, en réalité, je n'étais pas fait pour vivre. Ou peut-être n'était-elle pas faite pour vivre avec moi [1] ? »

Et il accuse « la disparité des trains de vie ». Il espérait à Venise, sinon, comme il l'a dit, *inviter* Nancy, qui vivait dans son palais, du moins avoir, lui, son indépendance...

C'est alors que Nancy à la Luna, une boîte près du théâtre de la Fenice, a rencontré — ou retrouvé — un pianiste américain noir, Harry Crowder. Difficile à « obtenir », lui, pour des motifs raciaux. Une Blanche, pour un Noir américain de 1928, c'était le scandale pour les Blancs et, pour les frères de couleur, une trahison. Nancy dut s'ingénier, inviter l'orchestre dans son palais, retenir Harry au petit déjeuner... Il ne pouvait pas ne pas céder... L'amour ? Mais Crowder raconte qu'il lui connut bientôt pour amants un serveur, puis un aristocrate. De même qu'elle se jetait au cou de Harry devant Aragon, elle délaissa un soir le pianiste pour un comte italien. Harry Crowder ce soir-là considéra son amour comme à jamais empoisonné et ne fit durer leur liaison que pour scandaliser et aussi, dit-il, pour sa carrière.

A Venise, Aragon se sent comme Musset mais décide, lui, d'en mourir... Ou de montrer qu'il en mourait.

> *Il erre On l'a pourtant gardé dans ses bagages*
> *On s'informe parfois encore s'il est là*
> *Mais c'est comme un bleuet qu'on se mit au corsage*

le bleuet si british des yeux de Louis.

---

1. *La Mise à mort.*

Il achète alors du somnifère. L'étrange n'est pas de choisir pour poison fatal le somnifère — c'est ce que fera Drieu, appelant sa première tentative un « suicide de midinette » —, l'étrange c'est qu'un ancien médecin auxiliaire ne connaisse pas les doses mortelles.

Il fuit donc dans un hôtel sordide. Comment un Anglais — est-ce Richard Aldington, l'ami de D. H. Lawrence ? — s'est-il « souvenu d'un mot », comment et pourquoi s'est-il mis en quête et a-t-il trouvé cet hôtel « où il n'était pas imaginable qu'on aille (le) chercher » ? « Je n'ai jamais pu me ressouvenir de cette chambre sur la Riva degli Schiavoni... Une fois dans l'hôtel, il n'y avait plus ni le quai, ni le canal di San Marco, ni la foule et les pigeons, le soleil au loin sur San Giorgio Maggiore... c'était un monde en soi, par soi et pour soi comme ils disent [1]. »

Il tente de retrouver ses pas, si longtemps après, les pas de cette nuit d'inconscience où, sans doute, pour se donner le courage, il avait dû boire beaucoup. Escaliers, couloirs et des lampes à gaz avec leur filament de charbon. Des marches à mi-étage, des tournants, les tableaux effacés sur les taches des murs. « Je ne sais pas ce que je donnerais pour voir, ce qui s'appelle voir, les meubles là-dedans, ma chambre. Je pouvais dire ma chambre, j'avais payé d'avance et cela allait demeurer à jamais ma chambre. Je n'ai souvenir que des cabinets à côté. Ils dépassent les possibilités de la description pour la nudité [1]. »

Des draps raides. Quelqu'un y avait-il déjà dormi ? Et sur le carreau un tapis dont, s'il avait eu le temps, il aurait imaginé les pieds « nus qui l'avaient foulé, blessé, griffé jusqu'à la trame grise »... s'il y avait eu un voyeur à la serrure — comme pour la destruction de *La Défense de l'Infini* avec Nancy pour complice, à Madrid — il n'aurait pas compris quelle « messe noire » se préparait. Ni livre — on aurait interprété — ni papier. Il se déshabille, plie ses vêtements... Il est là dans cette chambre aveuglée de rideaux aux pompons édentés, une chambre où entrent des bruits et des odeurs de cuisine « ouverte sur l'intestin des choses ». Malgré les draps dégoûtants, il se couche en laissant le pyjama plié sur une chaise.

Il reprend conscience dans la gondoie qui secoue à vomir...

« Cela aurait été tellement plus simple s'il n'y avait plus eu besoin de parler, de s'excuser, de mentir, de rendre les choses faciles à autrui, de faire que l'on passe à un autre sujet de conversation »...

---

1. *La Mise à mort.*

Mais ce récit a lieu trente-sept ans après l'acte, et reconstitué en « mentir-vrai »... D'une seule phrase on ne peut douter : « L'arrière-texte de toute la vie, Fougère, c'est uniquement la mort »...

Et dans le texte ? Une chanson, où revit l'Apollinaire tant admiré, « le temps dansait, le temps qui passe et nos histoires, le temps comme un miroir sans tain, et que pensait l'amour des amants incertains ? ».

On le sauva.

> *Plus rien ne m'est cher pas même l'amour*
> *Et quand je dis amour ce mot comme une mer*
> *Étoiles étoiles qu'êtes*
> *Vous*
> *Devenues*
> *Je comprends aujourd'hui ceux qui se mutilent*
> *Ceux qui crèvent leur tympan pour ne plus entendre*
> *Un nom qui les fatigue*
> *Leurs yeux pour ne plus voir la langueur d'autres yeux*

Après quoi, tout soudain, le romantisme le cède au divin marquis de Sade, et Aragon imagine toutes les mutilations jusqu'à « ceux qui s'émasculent ». Il crie en vers que « l'amour, salauds » n'est pas « d'arriver à coucher ensemble » et imagine « le dernier amour » qui prend le sens du « dernier sommeil », alors qu'il voulait lui donner celui de « dernière nuit ».

L'après-mort

« Je ne suis pas de ceux qui ont une idée toute faite de comment les choses doivent se passer entre l'homme et la femme, aussi n'avais-je pas envie d'en finir avec cela. Mais cela s'est fini. Cette vie. »

Il prétend même que, ce somnifère, il cherche à en racheter pour recommencer, et que le pharmacien, au vu de son allure, refuse de lui vendre. Qu'il rentre à son hôtel habituel pour y trouver le chèque attendu. Alors il revient vers Paris, en faisant quelques détours et dilapidant l'argent, décidé d'en finir, une fois pauvre à nouveau. Il date par la phrase : « Il ne m'en restait pas grand-chose quand j'ai rencontré Elsa, un peu moins de deux mois plus tard » (5 novembre, moins deux mois nous met au début de septembre).

A Paris, l'atelier qu'il avait loué rue Campagne-Première n'est pas aménagé. Il demande l'hospitalité — surtout par crainte de rester seul — à des copains qui, rue du Château, ont repris un lieu baroque aménagé par Jacques Prévert le poète, Marcel Duhamel le futur inventeur de la Série noire, et Yves Tanguy le peintre, trois surréalistes. Ils l'avaient cédé à deux autres amis d'Aragon, surréalistes et communistes : Georges Sadoul et André Thirion [1]. Atelier, escalier, loggias, niches, plaques de rues dérobées : un lieu fou.

Thirion trouve Aragon « littéralement brisé »... mais Nancy, à son habitude, revenait le voir, exerçant, dit Thirion, un « pouvoir ophidien » sur ses anciens amants...

La thèse de Nancy, vingt ans plus tard, n'avait pas varié : la passion physique pour Harry Crowder n'empêchait pas la tendresse pour Aragon : le Paysan de Paris se laissait emmener par elle, puis revenait vers ses amis. Par chance, eux aussi souffraient d'amours malheureuses. En plus des séances journalières du Cyrano, Aragon accompagnait Nancy dans les boîtes de Montmartre, ou celles à la mode de Montparnasse : au Jockey, à la Jungle, mais surtout au bar de la Coupole. Il dansait, buvait, charmait.

Breton continuait à montrer à son ami de 1918 une sorte de « déférence » et, de l'extérieur, les spectateurs croyaient à une coroyauté. Aragon, d'ailleurs, poursuivait ses amitiés en marge du groupe : ainsi, il fréquentait assidûment Cocteau, autre « bourgeois » que Breton affectait de mépriser, alors que, par lui, les théories et l'œuvre des surréalistes atteignaient les milieux cultivés de Paris.

Chaque séance du Cyrano était une joute, et dans cet assaut de trouvailles Aragon et Breton se mesuraient :

Place Blanche on ira retrouver ses amis, jouer aux cartes
Pour se persuader qu'il est avec l'enfer des accommodements

Aragon avait écrit *Le Traité du style* dont le nihilisme dépassait Breton lui-même. C'était près de Nancy, assis par terre au Puits carré ou dans quelque chambre d'hôtel à l'étranger, qu'il attaquait la langue et les gloires de la tradition : « *Faire, en français, signifie chier ? Exemple : Ne forçons pas notre talent — Nous ne ferions rien avec grâce...* » Le passage s'intitule « Destinée de La Fontaine ». L'année 1927 est « louche » : « ... Le préfacier de Rimbaud ambassadeur à Washington, Baudelaire déguisé en thomiste, Hugo conduit par Daudet à la fourrière... Darwin condamné en Amérique, Freud traîné dans la boue en France, Paul Valéry académicien, allons, ça ne va pas si mal... »

C'est une révolte qui saura plaire encore quarante ans plus

---

1. André Thirion, compatriote nancéen et ami de Georges Sadoul, était déjà un militant communiste, en flirt avec les surréalistes de la littérature. Il racontera leur vie d'alors dans *Révolutionnaires sans révolution*.

tard à ceux qui s'insurgeront à nouveau contre les lois de la langue, les conventions du récit... mais alors, l'auteur du *Traité du style* sera pour eux un renégat.

Ce *Traité du style*, il l'avait écrit près de Nancy alors même que Breton écrivait *Nadja* et qu'aux États-Unis on allait exécuter Sacco et Vanzetti... Et Aragon s'arrachant à l'écriture alla manifester comme le PC le commandait sur le port de Dieppe...

> *Pour n'y rencontrer que des guêpes...*

Enquête sur la sexualité

En 1929, l'« Enquête sur la sexualité » paraît dans *La Révolution surréaliste*, n° 12.

Rien de plus étrange. André Breton et les autres — sauf Aragon, Raymond Queneau et Jacques Prévert — semblent les plus traditionnels des mâles, « machistes », « phallocrates », comme diront les jeunes femmes quand ils seront ou vieux ou morts.

Breton tolérait dans le Groupe René Crevel, homosexuel proclamé. Pour d'autres, il l'ignorait sans doute. Le pape formulait des phrases dignes des pharisiens bourgeois sur lesquels il crachait avec une verve si drue. Pour lui, l'homosexualité, c'est le diable. Queneau émet l'idée que du moment que deux hommes s'aiment, il n'a pas d'objection morale à leur rapports physiques. André Breton déclare :

« J'accuse les pédérastes de proposer à la tolérance humaine un déficit moral et mental qui tend à s'ériger en système et à paralyser toutes les entreprises que je respecte... La pédérastie est, pour moi, associée à l'idée de sodomie. C'est là un cas embryonnaire de pédérastie. »

Mais avant cette proclamation, Jacques Prévert, demandant à Breton ce qu'il pense de la sodomie entre homme et femme, reçoit la réponse : « le plus grand bien »...

Le 31 janvier 1929, Aragon intervient, à la deuxième séance : « La pédérastie me paraît, au même titre que les autres habitudes sexuelles, une habitude sexuelle. Ceci ne comporte de ma part aucune condamnation morale, et je ne trouve pas que ce soit le moment de faire sur certains pédérastes les restrictions que je fais également sur les hommes à femmes. » (La dernière flèche devait viser Drieu.)

Breton : « Je m'oppose absolument à ce que la discussion se poursuive sur ce sujet. Si elle doit tourner à la réclame pédérastique, je l'abandonne immédiatement. »

119

Aragon : « Passons. Les corps étrangers sont-ils employés par certains d'entre nous comme éléments érotiques ? »

(Non à l'unanimité.)

Aragon : « Qu'est-ce qui vous excite le plus ? »

Breton : « Les yeux et les seins. D'autre part tout ce qui, dans l'amour physique, est du domaine de la perversité. »

Aragon : « Je ferais volontiers mienne la dernière partie de la réponse dans la mesure où le domaine de la perversité est celui du gâchage... »

Interrogé par Queneau, il se déclare « fétichiste en ce sens que je porte sur moi un grand nombre d'objets », pour lui nécessaires. Alors André Breton pose la grande question qui fut souvent discutée entre Aragon et Drieu (lequel avait de constantes érections qui se résolvaient rarement en volupté). Aragon répond avec un courage sans doute provocant mais qui sonne audacieux dans ce milieu encore très pris par la révérence envers les traditionnels symptômes de la virilité.

Breton : « Dans quelle mesure Aragon pense-t-il que l'érection est nécessaire à l'accomplissement de l'acte sexuel ? »

Aragon : « Un certain degré d'érection est nécessaire. En ce qui me concerne, je n'ai jamais que des érections incomplètes. »

Puis il ajoute une déclaration qu'Elsa Triolet connaîtra quelques mois après l'avoir rencontré, parce que le Tout-Montparnasse — et entre autres les Russes assez puritains dans l'expression de la sexualité — discuta toutes ces réponses par le menu.

Aragon : « Avant de partir, je tiens à déclarer que ce qui me gêne dans la plupart des réponses formulées ici est une certaine idée que je crois y démêler de l'inégalité de l'homme et de la femme. Pour moi, rien ne sera dit sur l'amour physique si l'on n'a pas d'abord admis cette vérité que l'homme et la femme y ont des droits égaux. »

Breton : « Qui a dit le contraire ? »

Aragon : « Je m'explique : la validité de tout ce qui précède me paraît jusqu'à un certain point infirmée par la prédominance fatale du point de vue masculin. »

Breton réprouve le libertinage, « goût du plaisir pour le plaisir », ennemi de l'amour, et déclare ne pouvoir aimer deux femmes à la fois. Ses allées et venues entre son épouse et Suzanne semblent démentir ces principes.

En revanche, la Russe qui lira ces pages saura que l'amant malheureux de Nancy, l'amant exalté d'Eyre la rousse, le chantre de la Dame des Buttes-Chaumont, porte déjà en lui la formule qui deviendra sa devise : « La femme est l'avenir de l'homme. » Mieux, qu'il se sent profondément solidaire des femmes. Qu'il laisse venir à sa conscience la composante féminine que les autres refoulent.

Avant de mourir, Drieu écrira d'Aragon : « Sexuellement, je l'avais percé à jour : je comprends qu'il ne m'ait pas pardonné cela — ni de lui avoir prêté de l'argent. »

Celui qu'Elsa Triolet allait rencontrer savait, en ce novembre 1928, qu'il ne pouvait plus rester seul. Son argent était dépensé. Il en était, dira-t-il, à demander à une femme après un réveil d'insomniaque : « J'ai fait l'amour avec toi ? » Si elle en avait les larmes aux yeux, il lui proposait le mariage. Si cette volte-face saugrenue faisait peur, il criait : « ... Alors, fous le camp »...

L'autre camp, celui où les femmes n'étaient pas ? Dans le domaine de la totale complicité, le Groupe des cinq et leurs amis et alliés déconcertent. Ces certitudes dont il avait si vitalement besoin, où les trouver ? Qu'il considérât l'homosexualité comme un goût sexuel semblable aux autres ne signifiait nullement qu'il pût, lui, élevé par et parmi des femmes, lui si proche des douleurs que les femmes ressentent à cause des hommes, vivre sans présence féminine.

Elsa possédait, d'avance, une clé de sa sensibilité : elle était la « belle-sœur » de Maïakovski.

4

Les Montparnos

On ne m'a jamais vu me dérober à une tempête.

ARAGON.

Les gens du Montparnasse formaient une sorte de Légion étrangère qui n'avait aucun crime sur la conscience autre que de se trouver hors de son pays, de son milieu... Paris nous avait abandonné ce coin-là... Ce milieu des sans-milieu, il était parisien comme Notre-Dame et la tour Eiffel.

Elsa TRIOLET, *Le Rendez-vous des étrangers.*

« Le monde va changer de base » :
6 novembre 1928...

Maïakovski — 1925

Maïakovski était déjà venu à Paris en 1925 quand Elsa y était... installée à l'hôtel Istria par Léger. Un malentendu les fait se manquer à la gare. C'est rue Campagne-Première qu'ils se retrouvent. Il lui crie : « Nous faisons courir le bruit que tu es devenue jolie ! montre-toi ! » Elle virevolte, malgré ce « devenue jolie » pas très flatteur, et le beau-frère lui trouve une grâce de Parisienne affirmée. Et ce parfum, et sa voix, différente dans cette langue inconnue !... Maïakovski espère être de passage vers l'Amérique. Il attend son visa, avec ses habituelles sautes d'humeur que les tracasseries de la préfecture, service des étrangers, n'arrangent pas.

Elsa découvre à nouveau qu'il est invivable. Elle le voit un matin assis au pied de son lit, qui écrit à Lili : « Je m'ennuie ! m'ennuie, m'ennuie sans toi. L'absence d'Ossia n'arrange rien. Elsa a tant d'intonations qui te rappellent, et je tombe dans la mélancolie lyrique et sentimentale ! »

Il lève la tête, menace Ellik[1] du regard :

« Est-ce que tu aimes Lilitchka[1] ?

— Oui, je l'aime.

— Est-ce que tu m'aimes ? »

En riant, Elsa disait : « Oui », et lui sans rire : « Alors, prends garde ! »

Comme dans *Carmen*... Ils passaient leurs journées à commander des cadeaux pour Lili : un manteau de fourrure

---

1. Diminutifs d'Elsa et de Lili.

qu'Elsa devait essayer, une mallette en cuir fabriquée sur mesure...

Ilya Ehrenbourg, dont Maïakovski déclare « mépriser » la prose de journaliste et les hésitations politiques — on ne sait jamais s'il se sent soviétique ou émigré —, les emmène dans les endroits à la mode. Au Dôme bien sûr, où les Russes, émigrés ou pas, ont leur table. Ehrenbourg s'amuse des manies de Maïakovski. En plein Occident, il a peur des microbes, ce qui peut se justifier à Moscou, mais ici ?... Il boit son café-crème à travers une paille à cause des maladies vénériennes, il porte toujours sur lui un morceau de savon dans un étui chromé et, s'il a serré une main moite, court se laver les paumes...

Maïakovski veut tout connaître : les boîtes, et les soirées russes au café Voltaire place de l'Odéon. Les cabinets particuliers... en général, c'étaient les comédiens de l'Odéon qui les louaient pour y amener leurs conquêtes... Mais les Russes, eux, s'y grisent de vers [1].

Dans les bistrots, Maïakovski s'enchante des roulettes-jouets où l'on pouvait gagner un bon pour un café...

Le 9 juin 1925, tout est prêt pour son départ vers l'Amérique — enfin ! enfin ! — tous les visas, la cabine retenue... Ce jour-là, Elsa l'accompagne à la banque. Ils retirent tout l'argent : vingt-cinq mille francs. Et le lendemain matin, quand elle vient lui servir son petit déjeuner... le portefeuille n'est plus là. Ils ont été suivis par un professionnel qui a loué une chambre voisine et s'est introduit chez le Russe, avec un passe...

Elsa et lui mettent la chambre sens dessus dessous, alertent le gérant, la police.

Elsa voit Volodia devant elle, marchant à longues enjambées, elle se demande ce qu'elle pourrait mettre en gage : elle n'a qu'une bague et un bonnet de fourrure. Elle le lui dit, il éclate de rire : « Mais non on ne va rien vendre on ne va rien changer à nos vies. On ira dans les mêmes restaurants, on s'amusera, la terre va continuer à tourner et nous avec ! »

Les officiels de la diplomatie soviétique semblent presque se réjouir qu'un homme aussi célèbre se soit fait cambrioler comme le premier imbécile venu. La police reconnaît la main d'un récidiviste. Lili fait envoyer une avance par les éditions d'État — ce qui n'était pas facile.

A Paris, les amis lancent une souscription pour le voyage de Volodia. Les amis d'Elsa à l'hôtel Istria ont tous donné, Man Ray, Brassaï... Elsa et Volodia en ont fait un jeu. Ceux

---

1. A l'une de ces soirées, Marina Tsvétaeva l'aide à traduire.

qui se dérobent, ils ne les revoient plus. En revanche Ilya Ehrenbourg, que le poète traitait avec condescendance, lui ayant — alors qu'il était pauvre — donné cinquante francs belges, a le droit d'être désormais appelé par son prénom. C'est devenu un copain. L'histoire de sa générosité fait le tour du petit cercle.

Marcel Duchamp, le « facteur d'objets bizarres » et le poète Robert Desnos (qui se travestit en « RRose Sélavy »), tous les amis de l'hôtel Istria et d'ailleurs, dont les cadeaux ornent la chambre d'Elsa — par exemple, Jean Pougny le peintre —, ont donné pour que Maïakovski puisse connaître le Nouveau Monde.

Il y était allé, il en était revenu plein de poèmes sur New York où l'éblouissement perce sous la dérision et la critique, obligatoires, de l'enfer capitaliste. Il avait retrouvé son plus intime complice, Bourliouk, installé aux USA. Il avait rencontré des filles. Lili le soupçonnera même d'avoir fait un enfant. Elsa ignorait qu'après ce voyage il avait cessé d'être l'amant de Lili.

Et en novembre 1928, le voilà de retour à Paris.

Et, le lendemain de sa rencontre avec le « poète du prolétariat », Aragon s'assied à la table d'Elsa dans ce même bar.

« Je t'ai dit *Madame,* pour la seule fois de ma vie. » Et encore : « Je t'ai dit Madame et Tu le même soir. »

Aucun souvenir de la conversation, dit Aragon. Et ce qu'Elsa appellera « l'arrière-texte » (nous dirions, après Nathalie Sarraute : « la sous-conversation ») ? Ce qui, depuis toujours, donne son épaisseur aux romans et aux rencontres de la vie ?

Arrière-textes

Son arrière-texte à lui, c'était le retour de Venise, le retour du suicide et l'attente d'une « lettre d'Italie qui n'arrivait pas ».

Il sortait avec Lena Amsel, allemande par le passeport, pas du tout allemande en réalité, qui le traînait voir et revoir Elvire Popesco dans *Ma cousine de Varsovie* et riait à en couvrir les répliques. Louis l'emmenait chez Maxim's, il flambait ce qui lui restait de la vente du tableau de Braque.

Il ne dormait pas. Il « se » flambait. « Du train où je vais je ne dépasserai pas le 15 décembre... Bah, je ne suis pas à un Noël près. »

Une femme, c'est une porte qui s'ouvre sur l'inconnu

Sa sous-conversation, son arrière-texte à lui, c'était Nancy et l'humiliation et les nuits de jazz et les voyages et l'île Saint-Louis et ce jour de Madrid où ils avaient brûlé *La Défense de l'Infini*.

Son arrière-texte à elle, c'est qu'elle n'en pouvait plus de sourire à l'attente. Trente-deux ans, tant d'hommes autour d'elle et ce vide au cœur. Ce désir de s'enraciner dans un Paris qu'elle a choisi, parce que Moscou lui était devenu impossible, parce que Berlin était triste.

Elle regarde les mains de ce dandy blasé qui ne cessent de casser des pailles, puis qui se fourrent dans les poches. Il a la manie de déchirer les papiers, les enveloppes, sur lesquels il ne cesse de griffonner des idées et des vers, des notations, que plus tard il retrouve déchiquetés comme par le temps ou la fameuse critique rongeuse des souris...

Elle le regarde. Elle tente de faire passer son « arrière-texte » que plus tard elle récapitulera comme le thème musical et constant de ses romans : l'éternelle errance, la solitude. Cette manie qu'elle a de s'imaginer en clocharde, en prostituée ou en pauvresse, de s'imaginer délaissée, dépouillée de tout. Ce sentiment d'être à jamais en marge et à jamais de trop. Ce « personne ne m'aime » qui résonnera en elle à l'époque même où le poète fera d'elle le mythe de la femme, de l'amour, et du monde réel. Et sa seule croyance, sa seule espérance : le Hasard. Combien de personnages d'elle s'assiéront sur des bancs publics pour y faire des connaissances ?

Son arrière-monde, Elsa l'a versé dans *Camouflage*, ce roman après lequel elle avait décidé de ne plus écrire. Les soupirants ? Ils l'ennuyaient, et pourtant c'est l'eau de jouvence d'une femme. Mais, à présent, elle était submergée par la peur, se sentait sans protection dans un courant d'air mortel. Elle avait échoué dans cet amour où elle murmurait de tendres mots en russe à Marc, l'homme qui s'endormait et ne pouvait la comprendre. Cruelle, devant son miroir, elle notait ces « petits arbustes » que font les ridules au coin des yeux, à trente-deux ans, parfois, quand on a traîné sa nuit avec une amie, entre le Jockey, où il y avait trop d'ivrognes et de verres poisseux, et les Vikings...

Pareille à son héroïne, elle rêvait donc d'amour « comme un cul-de-jatte de béquilles ».

Que dit-elle à Louis du profond malheur de *Camouflage* ? Elle doit évoquer Maïakovski et sa sœur Lili Brik, et Pouchkine et les futuristes et les constructivistes russes... D'ailleurs, il a dû parler presque tout le temps. C'était sa manière. Et elle fixait sur lui ses yeux de pervenche. Elle avait coloré ses cils trop blonds. Elle savait écouter avec un regard qui absorbe.

Elle avait lu les livres de cet homme et savait ce que l'on répétait dans Paris. L'histoire de Nancy, du suicide, des conduites suicidaires, des bars et des bals. Il errait donc comme elle ?

Avait-elle entendu autre chose, de plus secret ?

Aragon maintiendra toujours que la vérité du créateur se révèle bien plus dans sa création que dans ce qu'il peut affirmer au jour le jour.

Dans *Anicet* elle a lu : « [Hortense] me laissa pénétrer jusqu'au dégoût les secrets de la féminité. Devant elle je pouvais dépouiller tout masque, penser haut, dévoiler l'intime de moi-même. » Mais en même temps, Anicet ne supporte aucune indiscrétion et gifle les insolents. Ce n'est d'ailleurs qu'un reflet des célèbres gifles des surréalistes dans les banquets et les manifestations.

Elle n'avait pas aimé *Le Libertinage*. Mais elle l'avait lu. Avec sa dédicace « À Pierre Drieu La Rochelle », assortie d'une critique de Musset : « Mais moi qui ne suis pas du monde. » D'un dandy l'autre. *La Demoiselle aux principes* dédié à André Gide ? Le héros, Denis, huit jours après avoir installé Céline chez lui, demande : « Ah oui, de quelle couleur sont ses yeux ? »

Elsa sait donc, en ce bar de la Coupole, à quel homme complexe et fuyant elle fait face. Mais seuls l'attirent les errants en qui se sent la vulnérabilité, la blessure.

Quel défi, pour une jeune femme d'expérience. Plus tard, elle prétendra avoir renoncé à Moscou parce qu'elle avait rencontré Aragon. *Fraise des bois* et *Camouflage* avouent qu'elle a déjà « Paris dans le sang ». Pour se fixer dans le Paris qui l'intéresse, dans ce qui correspond au Moscou d'avant-garde de sa première jeunesse, quel meilleur appui qu'Aragon ?...

Cet homme si difficile est beau. Brun, mince et souple. Son complet noir, usé, « luit comme un piano ». Mordant. Et de plus désespéré. Le seul homme peut-être plus désespéré qu'elle. Aussi désespéré que Maïakovski, mais avec de séduisantes manières de bourgeois bien élevé, et ce charme auquel personne — pas même les adversaires — n'échappait. Séduite ? Sans doute aucun. Atteinte peut-être. De plus en arrière-plan une voix, celle de *Camouflage*, chuchotait que celui-ci, elle pouvait le toucher, l'attacher. Il flottait ; si elle trouvait l'ancre...

Conquérir cet homme insaisissable, étincelant de génie et qui ne croit pas au bonheur, qui y croit moins qu'elle encore, c'est le plus osé des exploits. Nancy Cunard, avec ses excès d'aristocrate, pouvait jeter l'argent, les désirs, les forces, pouvait gâcher. Mais elle ne s'était pas acharnée à la tâche. Elsa se sentait contrainte à réussir ou à périr.

Pour certaines femmes, Nancy entre autres, l'intimité avec un bisexuel donne à l'amour un piment qui colore d'insolite même la jalousie. Aragon — depuis les refus et dénuements de l'enfance — a la jalousie pour secret et pour fondement. Il n'aime, ne désire, n'éprouve d'émotions que dans sa lutte pour être et rester au centre.

En 1982, des magazines féminins prennent pour objet d'enquête « Être amoureuse d'un homosexuel ». En 1928, le cas d'André Gide était commenté dans les milieux les plus avancés comme une scandaleuse, une monstrueuse exception.

Dans *Anicet*, Elsa avait lu, sur le faire-l'amour : « Par moments, je me lassais d'être *un* lutteur à armes égales avec *un* autre lutteur », et : « Par moments, je me sentais hostile, dur, avec la *mâle envie de frapper cette fille trop clairvoyante* dont les roueries m'agaçaient. »

Dans cette Coupole toute neuve, Elsa Triolet avançait sur la sente tortueuse d'une séduction où il fallait à la fois rassurer un rescapé et exciter un homme qui désire la « perversion », c'est-à-dire « le gâchage ». Elle qui « remarquait » tout, quand a-t-elle compris combien une femme le touchait profond par un malheur, une solitude, un déchirement où il pût se reconnaître ?

Il lui dira bientôt sans doute ce qui lui est arrivé avec Nancy — qu'Elsa dans le plus pur style de la Varvara de *Camouflage* se met aussitôt à haïr.

Venise ? Oui, après Londres, Amsterdam, Madrid et tant d'autres errances, Venise la fatale :

> *J'avais ma peine et ma valise*
> *Et celle qui m'avait blessé*
> *Riait-elle encore à Venise*
> *Moi j'étais déjà son passé*

La danse de séduction

Donc ce fut « Madame et Tu le même soir. » Mais après ?

Thirion raconte comment, si Sadoul ou lui venaient à la Coupole, attendant un copain capable de leur offrir à dîner, Elsa s'asseyait à leur table pour leur parler de son amour pour Aragon. Il vit alors se révéler *« cette volonté tenace et patiente qu'elle a déployée sa vie durant »*.

Puis un soir, pour fêter Maïakovski qui va repartir, Aragon organise une soirée rue du Château. Étrangement, les premiers jours d'Elsa-Louis se déroulent sous le signe du poète de *La Punaise*, du premier amour d'Elsa.

Maïakovski, à l'automne de 1928, avait voulu mener joyeuse vie à Paris. Elsa s'en irritait parfois, et parfois en riait. Il descendait les ruelles de Montmartre à la tête d'une bande joyeuse, chantant, criant, et serrant de près des filles très jeunes. D'autres nuits passaient à jouer aux cartes.

Les filles ? Maïakovski assurait à Elsa : « Je n'ai jamais trompé Lilik. » Que répondre ? Lili n'ayant jamais cessé, depuis des années, d'avoir d'autres hommes dans sa vie... pas seulement Tobinson, bien d'autres. A Moscou, Maïakovski avait déjà rencontré — chez Lili d'ailleurs — une comédienne, Veronica Polanskaya, Nora. Elle devait jouer dans un film dont Lili assurait la réalisation avec Gemtchoujni, le mari de cette Genya qui aimait Ossip Brik. Mais Veronica-Nora n'était pas encore devenue ce double plus jeune de Lili — la doublure, le reflet de l'excitante, intacte et mystérieuse Lili d'autrefois, bref la « seconde épouse » des polygames. Elle n'était encore qu'une passade.

En cet automne parisien de 1928, Maïakovski a rencontré Tatiana Yakovleva, une blonde de dix-huit ans, émigrée russe, à qui Elsa trouvait l'air d'une photo de mode... Elsa l'a présentée au poète, parce qu'en la rencontrant, elle lui avait dit : « Vous êtes presque aussi grande que Maïakovski »... Tatiana aux yeux clairs, au visage long, portait les cheveux courts et crantés. Ses mains superbes faisaient des chapeaux. Elle pouvait danser des nuits entières et reprendre le travail le lendemain matin. Sa bouche petite et parfaite ne riait pas. Elle était en tout point l'inverse de Lili.

Tatiana avait horreur de l'URSS. Le second mari de sa mère était mort d'inanition lors de la grande famine de 1921 et elle-même avait eu des cavernes au poumon. Sa grand-mère et son oncle, le peintre Alexandre Yakovlev, avaient réussi à la faire sortir de Russie et elle s'était juré de ne jamais y retourner.

Elsa, accompagnant Maïakovski chez un ami médecin, y trouve Tatiana... « Imaginez la Beauté entrant dans une pièce, encadrée de fourrures et de colliers... » Il perd la tête, il l'emmène en taxi, il se jette à ses genoux...

Elsa s'est dit : encore un de ses engouements !... Mais Tatiana a conquis Maïakovski parce qu'elle savait par cœur des poèmes entiers d'Alexandre Blok, d'Anna Akhmatova... et pas un seul des siens. « Il n'arrivait pas à croire qu'une

Russe de Paris puisse aussi bien connaître la poésie russe que lui. »

A leur première sortie, la jeune fille doit choisir un ensemble de jersey pour Lili... Puis Maïakovski, fou d'elle, écrit son *Poème à Tatiana Yakovleva* :

> *Vous seule m'égalez par la taille.*
> *Dressez-vous près de moi*
> *Front contre front...*
> *A Moscou on a besoin*
> *De toi et moi*
> *On manque de longues jambes*
> *Ce n'est pas à toi*
> *Qui avec ces jambes*
> *as traversé la neige et le typhus*
> *de les abandonner ici*
> *Aux caresses*
> *Des magnats du pétrole*
> *à des banquets...*

Le poème se terminait sur le serment que si elle refusait de rentrer avec lui il l'emporterait un jour, avec ou sans Paris...

Tatiana soupirait : « Il avait le génie de l'amour violent. Je n'ai jamais rencontré d'homme ayant une telle capacité d'amour. Son amour était une explosion. »

Leur couple, plus grand que nature, était si assorti que les gens dans les cafés leur souriaient avec une sorte de gratitude. Un Russe de Paris l'écrit à Chklovski qui dira plus tard : « Oui, mais il avait donné à cette femme aimée le manuscrit de *La Punaise*, et Tatiana l'a perdu... donc ils ne se ressemblaient pas. » Elle ne s'est pas décidée à le suivre, et bien qu'éblouie, elle avait aussi peur de lui que de l'URSS... Comme antidote elle continua à voir ses amoureux d'avant. En partant, il paya un fleuriste qui chaque dimanche porta des plantes à Tatiana.

Elsa pensait plus à la difficulté de conquérir Aragon qu'aux amours menacées de sa sœur. Elle détestait en Tatiana son allure royale, son élégance, son affectation de frivolité, sa façon de traiter ses amoureux transis et généreux comme des esclaves (comme elle avait traité Chklovski ?).

Mais Elsa n'avait pu empêcher Volodia d'emmener son nouvel amour à la fête d'Aragon.

Thirion écrit et raconte les choses autrement.

Aragon avait invité les Simon (dont la femme, Niouta[1], était la grande amie d'Elsa), les Ehrenbourg, « tous les Russes de la Coupole, la belle Tatiana dont Maïakovski était très amoureux et pour laquelle il était à Paris »... Elsa devait donc triplement réussir. Parce qu'elle sortait d'un chagrin d'amour, parce qu'on considérait *Camouflage* comme un roman raté et parce que sa sœur la victorieuse était vaincue.

Thirion amoureux d'une belle Yougoslave absente était triste alors que tous les autres dansaient au son des blues que leur avait laissés Marcel Duhamel : *Ol'man River, Hallelujah*, disques d'Armstrong et de Sophie Tucker... Aragon, « transformé » par Léna Amsel (qui n'avait pas été invitée), rayonnait. Thirion cuvait sa tristesse à la fenêtre de la loggia. Aragon, ami parfait, grimpe près de lui. Elsa les rejoint et s'exclame. Elle découvre la loggia qu'un rideau partage avec au fond un grand fauteuil bas, un prototype. Elsa s'écrie : « Et là, que fait-on ? L'amour ? » Thirion la voit se coller à Aragon, bouche à bouche (il devait y prendre plaisir car il était grand et elle petite, il fallut donc bien qu'il se penchât)... Thirion reste devant la fenêtre pour détourner les visiteurs... « Elsa avait obtenu ce qu'elle voulait. Aucun des partenaires n'avait été déçu. Ils quittèrent ensemble la loggia, et dansèrent : ils n'étaient plus l'un avec l'autre comme avant... la petite Russe potelée, agréable, à la fois collante et effacée, avait fait place à une femme dont la peau appelait les caresses et l'amour, défendant comme elle pouvait, par sa réserve et ses caprices apparents, la faiblesse de ses sens et son appétit de plaisir. La partie n'était pourtant pas gagnée[2] »...

Aragon, d'après Thirion, prétendait aimer faire l'amour avec Elsa, mais s'ennuyer avec elle, disant qu'« ils n'avaient aucun point commun ».

Pourtant ils ont fait un voyage à Londres... Je sais qu'Elsa a présenté Louis à M. Berman, le frère de sa mère, lequel fut conquis : quel dandy, quelle élégance, et « malgré ses idées, quel génie ! »... Le petit industriel en mailles qui n'avait pas encore fait fortune en resta éberlué. Il manifestera son admiration en envoyant toujours des bas à sa nièce et elle qui adorait danser exhibait des jambes gainées de la soie la plus serrée, la plus fine.

Au retour de Londres, dit Thirion, Aragon enjoint à ses

---

1. Elle m'a souvent raconté leur amitié que « Mme Aragon » oublie au fur et à mesure qu'elle devenait célèbre.
2. Thirion, ouvr. cité.

intimes de ne jamais dire à Elsa où il est, et ne répond plus à ses lettres. Mais craignant les « intrigues (d'une) femme aussi habile et retorse », il veut éviter la brouille. Que s'est-il passé ? « Habile », « retorse » ? Y eut-il à Londres un moment où Aragon donna prise au chantage voilé ? Ou ce milieu russe lui a-t-il fait peur ?

Pour le 31 décembre 1928, Léna Amsel organisa un réveillon rue du Château et Aragon décora l'arbre de Noël. Pas d'Elsa. En janvier, après la séance du Cyrano, Aragon demande à Thirion d'aller à onze heures du soir à la Jungle, une boîte de Montparnasse où il a rendez-vous avec Léna : il risque d'être en retard. Thirion se trouve donc dans le bar presque vide quand à l'heure précise c'est Elsa qui s'assied à sa table.

— André, où est Louis ?

Elle insiste et supplie. Elle est très malheureuse, elle l'aime... Alors Thirion tente de tout lui dire sans brusquerie... Lui a-t-il vraiment dit que ce qu'Aragon aime, « c'est les femmes » et faire l'amour ?... Peut-être. En 1929, Thirion, militant communiste de stricte observance, voyait ce qu'il voulait voir... Elsa qui en sait assurément plus se met à pleurer. Sur quoi arrivent Léna... et Aragon. « Ce fut très bref, assez affreux. » Louis s'enfuit. Elsa envoie Thirion vers son ami qu'il trouve, furieux, rue du Château. Aragon hurle : de quel droit André s'est-il permis... ? Alors surviennent Léna et Elsa, complices. Elles ont passé un pacte : « Léna *cède* Aragon à Elsa s'il y consent. » Il signe ainsi son acte d'abdication.

La longue patience

Aragon parle :

« *J'étais quelqu'un d'assez impossible. Il a fallu bien de la patience à Elsa pour me supporter alors, une patience qu'elle n'a pas eue toute la vie comme à cette époque... du moins qu'elle n'a pas eu à avoir, j'espère* » (le dernier membre de phrase sonne comme un habile rattrapage).

Mais aussi : « *La Grande Gaîté* qui sort en avril-mai 1929, un livre qui a *paru sous le règne d'Elsa* mais a été commencé avant. » *La Grande Gaîté*, c'est Nancy :

> *Comme un dialogue de miroirs abandonnés (...)*
> *J'ai cru mourir d'attendre (...)*
> *Aima, aima, aima mais tu ne peux pas savoir*
> *Combien aima c'est du passé*

Et le début :

Tous deux crachons tous deux
Sur ce que nous avons aimé
Sur ce que nous avons aimé tous deux
Si tu veux car ceci, tous deux
Est bien un air de valse (...)

Récit d'Elsa :

« Tu m'avais apporté *le Mouvement perpétuel* dans un petit bistrot de la rue de la Gaîté. Nous nous connaissions à peine, tu t'amusais à écrire sur les pages blanches du livre des mots avec fioritures. C'étaient les premiers poèmes de toi que je voyais... » Les premiers ? Il en avait publié, pourtant...

A la version de Thirion s'oppose celle de Vladimir Pozner. Il ne se rappelle pas la date exacte, mais pense que ce fut fin 1928 ou début 1929, Elsa lui demande de l'accompagner un soir à la seule boîte située sur le boulevard Montparnasse même : le Jockey (il existait encore en 1983, mais avait changé de trottoir depuis une génération) [1]. Elle prévient Pozner qu'Aragon sera là.

Pozner — à vingt-trois ans — se sentait responsable d'Elsa : Viktor Chklovski lui avait écrit qu'il rentrait en Russie, qu'Elsa s'installait à Paris et que si son jeune ami ne lui rendait pas « tous les services », il « le poursuivrait 1. par la calomnie littéraire, 2. par du verre pilé dans sa tasse, etc. ». Pozner était plutôt flatté d'avoir à rendre service à une dame qui était son aînée de huit ans et qui « gantait du six ». Elle ne lui parlait pas de ce qu'elle écrivait, elle « jouait très bien la jeune femme aimant sortir ». Cependant, un jour, elle lui donna *A Tahiti*. Mais elle semblait préférer la danse — elle dansait aussi bien que sa sœur sur des pieds aussi petits... « Pour ce qui est de sa vie privée, elle évitait les bavardages et les cachotteries. » Le jeune homme savait donc et pour Marc Chadourne, et pour le champion d'échecs. Mais il ne cherchait pas à savoir. (Il dit « c'était dans le civil » pour désigner la vie privée.) Donc, ce soir-là, Elsa dit simplement à Pozner, évoquant la présence d'Aragon au Jockey : « Il viendra s'asseoir avec nous... tu resteras... Plus tard, tu t'en iras... »

Le jeune homme se dit qu'elle voulait se pourvoir d'un cavalier pour le cas où Aragon serait en retard, mais elle poursuivit : « Ou bien, tu me diras peut-être qu'il est temps de rentrer... »

---

1. Le Jockey est la boîte où Simone de Beauvoir, « jeune fille rangée », ira humer la liberté.

« Cela pouvait signifier "si tu crois" ou "si tu veux". J'avais l'impression de comprendre et ne posai pas de questions [1]. »

En 1982, Vladimir Pozner se souviendra : « J'ignorais s'ils avaient déjà fait l'amour ou pas et ce n'est pas là-dessus qu'elle me demandait mon avis. Mais peut-être voulait-elle savoir — et me le demandait-elle parce que j'avais la confiance de Chklovski et un peu celle de Gorki, parce que j'étais bilingue et biculturel — si l'attitude d'Aragon me semblait *sûre*, si elle aurait raison de rester avec lui. »

En tout cas, Aragon, comme ils étaient déjà installés, surgit du brouillard de cigarettes... brun comme Méphisto, l'œil perçant et clair. Pozner ne se souvient plus de l'heure à laquelle il a fait mine de consulter sa montre pour s'excuser de les quitter... Aragon parlait comme toujours, en volutes, en astragales, en spirales et dédales.

Leur nuit a continué.

Récit de Thirion. Récit de Pozner. Souvenirs d'autres amis. Tout est sans doute advenu... selon les jours. Le surréaliste fuit la monotonie.

Il semble sûr qu'Elsa commence par demeurer rue du Château dans le lit d'Aragon, se glissant ainsi dans la vie et l'amitié de tous ces jeunes gens. Thirion raconte comme une aventure quasi surréaliste ce qui chez les intellectuels russes de l'époque était une coutume très répandue. Elsa, cheveux défaits, couchée, très décolletée, recevait les copains dans sa ruelle pour un innocent bavardage. Elle était alors « patiente et prudente ». Et eux, ne pensant pas aux précieuses de Paris sous Molière, trouvaient là une manifestation du « charme slave ».

Sitôt qu'elle eut installé l'atelier du 5 rue Campagne-Première, elle a tenté de brouiller Aragon avec toutes ses amies, mais surtout avec Nancy en dosant « les reproches, les menaces, les exigences et les crises de nerfs ». Les menaces ?... De quoi pouvait-elle bien le menacer ? N'était-elle pas plus amoureuse que lui, et surtout plus acharnée à la durée de leur union ? La dualité d'Aragon ? Ne l'avait-elle pas acceptée et connue dès l'abord ? N'était-ce pas là précisément sa seule « menace » dans les moments de désespoir ?

Pourtant malgré les interdits d'Elsa, en cette année 1929 Louis revoyait Nancy. Pas seulement parce que Sadoul et Thirion travaillaient pour Hours Press et que *La Chasse au Snark*,

---

1. *Vladimir Pozner se souvient de...* (Julliard, 1972) et entretiens avec l'auteur entre avril 1982 et février 1983.

traduction Aragon, allait paraître. Pas seulement. Le lien de la douleur subie ne se rompt pas d'un coup.

Dans son *Journal*, Elsa n'en est pas encore à reconnaître qu'elle s'est attaquée à un « invivable » (comme il le dira plus tard). Elle s'accuse d'abord, elle et son éternelle crainte de l'échec, son pessimisme... qui ne l'empêche d'ailleurs jamais d'entreprendre. (Pendant la guerre elle notera : « J'ai appris que pour être prophète il suffit d'être pessimiste. »)

« Nous vivons à deux... C'est un événement incroyable dans ma vie... Mais ma ruse naturelle élucubre des possibilités d'être malheureuse jusqu'à m'en évanouir. Je ne crois pas, je mets tout en doute, je soupçonne tout... »

A dire vrai, les soupçons étaient fondés. Et si Léna, la passade, disparaît, Nancy demeure présente et les meilleurs amis, Thirion, Sadoul, restent secrètement fidèles aux deux.

Mais Elsa elle-même a pris des habitudes de célibataire. Plus tard, dans ses nouvelles, la femme accusera toujours secrètement l'homme de lui « voler » ses pensées puis de les exprimer comme étant les siennes (« Le destin personnel »), et aussi (étrange aveu en pleine passion — mais qui se retrouvera chez beaucoup de ses personnages : « Il m'empêche de penser. Et quel que soit son amour pour moi, aussi grand soit-il, c'est toujours peu pour moi et cela ne me convient jamais. »

Ils portent chacun en eux leur difficulté à s'ouvrir aux êtres, leur mal de vivre. Lui sous le poids jamais levé des secrets de l'enfance. Elle parce que Lili-la-Rousse est toujours la préférée et qu'en France elle n'est qu'une émigrée. Ils sentent à peine que leurs deux difficultés à vivre se nouent à travers les fugues et les scènes... et que chacun apporte à l'autre, en réconfort, son propre « mal-être ».

Elsa doit sentir pourtant la différence fondamentale : lui « l'accepte », elle, elle l'aime. Mais elle écrit dans son *Journal* : « Je n'ose même plus penser quand je suis à côté de lui. »

Les passages secrets

Richard Aldington, ami de D. H. Lawrence, est roux et rose, l'Anglais typique pour scènes de chasse. Jeune écrivain, il a rencontré Aragon et Nancy à Rome, en 1928. C'est lui qui peut-être avait surgi à Venise en plein suicide. En 1929, Nancy l'entraîne une nuit au Brik Top. C'est une boîte de Montmartre très art déco, la piste de danse brille de motifs géométriques et, au fond, l'immense photo d'un bateau à roues rappelle New Orleans.

Aldington trouve Aragon « jaloux comme un million de diables ». Il fait une scène effrayante à Nancy vers trois heures du matin *à propos d'une fille que*, dit-il, *Nancy lui avait soufflée* et aussi à propos de Harry. Nancy était hors d'elle. Ils sont sortis se disputer dans la rue, puis sont rentrés et ont continué de *se quereller pendant tout le souper, comme mari et femme* (Nancy lui avait-elle vraiment *soufflé « une fille »* ?).

Après quoi, Nancy entraîne Louis dehors, puis revient seule et « ils parlent du malheureux Louis jusqu'à 4 h 30 du matin ».

Elsa était donc encore loin d'avoir gagné, même si elle dormait dans le lit d'Aragon, même quand elle eut aménagé la rue Campagne-Première.

Une autre fois, Aldington voit Nancy avec Louis, Harry Crowder et Marcel Jouhandeau, qu'il trouve délicieux. Nancy, ivre et droguée, s'est prise de querelle avec le pianiste, ce caprice de millionnaire. Nancy veut toutes les licences pour elle, « même si elle fait souffrir les autres, mais ne les accorde pas à ses partenaires ». Il la trouve folle de ne pas rester avec Louis qui l'aime « de la manière la plus touchante ». C'était après la rencontre d'Elsa et la parution de *La Grande Gaîté* avec son *Crachons, crachons, crachons*. Aldington trouve Aragon féroce (« à la Ezra Pound ») avec tous, mais tendre et gentil sitôt qu'il regarde Nancy... Elle se soûle, elle parle de se mettre à mort. Jouhandeau et Aragon la ramènent dans leurs bras avec une émouvante fraternité [1].

L'Anglaise aimait à s'entourer d'hommes dont elle était l'unique intimité féminine (ou la seule Blanche, ou la seule millionnaire, bref, l'unique). Beaucoup de ses amis étaient homosexuels et même avec les hétérosexuels, elle cherchait les obstacles.

Thirion, atteint d'une passagère et légère maladie vénérienne, entend une nuit sa porte — jamais verrouillée — s'ouvrir. Il voit devant lui l'instable silhouette d'une jeune femme prise d'alcool qu'il reconnaît à ses manches en bracelets.

« Elle n'avait pas une envie particulière de devenir ma maîtresse, mais l'idée d'être dans les bras d'un jeune garçon à qui il était interdit de faire l'amour devait l'exciter un peu. »

Plus tard, à La Chapelle-Réanville, où il travaillait pour Hours Press — ainsi que Georges Sadoul —, Thirion se retrouve dans le lit de l'Anglaise. « Nous fûmes assez satisfaits l'un de l'autre et pourtant nous ne fîmes jamais vraiment

---

1. Anne Chisholm, *Nancy Cunard*.

l'amour et nous ne recommençâmes jamais. Notre amitié en fut renforcée. »

Ce que le militant communiste croit une bizarre exception d'un soir, était-ce l'un des modèles des rapports amoureux de Nancy ?

Pendant cette même maladie de Thirion, Elsa, amie compatissante, vient tous les jours lui préparer du thé, une dînette, et lui raconter, gazette orale de Montparnasse, tous les potins... et surtout ceux des surréalistes, la chronique du Cyrano. Elle rit beaucoup. Tout ami d'Aragon vaut d'être conquis.

Bien sûr, Elsa obtient qu'Aragon l'amène aux réunions biquotidiennes, où trône et tonne André Breton... Lequel se prend d'antipathie pour elle. A cause de l'inquisition lucide de ses yeux clairs ? Ou de ses « remarques » quand Breton lançait un éloge de Trotski (à qui il rendra régulièrement visite pendant son exil, près de Fontainebleau) ? Breton a mis Louis en garde : cette Russe, cette sœur de Lili Brik, c'est sûrement une « espionne[1] » chargée de rédiger des « rapports » sur les activités du Groupe.

Quelque temps Louis en fut troublé : au retour de Londres, il déclare à Thirion qu'Elsa peut être une « espionne ». La paranoïa surréaliste de Breton lui fait imaginer le Groupe guetté par les « communistes prostaliniens ». Aragon, par moments, entre dans ce jeu.

Elsa participe jusqu'à la rupture aux activités du Groupe, même si elle ne cesse d'en dire du mal. Même si, rue Campagne-Première, elle tente d'interdire le perpétuel va-et-vient de jeunes poètes et de copains venant consulter, mettre en rage, entraîner Aragon. Elle criait — ou au début murmurait — qu'elle voulait la paix. Louis fuyait. Elle s'affolait, partait à sa recherche. Ils étaient un couple surréaliste comme les autres, plein de bruit et de fureur...

---

1. Breton savait-il que la mère d'Elsa travaillait à la représentation commerciale soviétique à Londres ?

Le baladin à la mallette noire

L'atelier

Pour s'établir dans l'atelier, les valises d'Elsa n'ont pas même à changer de rue, marque ultime de cette « politesse des objets » qui la console du manque de considération des gens.

« La rue Campagne-Première, ce n'est pas de pierres qu'elle est faire, c'est de souvenirs », dira Aragon.

Ceux qui ont connu le logis se souviennent de quelques beaux objets et d'un confort sommaire.

Georges Sadoul qui, avec Thirion, aide à la mise en place du décor, le décrit en détail. Une grande belle pièce, avec un escalier-échelle menant à la chambre en loggia, un cagibi-bureau dont la fenêtre ouvre sur un jardin de couvent (c'est à présent la rue Boissonnade ; il y eut longtemps les marronniers les plus précoces et les plus beaux de Paris). Pour se laver, on ouvre un placard-lavabo. Elsa fait installer un coin-cuisine derrière un paravent où elle confectionne les fameuses « côtelettes » russes, boulettes hachées, un peu sucrées, qu'elle sert avec une salade sucrée-citronnée et des malosols, cornichons à la russe. En hors-d'œuvre, elle remplace les classiques sardines à l'huile de l'époque par des sprat *(chprott)* fumés.

Étagères de livres, objets nègres dont Tzara leur avait donné le goût, un modèle réduit de barque des îles Marquises devant des photos de Tahiti (une photo montrait Elsa, dans un décor très asiatique, près d'André Triolet assis dans un transat de toile). Les cadeaux des voisins de l'hôtel Istria : l'obligation du casino de Monte-Carlo de Marchel Duchamp,

140

mais aussi une de ses Jocondes barbues[1]. Un Picabia, « un petit Dali minutieux et compliqué avec des bicyclistes et des têtes de lion ». Un grand tableau de Tanguy.

Mais pour les « commodités », il fallait monter un étage ; elles étaient « à la turque ».

Un petit poêle de fonte noir — qui les suivra rue de la Sourdière —, des fauteuils de rotin comme à Tahiti et d'autres de bois paillé, une grande table. Et aussi, partout, ces écharpes jetées, ce goût « kitsch » qu'Elsa devait tenir de Lili — ou de sa mère — et qui ne la quittera jamais. Toujours, même quand les objets seront rares et coûteux, une sorte de trop-plein l'entourera, cocon protecteur où la peur de vivre s'assourdira, capitonnée.

Les intimes se souviennent des heures parfaites, et de ce « Mon petit » qu'Elsa déjà murmurait timidement à Louis qui déambulait à travers l'atelier, soulevant, maniant, reposant les objets sans perdre le fil de ses phrases... Pensait-elle, alors, à Maïakovski ? ou aux tempêtes, aux fugues d'Aragon ? Sans téléphone, Elsa alertait les amis — surtout Jean Baby mais aussi Georges Sadoul et Thirion, qui travaillaient pourtant pour Nancy à Hours Press — par « petits bleus », billets propulsés par pneumatique et aussitôt portés par de jeunes télégraphistes, messagers d'Apollon et d'Hermès. « Où est Louis ? » Les amis savaient parfois où le trouver. Chez Nancy. Chez d'autres. Ou bien le découvraient dans des hôtels. « C'est difficile de vivre toujours avec une femme. » Ces hommes jeunes étaient frappés par « toujours avec » : pour chacun la cohabitation est malaisée. Certains entendaient le mot « une », non le mot « femme ». Lequel d'entre eux supportait sans à-coups les chaînes d'une constante présence ?

Elsa répétait sans cesse, avec douceur ou avec des cris étouffés : « Vous ne comprenez donc pas ? Et s'il se tue ? » Venise, cet étrange appel au secours travesti servait à mobiliser. Vérité ? Mentir-vrai ? Louis fuyait peut-être cette fin de l'errance : le passage à la trentaine.

« On dit *jeune encore*, on vous dit *jeune encore* et ça y est. C'est fichu, on est vieux, de tout cet encore-là... on se pince la peau sur le dos de la main, et si elle traîne à se remettre en place, alors c'est qu'on est un vieillard... je n'ai pas eu un moment, depuis l'âge de trente ans, où je n'aie regardé, vérifié »...

Étonnante obsession parallèle. Dans *Camouflage*, Elsa se considère comme « encore jeune », comme indésirable, comme jamais aimée. Louis éprouve des terreurs. Elsa avait

---

1. Aragon, près de sa fin, en fera cadeau — sursaut surréaliste — au secrétaire général du PCF (à l'époque G. Marchais).

« peur d'elle-même et non plus d'autrui ». Solitude Moscou-Paris.

Puis s'est posée, vitale, triviale, la question d'argent. Breton, Berl, Drieu, Queneau même avaient fait des mariages riches. Aragon, ça le « tuait » d'entendre chuchoter que Nancy l'entretenait. Alors, André Triolet par ancienne épouse interposée ? Non...

Nancy avait offert à l'enfant de Marguerite Toucas la révélation du gaspillage, de l'argent et du temps jetés, des voyages entrepris sur un mot, pour trouver un objet... Que pouvait offrir la Moscovite ?

Les lettres à Lili révèlent les tristesses, parfois les découragements d'Elsa devant les exaspérations, la tension, les foucades d'Aragon.

Thirion raconte qu'à l'époque Elsa « fait le ménage » dans la vie de Louis. D'abord les femmes, bien sûr..., et avec Nancy elle ne réussit que partiellement.

Ensuite... Thirion se rappelle :

« Elle fit le ménage des hommes... Aragon était le conseiller et le confesseur de pas mal de jeunes hommes, et même de moins jeunes, qui venaient lui confier leurs peines, leurs espoirs. Aragon écoutait avec patience et douceur, admettait la confusion dans les esprits et même dans le langage, donnait des recettes, compatissait, réconfortait [1]. »

Inattendu, cet Aragon patient et tendre.

Lui-même plus tard se jugera impossible en ce temps-là et chantera la patience d'Elsa « qu'elle n'a pas toujours eue »... Il se reprend, qu'elle n'eut plus de raison d'avoir...

Avec Nancy il y avait toujours eu des voyages, des séparations, une liberté de vie dont il souffrait sans doute mais dont il ne se lassait pas. Cohabiter avec Elsa obligeait à la fois à résoudre des difficultés d'argent et à se côtoyer, se coudoyer sans cesse dans l'étroitesse d'un logis. Cette présence constante...

Elle l'admirait dans son œuvre et le critiquait dans tous les actes du quotidien...

Colifichets

Un jour tropical d'août, Elsa entre dans une galerie de peinture. Quelqu'un lui présente un gros Américain roux qui fixe son sautoir :

« D'où vient ce collier ?

---

1. *Révolutionnaires sans révolution*, et entretien avec l'auteur en 1982.

— Home made.

— Vous en vendez ? Non ? Vous voudriez en vendre ? Venez me voir au bureau. »

Il tend sa carte : il dirige un grand magazine de mode américain, *Vogue*. « Je vous en ferai vendre. Et beaucoup [1]. »

L'Américain explique le mécanisme de la vente des accessoires en haute couture. La haute couture, sous forme de maisons de commerce portant le nom de leur illustre créateur, existait, dit-il, depuis le dernier tiers du XIXᵉ siècle. Avant, les « marchandes de frivolités » n'étaient pas prises au sérieux par le commerce extérieur. Elsa saisit vite la leçon. Créer des modèles numérotés. Aller les présenter. Tendre la carte du directeur de *Vogue*, sur laquelle il avait jeté quelques mots de chaleureuse recommandation.

Louis avait l'habitude de l'artisanat d'art : Marguerite peignait la soie, la porcelaine, les métaux...

Il s'est mis, avec l'ardeur d'Anicet arpentant les passages couverts, à parcourir avec Elsa les rues du Sentier. Sur les vieilles portes cochères, il s'émerveille à lire les plaques « Articles d'ivoire » — « Perles artificielles » — « Pierres précieuses artificielles » — « Objets en gros pour marchands forains » — « Dorure et argenture » — « Maître en dorure » — « Articles de Paris »...

Ils ont trouvé de fausses perles, baroques, qui résistaient aux bains de mer, et des anneaux brillants, des plaques de paillettes pour costumiers de théâtre. Et encore, ces perles et plaques de galalithe, d'ébonite, de celluloïd multicolores qui, depuis l'Exposition des Arts décoratifs de 1925, servent à tout. Et des boules chromées, et des pastilles cuivrées...

Au début Elsa, ayant confectionné et numéroté ses modèles, en a rempli de lourdes boîtes et s'est acheminée, Louis les portant, vers les maisons de haute couture. Louis l'attendait au bistrot voisin.

Elle est entrée. Le portier galonné, les grooms se sont précipités vers elle. Les fournisseurs ont leur entrée qu'elle ne connaissait pas. Pourquoi cette cliente venait-elle si chargée, sans chauffeur ni valet ? Elsa lançait qu'elle venait voir le directeur, envoyée par M. M., directeur de *Vogue*. Aussitôt une vendeuse froufroutante, ou un jeune homme portant une perle — vraie — piquée dans sa cravate, s'avançait, et elle s'asseyait dans un fauteuil du salon.

Au début, Elsa s'amusa de leur empressement. Et de l'acheteuse de chez Molyneux, Miss Dorothée. Elsa riait des rivalités entre chefs des divers départements.

---

1. *Colliers*, récit en russe paru dans *Le Terreau rouge*, Moscou.

Tout est drôle, la première fois.

Ensuite, il fallut utiliser la sombre entrée des fournisseurs et attendre, debout, parfois pendant des heures.

Dans ses explorations, elle a même approché l'illustre Paul Poiret, l'ami de Diaghilev, l'inventeur de la mode au temps des Ballets russes. Sa gloire avait sombré avec l'Exposition des Arts décoratifs où il avait présenté les trois péniches « Amours », « Délices » et « Orgues ». Après, il lui fallut déposer un très lourd bilan. Il tenta de revenir sur l'eau dans une boutique à laquelle il avait donné pour nom son numéro de téléphone, Passy 10-17. L'ex-grand Poiret a reçu Elsa : il choisit toujours les modèles lui-même. Son atelier semble un bazar oriental, le contraire des salons des autres. Poiret lève les paupières avec effort, vieux, gros, asthmatique. Elsa a dû lui faire le coup des yeux — regard suppliant, pupille en pointe d'épingle, demi-sourire. Il cède aussitôt.

— Ça vous ferait plaisir que je vous en commande un ?

Quand la maison fera faillite, Elsa en sera pour six cents francs...

Chez Vionnet, on ne montre pas de bijoux fantaisie : les clientes ne portent que du vrai. Mlle Marcelle, dans le bureau qu'elle partage avec M. Boris qui dessine, ne sait que décider. M. Boris commence par trouver qu'un des colliers a l'air d'une couronne de perles pour cimetière, un autre d'une chaîne d'osselets...

— Pourquoi avez-vous fait une collection si... funèbre ?

Après quoi, c'est lui qui décide. Non, ils n'achètent rien, ne vendent rien... Ils montreront ces colliers. Quelle réclame !

Schiaparelli, la plus à la mode, la dernière venue de la haute couture était entourée d'une légende. Abandonnée par un mari fortuné, elle tricotait dans sa chambre des chasubles de fantaisie... Enfin, elle a trouvé les capitaux nécessaires... et le succès a suivi. Elle grogne. Comment, d'autres ont déjà vu les modèles ? C'est que sa collection doit être une surprise totale.

— Et la prochaine fois, veuillez passer par l'escalier des fournisseurs.

Ils l'avaient tous dit, ou fait comprendre. Elsa retrouve Louis au bistrot. Comment à la fois inventer, réaliser les modèles et les vendre ? Et où trouver l'argent et le matériel pour copier le même modèle en six couleurs ? Et...

Aragon, articles de Paris

Elsa, Niouta et quelques autres s'installent autour de la table, à l'atelier.

Louis Aragon s'est fait faire une mallette de cuir à deux plateaux, doublée de velours sombre. Les colliers y sont classés par numéros. L'ancien conseiller artistique de Louis Doucet, vieux roi de la haute couture, sait désormais à qui s'adresser, à la fois dans les grandes maisons et chez les marchands en gros. Feutre et gants gris, ses longs doigts manucurés, chemise et cravate bleues, d'une élégance raffinée mais un peu râpée, il vient voir Miss Dorothée ou M. Boris ou Mlle Marcelle. Il ouvre la mallette. Et tandis qu'ils choisissent, marchant de long en large — ah ! ce que ça peut irriter Elsa ce perpétuel mouvement de métronome, ces pas, ces gestes qui toujours ponctuent le discours —, Louis récite, comme des poèmes, les noms des coquillages.

— Alestide, melsagrine, burgodine, godfish.

Il conte la vie des plongeurs qui meurent avant trente ans pour rapporter ces nacres. Il parle des pays, de leur flore, de leur faune.

Il décrit la vie des artisans qu'ils vont dénicher dans les faubourgs et les banlieues.

A ceux qui l'ignorent, il glisse que si la forme du bijou a quelque chose de byzantin, de baroque, c'est que l'artiste est russe. Et, dans les grandes maisons, les mannequins le sont souvent, filles d'aristocrates ou d'artistes, comme cette Tatiana dont Maïakovski est fou. M. Louis Aragon ne passait pas par l'entrée des fournisseurs.

Un seul échec : Coco Chanel. Le grand-duc régnant — un Russe — avait entendu parler de cette Elsa Triolet : une Rouge. « Jamais. »

Louis avait pénétré dans la grande salle de Chanel, avec Elsa — ce fut l'erreur. Et là, ils avaient vu défiler les mannequins. Entre les piliers carrés se dressaient, sur toute la hauteur, des miroirs. En quelques minutes, devant ces reflets indéfiniment renvoyés, on cessait de savoir où étaient sa droite et sa gauche, d'où sortaient les gens. Était-ce devant vous ou dans votre dos, ou les deux à la fois ?

C'était en 1932. Trente-trois ans plus tard, Aragon faisait d'un miroir à trois faces le symbole et l'axe du détriplement de son héros dans *La Mise à mort*. Parfois la source coule longtemps, souterraine, avant de jaillir...

La haute couture, c'est une publicité plus qu'un revenu sérieux. Il faut donc explorer les *exportateurs d'articles de Paris*. Mais là, sur le palier des vieilles maisons décaties du Sentier, il fallait arriver le premier, à l'ouverture, pour rafler le gros de la commande. Aragon faisait sonner le réveil à l'aube et, ganté, le pli du pantalon repassé — par Elsa ? par lui-même ? sous le matelas ? —, il montait — en première classe mais, n'empêche — dans le métro des ouvriers, avec ses senteurs fortes et ses bourrades brusques.

André Thirion raconte comment, pour partir en voyage avec Elsa, le parfait représentant l'initia sur le terrain à la façon de le remplacer. Il reste, un demi-siècle plus tard, ébahi de la rhétorique irrésistible du propagandiste ès bijoux fantaisie

Pour ce même voyage, Louis recopia le manuscrit d'*Anicet*, qu'il vendit pour exemplaire autographe et unique — c'était l'un des gagne-pain surréalistes — et donna de fausses clés pour les personnages, ce qui l'amusa beaucoup. Mirabelle, figure de la Beauté moderne devenait une mystérieuse « femme mariée » dont il aurait été en ce temps amoureux, etc.

Elsa, ses colliers, ses mains parmi ces brillances engendreront un jour des joyaux de mots :

Tu faisais des bijoux pour la ville et le soir —
Tout tournait en colliers dans tes mains d'opéra
Des morceaux de chiffons — des morceaux de miroirs
Des colliers beaux comme la gloire

Elsa disait à Thirion : « Comment pouvez-vous être communiste ? La révolution est un phénomène épouvantable. Si vous l'aviez vécue, comme moi ! En 1917, je détestais les bolcheviks, maintenant je ne les aime pas beaucoup non plus. » D'ailleurs Lénine ne comprenait pas Maïakovski, ni la peinture moderne. Mais, ajoute Thirion, Elsa savait que l'URSS était devenue une grande puissance. De plus, les « siens », Lili — dont, de loin, elle prend la nostalgie —, Maïakovski invivable et inoubliable, tant d'anciens amoureux, d'anciens adorateurs, tant d'amis auxquels on peut tout demander, de Babel à Chklovski, sont là-bas...

L'opinion de Thirion sur Elsa, adoucie par le souvenir des attentions qu'elle eut pour lui, recoupe beaucoup d'autres souvenirs : Elsa aimait la vie, savait en profiter.

Décidée à s'attacher Louis, elle tolère les situations inévitables. Faire des colliers — fréquenter ces surréalistes qu'elle n'aime pas plus que les communistes. Elle accepte donc les réunions quotidiennes du groupe Breton et certains des jeunes gens dont Aragon était le mentor. Jacques Baron parfois, Frédéric Mégret — dix-neuf ans — moins souvent. « Elle apparaissait et, raconte-t-il, d'un ton froid me disait : Louis doit travailler à présent, il ne peut pas rester avec vous. Je partais. »

Elsa devait lutter contre l'ombre de Nancy, son désordre, son imagination, sa beauté. Ombre très vivante — à peine quelques kilomètres de la rue Campagne-Première à l'île Saint-Louis.

D'une femme à qui j'avais cru comme à la réalité des pierres.
D'une femme que j'avais cru qui m'aimait.
J'étais son chien. C'est ma façon...

Elsa tissait avec des éléments qu'elle n'aurait pas choisis l'Autre Monde, ce Monde Réel, comme il le nommera, qui le conduira à écrire un jour, pour elle :

Voilà trente ans que je suis cette ombre à tes pieds

Des communistes, Aragon ne savait que leur légende. Par Elsa interposée, Maïakovski lui avait dit en partant des phrases comme : « J'irai où le Parti m'enverra, je recevrai mes tâches de l'Union des écrivains prolétariens. » Mais il n'était plus membre du Parti.

Elsa a-t-elle vraiment tout avoué à son compagnon de ce que pouvaient cacher les mots « camarades » ou « homme d'un type nouveau » ou « tuer en soi les séquelles du vieil homme » ? C'est peu probable. Parce que l'URSS, Moscou, l'exotisme russo-communiste participaient de son prestige, de son mystère.

Pour les affermir, elle montrait ses photos d'enfance, avec Stépa la nourrice, avec Lili, son père et sa mère, ses photos du début parisien, avec une étole de soie brochée bordée de fourrure, ses photos de Berlin, en robe damassée d'or, souliers pointus à brides...

Cette jalousie dont Louis fera son thème littéraire central, « Ah femme, que ne t'ai-je connue petite fille », il l'écrit pour Nancy mais l'applique à Elsa. Il connaît la fameuse poupée de Lili qu'Elsa avait « poussée » et cassée. A-t-il décelé sur la photo le visage obstiné, fermé, têtu de la petite sœur auprès du visage ardent de l'aînée ?

Dès mars 1929, Elsa mène Louis à Berlin pour rencontrer Lili et Maïakovski. Ils y passent quelques jours au Kurfürsten Hotel. Louis constate que les sœurs ont la même voix, mais ni le même visage — Elsa tenant du père et Lili de la mère — ni le même caractère : passion ardente, rire fou, goût effréné de vivre, contre volonté contenue. Une antilope galopant en liberté contre une sorte de lynx accoutumé aux cages et aux jeux du cirque. Ils reviennent. L'affaire des colliers reprend.

A Berlin, par sa sœur, Elsa avait appris les malheurs de Moscou. Certes, la belle Tatiana était restée en Occident et Maïakovski se contentait de Nora Polonskaïa. Mais sa popularité rendait les autres écrivains fous d'envie. La vie devenait difficile.

Pour Elsa, le poète restait quelqu'un de la famille, des siens, « avec qui on aime et on déteste les mêmes choses, les mêmes gens... Il aimait la fidélité, l'exigeait et la donnait, à la vie, à la mort ».

Jamais il ne cessera d'assurer Lili de son amour ni Ossip Brik de sa tendresse. Seulement Volodia devenait irritable, agité, il se sentait persécuté... Elsa, qui avait eu très peur de l'affaire Tatiana, commençait à craindre les effets des silences de cette longue beauté... Les jaloux faisaient remarquer que le poète des affiches de propagande et de la satire politique se transformait en un lyrique romantique au moment où l'essentiel c'était le Plan quinquennal et non que le « moteur rouillé de son cœur se soit mis à battre ».

D'ailleurs, le succès même de sa pièce *La Punaise*, que Meyerhold avait mise en scène vers 1929 avec une musique de Chostakovitch, compositeur de vingt-deux ans, ce succès même lui nuisait. La pièce conte l'histoire d'un « Nepman » mort dans un incendie et ranimé cinquante ans plus tard. Le communisme est établi sur la terre entière. Ce fantôme de l'ancien temps ne peut plus servir à rien, sinon à nourrir une punaise dont il était porteur et qui a ressuscité, elle aussi. Lui, l'homme d'autrefois, ne peut rien comprendre au Nouveau Monde. Il n'est plus qu'un spécimen dans un zoo, qui implore sans qu'on l'entende...

Maïakovski était resté à Paris durant tout le mois de mars 1929, à l'époque où Elsa tentait de sédentariser Louis. Elle réussit mieux que le poète avec Tatiana. Lili ne pouvait plus envoyer d'argent, toute exportation de devises étant interdite. Comment éblouir sans argent une créature de luxe ?

Le 11 octobre 1929, Lili a reçu une lettre de sa sœur... où Elsa note, comme en passant, que Tatiana allait épouser un vicomte, à l'église, en blanc et couronne d'oranger. Surtout, insiste-t-elle, que Maïakovski n'aille pas faire de scandale...

Lili lisait toujours les lettres de sa sœur tout haut devant Volodia et Ossip. Cette fois, le poète attendait voiture et chauffeur pour prendre le train de Leningrad. Lili s'est mise à lire. Comment s'arrêter ? Comment sauter la phrase dont on ignore le contenu ? D'ailleurs, qui peut savoir ce que son subconscient dictait à la ravageuse, qui n'est pas hostile aux drames ? Maïakovski entend donc la phrase d'Elsa sur le vicomte et le mariage. Il saisit sa valise, se précipite dehors... Lili craint le pire. Mais le lendemain, quand elle téléphone à l'hôtel, à Leningrad, il est là et même l'invite à le rejoindre.

Quand ils reviennent à Moscou, Maïakovski est très agité.

Le réveillon du 30 décembre 1929, chez les Brik, mêla tous les milieux. Des comédiens de chez Meyerhold y ont rencontré — mais pour la plupart sans le savoir — des agents des services secrets, c'est que l'un des « flics » politiques connaissait Lili...

Peu après, tout s'est déglingué.

Une exposition de Maïakovski n'eut de succès que parmi les étudiants et les sans-grade : nul officiel n'y assista sauf Lounatcharski, qui n'était plus ministre de l'Instruction publique. *Les Bains*, malgré la mise en scène de Meyerhold, ont été sinon un four du moins un échec.

Maïakovski décide alors de se joindre à un groupe d'écrivains, le RAPP[1], qui se targuait d'être l'expression même du prolétariat. Ses adhérents n'avaient cessé de combattre le poète. Quand il adhéra, le groupe s'est scindé. Et la partie qui l'admit ne comptait personne qui fût son égal...

---

1. Quelque chose comme « Rassemblement des artistes et poètes prolétariens ».

Un pas hors des nuages

Et toujours ainsi je me suis arrêté
au seuil des autres.

ARAGON.

Mort d'un poète

Le 14 avril 1930, la sonnerie du téléphone qu'on vient d'installer dans l'atelier de la rue Campagne-Première retentit. Une voix brisée — pas celle de Lili : elle est à Berlin où la nouvelle l'atteindra en même temps — une voix dit que Maïakovski s'est tué d'une balle au cœur.

Lili et Ossip ont mis trois jours à revenir tant les trains étaient rares et lents. Déjà femmes en béret basque, hommes en cravate noire défilaient devant le cercueil.

Maïakovski avait laissé une lettre « Pour tous », qui disait : « Lili, aime-moi. »

La *lettre pour tous* deviendra une obsession pour Aragon. Comme s'il portait désormais en lui le poids de cet homme. Dans ses moments de désespoir, pensait-il à sa tentative — manquée — de suicide ? Un jour, il me dira — à propos de Drieu La Rochelle — que les « tentatives » sont des « sorties d'actrice en désespoir ». Que se donner la mort pour de bon est, au contraire, un acte.

Maïakovski avait écrit :

A tous !... Je meurs, n'en accusez personne. Et pas de cancans. Le défunt avait ça en horreur.

Maman, mes sœurs, mes camarades, pardonnez-moi, ceci n'est pas un moyen (je ne le conseille à personne), mais moi je n'ai pas d'autre issue.

150

Lili, aime-moi.

*Camarade Gouvernement, ma famille c'est Lili Brik, maman, mes
sœurs et Veronica Vitoldovna Polonskaïa. Si tu leur rends la vie
possible, merci.*

Les poèmes commencés, donnez-les aux Brik. Ils s'y retrouveront.

Comme on dit
            « L'incident est clos »
Le canot de l'amour
                s'est brisé contre la vie courante
Je suis quitte avec la vie
Inutile de passer en revue
            les douleurs
            les malheurs
                et les torts réciproques.
Soyez heureux !
                     V. M.

Aragon est à présent un membre régulier du PCF.

La Révolution surréaliste change de nom, devient *Le Surréalisme au service de la Révolution.* C'est reconnaître que changer
le langage et manifester l'inconscient ne suffit pas à transformer la société.

Breton consacre une partie du numéro de printemps à
Maïakovski. Il est le poète des « collages », l'antinaturalisme,
l'anti-Barbusse. Or, en ce temps, Barbusse est le grand écrivain des communistes français. *L'Humanité* fait des réserves
sur le suicide... A Moscou, après les festives funérailles, le nom
du poète commence à disparaître. Quand, beaucoup plus
tard, Elsa en fera la remarque, les écrivains soviétiques lui
répondront qu'il y avait autour de cet homme « un véritable
culte » et que ce n'était « pas sain ».

A Paris, la droite ne réagit pas mieux. Dans *Les Nouvelles
littéraires*, André Levinson publie sur Maïakovski un article
malveillant — le géant buveur, joueur, coureur et mal embou-
ché savait se faire des ennemis et ce « précieux » ne pouvait
l'apprécier. Très imbu de sa qualité de beau-frère, Aragon est
allé le gifler, ce qui dégénéra en pugilat.

Aragon-d'Artagnan ferraille aussi dans la *Revue surréaliste.*
Contre Claudel, qui séduit à la fois Barbusse et les Russes,
contre Desnos que le Cyrano a exclu...

Relira-t-il un jour sa prose de ce temps-là, reprochant aux
communistes leurs compromissions avec des écrivains qui
n'ont rien de révolutionnaire ?

Interrogés par le « Bureau international révolutionnaire »

151

(c'est-à-dire le service culturel du Komintern) sur leur position « si les impérialistes déclaraient la guerre aux soviets », Aragon et Breton ont répondu ensemble par télégramme qu'ils sont à la disposition de l'Internationale « pour mission exigeant usage de nous en tant qu'intellectuels ».

Si l'intime collaboration, dans la création et la vente des colliers, avait resserré le lien Elsa-Louis, les rendant complices de travail, de stratégie, de vente, et même d'invention, le 14 avril 1930 marque un autre tournant.

Ce suicide exacerbe en Louis la mémoire des affres de Venise mais aussi la contradiction du poète voué à la cause du prolétariat. Déchiré, donc, désespéré ? Obligé, donc, de poursuivre jusqu'à l'impossibilité finale ?

Elsa-Louis décident de partir pour Moscou. Encore faut-il, en plus des visas, de l'argent.

De son côté, Georges Sadoul, l'intime de la rue du Château, est menacé de peines graves : mobilisé, il avait écrit une carte insultante au candidat reçu premier à Saint-Cyr. Injures et atteinte au moral de l'armée... Il risque trois mois de prison. Il faudrait l'emmener. Nouveaux soucis de visas et d'argent.

Louis s'exaltait : prendre symboliquement, lui, Français et communiste depuis peu, la relève de Maïakovski qui fut bolchevik à quatorze ans ? Reprendre le chant de la Révolution, non plus à coups de mots-marteaux et de cris, mais en le conciliant avec sa propre recherche ?...

Elsa l'écoute : elle veut l'attacher à ce monde qui est le sien, le familiariser avec l'exotique Russie. Il écrira : « Fougère m'a beaucoup parlé de son père. Mais c'était pour que je la connaisse mieux, elle... Ce doit être de son père qu'elle tient le charme. » En même temps, elle craint la désillusion devant les réalités soviétiques. Or, Maïakovski, symbole de la fidélité à la Révolution plus forte que la vie, peut profondément toucher en Aragon le mythe du chevalier moderne, insolent mais inébranlable, ayant choisi la Révolution pour souveraine et pour famille. Sans famille... c'est ainsi qu'il se sent, ce garçon élevé dans la constante célébration de la gloire des Massillon, dans le prestige secret de Louis Andrieux et les mystérieuses allusions à la *honte* de sa naissance. La force d'Elsa sera d'apporter une famille mythique : la cause du prolétariat. Et une famille plus réelle — qu'Elsa craint, mais avec laquelle elle doit compter —, les communistes français. Enfin, la famille étroite : Lili, Ossip, Chklovski, les intimes de toujours à l'intérieur de l'immense pays...

A-t-elle fait ce calcul ? Être russe, si proche de ces Russes fraternels qui avaient créé le futurisme, le symbolisme, avoir connu la révolution, l'entourait d'une aura, d'un attrait insolite. Elle en jouait. « J'aimais déjà les étrangères. Quand j'étais un petit enfant. » Le descendant de Massillon cherche une religion des ailleurs.

Aragon dira du PCF de l'époque :

« Il fallait pour y demeurer être fou... j'étais fou... J'y suis resté quarante ans... Je n'y ai joué qu'un rôle accessoire... mais tout de même, le Parti lui-même a considérablement changé d'année en année. »

L'ouvriérisme du temps se déclarait pur et dur. Barbusse « le grand auteur » était certes adulé, parce que Staline l'aimait (et qu'il avait beaucoup de lecteurs), mais restait contesté à cause de l'intérêt qu'il manifestait au monde non communiste.

L'ouvriérisme était tel que les surréalistes semblaient — comme les futuristes russes — des insensés. Compromettants, en plus, par leur goût du scandale.

Aragon dira un jour qu'« *Elsa supportait mal les impératifs du milieu surréaliste* » mais cependant « *elle n'était pas communiste. Je veux dire qu'elle n'était pas du Parti* ». Et pour le justifier il trouve la plus bizarre des raisons : elle s'y serait sentie traitée « *en étrangère* ». Pourtant, avouera-t-il, « *elle avait sur bien des choses plus de clartés que je n'en avais, moi* ».

Leurs vies suffisent pour en faire foi. Entre Neuilly, Montmartre et Montparnasse, on peut rêver. Quand on est revenue durant les années vingt en URSS, on sait.

Travaillant fiévreusement pour gagner l'argent de leur départ, Elsa interrogeait les voyageurs, encore nombreux, qui venaient de Moscou, sur la fin de Maïakovski. Ehrenbourg transmettait le récit de Boris Pasternak. Il était accouru parmi les premiers, dans la chambre du suicidé, si près de la prison de la Loubianka, avant qu'on le transporte chez les Brik. Boris avouait qu'il adorait, « idolâtrait » Maïakovski. Pour lui, le géant représentait le sommet de la création poétique.

Pasternak n'oubliera jamais ce jour d'avril où l'hiver était soudain revenu sur Moscou. Quand la nouvelle l'atteignit, il lui sembla que les ondes sonores engendrées par le coup de revolver ne s'étaient pas dissipées encore. La nouvelle de proche en proche faisait frissonner le téléphone, décolorait les visages et vous poussait vers cet escalier qui frémissait sous les pieds de la foule.

Pasternak, sautant dans un tramway, était arrivé au Guendrikov peréoulok, chez les Brik, avant l'ambulance. Ce tramway... il lui semblait que la voix de l'ami y résonnait, criant : « Je sens que mon Moi est beaucoup trop petit pour moi. »

Pasternak serrait les lèvres « comme des doigts dans des mitaines ».

Il l'a vu, l'ami, tourné contre le mur, le drap tiré jusqu'au menton comme s'il dormait.

Pour Elsa, cette mort est la fin définitive de la jeunesse, de la bohème, d'une certaine folie baroque. Depuis longtemps, elle a décidé que Louis deviendrait le Maïakovski de la France. Un homme à part et non plus un membre du Groupe surréaliste, un membre « après » André Breton. Maïakovski avait rendu Lili légendaire :

> *C'est toi que je chante*
> *maquillée et*
> *rousse.*
> *Peut-être que de ces jours,*
> *terribles comme des pointes de baïonnette,*
> *quand les siècles blanchiront de barbes*
> *ne resteront que*
> *toi et moi*
> *lancé à ta poursuite de ville en ville.*

Depuis combien d'années Elsa rêve-t-elle d'incarner ainsi la figure de l'amour pour les amoureux de poésie ? Certes, elle est l'héroïne de *Zoo — Lettres qui ne parlent pas d'amour — ou la Troisième Héloïse*... mais qui connaît le petit livre de Viktor Chklovski ? D'ailleurs Gorki avait trouvé que les meilleures pages, c'étaient les lettres de la femme, ses lettres, à elle, Alia-Ella-Elsa...

Le mentir-vrai du père

Tandis que son fils secret songeait à partir chez les bolcheviks, Louis Andrieux, parlementaire à la retraite qui, à quatre-vingt-deux ans, avait soutenu une thèse, s'est cassé le fémur en tombant de l'escabeau de sa bibliothèque.

Étant veuf, il appelle à son chevet celle qui n'avait jamais franchi le seuil de son hôtel : Marguerite Toucas-Massillon. Elle accourt. Elle le soigne. Le vieil homme demande Louis et, cédant à sa mère, Aragon va le voir.

Elsa s'était fait présenter à la mère, qui a dû l'accueillir avec son habituelle distante et timide courtoisie[1].

Elsa l'avait-elle aussi demandé, comme une sorte de reconnaissance de son rôle près de Louis, ou bien Aragon

---

1. Aragon prétendra bizarrement que sa mère et Elsa ne s'étaient jamais rencontrées.

avait-il voulu sceller ainsi sa victoire sur la bourgeoisie ? Louis Andrieux dédicaça ses deux livres à Mme Elsa Triolet.

Il tenta de se confier au fils rejeté : « Je ne croirai jamais en Dieu, sinon à une sorte de Dieu comme celui de Voltaire. »

La confidence n'était pas gratuite : elle contenait une exigence implicite. Protestants, les fils légitimes acceptaient pourtant qu'un curé et une dame d'œuvres fassent le siège du vieil homme. Louis reçut la déclaration de non-foi en silence. Trente-six ans après, il se souvient encore[1] de sa « terreur d'apprendre, comme celui qui s'arrête au seuil d'une chambre où on ne l'empêchait pas d'entrer »... « Et toujours, ainsi, je me suis arrêté au seuil des autres » — de celles qui auraient aimé le voir entrer ?

Elsa sut l'obliger à franchir des seuils. Être jaloux de tout et tous, de l'imaginaire comme du réel, c'est sentir qu'on ne sait pas transgresser ouvertement, remplir l'espace. Sinon avec des mots, ou de folles irruptions.

Louis Andrieux mourra en 1932, entre deux voyages de son fils en URSS.

Le père d'Aragon avait quatre-vingt-onze ans et le scénario qu'il redoutait s'est déroulé. Quand Marguerite, toute en noir, est arrivée, elle a vu que l'on avait posé un crucifix entre les mains repliées du mort. Elle, la croyante, la pieuse, avait toujours cherché dans la prière la consolation des blessures que lui infligeait le père de son fils. Elle s'est précipitée, a ouvert la fenêtre. Elle, qui croyait, jeta dans la rue l'image de son Dieu, par fidélité pour le mort qui n'y croyait pas.

Ce qui n'empêcha pas l'enterrement religieux du militant anticlérical, ni l'édifiant récit de sa conversion dans *Le Pèlerin*, organe de l'évêché. Ainsi finit en odeur de dévotion « l'homme qui avait mis des gants pour chasser les religieuses ». Un miracle. Et, pour Louis Aragon, la fin d'un modèle ambigu.

« Rien, je n'ai rien dit », répétera-t-il sans commentaire.

Combien de fois, sachant tout, alourdi de confidences ultimes, a-t-il choisi de dire « rien » ? Il a su pendant plus de quarante ans se convaincre de la grandeur du silence, ce mensonge par omission.

Le seuil d'Elsa

Au Groupe surréaliste, remous et vagues devenaient tempête. Breton avait rejeté Soupault, l'âme-frère des *Champs*

---

1. *Henri Matisse-roman.*

magnétiques. Et Vitrac — qui avait été si attiré vers Elsa Triolet — fut également exclu sous d'insignifiants prétextes.

Le Groupe désormais gravitait autour de Breton, d'Eluard, d'Aragon, ces deux derniers oscillant dans la faveur capricieuse du « pape ». Elsa supportait mal la révérence de Louis envers son premier compagnon d'« anti-pensée ». « Votre Breton, je le trouve assommant », dit-elle à Thirion stupéfait.

Toutes ces agitations restaient stériles. Et Aragon, sauf *Le Traité du style,* n'écrivait plus. Elsa sent grandir le secret espoir que l'amitié Aragon-Breton se distendra.

Elle assiste pourtant aux farces surréalistes.

Un soir, le Groupe se réunit au cabaret le Paradis, sur ce boulevard de Clichy où se trouve aussi le Cyrano. On les photographie. Aragon et Elsa sont assis dans l'angle extrême de la photo, en spectateurs. Ils se parlent, on dirait que cette folle mise en scène ne les concerne pas. Elsa tire Louis vers elle, hors du champ.

Colliers et manifestations surréalistes entrelacés, elle le mène au seuil d'elle.

Missionnaire d'André Breton

Marie-Laure de Noailles, d'après Charles, son mari, « ne savait rien faire, ni penser, ni dire comme tout le monde ». Le comte la suivait, ravi. Ils ont donné à Luis Buñuel de quoi tourner et monter *L'Âge d'or.* Ils ne pouvaient deviner que ce serait le film-symbole d'une époque — et que, cinquante ans plus tard, les jeunes cinéastes en connaîtraient chaque séquence par cœur.

Sur la présentation de *L'Âge d'or,* deux récits s'affrontent.

Thirion parle d'une projection au Studio 28, rue Tholozé à Montmartre, où il se trouvait assis à côté de Breton. Le pape du surréalisme, entendant quelques mesures de la *Cinquième* de Beethoven, a demandé : « De qui est-ce ? C'est très beau. » Après cette projection, ils ont été reçus à l'hôtel des Noailles, avec « le Tout-Paris », et des laquais vêtus comme sous l'Ancien Régime. Lui, Thirion, aurait manifesté sa désapprobation prolétarienne en brisant des glaces et des verres devant les maîtres de maison qui auraient feint de ne s'apercevoir de rien.

Georges Sadoul — qui n'était pas à Paris — évoque ce souvenir [1] semble-t-il d'après le récit de Louis et d'Elsa.

« Ce film fut présenté à Elsa, à Louis et à tout le groupe

---

1. Numéro spécial de la revue *Europe* consacré à Aragon-Triolet, 1967.

surréaliste un après-midi dans un salon de l'hôtel particulier (des Noailles)... Par discrétion, le vicomte et sa femme étaient absents, ce qui permit à certains d'entre nous de bien mal se conduire avec le bar mis à notre disposition. »

Les deux amis de toujours, les complices d'adolescence, se contredisent. Interrogé, Buñuel soupire[1] qu'il y a eu tant de représentations, qu'il y a si longtemps, qu'il ne se souvient plus... Il se souvient, en tout cas, de la presse après le film : « incompréhensible, pornographique, ignoble, vulgaire, élémentaire, à mourir d'ennui »...

Au lendemain de cette présentation, Elsa et Louis partaient pour Moscou.

Elsa avait obtenu par sa sœur qu'Aragon et Sadoul soient invités à un congrès d'écrivains révolutionnaires qui devait se tenir à Kharkov. Des témoins se rappellent André Breton, la tête comme toujours portée avec majesté, le corps à la fois lourd et qui bouge avec grâce, répétant à Louis sa mission. Breton, ce jour-là, portait une chemise verte et une cravate rouge qui jurait avec ses longs cheveux aux reflets roux. Il tirait sur sa pipe et ses yeux gris-vert guettaient, comme toujours, la réaction de l'interlocuteur.

Les consignes étaient précises. D'abord déconsidérer aux yeux des Soviétiques Henri Barbusse, ce « bourgeois ». Ensuite, leur expliquer la ligne des surréalistes, leur faire comprendre que seules étaient révolutionnaires l'exploration de l'inconscient et les cassures qu'elle inflige à la syntaxe et au langage.

Comment Aragon pouvait-il ne pas être pénétré de l'importance de sa tâche ? Une nuit, il avait entraîné Sadoul et Thirion[2] sur le pont des Arts. A grands gestes, il leur avait expliqué qu'au-delà de tout malentendu son accord avec André Breton, vieux de plus de dix ans, était une part de leur destin.

Il dit encore que Breton, au-delà de l'écrivain, est « *un creuset où brûle un feu central* ». Qu'un « *don quasi magique et surnaturel* » lui permet de « *transmuer ces matériaux que sont les autres* ». Que c'est là « sa fonction en son temps ». Au-delà de toutes ses faiblesses et ses failles, c'est là sa grandeur.

Ils étaient, dans le Groupe, convaincus qu'il existe « une limite où cessent d'être perçues les contradictions »...

A la veille de leur départ pour l'URSS, André Breton demeure la grande passion morale, l'intimité fondamentale d'Aragon. Celle qu'il faudra saccager, réduire en cendres

---

1. Numéro spécial de la revue *Europe* consacré à Aragon-Triolet, 1967.
2. Thirion, ouvr. cité et entretien avec l'auteur, 1982.

pour qu'Aragon soit contraint, par cet effondrement même, de franchir un autre « seuil »...

Elsa sait analyser toutes les tensions passionnelles à l'intérieur du Groupe. Avec les peintres : Magritte, Masson, Tanguy, Miro, Max Ernst, Chirico. Et surtout avec le timide Salvador Dali, sa moustache en sourcil, son accent comique et ses façons de puceau. Ils faisaient glisser le surréalisme de la parole à la représentation graphique. Dali était tombé amoureux de Gala [1] qui lui apprit patiemment l'amour à deux, prouvant que l'on pouvait changer les habitudes sexuelles d'un homme.

Elsa se lançait dans une aventure périlleuse comme le jeu de la roulette russe : durée ou fin de leur couple. Que serait Moscou pour eux ?

1. Gala Diakonova, la Moscovite qu'avait épousée Eluard et que Max Ernst aima.

5

Moscou-Paris

Je dédie le monde réel à Elsa Triolet
Enfin, vinrent les temps de toi.

ARAGON.

Les gens considèrent que j'ai beaucoup pour ce que
je mérite.

ELSA TRIOLET (*Journal*).

Je suis une sans-patrie... C'est peut-être cela mon
malheur... Je suis terriblement à plaindre... moi je
suis la cosmopolite, je suis l'indifférente, la solitaire.
J'ai beau aimer la France...

Elsa TRIOLET, *Le Rendez-vous des étrangers*.

Moscou... l'état de grâce

La dernière semaine de septembre 1930, une délégation du Groupe accompagne à la gare les deux voyageurs : fleurs, chocolats, bouteilles. Le trajet sera long.

A l'escale de Berlin, ils ont retrouvé Mme Kagan qui venait de perdre son emploi à l'ARKOS de Londres et hésitait à rentrer. Georges Sadoul aussi les attendait, mais ne repartit pas avec eux, faute de visa. Ils ont continué seuls.

Dès la frontière polonaise, le train s'est mis à rouler à trente à l'heure. Louis contemplait les marécages, les bois de bouleaux, les gens en loques dans les gares. Il commence, dès la frontière russe, à s'extasier sur tout. Même la tatillonne police des passeports lui semble un témoignage de vigilance révolutionnaire. Les haillonneux qui courent sur les quais, vendant l'eau bouillante pour le thé, sont pour lui les séquelles d'un passé en train de s'abolir.

Il trouve tout, ici, plus *humain* qu'ailleurs. L'exotique, le sous-développé, le pathétique, tout lui paraît témoignage. Soit des nécessités de la révolution en devenir, soit des lenteurs qu'inflige le barrage du capitalisme.

Enfin, voilà Moscou. Voilà Lili, pâlie, maigrie, soutenue par Brik et entourée d'admirateurs. Comme toujours, on se précipite vers les nombreuses valises des Européens. On les porte vers une voiture officielle, prêtée par un ami. Ils coucheront, à Guendrikov péreoulok, dans la chambre de celui qui reste toujours présent. Ici, on ne parle pas de Maïakovski au passé...

Quand les deux sœurs restent seules, Elsa apprend tout. « Ils » sont en train de faire le silence sur Maïakovski et en même temps de le transformer. Nul n'ose plus dire qu'il est mort parce qu'il désespérait de l'avenir de l'art. On ne publie que ses poèmes les plus politiques, les plus exaltés. Quant à Lili... la mort du poète a tout changé pour elle. Tout. Même les moyens d'existence. Depuis si longtemps, c'était lui qui procurait soit le moyen de gagner de l'argent... soit l'argent. Il faut désormais se taire et maintenir la ligne du Parti. Sinon..., sinon Ossip ne serait plus du comité d'aucune revue, on ne lui commanderait plus d'articles, ni de conférences, ni de cours... « Les temps sans amour » advenaient et ils ne pouvaient le supporter. Elsa portera cette tragédie jusqu'au roman [1] où elle travestira le poète révolutionnaire en comédienne occidentale qui se suicidera parce que « personne n'aime personne ». Et en même temps, ce groupe hostile et scindé auquel Maïakovski s'était joint, le RAPP, est menacé. Le Parti veut fondre tous les courants dans une « Union des écrivains ». Certains résistent... Les meilleurs. Mais que faire ? Si Lili parle de Maïakovski, certains font la moue : « Vous savez, même Lénine ne l'aimait pas »... ce qui signifie qu'à présent... « Que faire ? » soupire Lili.

De ces menaces, qu'a dit Elsa à son compagnon ? Le poète des Buttes-Chaumont, l'infatigable piéton de Paris qui marchait de Montparnasse à Montmartre et de Montmartre à Neuilly, le dandy du métro Nord-Sud, plane dans une excitation de féerie. Ah, quelle humanité chez tous ces gens ! Quelle chaleur fraternelle, quelle merveilleuse curiosité ! Ils l'ont adopté, baptisé « Aragocha » C'est que le Parisien leur apporte la précieuse bouffée d'Occident sans laquelle ils étouffent.

Les nuits se passent dans la fumée des cigarettes à bout de carton, la fumée du thé, les fumées de la vodka. On affronte les théories. Dada et futuristes, même combat ? Et les surréalistes ? Chez les Brik les écrivains écoutent les phrases — traduites par Elsa — sur la nécessité de casser la syntaxe.

Comme ça leur fait du bien d'en discuter... Certains ont dû murmurer que déjà les œuvres déclarées « formalistes » étaient rejetées... Qu'a pensé Aragon des affiches, des illustrations, des expositions dans le Moscou de 1930 ? Le « nouveau » n'était pas interdit. Simplement on préférait le conventionnel empaqueté de mots clés : prolétariat, révolution, avenir. Les projets des architectes ? Utopiques. Ainsi le plan d'une tour en spirale pour monument de l'Internationale.

Elsa vient seulement d'enseigner à Louis les caractères cyrilliques. La découverte de la lecture soutient sa grandissante exaltation. Ossip Brik, avec son lorgnon démodé, sa dif-

---

1. *Personne ne m'aime*, 1947.

ficulté d'expression cachée sous les clichés révolutionnaires, lui semble un penseur d'un type nouveau.

Aragon entre deux gorgées de thé tente de bouger dans l'étroit espace toujours surpeuplé. Il récite par cœur des phrases entières du *Traité du style* qu'il semble improviser et dont Elsa traduit ce qui est traduisible. « De même que chaque mot est à la merci du premier qui songe à le prendre en mauvaise part et que plus rien alors n'arrête sa dégradation... de même il m'appartient de poser ma main sur un mot... »

Le 15 octobre, Elsa et Louis vont chercher à la gare un Georges Sadoul stupéfait par ce qu'il venait de voir, lui qui ne connaissait que l'Allemagne et le nord de l'Italie...

Cette fois, ils n'ont pas de voiture officielle. La valise de l'arrivant est légère. On prend d'assaut un tramway comme toujours bondé, et l'odeur de la foule en ces temps de savon rare, cette odeur de corps, de sueur, de choux qui vous ballonnent, de cornichons demi-sel, les fait plonger dans la Russie profonde.

Congrès à la russe

Bientôt ils partent pour Kharkov. Les sœurs sont heureuses de leur réussite : les surréalistes français seront congressistes et non pas observateurs, comme prévu, à ce « Plénum élargi du Bureau international de la littérature révolutionnaire ».

Ils roulent à bord d'un train spécial — accompagnés de miliciens en armes, car en Ukraine des « bandes » assaillent encore des trains. Voleurs errants ? Opposants attardés ?

Ils sont une centaine d'écrivains représentant vingt nationalités — en comptant toutes celles de l'URSS. Des poètes de républiques asiatiques viennent « converser ». Leur russe n'est pas toujours courant, et Elsa a du mal à les traduire.

Le wagon d'Elsa — dans ce train français d'avant 1914 — devient aussitôt un salon. Sa dernière conquête est un géant haut en couleur, l'œil de myosotis, grand buveur, grand mangeur, grand chanteur. Il se nomme Alexandre Fadeïev ; très vite, elle l'appelle Sacha. Il a fait la guerre civile à moins de vingt ans. Son roman, *La Défaite*, le rendra célèbre et la vie fera de lui le bras droit du dictateur aux lettres, André Jdanov. Il manipulera avec zèle la future Union des écrivains. Ehrenbourg dira : « Jeune, Fadeïev était un rêveur aux yeux de douceur. Je l'ai revu avec des yeux déterminés et froids. »

Est-il si assidu dans ce wagon pour l'amour d'Elsa ou pour convaincre les Français ? « Oh, que j'étais ensorcelé par elle ! » rappellera le féroce exécuteur des édits de Jdanov en 1948...

Fadeïev chante la romance avec émotion, Sadoul en a les larmes aux yeux. Un jour, cette romance ils l'entendront à Paris dans un music-hall de l'avenue de Wagram : c'était donc une romance d'émigrés... ou une romance qui émigrera[1] ?

Le dandy de Neuilly a avalé son content d'esprit slave avant l'arrivée à Kharkov. Il fut stupéfait par la province russe...

Le congrès se tient dans l'ancien évêché, devenu « Maison de la littérature », et dure du 5 au 12 novembre 1930.

Aragon, faute de connaître ce monde, croit qu'on s'y bat comme dans le Groupe surréaliste : à coups d'insultes, d'images dont l'excès même tue la nocivité. Il ne mesure ni la portée d'un blâme ni celle d'une exclusion. Surexcité par une emphase révolutionnaire que rendent pathétiques les maisons aux fenêtres bouchées, les passants aux jambes emmaillotées de chiffons, il renchérit. Les « rabcor », ces correspondants ouvriers des journaux, il n'en voit pas le danger. Les écrivains russes, eux, connaissent la tyrannie qu'au nom des masses exercent les médiocres — dans les journaux et les revues, ils s'opposent à toute recherche, toute innovation de style, à cette maîtrise du langage qu'Aragon préconise.

Elsa tâtonne sur un fil de funambule. D'un côté, ses amis d'autrefois la conjurent d'orienter Louis vers les vrais écrivains, la défense de l'art. De l'autre, cette passion naissante pour l'URSS, c'est le moyen de couper le cordon entre Louis et les frères siamois du surréalisme. Alors elle deviendra la voix qui parle d'avenir.

Devant ces hommes de la révolution, l'envie prend à Louis de brûler *Le Libertinage* — qui déplaît à Elsa — comme il a brûlé *La Défense de l'Infini* pour plaire à Breton. Il ne le fera pas.

A la tribune, Aragon tonne devant les rangs d'écrivains attentifs. Elsa, très parisienne, très regardée, le menton dans la paume à son habitude, l'écoute : « Vive la spontanéité ! Vivent ceux qui n'ont pas appris l'orthographe ! »...

Pour un surréaliste du Cyrano et de la Coupole, en effet, quel document que ces envois de presque illettrés ! Il recommande « le développement systématique du travail des "rabcor" ». Ça vous a de l'allure, non ?

Contre Barbusse, il cite Breton : « M. Barbusse est, sinon un réactionnaire, du moins un retardataire. » Barbusse suscite

---

1. Fadeïev en 1948 traitera Sartre de « hyène dactylographe ». Il signera des exclusions qui mèneront au Goulag. Il se suicidera en 1956.

beaucoup de jalousie. On applaudit donc. Qu'un étranger s'insurge contre le préféré de Staline, quelle aubaine !

Du coup, les surréalistes deviennent de « vrais » révolutionnaires. Louis, se croyant à une « manifestation » du Groupe, renchérit. Ces victoires sont aussitôt câblées à Paris.

Breton et les siens préparent une « Association des écrivains et artistes révolutionnaires », d'un « sain » terrorisme surréaliste... : aucune divination, aucun tarot, aucun médium n'enseigne à Breton qu'un jour cette même association lui échappera, sera dominée par son ami et lui refusera, à lui, la parole... Ni Breton ni Louis n'imaginent le poids de leurs proclamations et qu'à présent les mots dévient, mutilent, écrasent des vies humaines.

Aragon, le menton haut, l'œil dans les nuages, gesticule avec assurance. Les écrivains d'ici, qui représentent la Révolution, classent les surréalistes dans la gauche. A vrai dire, la résolution qu'ils ont votée ajoute que « les meilleurs » évolueront vers une « idéologie prolétarienne »... Mais Aragon a trop l'habitude des surenchères du Cyrano pour attacher de l'importance à ce bout de phrase.

Elsa ne tarde pas, elle, à mesurer l'échec de l'entreprise surréaliste... Barbusse n'est pas là, mais son nom figure parmi les membres du praesidium du comité de patronage du congrès... Elle connaît le danger des « rabcor ». Elle sait aussi, par Lili, ce que représente la camarade Gopner au profil d'oiseau. L'œil du Parti. En ce moment, comme le Parti veut former l'Union des écrivains où se dissoudront tous les groupes, la camarade Gopner est chargée de cette opération. Donc, elle dit avec une subtilité byzantine : « Les "rabcor" comme seule source de la littérature prolétarienne ? Voilà une assertion qui semble très à gauche mais qui est en fait droitière et opportuniste ! »

Vingt ans plus tard, Aragon saura déchiffrer et au besoin manier ces arguties, mais en 1930, ça lui donne envie de rire. Quel charabia ! « Succès complet », a-t-il télégraphié à Breton.

Les congressistes étrangers sont invités à une plongée dans « l'URSS en construction » : crèches, hôpitaux, écoles modèles, « coins rouges » des ateliers. Comme Maïakovski — en français bien sûr, mais qu'importe ? C'est le geste qui exalte — Aragon parle aux ouvriers. Le prolétariat l'acclame. C'est une griserie dont un intellectuel se remet toujours mal. Louis sent l'avenir lui monter au visage comme une poussée de sang.

De retour à Moscou, quand tout est prêt pour le départ, Aragon et Sadoul sont priés de signer un texte. On le leur propose. Aucune contrainte... Mais comment refuser leur accord aux représentants du Futur en gestation ? « Ici, l'ordre des urgences est foncièrement différent. On en est à empêcher les gens de mourir. Du coup, le rôle de l'écrivain prend une gravité, une importance qu'on n'imagine même pas à Paris. Ici, dans les usines, quand un écrivain dont on ignore la langue vient parler, c'est comme une main qui se tend par-dessus les frontières. Ici, apprendre à lire, comprendre les techniques, maîtriser un métier est une question de vie ou de mort. Ici, c'est Gorki qui a raison : l'écrivain doit inspirer l'action »... Comment écarter ces arguments-là ? Maïakovski a préféré mourir, se tuer plutôt que de s'exiler, de rompre sa solidarité avec ce peuple en lutte.

Qu'a fait Elsa ? Vingt ans plus tard, elle dira : « Louis éprouvait en URSS une exaltation comme je ne lui en avais jamais vus »... Elle ajoutera : « D'ailleurs, refuser c'était rompre »... Elle pouvait, moins que lui, rompre avec le pays de Lili. Sadoul ? Il se croyait menacé de prison en France et voulait au moins s'acquérir, ici, un appui. Qui, sinon les communistes, le soutiendrait ?

Le 1er décembre 1930, un an et vingt-cinq jours après sa rencontre avec Elsa Triolet, la vie d'Aragon prend un nouveau tournant au moment même où Sadoul et lui signent ce texte d'abdication.

Ils s'avouent coupables de n'avoir pas soumis leur activité littéraire au contrôle du Parti. De ne pas avoir milité. D'avoir attaqué devant des non-communistes des camarades, Barbusse entre autres. D'avoir critiqué la presse du Parti. Sadoul est même « coupable » d'avoir tourné l'armée en dérision, au lieu d'entreprendre une lutte de masse. Surtout, ils déclarent qu'ils *ne sont pas* solidaires de l'ensemble des œuvres surréalistes. Ils renient le *Second Manifeste* (qu'Aragon avait en partie élaboré) et repoussent, entre autres, le *freudisme, idéologie non matérialiste.* Se désolidarisent du trotskisme « social-démocrate » et « contre-révolutionnaire ». *Ils s'engagent à soumettre désormais leur activité littéraire au contrôle du Parti.*

Ils ont signé dans l'ivresse du « premier grand chantier du socialisme » — le Dnieprostroï. Ces milliers d'hommes — on leur affirme qu'ils sont tous volontaires —, ces milliers de tonnes de terre, cette transformation de la nature, comment les mettre en balance avec des rencontres de poètes, des manifestations-farces, des excommunications ès lettres ? Désargentés certes, mais bourgeois français pourtant, Georges et Louis se sentaient écrasés de mauvaise conscience dans ce pays où cent soixante millions d'hommes posaient la question de leur survie. La formule des « lendemains qui chantent » dont, plus tard, Aragon fera un vers a dû naître en lui dès cette intense première fois.

Sadoul rappelle qu'Elsa fut leur interprète et leur chargée de relations publiques. L'initiatrice et le filtre. Qu'a-t-elle ressenti ? La Russie pour elle n'était pas un choix politique : pouvoir y revenir, y gagner sa place de Parisienne de Moscou équilibrait son exil. Quel émigré ne ressent un bonheur fondamental à revoir les lieux, les gens de son premier éveil ?

Des procès ? Oui, il y en avait déjà eu au lendemain de la NEP. Des « industriels » avaient été condamnés pour complot antisoviétique. Ils auraient ourdi leur conspiration à Paris, place de l'Opéra, au Café de la Paix, avec Poincaré et Briand, adversaires de toujours miraculeusement complices pour cette seule occasion. Dans l'état d'exaltation d'Aragon et Sadoul, des « industriels » qui voulaient « rétablir le capitalisme » étaient coupables et capables de tout. Louis les dénonce en vers.

Les disgrâces d'artistes et d'écrivains leur étaient plus sensibles. Mais déjà Aragon — par les Brik — avait l'écoute sélective. Qu'on occulte Maïakovski sous prétexte qu'il fut l'« objet d'un culte » pouvait l'indigner. Il s'apaisait l'âme en se disant que les écrivains morts traversent tous un purgatoire. Les disgrâces des vivants demeuraient encore discrètes pour qui préférait ne pas les voir. Se dire qu'on devient le témoin et, si on le choisit, le porteur d'une Histoire nouvelle, d'un régime qui démodera tous les « anciens régimes » du monde, quoi de plus exaltant ? En France, la Terreur avait proclamé que la République « n'avait pas besoin de savants » mais, très vite, on avait compris le contraire. Les victimes ? Quelle transmutation n'en crée pas ?

Elsa eut l'habileté d'obtenir quelques jours d'arrêt à Berlin, pour voir sa mère et des amis russes. Sadoul arriverait donc le premier à Paris. Il expliquerait « le texte » rue Fontaine.

Une cicatrice à jamais

André Breton, chemise et regard d'herbe sous l'orage, tonne, debout au milieu des masques, des plaques de rues dérobées, des objets détournés, des tableaux. L'atelier de la rue Fontaine devenait un bateau par tempête.

Sadoul parle des trois mois de prison qui le menacent, de la nécessité de se trouver des alliés... il ne défend pas le texte, il tente d'exposer les circonstances.

Breton n'écoute pas Sadoul. Il pense à l'ami du Val-de-Grâce et des errances indéfinies. Aragon, un traître ? Lui, le seul qu'il n'avait jamais exclu ?... Dans ses *Entretiens*, longtemps après, il déclarera « peu clair » le rôle d'Elsa. On sait qu'il détestait Elsa qui le lui rendait. Qui avait commencé ? Lui, insensible à son charme et murmurant « espionne russe » ? Elle, en le trouvant « assommant » ? D'ailleurs, seul importe Aragon...

Comment a-t-il consenti à placer toute leur activité sous le contrôle du Parti ? à considérer le freudisme comme « idéaliste », et le *Second Manifeste* comme « contrariant la dialectique » ? Mais il se trahit lui-même, il renie leur passé... Tout ce qui a fait l'insolite de leur vie. Breton relit le texte criminel : « Le surréalisme. Ce mouvement constitue une réaction des jeunes générations d'intellectuels de l'élite petite-bourgeoise, provoquée par les contradictions du capitalisme dans la troisième phase de son développement. Les surréalistes n'ayant pas été capables, dès le début, de procéder à une analyse marxiste approfondie... cherchent une issue dans la littérature... »

Ce texte, Aragon, son complice en Apollinaire, en Lautréamont, il l'a signé ? Breton est plus blessé encore que furieux.

168

Vraiment, les femmes ne réussissent pas à Louis. Elles le poussent à la mort comme Nancy ou à la trahison comme cette Russe.

Louis est revenu à Paris. Fuyant. Enfin un jour le voilà rue Fontaine, sans Elsa. Face au compagnon de sa route essentielle. Depuis les jours de la guerre, à qui avait-il le plus constamment pensé ? Depuis qu'ils s'étaient rencontrés, depuis douze-treize ans, chaque écrit de l'un d'eux était un clin d'œil à l'autre. A travers les amours orageuses et les amitiés capricieuses, ils se restaient fidèles. Et soudain : « Tu n'es plus toi-même, tu es un autre », disait Breton, massif et violent, roc battu de tempête. Voilà qu'il fallait définir les créations surréalistes par leur « valeur d'usage » ? Voilà qu'on n'avait plus le droit — que Dali n'avait plus le droit — de trouver comique l'art réaliste ?

« En signant ce texte nous avons assuré, raffermi les rapports de l'Internationale et des surréalistes... » Aragon parle de leur victoire sur Barbusse ?... Barbusse joue l'Internationale contre le PCF avec Thorez en tête et le jeune Paul Nizan pour porte-parole. Barbusse joue le gouvernement soviétique et Staline contre les écrivains réunis à Kharkov, leurs groupuscules, leurs invités surréalistes et la camarade Gopner, le tout pêle-mêle. Barbusse a gagné.

Aragon et Sadoul vaincus par les efforts de leurs amis signent un *Manifeste aux intellectuels révolutionnaires*, assez confidentiel, qui atténue leurs engagements de Kharkov. Elsa est mise devant un fait accompli et ne commente pas.

L'Humanité publie des attaques anonymes contre les surréalistes. Dans les réunions intérieures, des gens obscurs injuriaient Aragon, Breton et Sadoul. Le PC devait inaugurer une exposition pour le 10e anniversaire du surréalisme ; il refusa.

Elsa dut apprendre très vite que le congrès de Kharkov avait uniquement servi à fonder l'Union des écrivains. Donc Aragon sait que les disputes et psychodrames sur sa trahison auront pour seule conséquence de compliquer ses rapports avec Breton et les siens. En URSS, sur le plan de la Révolution, ils étaient abolis.

Barbusse était mieux en cour que jamais : l'Internationale songeait déjà à un congrès contre la guerre où l'auteur du *Feu* ferait grande figure. Donc sa revue, *Monde*, attaque elle aussi les surréalistes. « Tu vois bien que Breton t'écarte du grand mouvement révolutionnaire mondial. D'ailleurs, il ne te comprend ni ne t'apprécie... », disait Elsa devant Ehrenbourg, devant Thirion, devant des amis ironiques ou navrés qui voyaient se dissoudre une profonde liaison d'esprit et de sensibilité.

En ce début des années trente, Aragon continuait à rencontrer parfois les compagnons de sa jeunesse, avec ou sans Elsa. Même Drieu La Rochelle — qui trouve la Russe insignifiante et froide.

Souvent Louis sort sans Elsa qui d'ailleurs fréquente ses amis russes sans lui. Elle menaçait les intimes : « Choisissez, Nancy Cunard ou moi. » Les amis tentaient d'esquiver.

Entre Aragon et Breton les orages ne cessaient de tourner. Ils se disputaient à propos de Dali — qu'Elsa haïssait —, à propos de Trotski et de Freud surtout. Thirion trouvait à Louis, quand on parlait de psychanalyse, l'air « d'un dévot à qui on aurait infligé la lecture d'un ouvrage mis à l'index ».

En revanche, Elsa ne manquait pas les réunions chez Tristan Tzara. Marié à Greta Knudson, peintre et critique très fortunée, le théoricien Dada vivait à Montmartre dans un hôtel particulier plein de masques africains et d'objets excentriques et rares, de l'Océanie aux ancêtres vikings. Son salon offrait des prototypes de meubles du Bauhaus dont la production commençait à peine.

Tous, Maxime Alexandre, Aragon, Breton, Buñuel, Char, Crevel, Dali, Eluard, Ernst, Giacometti, Malet, Michelet, Pastoureau, Ponge, Tanguy, Sadoul, Unik, Thirion — qui dresse la liste —, discutaient du matérialisme dialectique et remettaient en cause les activités surréalistes. Les n°s 3 et 4 du *Surréalisme au service de la Révolution* en surgiront.

Le clivage se dessinait entre les communistes — dont Aragon était le plus éclatant — et les « poètes » que dominait Eluard. La voix de Breton tentait d'équilibrer les camps. A l'époque, Aragon et Eluard s'affrontaient violemment. *Les Vases communicants* de Breton sortiront de l'exaltation extrême où ces disputes jetaient leurs participants, jusqu'à l'hallucination. Le bizarre c'est qu'Aragon, Breton, Crevel et Eluard étaient nominalement tous membres du PCF.

Tzara donnait raison à Aragon, sauf sur la psychanalyse. Lui oscillait entre Freud et Jung et refusait d'admettre qu'on puisse à la fois constater l'existence de l'inconscient et les réalités du matérialisme marxiste.

Sadoul était devenu rédacteur à *L'Humanité*. Aragon ne parlait que de repartir en URSS... Quant à Thirion, qui avait arrangé leurs « affaires » avec le Parti, il allait, lui, être exclu en novembre 1931...

Aragon, Breton, Eluard, Tzara avaient entre-temps décidé de mettre fin à leur revue, *Le Surréalisme au service de la Révolution,* après la parution des n°s 3 et 4 : le fameux n° 12 de *La révolution surréaliste* — qui contenait l'enquête sur la sexualité — avait été vendu à mille cinquante exemplaires. L'autre revue n'avait que trois cent cinquante acheteurs. « Que le public n'entre pas... », dit Eluard, et Breton : « Quitte à abandonner le surréalisme, il faut refaire le public ! »

Tous, même Buñuel et Giacometti, ont signé une motion, rédigée par Aragon (admettant « le matérialisme dialectique dans ses plus lointaines conséquences »), d'une extrême bonne volonté à l'égard du communisme. Ce qui n'empêchait pas Breton de reprocher au « Paysan de Paris » : « Pour toi, désormais, la vérité s'efface devant l'efficacité. »

Breton passait par une crise très dure. Valentine Hugo avait beau l'adorer et fabriquer pour l'amuser les objets les plus charmants, lui aurait voulu retenir Suzanne. On discutait encore des nuits entières, montant et descendant les pentes de Montmartre. Engels contre Freud.

— Mais le rêve, s'indignait Tzara, tout de même, ce que Freud en révèle échappe aux analyses « engelsiennes » !

— Dans la société nouvelle, pour l'homme nouveau, même les phénomènes psychiques changeront, criait Aragon.

Elsa sentait de mieux en mieux que le terreau surréaliste, tant qu'Aragon s'y enracinerait, lui permettrait de se garder à distance d'elle. L'antidote, c'est le communisme même si certaines nouvelles de Moscou font frissonner. Mandelstam n'est plus publié. Elsa se dit-elle « ça passera » ou « il changera » ?

Une amie russe [1] lui annonce que Boris Pilniak, l'auteur de *La Volga se jette dans la Caspienne* n'est plus un *glorieux pionnier, un chantre du monde nouveau*, celui que Gorki aimait... Il a publié un texte à l'étranger : *Acajou*. Dans les réunions d'écrivains, il subit de véritables assauts. La haine se déclenche. On le somme de procéder à son autocritique. Et Zamiatine ? Les mêmes ont jugé « antisoviétique » un récit utopique intitulé *Nous*. A la fin d'interventions sans nombre, Staline lui a donné personnellement l'autorisation d'émigrer. André Platonov, autre pionnier de la littérature, est en disgrâce. Quant à Maïakovski, il échappe à Lili, devient un mythe du poète-militant... Le cercle des amis s'appauvrit... Mais durant les cinq années qui viennent, jusqu'en 1935, on peut encore imaginer que même les erreurs, les injustices, sont individuelles... et qu'il y en a partout.

---

1. Cette dame, qui préfère garder l'anonymat, a connu Elsa à Moscou en 1930. Elle habite actuellement New York.

> *On sourira de nous d'avoir aimé la flamme*
> *Au point d'en devenir nous-mêmes l'aliment*[1]

En même temps que les fameuses résolutions de Kharkov, la revue *Littérature de la révolution mondiale*, publication culturelle de l'Internationale, a imprimé un poème d'Aragon. Dès lors, Breton et les siens se taisent. C'est une consécration et ils se veulent des « révolutionnaires conséquents ». Le poème semble calqué sur les « coups de marteau poétiques » de Maïakovski.

Comme le Russe, jadis, Louis part d'un texte intégralement politique : le verdict des « industriels » qui ont « conspiré » pour une nouvelle expédition des Occidentaux contre l'URSS. Il justifie la condamnation des accusés et incite au meurtre des socialistes français... belle provocation : « *Feu sur Léon Blum/Feu sur Boncour Frossard Déat/Feu sur les ours savants de la social-démocratie.* »

Il y a pire : « *Je chante le Guépéou qui se forme en France à l'heure qu'il est (...) Je demande un Guépéou pour préparer la fin d'un monde (...) Demandez un Guépéou vous qu'on pille vous qu'on tue (...)* » *Vive le Guépéou véritable image de la grandeur matérialiste (...)* et il crie : « *Vive le Guépéou* » contre tout : « *le pape et les poux* », la résignation des banques et la famille... « *Vive le Guépéou contre tous les ennemis du Prolétariat. Vive le Guépéou.* »

Trente-cinq ans plus tard, il constatera :

> *Inexorablement je porte mon passé*
> *Ce que je fus demeure à jamais mon partage*
> *C'est comme si les mots pensés ou prononcés*
> *Exerçaient pour toujours un pouvoir de chantage.*

Dès le 16 janvier 1932, Louis Aragon était inculpé de « provocation au meurtre dans un but de propagande anarchiste ». Que pouvait faire Breton sinon rédiger un tract, lancer une pétition ?

Le 9 février, *L'Humanité*, pour se démarquer des surréalistes, lâchait le signataire du texte si orthodoxe de Kharkov : « *La bourgeoisie, dans sa répression contre le prolétariat révolutionnaire, frappe parfois ceux qui s'accrochent fortuitement au mouvement ouvrier. Telle est la signification de "l'affaire Aragon".* »

Cette prise de position était précédée d'une dénonciation des surréalistes. A cette époque, le PCF (qu'Aragon dans *Feu sur...* nomme encore de son nom de baptême SFIC — Section

---

1. Aragon, *Le Roman inachevé*, 1956.

française de l'Internationale communiste) était déchiré de tendances et de courants, avec dénonciations et « preuves » d'appartenance policière. La lutte entre les deux jeunes loups du communisme français venait d'entrer dans sa phase définitive. Maurice Thorez ne triomphera toutefois de Jacques Doriot qu'en 1934 et, pendant trois ans, l'Internationale arbitrera selon les opinions des divers « Œils-de-Moscou » qu'elle enverra à Paris et dont les rapports se contredisent.

Mais, entre Breton et Aragon, la cohésion devant la répression policière ne masque pas le désaccord profond. Elsa sent venir, inéluctable, la brisure. Elle maintient « sa » ligne : le « monde réel ».

Aragon : Nous avons mis au point nos instruments psychiques. Nous sommes prêts à présent à nous en servir pour éclairer le monde réel, le monde extérieur.

Breton : L'exploration intérieure n'est pas réductible à l'apparence qu'est la réalité extérieure. D'ailleurs, notre exploration commence à peine.

Pourtant, André Breton publie *Misère de la poésie. L'affaire Aragon devant l'opinion publique.* « Il importe au plus haut point de ne pas laisser se consommer la rupture, qui pourrait être imminente, entre les révolutionnaires professionnels et les autres catégories d'intellectuels révolutionnaires. »

Entre le moment où Aragon avait approuvé ce tract et sa publication, se place une commission de contrôle du PC, mettant en question un texte qualifié de pornographique de Salvador Dali : « Dulita ». Aragon s'en tire par des cris et un télégramme à l'Internationale, à Moscou. Elsa répète, inlassable : « Tu es fait pour écrire la réalité, c'est-à-dire des romans. »

Elsa avait entrepris d'obtenir par les amis de Lili une invitation de plusieurs mois à Moscou, à charge pour Aragon de mettre en bon français des textes de revue. Ceux de la *Littérature internationale*[1] (Pierre Herbart, quatre ans plus tard, attelé à la même tâche, la baptisera la « planque pour l'intellectuel du dernier bateau »). Encore fallait-il que le PC et Moscou soient sûrs de lui. Qu'il se désolidarise des « tentatives provocatrices et trotskistes d'André Breton ». D'où, le 10 mars 1932, dans *L'Humanité*, un communiqué de l'Association des écrivains et artistes révolutionnaires (Breton, son fondateur, en était ainsi dépossédé au profit du PC) :

« Notre camarade Aragon nous fait savoir qu'il est absolument étranger à la parution d'une brochure intitulée *Misère de la poésie. L'affaire Aragon devant l'opinion publique*, et signée

---

1. La revue porta d'autres noms avant ce titre définitif.

André Breton. Il tient à signaler clairement qu'il désapprouve dans sa totalité le contenu de cette brochure et le bruit qu'elle peut faire autour de son nom. » Ces attaques sont qualifiées d'« objectivement contre-révolutionnaires ». Les surréalistes répondent par un tract : *Paillasse*. Même René Crevel le signe. Elsa peut triompher : « Tu vois, Crevel ? Entre Breton et toi, il n'hésite pas. » La politique complique tout : Crevel reste membre du PCF. Donc, un camarade. Depuis Moscou, Elsa sait que la camaraderie de parti n'implique pas l'amitié.

Voici tranché le cordon surréaliste. Dans les années soixante-dix, Aragon dira : « Personne ne sait ce que la rupture avec André Breton m'a fait de mal ni ce que j'ai souffert. » Seul un continent, une vue du monde pouvaient compenser. A nouveau proscrit d'une famille, celle qu'il avait élue et, avec Breton, fondée, Aragon se jette dans les bras de ce Monde des Lendemains.

Le pari de Moscou

Si Aragon rompait ce nouveau lien, où retournerait-il ? Vers qui ? Lui-même parlera de *pari* quarante ans plus tard. Dira qu'il « *n'a pas tout à fait perdu* » son *pari*...

L'été 1932, Elsa et Louis arrivent à Moscou. Au début, ils ont logé — comme tous les « internationaux » — à l'hôtel Lux. Les tentures rouges, raides de crasse, sont propices aux puces, aux punaises. Les souris — dont Elsa a une peur enfantine — courent le long des couloirs. La nuit, au dernier étage, on entend les rats galoper sous le toit. Les rats deviendront pour Elsa une obsession jusqu'à ce qu'elle livre à leurs dents le cadavre d'une héroïne en 1959 (ce sera la fin de *Roses à crédit*).

Elsa et Louis déménagent. Ont-ils vécu longtemps dans un « appartement communautaire » ? Comment aurait-on pu offrir à des *temporaires* un logis pour eux seuls ? En fait, ils ont vécu avec Brik et Gena sa compagne, leur imposant un minimum de train de vie qu'Ossip trouvait dispendieux, « occidental ».

A Guendrikov péreoulok nous étions tous ensemble assis
Autour de la table dans la pièce commune comme si
Dans l'encadrement de la porte il allait à l'instant paraître
Trop grand pour les meubles-jouets comme un soleil pour les fenêtres.

Maïakovski restait présent. Breton tué en son cœur, Louis n'a plus pour modèle que ce premier grand amour d'Elsa :

> *Il lui faut l'espace des mers pour que son poème appareille*
> *Il lui faut la roue et le rail pour scander la rime à l'oreille*

L'enfant de l'avenue Carnot, le jeune homme de Neuilly,

le bohème du Montmartre-Montparnasse, le piéton de Paris, voilà qu'il lui faut à présent trouver la clé de Moscou. Qui sinon Elsa pourrait lui expliquer comment agir, comment interpréter le sous-entendu d'une intonation, sentir le danger sous une promesse, et les questions à ne jamais poser ?

Pour comprendre la folie de ces années, la persistance désespérée de l'illusion, il faut entendre ce qui en reste vingt-quatre ans après, ce qui résonne dans l'autobiographie versifiée du *Roman inachevé*. Ces années-là, 1932-1933, il *apprend Elsa* comme il avait mis toute son enfance à apprendre sa mère-sœur. Il pourra dédier en 1956 : « A Elsa — ce livre comme si je ne le lui avais pas déjà donné. »

Mais, en ces années-là, il n'imprimait encore ce nom nulle part. C'est avec elle, et d'elle que pourtant il apprit à vivre parmi les comptoirs vides du Mostorg et la cruauté des ventres creux, des pieds puants emmaillotés, de ces odeurs, de cette pénurie :

J'ai connu des entassements entre des murs jamais repeints
J'ai connu les appartements qu'on partage comme une faim
Comme un quignon de pain trouvé l'angine atroce des couloirs
Les punaises les paravents les cris et les mauvais vouloirs
J'ai connu le manque de tout qui dure depuis des années
Quand une épingle est un trésor Et les enfants abandonnés
Et tous les soirs dans les tramways ces noires grappes de fatigue
Aux marchepieds où les fureurs et la brutalité se liguent[1]*...*

Ce fut l'hiver de 1932. Avant il y avait eu un voyage d'écrivains au-delà de l'Oural. Ce *Hourra l'Oural*, poussé devant chacune des réalisations soviétiques, ces jeunes kolkhoziens au grand sourire !

A Sadoul, qui allait les rejoindre, Elsa écrit, le 2 juillet 1932 : « Cher Georgik, il fait très beau très chaud avec de grands orages. Nous habitons une grande pièce avec buffet sculpté, rideaux en tulle déchiré, quelques consoles et deux lits en fer. Tout à fait confortable. » Elsa sait s'accommoder de l'inconfort et user des objets au maximum de leur « politesse ». Elle a toujours dit de ces phrases qu'un jour elle écrira, qui rendent sa compagnie amusante : « On ouvre les rideaux et le soleil saute sur l'occasion. »

Elsa vante à Sadoul les progrès de Moscou. Elle se les répète. Tenir ici ? Se sentir heureuse ici. Que Louis se mette à aimer ce pays. Quand ils rentreront en France, il sera celui qui peut compter sur des amis à Moscou ; alors, les dirigeants du PCF seront bien obligés de compter avec lui.

---

1. *Le Roman inachevé*, 1956.

Grâce à Lili, Moscou devient sa famille : les Brik et leurs amis. Elsa continue : « Il y a maintenant du savon à volonté et tout le monde est propre, ce qui est agréable, car les tramways sont pleins comme de votre temps. » Une exagération ? Bien sûr ; mais c'est vrai, l'odeur est moins atroce, on enlève les ordures et les rues principales sont bien éclairées le soir. D'ailleurs, l'été tout est facile. « *Moscou a beaucoup embelli, étonnant comme changement. Puis c'est l'été, les arbres sont verts, et les gens marron, brûlés par le soleil, comme à la campagne. Des bandes d'enfants demi nus, juste en caleçon de bain. Dans notre cour, impressionnés par notre arrivée, ils jouent à l'arrivée de l'étranger, et se foutent de mon chapeau de cuir, parce qu'il ressemble à un ballon de football. Le soir, la même cour, avec des bancs et des arbres, est pleine d'amoureux. Ils ont tous seize ans. On se couche très tard dans ce pays.* »

L'été, rentrer dans l'espace surpeuplé qui vous est alloué, avec les puces et punaises, les cris d'enfants et les odeurs des toilettes n'a rien d'attrayant. On reste dehors. Ou bien on va chez les autres, c'est le seul luxe : se parler. Être ensemble. On frappe à la porte à minuit : les trams n'arrêtent qu'à deux heures. Et déjà ont commencé les travaux qui vont rendre Moscou « européenne » : le métro. Quel métro ! On voit les plans, les maquettes : ces statues, ces luminaires. Un palais du peuple où le peuple se déplacera. Finis alors les trams à bout de course et leurs grappes en équilibre instable sur les marchepieds.

Louis contractait ce « mal de Moscou » qui est, comme la nostalgie de Paris, une drogue. Le « mal de Moscou », c'est le désir de la parole sans cesse échangée.

Louis apprenait les deux sœurs, leurs voix jumelles, et leurs caractères opposés. L'antilope trottant dans la savane et prête à tout pour vivre et rire, et l'oiseau-lynx en cage avide de ce qu'elle avait à conquérir ici : une place unique. L'enfant prodigue guettant sa fête. Triompher, elle, l'errante, de la sœur sédentaire. Être enviée au lieu d'être envieuse. Louis brandissait sa jalousie comme un adolescent mutin. Du style : « Mais c'est moi que tu dois aimer. » Elle ne vivait que pour se voir préférer et soupirait : « Personne ne m'aime. » Autrement dit : toujours plus ! ou « jamais assez ! »

Le surréaliste détourneur de mots apprenait un bizarre double langage et comment *ne pas trop en dire* et ce que signifie un regard. Un nouveau « mentir-vrai ».

Mais ici tout, même les mensonges, avait pour cause et motif de si grandes espérances. Le *Dnieprostroï*, les grands travaux, le métro, le mieux-être et surtout la transformation de l'homme. La fin du vieil homme en soi. C'était bien autre chose que le surréalisme. Un surréel à la mesure de millions d'humains.

C'étaient les foules acclamant un poète. C'était aussi cette perpétuelle fièvre qu'Elsa entretenait autour de lui. Il apprenait le russe, il apprenait à penser en millions d'êtres..., c'est-à-dire « globalement ». A son retour en France, il décrira ce sentiment qu'il gardera toute l'Occupation durant, et qui ensuite lui servira de conscience et de bouclier...

> *Comment trouver les mots pour exprimer cette chose poignante (...)*
> *Que tout ce que je fais tout ce que je dis tout ce que je suis*
> *Même de l'autre bout du monde aide ce peuple ou bien lui nuit*

Ce sentiment, Elsa l'a fait naître avec une patience d'araignée, s'habituant à expliquer ce qu'elle ne comprenait pas. Les privations et les interdits dont si souvent elle avait eu horreur, elle les justifiait pour les lui faire accepter. Elle expliquait à Lili qu'il fallait « présenter » les choses à Louis. Il devait conquérir « ceux d'ici » — les importants —, qu'ils lui fassent confiance pour là-bas, pour le PCF. Elle devait substituer en lui le communisme et l'URSS — surtout l'URSS — à la passion surréaliste. Louis représente, délimite, cerne, porte le destin d'Elsa. Toujours demeure l'angoisse de le perdre. Sans lui, elle n'a plus sa place nulle part. Lui, elle le tient par cette soif jamais désaltérée qui le possède : être aimé. Ils ont tous deux le même besoin.

Mais Louis a besoin de se savoir admiré, d'être au centre d'un grand nombre, et il n'était heureux que dans l'excès.

Le « paysan » réaliste

En 1932, on n'en était qu'au début des constructions dont l'architecture déplairait. Mais, déjà, on citait le mot de Lénine dont on fera l'épine dorsale du réalisme socialiste en art, du héros positif en littérature, des lourds palais et des horribles habitations populaires, du métro : « Le peuple a droit aux colonnes. »

Pour accomplir son ambition, Elsa doit obtenir qu'Aragon se remette à écrire. Non plus *Feu sur Léon Blum*, mais des livres denses que tous puissent suivre. Et que l'on puisse traduire ici. Elsa à seize ou dix-huit ans aimait la poésie. Au fond — et c'est la tradition même de la Russie — elle préfère à tout les romans. Avec des personnages, des scènes, des histoires.

Très tôt — d'après Ehrenbourg — elle a « démontré » à Louis, sans doute dès 1932, qu'en réalité *Le Paysan de Paris* est une œuvre réaliste. Beaucoup plus tard, quand Louis éprouvera le besoin de renouer avec ses premières œuvres, il répétera ce raisonnement : *Le paysan*, il l'a nourri de la réalité d'un certain Paris et d'un amour qu'il avait vraiment vécu. Ce livre, dira-t-il, « *tire de la réalité ses racines..., sa raison d'être est la description* ». Et il insinue que la rupture avec les surréalistes eut pour cause profonde, ignorée de lui, « le réalisme qui revendiquait ses droits ».

Donc, ils voyagent. Elsa Triolet a pu se glisser dans le groupe d'écrivains. Comme simple traductrice, malgré *A Tahiti* et *Fraise des bois* et *Camouflage* et tant d'articles. Elle n'est pas sortie de sa fausse situation d'écrivain russe vivant à l'étranger, de sa double nationalité. Dans une « brigade internationale d'écrivains », comme on disait, elle ne pouvait figurer que comme interprète aux côtés d'un « administrateur » russe, c'est-à-dire du politique de confiance. Elle était l'État tampon.

Elle écrit à Sadoul : « Cela ne ressemble en rien au voyage de Kharkov. Nous passons par dix villes et villages, en y restant entre deux et six jours, quarante-cinq jours en tout *dont vingt-cinq sont déjà derrière nous.* »

On sent sous les mots un certain soulagement. Le voyage « triomphal » est une dure épreuve, parfois. C'est qu'elle comprend ce que les gens disent. A elle, l'administrateur russe ne cache pas ses difficultés pour loger, pour nourrir ces *quatre écrivains*. Pour les faire recevoir dans les usines. Pour rassembler les ouvriers autour d'eux. Pour leur offrir des lits sans vermine, des douches, de la nourriture.

Elle écrit : « Le travail dans l'Oural est formidable. Plus on voyage, plus on peut se rendre compte que ceci est vraiment un pays prolétarien. Cette fois-ci, ça y est. »

Elsa décide de « mettre en perspective ». De ne voir que ce qui doit être vu. Aragon comme toujours a pris son vol. Les pionniers l'enthousiasment... et aussi qu'on lui montre à Sverdlovsk « la maison où ont été exécutés Nicolas, sa dame et ses petits cochons ». Là, il se croit en 1793. le régicide — combien de fois le répétera-t-il plus tard — est une nécessité pour que le peuple sente l'irréparable rupture, sente qu'on ne reviendra plus en arrière. Et comme il faut une police à la vigilance révolutionnaire, il est prêt, en bon provocateur surréaliste converti, à crier en vers « Vive le Guépéou ».

Ils rejoignent Moscou, ils y trouvent Sadoul et y vivent tous ensemble. Les Brik restent le point de rencontre quotidien. La famille.

Elsa apprit durant ce séjour l'application rigoureuse du savoir-vivre soviétique, code dont la rigueur ne cessera de se renforcer. Déjà, mieux vaut refuser de parler de Mandelstam et de son exil. Dire le plus grand mal d'Anna Akhmatova...

Mais l'application du code ne vous préserve pas. Elsa l'apprend avec la disgrâce du silence qui tombe sur Maïakovski. Avec la perte — momentanée d'ailleurs — de l'influence d'Ossip Brik. Mais surtout quand ces gens qu'elle connaît et qui en apparence sont ses amis refusent de publier *Colliers*. Documentaire romancé, récit des pérégrinations d'Elsa et Louis chez les artisans du Sentier et les acheteurs de la haute couture, *Colliers* semblait le récit même que désirait le public soviétique. Une description vive et drôle des excès et dangers du capitalisme à son apogée et de ses retombées en apparence frivoles et en réalité sérieuses sur le commerce de la France et l'existence des travailleurs individuels.

C'est sans doute pendant ce séjour en URSS qu'Elsa a compris qu'elle avait déclenché en Aragon une inapaisable fureur de vivre son mythe d'une « humanité nouvelle ». Aragon lui échappait. Il n'avait pas connu sa Russie à elle, il ignorait comment la soviétisation l'avait changée sans la transformer vraiment.

Elle tenta de lui expliquer que c'était comme sur ce cliché pris par un photographe forain et qui les amusait tant. Elsa, un fichu villageois lui cachant les cheveux, posait sur un fond fantastique de château, avec un fleuve à sa gauche où flottait un grand bateau de croisière, un pont de métal très moderne, quelque chose dans le ciel qui oscillait entre un avion et une croix et, à sa gauche et à sa droite, un chat et un chien démesurés. C'était le symbole de ce qui se passait. Elsa et Lili auraient voulu lui expliquer... Mais Aragon avait besoin de son mythe. Elsa ne pouvait que « le suivre », ou le perdre. Et elle n'aurait pas su retourner à une vie d'avant lui.

Un jour il décrira son aveuglement, avec nostalgie.

Le comité qui mettait en place l'Union des écrivains communistes éditait un périodique littéraire, *Le Terreau rouge (Krasnoïa Nov) :* un extrait de *Colliers* y parut. Le livre complet fut refusé sans que les amis d'Elsa y puissent rien. « Ils » ne voulaient pas. Déjà de vagues « ils », des « on » remplaçaient les noms propres [1].

La Parisienne n'avait pas mesuré encore les rancunes, les haines, l'envie que suscitait leur couple, libre de circuler, privilégié parmi les intellectuels soviétiques parce qu'étranger... Et ils voudraient profiter aussi des avantages des écrivains de Moscou sous prétexte qu'Aragon était communiste et elle

---

1. *Colliers* sera traduit pour les *Œuvres croisées.*

moscovite ? Des rumeurs — et même des « dossiers » — les desservaient auprès des responsables.

Pourtant Elsa jouait le jeu, savait répondre quand on lui demandait de protester contre l'exclusion d'un écrivain : « Mais je ne suis pas russe, j'ai un passeport français, je n'ai rien à dire. » Elle savait aussi protester quand on la classait parmi les étrangères : comment, elle, la sœur de Lili Brik ?

« Et soudain, qu'on n'ait pas voulu de ce petit livre, je l'ai reçu comme une gifle. Je ne voyais pas que les raisons de la non-publication étaient extra-littéraires, qu'on nous faisait grise mine, à toi et à moi, dans ce pays que nous aimions. Je me sentais littérairement devenir prisonnière d'impossibilités extérieures et intérieures, et j'entendais ne pas m'y soumettre. Écrire, puisque tout m'en empêchait. Tu aurais pu m'aider en prenant parti, en me disant : Écris ! *Mais tu ne voulais pas le dire, tu ne savais rien de ce que j'écrivais, tu ne connaissais pas le russe, tu craignais le pire. Tu ne me faisais pas confiance sur ma bonne mine, et je t'en voulais. »*

En 1964, Elsa écrira sur cette période. Le temps de la rue Campagne-Première, le temps d'avant leur séjour en URSS qu'elle s'efforça de faire durer, glisser de 1932 à 1933, plusieurs mois — mais aussi de toutes les années qui ont suivi. Ce qui prouve que si elle montra moins de patience par la suite au jugement d'Aragon, c'est qu'un jour la tolérance s'épuisa...

« J'étouffe de toutes les choses pas dites, sans importance, qui auraient rendu la vie simple, sans interdits. » « Avoir constamment à tourner sa langue sept fois avant d'oser dire quelque chose de peur de provoquer un cyclone... »

(L'exécuteur testamentaire, le gardien du « fonds » Triolet, Michel Appel-Muller, a publié ce texte sous un titre qui unit l'écriture, l'encre, les sentiments d'Elsa : « Les jambages bleus du malheur [1] ».)

Sous le tissu pailleté de « l'amour du siècle » transparaît l'éternel « personne ne m'aime ».

Ce qu'on porte en soi d'inassouvi peut être — pourquoi pas ? — un besoin d'être reconnue que rien jamais ne peut combler.

En ces années d'avant sa mort, Elsa est le célèbre Symbole de la Résistance, inspiratrice de la phrase indéfiniment répétée : « La femme est l'avenir de l'homme », elle entend les chanteurs célébrer, dans les vers d'Aragon, ses yeux, sa valse.

---

1. M. Appel-Muller, in *Recherches croisées*, 1993.

Rien ne suffit, elle a sans cesse besoin de se prouver son pouvoir...

Quand elle a, en 1946, publié *Personne ne m'aime*, Jean Paulhan, qui avait pourtant pris sa distance envers le couple, répondit à l'envoi du livre : « C'est très bouleversant. C'est trop bouleversant. Cela finit par faire trop vrai. Puis on se dit que les choses qui se passent sont peut-être trop vraies, elles aussi ; et qu'il y a toujours dans vos romans ce petit coin silencieux et secret, très mystérieux, pour s'abriter... Ah je ne cesse d'admirer chez vous ce naturel, et pourtant cette rapidité. »

L'éloge de ce maître ès écritures aurait dû la combler... Mais elle savait aussi que Paulhan n'aurait pas publié *Personne ne m'aime* à la NRF...

Trente ans après elle mêle un peu les périodes. *Colliers* a été refusé en 1933, et ils ont regagné la France après de longs mois passés dans le pays, à l'automne. A l'époque, Aragon avait appris assez de russe pour apprécier un texte. Malgré son indifférence, Elsa lui avait détaillé *Camouflage*. Il avait demandé — devant Lili — « qui était le pilotis de l'amant, cet insaisissable, cet errant, ce voyageur ? » (celui que Lucile la blonde n'avait le droit d'accompagner qu'incognito à son port d'embarquement. Celui que la romancière baptisait Konrad). Elsa, souriant au passé désormais effacé, avait dit que le « pilotis » — très modifié — était Marc Chadourne. Aragon, marchant et gesticulant, avait soupiré : « Comment peut-on souffrir autant pour un si mauvais romancier ? » Et l'illustre jalousie, dont il se fera un manteau, a soudain un instant éclaté..., sans qu'on sache s'il parlait sérieusement.

En tout cas, Elsa extrapole. En 1933, Louis n'aurait pu lui dire « Écris » que pour des textes en russe. Or, en russe, on ne la publie plus. Et pour elle, écrire, c'est être publiée.

Quand ils sont partis « sur » ce refus, déjà chemine en Elsa la décision d'émigrer pour de vrai, au plus profond de l'écrivain, d'*émigrer, de migrer de langue*. Jamais elle n'avoua qu'elle avait nourri sa décision — si lente à passer dans les actes — dès ce coup, dès ce rejet.

Cet incident semble insignifiant alors que, déjà, s'ordonne autour de l'Union des écrivains, indirectement régie par le Guépéou, un marécage d'horreurs secrètes. A-t-elle senti que sa langue maternelle allait se réduire à un langage de bois ?

Comment juger de ce qu'ils savaient et ignoraient ? Dix ans plus tard, Elsa rêve de son pays en guerre, dont dépend pour elle la fin de la menace nazie. Elle écrit alors sur ces années d'avant-guerre : « A Moscou ou dans l'Oural, partout il y avait un immense peuple de jeunes qui voulaient à tout prix apprendre, savoir, jaloux de l'avance que les autres pays pouvaient avoir sur eux, tendant les muscles pour les rattraper ou les dépasser, tirant un grand orgueil de l'avenir de leur pays... » Mais aussi : ils chantent « le bien-être qu'ils auraient, les loisirs, le confort voire le luxe, les vêtements qu'ils porteraient, les maisons qu'ils auraient »... Ainsi, la « construction du socialisme », c'était déjà la nostalgie d'une société de consommation.

Un aveu se glisse, au moment même de la bataille de Stalingrad, quand elle pense à ces années. « Et tant pis si dans cette bacchanale d'espoir on marchait parfois dans l'ordure, le désordre, la gabegie, la trahison. On voit aujourd'hui comment l'océan du peuple soviétique a emporté, lavé tout ce qui n'était pas sa foi et son espoir. » C'est ce qu'en 1943-1944 pensait un nombre croissant d'« occupés », de vaincus par le nazisme. Mais Elsa avait donc vu « l'ordure » avant-guerre en Russie ? Et qu'appelait-elle alors « trahison » ? Ce que lui racontaient les responsables du Parti bien dans la Ligne ? La « trahison » du maréchal Toukhatchevski et du général Primakov, compagnon de sa sœur ? Ou au contraire ce que chuchotaient les « mauvais esprits » ?

Elsa et Louis avaient connu Victor Serge avant son emprisonnement à Moscou. C'est dans sa traduction qu'Aragon avait lu les œuvres du poète Tikhonov, un familier des Brik.

Aragon avait assurément été ravi par cet anarchiste libertaire, Victor Kibaltchiche, devenu l'écrivain français Victor Serge. Membre fondateur de l'Internationale communiste, il avait suivi Alexandra Kollontaï dans l'opposition de gauche, et ce fut le début de ses malheurs.

Tandis qu'Elsa-Louis voyageaient vers l'Oural, l'ancien maire de Moscou avait été emprisonné à cause d'un document de tendance « boukharinienne ». Or ils avaient, à l'Internationale et dans le milieu des écrivains, rencontré Boukharine : en 1930, il comptait encore parmi les hommes les plus populaires du pays. Mais déjà, les « vieux bolcheviks » : Boukharine, Zinoviev, se savaient menacés, sans mesurer à quel point.

A l'époque même du voyage des Français derrière l'Oural, un ingénieur revenu de déportation raconte à Victor Serge que les trains comportent trois sortes de wagons. Celui des « pouilleux et glacés dont on sort les cadavres, des criminels de droit commun et des enfants abandonnés » (les fameux *bezprizorny* dont le film *Le Chemin de la vie* chantait la réhabilitation), celui des techniciens et des gens à devises, « relativement supportables » (mais où un ancien ministre de Kerenski est mort), et celui, « privilégié, des commissaires du peuple de l'Asie centrale ».

C'était le temps où les camarades oppositionnels de Victor Serge lui déconseillaient de faire passer *toute* la vérité : c'est-à-dire le fait qu'en 1924 le secrétaire général (Staline) incitait Kamenev et Zinoviev à « se défaire de Trotski » par un « procédé florentin ». Ils craignaient « le discrédit sur le régime ». Victor Serge proposa de parler au moins du « procédé florentin » aux communistes occidentaux, mais il ne fut pas suivi.

Elsa et Louis rentrent à Paris en 1933. Ils ont en tout cas vu la misère des villes et l'arriération des campagnes. Ils ont connu les lâchetés incompréhensibles de leurs pairs, et que chacun tremblait : et si « on » refusait de le publier ? Ils savaient que tout dépendait de décideurs inconnus. De « ils », de « on ». Elsa inévitablement en savait plus... et n'a certainement pas *tout* dit. Elle refuse de se remettre à l'artisanat des bijoux. C'est une période désormais dépassée... et elle n'a plus besoin de « sédentariser » son nomade en le transformant en vendeur de colifichets.

6

Les ombres rouges

Perpétuel temps des cerises
C'était un grand bal bleu et blanc
Dans la ville en bras de chemise.

Chaque douleur humaine veut
Que de tout ton sang tu l'étreignes
Et celle-là pour qui tu saignes
Ne sait que souffler sur le feu.

ARAGON, *Le Roman inachevé.*

Nous, les écrivains, non seulement nous n'arrivons pas à nous faire comprendre, mais encore... tous les témoins sont de faux témoins... il n'y a pas de vérité historique.

... l'impossibilité de reconstituer exactement notre Histoire... les inévitables falsifications, volontaires ou non, des faits historiques, inévitablement soumis aux interprétations de l'époque à laquelle l'ouvrage historique a été écrit...

Elsa TRIOLET, Préface au *Grand Jamais.*

Les « chiens écrasés »
de *L'Humanité*

Louis l'avouera plus tard : il est entré comme journaliste à *L'Humanité* pour gagner sa vie. La rédaction l'accueille non sans méfiance. Elle est dirigée par André Marty, l'illustre « Mutin de la mer Noire », un officier mécanicien de la marine qui avait refusé — en entraînant les autres — de tirer contre les Soviétiques à Odessa. Au retour, il fut emprisonné. « L'affaire Marty » fit de lui un héros du communisme naissant. Drôle d'homme. Courageux sans doute, mais confondant ses rages aveugles avec la volonté du prolétariat. Capable de cruautés abstraites incroyables quand il était seul maître à bord : il le montrera en Espagne lorsque les Soviétiques le nommeront responsable politique aux « Brigades internationales. »

En 1933, il ne commandait encore que les rédacteurs de *L'Humanité*, et il était bien décidé à en « faire baver » au « poète », au surréaliste Louis Aragon. Avec sa tête ronde, l'œil clair à fleur de visage, son air phoque, ses foucades, Marty incarnera pour Aragon le bourreau qui vous châtie, non pour « votre » bien mais pour celui, indiscutable, de la Cause.

Aragon, son insolence, son air de lévrier, l'aristocratie de ses gestes, le ton précieux de sa voix exaspéraient André Marty, réveillaient en lui sa colère contre le raffinement bourgeois qu'il nommait décadence.

Par bonheur, sous Marty-le-Tonnerre officiait comme rédacteur en chef un séduisant diplomate au beau style, qui aimait l'élégance de la plume et de la tenue, Paul Vaillant-Couturier. La phrase envolée, la cravate nouée en lavallière,

187

le geste et le feutre larges. Sensible aux femmes, il se montre galant avec Elsa, qui l'apprécie, alors qu'elle sent chez Marty une rancune intimidée et grognonne.

Grâce à Vaillant-Couturier, les réveils surréalistes de Louis ne lui valent pas l'exclusion. Marty a pourtant trouvé un beau prétexte pour hurler. Aragon, qu'on a mis aux faits divers, aux chiens écrasés, trouve un titre qui paraît aujourd'hui anodin : « Un ordonnateur de pompes funèbres coupe sa femme en morceaux et va se suicider au cimetière de Rouen. » La section CGTU des employés de pompes funèbres proteste : voilà qu'on se moque d'une profession honorable dans le journal des travailleurs ? Pourquoi qualifier l'assassin par son métier ? Est-il donc de sots métiers ? Un blâme pour le poète. Il rentre prêt au suicide ou à la démission, comme souvent.

Elsa écoute, compatit ; elle dit : « Mon petit. » Ils se sont promis de vivre ensemble un an. Puis deux. Puis elle lui a promis qu'ils vivront et mourront ensemble. Cet aveu, elle le fera dix ans plus tard par le détour d'un personnage[1]. En attendant, même dans le sommeil, ils sentent vaguement, chacun, leur corps soutenu, aidé par le corps de l'autre. Deux corps unis, fraternels, même quand ils sont exaspérés, comme dans un ballet bien réglé, « ... s'entraidant jusque dans le sommeil[1] »... Cette intimité-là s'était forgée à travers l'expérience soviétique. Ils sont unis par ce qu'ils ont vu, subi, ce qu'ils soupçonnent sans le formuler, par ce qu'ils savent et taisent. Silence à deux degrés : celui où chacun n'ose pas dire ce qu'il ressent à l'autre. Et celui où ils parlent entre eux et décident qu'il faut se taire pour qu'advienne l'avenir. Le premier degré pour Elsa commence au plus privé de sa vie. A ce qu'elle nomme « le secret de l'alcôve ». Le deuxième degré ? Ils ne peuvent pas avoir passé sous silence cette convention entre eux, sur laquelle reposait leur fraternité quasi jumelle. Ce désir indécis de Louis. Au PCF, toute sexualité non banale était suspecte. Aragon doit au moins en apparence sembler « comme tout le monde ». Une compagne près de lui. Parfait. La fidélité ? Encore mieux.

Le *masochisme* — ce terme n'était pas encore d'usage courant — fut alors à la fois comblé et sublimé. Les foucades d'André Marty, le « sadisme » qui lui faisait assigner le poète aux « chiens écrasés » servaient d'exutoire et de garde-fou. Si le seul passé littéraire, la seule manière d'écrire d'Aragon le rendaient étranger, de quelle foudre ne serait-il pas frappé au moindre écart sexuel ? Ce parti révolutionnaire n'admettait que les couples stables... Certes, Paul Vaillant-Couturier

---

1. *La Vie privée d'Alexis Slavsky, artiste peintre*, 1943.

était un séducteur et, de ce fait, « avait des histoires avec la commission des cadres », laquelle, dès cette époque, se mêlait des « questions personnelles ». Mais comment tolérer une *anomalie* rangée parmi les « *décadences bourgeoises* » dans les rangs de l'avant-garde ouvrière ?... A ce scandale, mieux valait ne pas penser. Vingt ans plus tard, encore, un intellectuel qui présidait une simple association de sympathisants sera prié de démissionner parce que son homosexualité — pourtant discrète — avait été « dénoncée ».

Louis Aragon était donc le fidèle et très irréprochable compagnon d'Elsa Triolet. Qui, elle, n'était pas membre du PCF mais semblait offrir, ne serait-ce qu'à cause de sa sœur et de son beau-frère, toute garantie.

Dans *Vie privée...*, l'épouse dira (à une femme), parlant de son mari : « Je t'ai dit que (nous) étions comme frère et sœur. Quand on est des amoureux comme nous, on a la vie devant soi. (Il) ne peut se passer ni de moi ni de mon amour. »

Encore fallait-il subsister. A deux, avec mille trois cents, mille quatre cents francs par mois. Pendant deux générations encore, les rédacteurs de *L'Humanité* toucheront un salaire d'ouvrier professionnel... sans les heures supplémentaires. « Tu es payé par la sueur des prolétaires », disait Marty si l'un ou l'autre en arrivait à se plaindre... De même les avantages « arrachés » par les syndicats aux patrons n'étaient-ils pas appliqués aux permanents.

De plus, en 1933, le PCF était déchiré par l'hostilité Marty-Thorez. Or Maurice Thorez, qui n'avait guère été à l'école, admirait inconditionnellement la culture et, voyant le nombre des professeurs dans le personnel politique bourgeois, souhaitait en attirer le plus possible autour de lui. Dès cette époque, Thorez montre à Louis Aragon une sympathie encourageante. Chacun admire chez l'autre ce qu'il n'a pas : le sens de la politique contre le don du verbe. Se soumettre à un « dirigeant du prolétariat » est plus facile au poète que d'accepter les édits d'André Breton.

L'opposition Marty-Thorez n'était plus un secret. Les couloirs de *L'Huma* bruissaient de l'histoire d'un encrier que « le Mutin de la mer Noire » avait jeté à la tête du « ch'timi » (Thorez était du Nord) en plein bureau politique. Était-ce le jour de 1932 où Thorez, constatant que le Parti avait perdu un quart de ses électeurs, déclara qu'il fallait changer de style ?

Elsa racontera cette époque en la « bougeant » un peu, enjolivant l'affaire du fait divers mal titré, comme, en 1936, Aragon le fera dans *Les Beaux Quartiers*.

« Tu es entré à *L'Humanité* à mille trois cents francs par

mois. Pour toi, tout un apprentissage. Bien sûr, on n'avait pas tellement confiance dans le surréaliste... On t'a confié en tremblant "les chiens écrasés". Et tu as en effet débuté par un titre qui a fait scandale : "Boucher de son métier, il coupe sa femme en morceaux"... Tu vivais comme un possédé, tu travaillais, tu militais, tu écrivais... J'étais là, je te suivais : meetings, grèves, accidents... »

« Tu écrivais » ? Des articles, en masse. Aragon parlera plus tard de ces six années de 1927 à 1933 où il ne pouvait plus vraiment « écrire ». Mal remis de l'expérience et des interdits du surréalisme ? Glacé par le nouveau réalisme que ses opinions lui imposaient ? Serré dans le double carcan de la vie à deux et de la vie du Parti ? Le journalisme masque sa stérilité d'écrivain. Il y plonge.

Pendant la guerre, dans ce *Cahier enterré sous un pêcher,* elle dira beaucoup de choses. Elle s'y dédouble : d'une part Élisabeth, féerique Scandinave du *Cheval blanc,* et de l'autre la narratrice, journaliste française. Aragon y figure également, sous les traits d'un fils d'ouvriers devenu brillant savant. Elle le rencontre entre Londres et Leningrad, sur un bateau de rêve où les fêtes se succèdent sans relâche. On se bourrait de caviar, on avait droit à des cabines splendides (réservées aux invités de la plus haute Nomenklatura, ce qu'Elsa aurait pu savoir si elle avait suivi Lili et Primakov dans un voyage officiel...).

Elle décrit un Moscou assez semblable à celui que fantasma Aragon, et qui exista certainement pour les membres les plus enthousiastes des komsomols et du Parti.

« Les gens vivaient avec emportement. Le travail semblait passionnant comme un match de football. Et tant pis si dans cette bacchanale d'espoir on marchait parfois dans l'ordure, le désordre, la gabegie, la trahison... »

Tout était dit. Et c'était en effet ce que se répétaient les militants à la fois aveuglés et honnêtes, prêts à sacrifier leur aujourd'hui pour ces fameux lendemains qui chantent...

La narratrice du *Cahier enterré sous un pêcher* sera déportée et exécutée. Elsa lui fait dire : « J'avais commencé à travailler pour le Parti dès 1941 (je n'ai pas adhéré au Parti. On peut avoir la foi et ne pas sentir la vocation d'un apostolat, on peut aimer une femme et craindre le quotidien du mariage ; Jean n'a pas insisté). »

Comités

Période ambiguë. Hitler a pris le pouvoir — légalement appelé par le président de la République, et légalement appuyé par des électeurs. La IIIe Internationale (le Komintern) en est encore à traiter les socialistes de « socio-fascistes ». Elle avait interdit aux communistes allemands une alliance qui aurait formé une majorité. L'Internationale, avec une légèreté qu'Elsa ne comprenait pas, déclarait que « l'incident Hitler allait faire prendre conscience aux masses ».

Mais quand les nazis ont accusé le représentant du Komintern, le Bulgare Georges Dimitrov, d'avoir incendié le Parlement (Reichstag) à Berlin, on jugea venue l'heure de regrouper les sympathisants. L'idée venait d'ailleurs d'un Allemand, ancien dirigeant des Jeunesses communistes, un kominternien de charme, Willi Munzenberg ; il est parvenu à réunir des adhésions spectaculaires. Au nom de Dimitrov, on adjoignait — avec discrétion — celui du secrétaire général du PC allemand, Ernst Thaelmann, arrêté lui aussi (et qui mourra sans avoir été libéré).

Le siège d'André Gide fut décidé.

Elsa professait une horreur bruyante de Gide à cause de sa pédophilie. Mais elle reconnaissait sa gloire et son rayonnement. C'est lui que les écrivains antinazis qui fuyaient l'Allemagne allaient voir en premier.

Le prophète de la rue Vaneau [1], avec son air de Gandhi promu pasteur protestant, exerçait une autorité morale incontestable. Il était d'ailleurs entouré de communistes, de trotskistes, de communisants.

Son jeune ami de longue date, Marc Allégret, ainsi qu'un ami plus récent, Pierre Herbart, au visage d'explorateur, le pressaient de prendre parti. Marc Allégret le cinéaste était un personnage des *Faux-Monnayeurs*. Pierre Herbart, apparu en 1927, avait séduit Gide à la fois par sa beauté, son nomadisme, son talent d'écrivain et l'inflexibilité de son activisme révolutionnaire. Il était entré dans leur vie à tous, dans ce « coin Vaneau » qui, pour Aragon, était un lieu d'attrait et de répulsion. Une liberté sexuelle à peu près parfaite sous des apparences de rigueur.

Sur le coin Vaneau régnait Mme Maria van Rysselberghe, la géniale, infatigable, intarissable « Petite Dame » autour de laquelle tout s'ordonnait. Le mari, peintre, s'effaçait discrètement devant Gide. Les *Cahiers de la Petite Dame* relatent la vie de son grand homme au jour le jour. Elle mena avec Gide la plus parfaite des intimités platoniques. En revanche, Élisabeth van Rysselberghe, sa fille, avait réalisé à la fois son propre

---

1. Gide ainsi que sa grande amie Maria van Rysselberghe (la Petite Dame) habitaient et recevaient rue Vaneau.

désir et le rêve inavoué de sa mère. Amoureuse de lui, elle avait convaincu Gide de lui faire un enfant ; et leur fille, Catherine, ressemblait tant à son père qu'on en était — disait celui-ci — gêné. Or Élisabeth — qui avait eu avec Marc Allégret une intimité de nature variable — devint la compagne de Pierre Herbart...

Pour Aragon, Herbart l'incorruptible, qui assumait sa bisexualité sans dissimulation, représentait un modèle refusé. C'est un soulagement de le honnir parce qu'il n'était jamais dans la ligne, et « d'esprit » trotskiste...

Une influence tout intellectuelle s'exerçait sur Gide par son amitié avec le philosophe Bernard Groethuysen [1] et sa compagne Alix Guillain (qui pendant presque un demi-siècle de fidélité exemplaire refusera le mariage, cette « prostitution bourgeoise »). Alix, pendant longtemps, s'était occupée de politique étrangère à L'Humanité. De cette sainte laïque et révolutionnaire, cette Franco-Anglaise incapable de concession, Elsa disait : « J'ai horreur et peur de ce hérisson de principes. » L'incompréhension surprend chez une romancière...

La variante du banquier

Elsa, en cette année 1933, au retour d'URSS, a une furieuse envie de vivre... Mais de quoi ? Elle tente des traductions. Un secrétariat [2]. Ehrenbourg, à leur éternelle tablée de Montparnasse, se moque d'elle : « Secrétaire, vous ? Mais le premier soir vous enverriez votre patron vous chercher des épingles à cheveux... et le pire, c'est qu'il y courrait. » Irrésistible, donc... mais elle s'ennuie. Déjà l'idée d'écrire revient la hanter.

Un jour, elle créera une héroïne qu'elle promènera du Cheval blanc au Rendez-vous des étrangers, avec d'autres escales. Un Moi idéal baptisé, pour être plus explicite, Élisabeth. Femme-mystère, femme-fée, qui rend courage, qui fait vivre, qui...

Elle ne se sent pas Élisabeth en cette première moitié des années trente. Elle ne peut même pas s'offrir de femme de ménage, elle qui, des travaux domestiques, aime seulement ceux qui séduisent : la cuisine et la décoration. Parmi ses rencontres d'alors compte — du moins le comprendra-t-on plus tard en lisant son œuvre — un étrange financier. On ignore où et comment elle l'a connu, on ignore leur degré d'intimité, la fréquence de leurs rencontres. Le mentir-vrai des

---

1. Groethuysen fut aussi l'un des maîtres à penser de Malraux et l'une des clés du personnage de Gisor dans La Condition humaine.
2. Notamment le Voyage au bout de la nuit de Céline.

romans et des transparences dans le récit, les lettres, les interviews offrent les seules clés.

Elsa Triolet aurait pu rencontrer Olaf Aschberg, banquier suédois, par des amis russes de son ex-femme, Olga. Ou à l'ambassade soviétique.

Un financier insolite en tout cas, Olaf Aschberg. Vingt ans de plus qu'elle. Suédois, avec des origines slaves et juives peut-être. Très jeune, ayant entendu parler un révolutionnaire, il s'est senti socialiste. En 1917, à quarante ans, il rencontre Lénine et vient créer à Moscou une banque, avec siège à Berlin, qui permet l'achat de machines et le transit de devises. L'idée de la NEP est-elle sortie de ses entretiens avec Lénine ? En tout cas, la Nouvelle Economie politique doit beaucoup au Suédois. Quand l'expérience fut terminée, il a *donné* sa banque aux Soviets et est parti.

Il s'est installé à Paris. Un hôtel particulier rive gauche, une propriété près de Jouy-en-Josas, une autre près de Compiègne, une autre dans le Midi. Il spécule. Ce sont les années folles de la Bourse.

Il fréquente les surréalistes. Leur trait d'union ? Les collections. Olaf Aschberg possédait des primitifs flamands, des impressionnistes, ou des dessins de Léonard de Vinci. Mais ça ne l'empêchait d'acheter ni Picasso, ni Matisse, ni des masques nègres et des objets d'Océanie. De Russie, il avait ramené des icônes superbes.

Dans *Le Cheval blanc*, Elsa opère la rencontre de son héros, Michel Vigaud, le dandy, et du financier Stanislas Bielenki, à la salle des ventes : Michel arrache un objet d'Océanie à un collectionneur acharné et ensuite, par une des prodigalités inconséquentes qui forment son caractère, lui en fait cadeau.

Or, Tristan Tzara m'a raconté, vers 1947 ou 1948, qu'une seule fois dans sa vie, au début de l'entre-deux-guerres, à la salle des ventes, un financier, après lui avoir raflé un objet aux enchères, lui en avait fait don. Parce qu'il le connaissait de réputation et voulait le connaître mieux ? Sans doute. C'était un Suédois, Olaf Aschberg (à l'époque, le nom ne me disant rien, j'avais retenu le prénom seul, la nationalité et des bouts de biographie [1]). Tristan, dont la parcimonie était un sujet de plaisanterie, n'avait jamais oublié ce geste. Elsa, qu'il emmenait parfois aux ventes, appréciant son goût original, se trouvait-elle là ? Inversée, la scène figure dans son premier grand roman.

Pour *Le Cheval blanc*, Elsa prendra indubitablement Olaf

---

1. En 1956, dans son roman *Le Rendez-vous des étrangers*, Elsa donne un nouveau mari à Élisabeth et le prénomme Olaf.

pour *pilotis*, au moins partiel, du personnage de Stanislas Bielenki, ce fils d'un « terroriste juif et d'une fille de pope », enfant d'émigrés révolutionnaires. Alors qu'Olaf porte la mèche sur le front, Stanislas a le crâne poncé, les yeux à fleur de tête. Chez elle, comme chez Aragon, le pétrissage du personnage commence par le déguisement : Maïakovski en femme de théâtre[1], elle-même en chanteuse ou parfois en majestueuse femme d'affaires... Olaf a contracté trois mariages légitimes, on lui a attribué de très nombreuses liaisons. Elsa fait cadeau à Stanislas d'une sexualité tous azimuts.

Sexagénaire, Elsa d'un détour de phrase indiquera que, pour son héros, elle a pensé (peut-être) aussi au Diaghilev des Ballets russes, mécène, entre autres, de Maïakovski.

Comme son héros, Elsa doit être allée dans la grande maison d'Olaf — le roman la situe à Saint-Cloud au lieu de Jouy-en-Josas, mais décrit son parc, son architecture, sa charmille. Comme Bielenki à Michel, Olaf devait lui apprendre les nouvelles d'un monde qu'elle ne connaît pas. Sans doute est-elle passée à ce « Cercle des nations » que fréquentaient les hauts fonctionnaires internationaux de la SDN venant de Genève. Elle décrira avec précision les réceptions élégantes et bigarrées, et le grand hall dallé de noir et blanc où l'on dansait : « On se serait cru devant un écran, devant la projection d'une fête somptueuse et factice... »

Stanislas Bielenki, après sa folie pour Michel Vigaud, l'évanescent héros du *Cheval blanc*, épousera une femme que Michel avait aimée et dévastée, Élisabeth. Ce Moi idéal d'Elsa, dans le roman, est suédois et retournera en Suède. Bielenki se fait arrêter à cause de ses sympathies prosoviétiques et interner au camp de Gurs. « Les Soviétiques ? Je me suis entremis pour leur procurer des capitaux français. Je suis sûr qu'ils croient que ça m'a rapporté gros ! Parce que ce sont des sentiments cyniques. Je n'ai jamais gagné un sou sur eux, au contraire... Oui, au contraire... »

Olaf Aschberg fut arrêté lui aussi et, après diverses prisons, mené au camp du Vernet d'Ariège. Un jour, on lui proposa une « transaction » sur ses actions de Pathé-Cinéma et de l'Agence Havas... Le Suédois a compris : c'était la rançon. Il a « donné » ses actions à l'État français et est rentré en Suède. Un officiel de Vichy, chargé des affaires de cinéma, avocat de son métier, n'a pas dû y perdre.

Mais ceci n'est plus dit dans les romans d'Elsa... La narratrice de *Cahier enterré sous un pêcher*[2] présente un très savant

---

1. *Personne ne m'aime.*
2. Nouvelle du recueil *Le premier accroc coûte deux cents francs* (1943).

cocktail d'Elsa, dans la nuance franco-russe. Elle dit : « Pauvre Stanislas, personnellement je lui dois beaucoup, il m'a tendu la main à un moment où je commençais à m'enliser. C'était une passion chez lui que d'arranger les affaires des autres, et, avec sa large compréhension humaine, il n'était pas rare qu'il y arrivât. »

Ces moments hors du temps n'enlevaient rien à l'angoisse d'Elsa de ne pas « devenir ». Venir à la vraie vie. Qui se passe avec Aragon, secrétaire de rédaction de *Commune*, qui se passe dans une fièvre de comités, de signatures, de réunions... Où elle ne compte que par personne interposée : femme d'Aragon ou traductrice de Maïakovski.

De la non-publication de *Colliers*, elle garde une brisure plus grave que de l'échec de *Camouflage*. En tout cas, elle n'en tirait pas les conséquences. Ni lui. Ils croyaient se sauver par une constante surenchère. Curieusement, de se savoir en partie refusés « là-bas » accentuait le fanatisme d'Aragon.

Premiers pas avec Gide

Le 21 mars 1933, Gide préside une réunion contre le procès de l'incendie du Reichstag, pour Dimitrov.

Vaillant-Couturier, le protecteur d'Aragon à *L'Humanité*, avait déployé toute sa diplomatie et, pour finir, toute son autorité.

Assise au premier rang, Elsa, vêtue d'un manteau de cuir, très à la mode et de style discrètement « bolchevik », regarde Louis s'agiter. Il passe d'officieux billets. Elle connaît à présent les « compagnons de route » : Gide, le physicien Langevin, facile à séduire, Jean Guéhenno, fils de cordonnier, professeur de lettres adoré de ses élèves de khâgne qu'il attire vers le mouvement antifasciste. Eugène Dabit, romancier autodidacte. Et surtout André Malraux, dans la gloire de son prix Goncourt. Elsa admire *La Condition humaine*. Aragon l'envie, mais tout l'irrite en Malraux. L'un et l'autre sont toujours en représentation, mais Malraux s'offre seul en spectacle, s'institue prophète de ses causes. Tandis que Louis a besoin d'un pouvoir derrière lui, l'autre rêve de frayer la route.

Malraux ce soir-là se sent d'autant plus nerveux que Clara, sa femme, croit son accouchement imminent. En fait, Florence naîtra quelques jours plus tard.

Ehrenbourg est assis près d'Elsa et feint d'être terrifié par les tics qui donnent à l'orateur une figure d'orage. Plus tard, quand ils seront devenus des adversaires, Ehrenbourg prétendra que Malraux était ce soir-là inintelligible. Alors que Gide le trouve « épatant, emballant, élégant, ému, tout à fait grand homme ».

Aucune sympathie élective ne pousse Aragon vers Ehrenbourg. Ce Soviétique aux diplomaties ondoyantes ridiculise trop platement la visée révolutionnaire des surréalistes comme celle du Bauhaus. Aragon le ressent comme une injure, même s'il a rejeté son passé. Mais, dans l'action commune, Ehrenbourg est un complice éprouvé d'Elsa.

Dans le rez-de-chaussée des Ehrenbourg, où l'on entendait rouler les trains de la gare Montparnasse, installés sur le divan-lit, adossés aux tableaux d'amis formalistes déjà honnis à Moscou, on discutait de Gide. Comment l'amener « plus loin » ?

Aragon aborde Gide au sortir d'une réception à l'ambassade soviétique. Il lui dit que les Russes adapteraient *Les Caves du Vatican* en film s'il consentait à transformer en vrais prêtres les escrocs qui se prétendent prêtres. Gide s'indigne... De cette conversation, le prophète du Coin Vaneau garde une impression ambiguë. Aragon a beaucoup changé : de taciturne, il est devenu « bavard et potinier ». Gide, premier lecteur d'*Anicet*, dédicataire d'un texte du *Libertinage*, se méfie de cet homme trop souple. Quand plus tard Herbart lui dira qu'Aragon ne l'aime pas, Gide répondra qu'il le sait, s'en méfie, le croit plein de « refoulements terribles ». La Petite Dame lui trouvera « une douceur effrayante » et quelque chose d'un reptile.

Elsa doit s'amuser de la rapidité des changements en Louis. Le voilà glorifiant et Barbusse et Gorki... Comme les amis soviétiques, elle redoute même ses excès de néophyte. Louis — comme Gorki d'ailleurs — exalte la construction du canal de la mer Blanche à la Baltique par des travailleurs forcés, généralement des prisonniers politiques, grâce à « l'effet de persuasion d'une poignée de tchékistes [1] ». Ce genre de récit gêne Elsa. Et aussi qu'Aragon répande dans le parti français l'histoire-symbole du tchékiste : un camion tombe en panne dans la neige ; tous s'escriment sans résultat. Arrive un motard tout en cuir. Il s'arrête... et un quart d'heure après, c'est réparé. « Vous êtes ingénieur, camarade ? — Moi ? penses-tu, je suis tchékiste ! » Louis répète cette histoire... canular surréaliste ou foi du charbonnier ? Le bateau qui mènera les invités vers le congrès des écrivains d'août 1934 porte le nom de Feliks Dzerjinski, fondateur de la Tcheka...

En 1934, Aragon redevient romancier.

---

1. La Tcheka fut la première police politique fondée sous Lénine.

Le 6 février les associations d'anciens combattants et les Ligues réunissaient, de la Concorde à la Madeleine, une foule énorme. Leur appel répondait au dégoût qu'éprouvaient les hommes des tranchées — et les autres — devant les scandales financiers, les hauts fonctionnaires, députés, sénateurs corrompus. Ce fut une explosion d'antiparlementarisme, de « à bas tout ! ». La police a tiré... ou la foule a-t-elle tiré la première ? Drieu La Rochelle, le 6 février, rôde de la Concorde aux Champs-Élysées. Il entend « Mort aux vendus », il entend « Sortons les sortants », il voit les cars de police protégeant le Parlement, le pont, et la Garde républicaine à cheval... Il a vu la mêlée...

Aragon est-il sorti des bureaux du journal, rue du Croissant ? Huit ans après, il décrira le 6 février dans *Aurélien* comme « le résultat d'une illusion. D'une illusion tenace. Quand on a eu sa jeunesse ravagée par la guerre ». Ces hommes voulaient s'unir à leurs frères des tranchées... Aragon dans *Aurélien* revit les sentiments de Drieu ce jour-là : « Le lendemain, avec l'étonnement des morts, l'impression d'avoir soulevé le pays, Aurélien croyait que ça irait encore plus loin, qu'il en sortirait quelque chose. » Et comme rien ne s'est passé, il s'est mis à croire à la violence...

Drieu l'écrira dans *Gilles*. Il l'a raconté à plusieurs amis — dont Emmanuel Berl : dans son désir d'unir tout le monde et de « faire quelque chose », il a téléphoné à Aragon, au journal. « Une voix pincée lui a répondu que seul le prolétariat pouvait faire la révolution, et qu'il la ferait à son heure. »

Le 9 février, la gauche décide d'une contre-manifestation, désunie, éparpillée entre le 9 et le 12. Vladimir Pozner passe prendre Aragon chez lui. « Elsa a enfilé son petit manteau de fourrure, c'était celui qu'elle avait acheté à Moscou avec ses droits d'auteur. » Aragon et Pozner mettent des chapeaux de feutre alors qu'habituellement — c'était la coquetterie des militants communistes — ils portaient la casquette. La casquette, c'est l'ouvrier : ils risquaient donc de se faire arrêter, ce qui, dit Pozner, aurait empêché Aragon d'écrire le compte rendu.

La manifestation est prévue place de la République, mais la police en interdit les abords. Ils suivent donc les clameurs du côté de la gare de l'Est, où sur les cris flottent des éclats de *La Jeune Garde* : « Prenez garde ! Prenez garde... V'la la jeune garde qui descend sur le pavé, sur le pavé » ou des bribes d'*Internationale* : « La raison bout en son cratère — C'est l'éruption de la fin »... Ils avancent donc dans « le piétinement de la foule et une mer houleuse de casquettes ». Elsa, si petite entre eux deux ; ils se demandent s'ils pourront l'abriter des matraques.

Pozner les montre cherchant un café qui n'ait pas tiré son rideau, pour qu'Aragon téléphone à *L'Huma*. Ils voient un autre surréaliste devenu communiste, Pierre Unik, qui boit un chocolat avec une chanteuse. Dehors des cageots entassés en barricade « brûlent modestement ». Aragon dicte, sans notes. Elsa le renseigne : « Une ambulance vient de passer ! »

Ils ressortent. Ils courent vers la gare de l'Est. La foule. La fuite. Une flaque de sang. Une voiture brûle. Ensuite les témoignages divergent.

Pozner : « De l'autre côté se tenait André Breton, et, par-dessus les flammes, nous, qui étions en mauvais termes, nous nous sommes tous serré la main. Tout près des coups de feu, des hurlements : "Les flics qui tirent !" Et Elsa répétait comme si elle parlait à elle-même : "Ils tirent à blanc, ils tirent à blanc." »

Aragon, quarante ans plus tard, racontera comment se dressa devant le métro de la gare de l'Est « un homme qui avait été [mon] ami le plus proche et que je n'avais pas revu depuis un an et demi. Il s'appelait André Breton ». Le Voyant de *Nadja* arrive, aveugle, devant la flaque de sang et hoche la tête. Le sang était celui d'un flic écrasé par une voiture de flics... mais ils l'ignoraient. Soudain Breton aperçoit Aragon et, dit-il, lui serre la main. « La conversation a commencé tout à fait aimablement entre nous mais, à partir d'un certain moment, Breton a commencé à remettre en question la conduite du Parti. Je ne pouvais continuer la conversation... »

Breton, lui, dira qu'il a simplement exprimé son regret que la gauche n'ait pas manifesté unie, que les communistes l'aient refusé. Aragon alors a pris son air hautain, fermé, et a déclaré inutile la poursuite de leur entretien. Son air de morgue, son sifflement reptilien. Sa hauteur mordante de glacier. Ce fut, dit-il, leur dernier échange.

Comment Aragon n'aurait-il pas, après avoir écrit son compte rendu pour *L'Humanité*, songé au temps de leur intimité ? Il pensait à leurs lettres quand l'un plongeait dans la mort vivante du Chemin des Dames, quand l'autre revivait en lui le suicide de Jacques Vaché. Il pensait à la période « qui va de l'éclatement de Dada à la formation du Groupe surréaliste »...

Tout cela était mort. Il n'écrivait plus, disait Elsa ? « J'ai toujours écrit. Et même quand je n'ai pas l'air d'écrire, je me prépare à le faire. » D'ailleurs, il avait recommencé. Et un roman réaliste. Le surgissement d'André Breton devant cette flaque de sang dans le drame du 9 février 1934 a dû lui paraître un signe définitif de leur irrémédiable divergence.

Un roman sur « le monde réel ». Pas celui qu'ils vivent, à vrai dire. Celui de la Belle Époque.

Elsa écrira un article. En russe. « Paris, le 9 février 1934 », publié dans un mensuel illustré de Moscou intitulé : *Trente jours.*

Elle ne savait pas encore que c'étaient des notes qu'elle avait prises pour un récit en français dans son futur premier livre...

Après cet article, Elsa n'en retrouve pas moins son angoisse d'écrivain entre deux langues. Une nouvelle vérité intérieure l'accable. Pour elle, écrire *en russe* — même si on la publie — *ne correspond plus à sa nouvelle réalité.* Plus qu'à son premier retour, elle sait : « Je n'étais plus de plain-pied avec les miens. » Bien plus a-t-elle Paris-dans-le-sang. Enfin, c'est dans la langue d'Aragon qu'elle éprouve le besoin — à la fois intime, urgent et social — de se faire reconnaître. Elle doit constamment lui montrer, lui prouver qu'elle est pour lui la seule *solution.*

Elle écrit donc, se rappelant les leçons de Maïakovski. Méthode d'économie : en dire le moins possible à la fois. Mettre en réserve. N'offrir que l'image coupante et dure. Mais ces leçons ne peuvent lui servir telles quelles. A cause de la langue et du fossé entre la prose et l'écriture poétique. « Impossible d'écrire rien qu'en images... on se trouvera au pouvoir de la *chose à laquelle* on compare, et non de la *chose que l'on compare*[1]. »

« Je dirai aujourd'hui qu'une certaine banalité dans l'expression ne me déplaît pas... Plus un langage est net, et ses racines vont profond dans le sol d'un pays... plus il est difficile à traduire. » Elle le sait et par Maïakovski et par Céline. Et la voilà devant un problème pire. Il faut penser dans « le » français qu'elle veut écrire, sans à-peu-près, très net. Elle ne doit plus traduire ses métaphores du russe. Ou alors seulement pour créer de l'insolite.

« Ma langue maternelle, mon irremplaçable langue... Elle ne me servait plus à rien. LE MAL DE LA LANGUE EST INSUPPORTABLE COMME LE MAL DU PAYS. ON CROIRAIT QU'UNE LANGUE, PERSONNE NE PEUT VOUS LA PRENDRE, QUE VOUS POUVEZ L'EMPORTER AVEC VOUS OÙ QUE VOUS ALLIEZ, QU'ELLE VIT EN VOUS INOUBLIABLE, INCURABLE, DIVINE... EN RÉALITÉ UNE LANGUE, CELA SE PARTAGE AVEC UN PEUPLE, UN

---

1. A Berlin Victor Chklovski aussi lui prodigua des « leçons d'écriture ». Et même Gorki. Et à Moscou, Isaac Babel.

PAYS... IL FAUT QU'ELLE S'EXERCE, IL FAUT S'EN SERVIR, SANS QUOI ELLE SE ROUILLE, S'ATROPHIE ET MEURT. »

Ce qui ronge Elsa, ce qui rend son rire plus artificiel et son exigence démesurée, c'est qu'elle a peut-être, à la fin, senti en elle la « rouille » du russe. Elle ne l'employait plus qu'oralement, avec des amis — Vladimir Pozner et d'autres. Elle n'ignorait pas ce qui, en français, indiquait sa marginalité : l'accent. Par une réaction naturelle, comme pour conserver un signe tangible de sa singularité, de sa non-insertion, elle tenait à cet accent... et en même temps en souffrait. Plus tard, des comédiens, une chanteuse lui proposeront de le lui faire perdre. Elle refusera.

« Peut-être est-ce ma dévotion pour la langue russe qui me l'a conservée exceptionnellement intacte, comme à sa naissance en moi et sans qu'aucun accent étranger vienne la troubler. »

Contradiction avec les lignes précédentes. Sans doute. La joue dans la main gauche, assise généralement à une petite table incommode, elle fixait sur le papier les mots liquides, fugitifs : « *Et quand j'ai commencé à écrire, c'était contre toi avec rage et désespoir, parce que tu ne me faisais pas confiance. J'allais essayer d'écrire en français, pour que tu me dises : écris ! — ou : n'écris pas ! — en connaissance de cause.* »

Au début, elle se traduisait du russe. Ainsi pour le début — de ce qui deviendra *Bonsoir, Thérèse*. Puis vint le jour où elle décida de plonger : « J'en souffrais physiquement comme si on m'avait mis un corset de plâtre. » Elle parlait de « torture », comme à la même époque Wladimir Nabokov qui migrait vers l'anglais.

Elsa entreprit une tâche impossible : traduire en russe *Voyage au bout de la nuit* de Louis-Ferdinand Céline. Ce livre révolutionnaire par son langage valut aussi une réputation de révolutionnaire à son auteur. Il fut invité en URSS... et finit par y aller pour en revenir antisoviétique.

Mais, en 1934, transposer le *Voyage* en russe représentait le plus bel exercice de virtuosité linguistique que l'on pût imaginer... et aussi la plus intime initiation à une prose française profondément différente, anticonformiste, beaucoup plus osée que celle d'Aragon. Comment Elsa trouve-t-elle les équivalents du français célinien, de ses implants argotiques, de sa syntaxe subversive ?

Les Russes furent visiblement ébahis, sans doute épouvantés. « *On me "rédigeait" mon texte, on coupait.* » Elle finit par abandonner la traduction à ses censeurs.

Sait-on jamais pour qui on travaille ? Trente ans plus tard, Vladimir Maximov fondera à Paris une revue russe explicitement antisoviétique, *Kontinent*, publication de la dissidence. Il dit avoir été déterminé d'entrer en dissidence par la lecture de *Voyage au bout de la nuit*. Il savait qu'on l'avait traduit en 1934 : il ignorait qui l'avait fait...

Passage au « monde réel »

Aragon ne souffrait pas moins qu'Elsa. Lui aussi devait se « convertir ». Le français d'un roman réaliste, était-ce encore sa langue ? Pire : ce qu'il portait en lui, sa vue du monde, pourrait-il être accepté par les gens de son parti ? Parallèlement, ils souffraient de littérature. D'après les confidences d'Elsa, ce désintérêt du poète pour ce qu'elle entreprenait la torturait... Mais comment jugeait-elle ses tentatives à lui, Aragon, pour entrer dans cet « autre monde », le « monde réel » comme on disait autour de lui ?

« J'ai raconté cent fois comment j'ai écrit *Les Cloches de Bâle* et comment le sens de ce roman changea, non pas d'être mis entre parenthèses, mais au contraire parce que les parenthèses en avaient été brisées, qu'Elsa les avait brisées par un jugement porté sur les cent premières pages écrites. »

Il l'a en effet raconté plusieurs fois. C'était en 1934 — au moment où la France commençait à vivre les premiers frémissements de ce qui deviendra en vingt-six mois le grand élan du Front populaire. Un jour Aragon écrit, avec l'urgence et le manque de projet de l'écriture automatique, une « première courte phrase comme une provocation » : « Cela ne fit rire personne quand Guy appela M. Fontanet papa. » Guy... un prénom qu'il aime, sans doute à cause d'un ami d'enfance, à Neuilly qui se nommait Guy Renaudot d'Arc. Tout de suite, venue des profondeurs, une erreur sur le père... Aragon ne consent pas bien sûr à cette explication, se contente de dire qu'il a ri de ces mots parce qu'ils semblaient supposer une « histoire cohérente, un roman ». Mais lui ignore qui peuvent être Guy ou M. Fontanet, et se lance dans un paragraphe pour l'apprendre.

Il dira qu'il voulait ainsi montrer à Elsa ce que furent au début du XXe siècle les hôtels de bains de mer en Normandie — « décrire pour toi ce décor des vacances, au temps préscolaire ».

Mais qui était « personne » ? On pouvait seulement supposer que ce monsieur « n'était pas le père de Guy ou, s'il l'était, que cela ne devait pas s'avouer ». Phrase comme dictée par l'inconscient dont naît l'histoire de Diane, la belle dame qui a un fils et des amants. Elle a, cette Diane, une mère et un ami... C'est une histoire assez « réaliste critique », celle d'une femme de « bonne naissance » mais, comme on dit, « tombée dans la galanterie » ou presque, devenue « femme entretenue » à laquelle un homme « sans naissance », mais riche, offre de grimper ensemble les échelons d'une société ébranlée...

Cet « espace » ouvert par la première phrase jaillie de si loin se remplit vite d'un « mentir » plein de vérité... « Le roman, c'est la clé des chambres interdites de notre maison. »

Naissance illégitime de Guy. Mensonges des bourgeois de tous niveaux. Diane enfin épousée par Brunel conquiert un industriel, Wisner — qu'on retrouvera ailleurs[1]. L'industriel propose les « services secrets » comme outil de puissance. En ces années-là, cette hantise constante qu'ont les communistes des « services secrets » occidentaux était ouvertement exprimée. On découvrait des flics, vrais ou faux, arrivés aux échelons supérieurs du Parti, on voyait un piège dans toute question, un agent en tout sympathisant...

Aragon, porté par l'aveu voilé de la première phrase, écrit cent pages au galop, pour annuler l'interdit du roman. Pour renouer son écriture à l'incendie de cet hôtel de Madrid, cette castration accomplie pour s'acquérir la bienveillance d'André Breton, dieu tyrannique, taureau fonçant sur la cape rouge du mot « roman ». Les cent premières pages des *Cloches de Bâle*, autobiographie déguisée, ressuscitent sans doute personnages et souvenirs du manuscrit brûlé. Revanche vengeresse, deuxième rupture avec le surréalisme.

Il lit le début des *Cloches* à André Marty... Pourquoi ? A quel moment ?... L'ex-Mutin de la mer Noire lui a « littéralement ri au nez ». Pour montrer que ce n'était pas là ce qu'attendait le prolétariat ?

L'incident doit se placer après la lecture à Elsa.

Cette lecture, le romancier ne cessera de la raconter[2]. Avec

1. Et jusque dans *Les Communistes*.
2. Les *Incipit* ; *Henri Matisse-roman* ; *Aragon parle* ; *Entretiens*.

la même conclusion : Elsa me « créa » comme romancier réaliste. « La femme réelle, Elsa »...

C'était rue Campagne-Première. Parmi les bibelots, les lampes toujours allumées et mal distribuées, les sièges jamais très commodes, parmi les livres, les journaux en français et en russe.

Aragon a toujours aimé lire ses œuvres. (Il les lisait mal, mordant les mots ou chantant les phrases, déclamant pour ensuite soudain avaler des syllabes. Le rythme de la lecture rompait le rythme de l'écrit...)

Il lit donc. A deux minutes par feuillet, cinquante pages prennent une heure trois quarts ou presque. Or, dit-il, le jugement d'Elsa porte sur les cent premières pages. Trois heures et vingt minutes. Elle écoute, immobile dans son fauteuil, le menton dans les mains ? Non. Plutôt étendue dans l'entassement des coussins, sur le lit ? Et lui ? Marchant dans l'étroite loggia ? Il s'arrête, un silence...

« Je m'en souviens comme si j'y étais. J'eus le temps de penser plusieurs choses. Puis tu me dis très simplement : "Et tu vas continuer longtemps comme ça ?" »

Trente-quatre ans plus tard, ce souvenir le fait rire. Il sent ce début des *Cloches* « comme un bossu qui se fait lui-même un veston pour avoir l'air d'un Apollon ».

Il s'imagine dans le rôle du valet de chambre espagnol si laid qui regardait par le trou de la serrure, à Madrid, pendant que brûlait *La Défense de l'Infini*, espérant que le monsieur et la dame attisaient ce feu d'enfer pour faire l'amour.

Il avoue : c'est bien à partir de ce tabou — les fantasmes et impressions de l'enfance, ce qu'il garde de la société de la Belle Époque — qu'il a voulu « écrire coûte que coûte une chose appelée roman ou du moins que j'appellerai ainsi ».

L'interjection d'Elsa, dit Aragon, a fait écrire « les trois cents pages qui suivent... pour justifier à [ses] yeux les cent premières ».

Qu'a pu penser Elsa en écoutant ces cent premières pages ? C'est le temps où elle commençait seulement à sentir à quel point le français lui résistait, mur qui renvoie sans pitié la balle rêche de ses mots maladroits. Et cette coulée de la période aragonienne, ses arrêts brusques, ses sinuosités savantes et ses soudaines ellipses, comment n'auraient-ils pas suscité en elle la plus brûlante, la plus envieuse admiration ? Cet homme ne veut pas qu'elle écrive, le manifeste au moins par son silence, peut-être aussi par un secret dédain... C'est qu'il écrit, lui, somptueusement. Prompte à de passagers désespoirs qu'ensuite sa volonté surmonte, Elsa dut, ce jour-là, s'offrir une vengeance peut-être involontaire, inconsciente.

« Le propos d'Elsa m'a montré la nécessité de rendre évident le départ... j'ai introduit le personnage de Catherine. »

Elsa a-t-elle pensé, ou dit, qu'à Moscou on ne serait pas plus concerné par la belle Diane qu'on ne l'avait été par *Colliers* ? Alors Aragon ressuscite un amour d'enfance : Élisabeth, qu'il baptise Catherine.

Catherine Simonidzé, le plus touchant personnage des *Cloches*, Catherine venue de Géorgie dont le père millionnaire envoyait des mensualités à sa femme et sa fille qui vivaient à Paris. Catherine s'éprend d'un ouvrier anarchiste et milite pendant la grève des taxis à Paris.

Élisabeth, Aragon l'avait connue dans la pension tenue par sa mère ; Elsa a donc fait surgir Élisabeth-Catherine, la Russe amène la Géorgienne, celle qui a pris en main Aragon à trente ans appelle tout naturellement celle qui lui a révélé la grande littérature réaliste, russe et française, mais russe surtout. « J'ai repris autour de Catherine le livre qui ne pouvait pas continuer à tourner autour de Diane... J'ai écrit *volontairement Catherine, pour briser délibérément avec le roman parisien...* cette étrangère par-delà Paris créa *une atmosphère autre*[1]. En même temps que je donnais corps à ce personnage, j'ai essayé de m'en expliquer. »

Il évoque ce souvenir après mai 1968. Du coup, il se rajeunit, se donne douze ans... Il en avait en réalité quatorze, lors de la grève des taxis de 1911, Élisabeth-Catherine était son aînée de huit ans. La vraie Élisabeth était « l'amie de tous les émigrés politiques et liée aux anarchistes français ».

Nouveau coup pour *Les Cloches*. Le PCF venait d'abandonner la vision « étroite », qui avait pourtant survécu à l'avènement de Hitler en janvier 1933, avec toutes les fanfaronnades du nazisme comme « épiphénomène passager ». Mais, malgré le grand défilé qui clama « Unité ! » entre syndicalistes de la CGTU et de la CGT, malgré l'alliance apparente avec les socialistes, à l'intérieur du Parti, la social-démocratie et surtout l'anarchisme demeuraient des ennemis. Cette Catherine anarchiste ?... Par bonheur, en 1911, il n'y avait pas encore de Parti communiste français et l'on pouvait plaider que mieux valaient les anarchistes que les sociaux-démocrates...

Qu'a dit Elsa ? Certainement quelques phrases sur le réalisme internationaliste. Elle qui n'était pas du Parti, n'est-ce pas, pouvait se permettre de...

En tout cas, le romancier du « monde réel » cherche « un contrepoids de cette errance » de Catherine... Comme il est désormais docile ! volontairement soumis aux règles qu'éla-

---

1. Souligné par moi.

borent ses nouveaux amis... contre toutes ses anciennes recherches, contre le « formalisme », c'est-à-dire contre *Anicet* et *Le Paysan.*

Un jour, à Moscou, il avait vu Clara Zetkin. Cette Allemande de la IIe Internationale, amie intime de Rosa Luxemburg, avait fondé l'Internationale des femmes. C'est à elle que Lénine avait écrit la fameuse lettre déclarant que l'amour n'est pas un verre d'eau qu'on avale avec indifférence. La licence sexuelle, et même la liberté sexuelle, le gênait, Lénine, qui fut dans sa vie privée prude jusqu'à l'hypocrisie. Et Clara s'est, comme toujours, rangée sur les positions de Lénine, de même qu'elle se rangera sur celles du Komintern. Au congrès de Tours, à Noël 1920, elle, allemande, avait insisté pour que la majorité fasse scission et devienne le Parti communiste français.

Le romancier crée trois femmes. Diane la Française qui aime la facilité, la jouissance, Catherine qui croit en l'acte individuel pour changer la vie, Clara qui s'est vouée aux masses. *Les Cloches de Bâle* sont dédiées « à Elsa sans qui je me serais tu » — a-t-il pensé, barré ou suggéré qu'après le « u » il pouvait y avoir un « é » ? Elle le suggérera, parfois, dans des conversations, dix ans plus tard.

Aragon les contemplera un jour, ses trois héroïnes, comme les trois éléments de la femme-avenir-de-l'homme, cette formule qu'il lancera sur le vent du siècle. « Comme si j'avais voulu dans une longue conversation expliquer à Elsa que je n'étais peut-être que cela, *mais que j'étais tout cela.* »

Trois femmes ? Son « Madame Bovary c'est moi » était, comme chez Flaubert, féminin, mais triple. Du moins en 1934.

Les Cloches de Bâle paraîtront chez Denoël, l'éditeur de Céline.

Drieu, la mise à mort

Le 1er juin 1934, à une séance de l'AEAR, Gide verra se révéler un autre Aragon... celui que le Groupe et Elsa connaissent bien, l'Aragon de la provocation, du délire, de l'insolence et de l'insulte. Celui du « Je mens toujours ».

Drieu La Rochelle vient de quitter la tribune. La Petite Dame qui accompagne Gide l'a trouvé « piteux »... D'après le programme, c'est Ramon Fernandez, critique et romancier, alors de gauche, qui doit répondre. L'habituel petit jeu de billets griffonnés et de chuchotements le contraint à céder sa place à Louis Aragon.

Elsa regarde. Voilà donc Drieu, l'intime du Louis d'autre-fois ?

Cinq ans plus tard, Drieu campera dans *Gilles* une féroce caricature d'Aragon. En 1942, Drieu inspirera *Aurélien* à son ancien ami. Elsa aussi utilisera certains traits de Drieu pour le Michel du *Cheval blanc*. Le voilà devant elle. Il expose la « *théorie du pour et du contre* ».

Mme van Rysselberghe, la Petite Dame, écoute : « Aragon lui répond vertement et fort bien puis, tout à coup, comme emporté par son avantage, il est devenu si discourtois, si basse-ment injurieux qu'il était impossible de ne pas sentir à ce qu'il disait des dessous haineux, et qu'on avait envie de pren-dre le parti de Drieu. »

La violence est telle que Ramon Fernandez, le lendemain, envoie à l'AEAR sa démission motivée. Elsa triomphe : à pré-sent la rupture avec Drieu est irréparable, publique. Mais Drieu — même rejeté parmi les ombres — ne cessera d'être comme Breton la menace du passé, de la nostalgie. Le fan-tôme d'un certain bonheur.

Malraux est outré de l'attitude d'Aragon au point que, plus tard, devant Gide, il lui « dénie tout talent ». Gide défend l'auteur du *Paysan de Paris*, car *Les Cloches de Bâle*, dit-il, ne valent rien, pas plus que *Hourra l'Oural*...

Congrès de Moscou

Tous ces événements ont eu lieu avant le congrès de Mos-cou auquel Gide finalement ne se rend pas, mais adresse une note.

Elsa et Louis partent en été 1934 à ce premier congrès de l'Union des écrivains soviétiques.

Dans les années soixante, encore, Aragon affirmera à Pierre Daix que ce « *congrès avait bien marqué le ralliement général (et libre) des écrivains au régime soviétique*[1] ».

Dans ses *Mémoires*, Nadejda Mandelstam conte comment son mari, l'écrivain Ossip Mandelstam, avait été arrêté « pré-ventivement » au congrès, pour que nul étranger n'entende sa revendication. Il sera relâché. Puis arrêté de nouveau — définitivement — trois ans après et mourra dans un camp. Victor Serge était déporté à Orenbourg où l'hiver durait cinq mois avec des -40° de gel et où l'été montait à +40° avec le vent des steppes, la malaria, et pas de quinine.

Mais c'était encore le temps où dans chaque république

1. P. Daix, *Aragon* (Flammarion).

d'Asie on « inventait » des alphabets, on rétablissait des grammaires pour que les langues nationales se structurent. Le russe n'était alors obligatoire que dans l'administration.

En août 1934, Moscou fait briller, rouges au soleil, des banderoles de bienvenue aux écrivains de tous les pays. Ces écrivains étaient invités... par les Russes bien sûr, par l'Union des écrivains encore embryonnaire. En fait, d'après une soigneuse sélection du Parti, pour laquelle Ossip Brik, docile, érudit, multilingue et « sûr » — parce que toujours à court d'argent — était consulté.

Le congrès s'ouvre le 17 août. La délégation française se compose d'André Malraux, accompagné de Clara, sa femme, de Jean-Richard Bloch qui n'est pas encore membre du PCF, d'Aragon auprès de qui Elsa est à la fois l'épouse, la conseillère, la guide et l'interprète, de Vladimir Pozner. Léon Moussinac et sa femme se trouvent à Moscou et sont donc invités eux aussi.

La liste ne porte pas le nom de Paul Nizan [1], membre autant qu'Aragon du comité de rédaction de la revue *Commune*. Normalien, agrégé, militant ardent du PCF, il était envoyé à Moscou par le Parti pour une sorte de stage de qualification discret. Il se trouve en URSS depuis des mois. Ses livres *Aden-Arabie* et *Antoine Bloyé* avaient été traduits en russe avec de gros tirages. C'était celui des Français que les Soviétiques connaissaient le mieux.

Il ne figure pourtant pas sur la liste, ne prend pas la parole au congrès. Il y assiste, sa femme Henriette en témoigne. Il connaît toute la signification de cette festivité et pense, lui aussi, que c'est un pas vers la libéralisation. Finis les petits groupes sectaires tels les écrivains prolétariens ou paysans, etc. Tous à l'Union des écrivains soviétiques : c'est un pas en avant.

Il l'explique à Malraux et l'auteur de *La Condition humaine* admire sa « soumission, un peu révoltée, devant l'appareil ».

Pour Elsa, l'arrivée à Leningrad de Malraux était assombrie par la présence dans le comité d'accueil soviétique de Polonskaïa, celle qui avait remplacé Lili dans les bras de Maïakovski ; « l'autre veuve ». Lili est à l'écart à cause de Gorki. Ils ne s'aiment pas. Cette inimitié agace Elsa... et, en même temps, lui fait mesurer sa propre avance. A l'assemblée, la rousse incendiaire compte à peine, perdue dans la foule.

Dans le public, au centre du Tout-Moscou, Elsa la Pari-

1. *Paul Nizan, communiste impossible*, par Annie Cohen-Solal et Henriette Nizan (Grasset), ainsi que des entretiens avec l'auteur en 1982 et les *Mémoires* d'Henriette Nizan.

Lili et Maïakovski,
un jour paisible
(*Coll. Viollet*)

Berlin, 1923.
Elsa, femme fatale de
vingt-sept ans, devient
l'héroïne d'un roman : *Zoo*
(*AFP*)

Moscou au quotidien en 1925 : éternelle cohue,
où chacun cherche l'introuvable (*Harlingue-Viollet*)

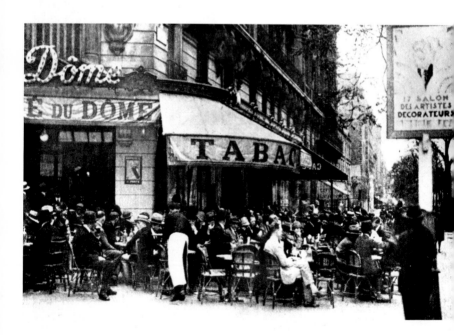

Le Dôme, leur « résidence secondaire » (*H. Roger Viollet*)

Premiers temps des tribunes communistes (*Coll. Viollet*)

Parmi les officiels du PCF : à gauche, Louis, P. Vaillant-Couturier, M. Cachin, Mme Cachin, J. Duclos ; à droite, G. Péri *(Lapi-Viollet)*

Ci-dessous : Congrès des écrivains à Mutualité, le 31 janvier 1936. Aragon à Malraux tandis que Gide officie *(M.*

Aragon, rue de la Sourdière, sur fond d'affiche de l'Espagne en guerre et de photo de Maïakovski *(Lapi-Viollet)*

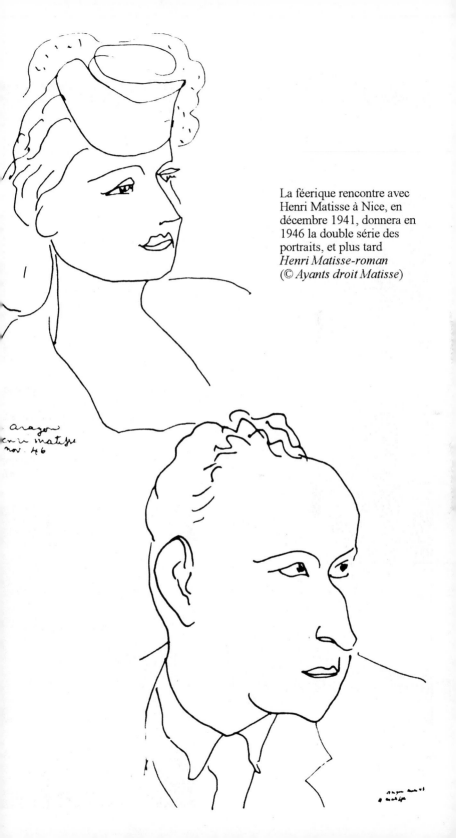

La féerique rencontre avec
Henri Matisse à Nice, en
décembre 1941, donnera en
1946 la double série des
portraits, et plus tard
Henri Matisse-roman
(© *Ayants droit Matisse*)

Le « couple en majesté », par Boris Taslitzki (*Roger-Viollet*)

La Libération,
une gloire élégante
(*AFP*)

Louis Jouvet aide une Elsa
à tresses et voilette à vendre
Personne ne m'aime
(*Keystone*)

Rue de la Sourdière,
Elsa que Louis nommait
Jacinthe dans l'intimité
(*Magnum*)

La mise en mots est faite.

*Quand viendra l'aube
Où le rossignol se taira
pour toujours ?*
(Coll. Viollet)

sienne figurait en vedette, hors programme : éprise de l'écrivain communiste français le plus en vue, auteur elle-même de trois livres en russe, et représentante de l'élégance.

Réservé, conscient du poids des mots, Jdanov, maigre et long, apporte le salut du comité central du Parti. Futur dictateur à la culture, ce fils d'une maîtresse de piano cite Staline : « L'écrivain est l'ingénieur des âmes [1]. »

Gorki prononce le discours-fleuve attendu. Ovations et fleurs.

Gorki, celui qui avait conseillé à Elsa d'écrire. En 1965, Aragon se rappellera le choc qu'il eut en voyant la propriété que Staline avait offerte à Gorki, lors de son retour : « ... cette énorme maison de campagne... toute la troupe de ses familiers. Comme cela était étrange, incompréhensible... si différent de l'image imaginaire que je me faisais de la nouvelle Russie, et pourtant tout ce qu'il racontait... »

Au congrès, les discours se répondent. Ni débat ni discussion avec la salle.

Pour lancer le réalisme socialiste comme doctrine officielle, on avait choisi Karl Radek. Fiévreux, échevelé, il avait été l'ami-adversaire à la fois de Rosa Luxemburg et de Lénine. Il sait répondre à tous les Occidentaux dans leur langue, puis, pour le public russe, se traduit lui-même. Le réalisme socialiste, en août 1934, n'est pas encore une formule, un cliché, ce n'est qu'une appréciation esthétique.

Pendant tout le congrès — et avant même qu'il commence — on avait débattu, chez les Brik, de la position d'Aragon. Elsa résume à Louis les interminables discussions sur ce qu'il doit faire. Il peut devenir en France celui en qui les Russes placent leur confiance : il est rédacteur à *L'Humanité,* responsable de *Commune.* L'essentiel, à présent, est donc de s'acquérir des amis sur tous les fronts.

Qu'il évite surtout d'entrer dans la querelle autour de Malraux. « Malraux, je ne me sens pas à l'aise avec lui », disait Elsa. Avec Clara, au contraire, elle aimait aller jusqu'aux confidences... ou à leur semblant. Elles avaient l'une et l'autre certaines difficultés avec leurs compagnons. Pas de même ordre, mais peut-être de même effet. Malraux et Aragon ne sympathisaient pas. Mais l'auteur de *La Condition humaine* était ici l'une des vedettes.

Nizan avait écrit dans la *Literatournaya Gazeta* du 12 juin que

---

1. Pendant le siège de Leningrad, Jdanov en était le responsable politique. Il y eut des semaines où 3 000 habitants mouraient chaque jour. C'est en sortant de cet enfer qu'en 1945 Jdanov a repris en main la culture et les intellectuels, et réinstauré un « réalisme socialiste » de tous les arts.

Malraux « n'était pas un écrivain révolutionnaire » et qu'il se ralliait au prolétariat uniquement parce qu'il vouait à la mort sa classe d'origine, la bourgeoisie. Quatre jours plus tard, Malraux, interviewé par le même journal, proféra une phrase qui le suivra longtemps :

« Si la guerre éclate, et je pense que c'est le Japon qui la commencera, je travaillerai le premier à la formation d'une légion étrangère et, dans ses rangs, le fusil à la main, je défendrai l'Union soviétique. »

De cette surenchère belliciste, Aragon n'avait nul besoin. « Inspiré et juvénile, Aragon traita du patrimoine français, Rimbaud et Zola, Cézanne et Courbet », écrira Ehrenbourg.

Plus rien de commun avec les correspondants ouvriers ni avec l'œuvre collective... Quatre ans avaient passé. Formalisme, réalisme ? Tout entrait dans le patrimoine...

Souriante, Elsa recevait les compliments. Oui, Louis était génial. Oui, Louis était un militant admirable. Oui, Louis... Cet homme insaisissable, qu'il fallait à chaque moment encourager, aduler, consoler de la moindre critique, cet homme toujours présent mais qui sans cesse menace de partir, comme elle s'est prise à son jeu en le prenant au sien...

Le lendemain, un admirateur fidèle d'Elsa remporta un succès majeur. C'était Alexandre Fadeïev, le géant du train de Kharkov, toujours blond, de plus en plus rouge, tenant de plus en plus l'alcool et sans cesse plus avide de succès.

De la tribune, il lança sa « théorie de la pomme » qui deviendra une ligne de conduite. La pomme sauvage ? Aigre à la recracher. Mais l'homme la soigne, la greffe, la modifie : elle reste une pomme, mais devient « la pomme telle qu'elle doit être ». C'étaient les premiers pas de Fadeïev dans la voie qui fera de lui le maître redouté de l'Union des écrivains pour les années du stalinisme. *Le réalisme socialiste doit montrer l'homme non tel qu'il est mais tel qu'il doit devenir.*

En 1934, on n'en est encore qu'à la greffe des fruits. C'est encore une métaphore et non une menace. Son roman, *La Défaite*, avait été jugé hardi. Vingt ans plus tard — toujours admirateur d'Elsa — Fadeïev avouera à un débutant qu'il n'oserait plus l'écrire...

Mais on en est encore au « front large ». Malraux peut encore, mèche en avant, la main tâtonnant dans l'espace, se demander si la littérature exprime l'image de l'URSS... « Si les écrivains sont les ingénieurs de l'âme, n'oubliez pas que la plus haute fonction de l'ingénieur, c'est d'inventer... L'art n'est pas une soumission, c'est une conquête... » Il supplie les Soviétiques de ne pas « étouffer » les Shakespeare possibles.

Le discours a fait scandale. Qu'en ont dit Brik, Lili,

Chklovski, Babel ? Sans doute se sont-ils sentis très soulagés que quelqu'un ait exprimé ces vérités indicibles... C'est — à quatre ans de son procès — Karl Radek qui est chargé de répondre. Qu'il mourrait dans un camp de concentration soviétique, peut-être du fait des services secrets, peut-être par la violence de ses compagnons d'infortune exaspérés, comment l'aurait-il cru ?

Il défend le « réalisme socialiste », cette ligne nouvelle de la littérature qui va, croit-il sincèrement, faire éclore les Shakespeare de l'électrification.

Un écrivain, Nikouline, lance à Malraux : « Vous dites : la vérité de ce monde est la mort. La vérité de ce monde est la vie, disons-nous ! »

Contrairement à la règle tacite du congrès, Malraux redemande la parole. On l'inscrit exceptionnellement. Il proteste : « S'il ne croyait pas en la vie, prendrait-il la défense de Dimitrov et de Thaelmann emprisonnés par Hitler ? »

Dans la *Pravda* du 3 septembre, Malraux déclarera qu'il croit en « une espèce nouvelle de types (humains) : les types d'une société en formation ».

Dans *La Mise à mort*, Aragon se rappellera une réception de Gorki : « Nous étions venus en 34, un soir avec des tas de gens, des écrivains, un dîner, je ne sais pas, de cent couverts, tout le gouvernement, sauf Staline. J'étais assis entre un général et un homme politique, leurs noms alors ne me disaient pas grand-chose. *Depuis ils ont, tous les deux, disparu.* Je revois, debout à sa place, Malraux, son verre à la main, qui prononce un toast... si le Japon attaque l'URSS... alors, nous autres, nous prendrons un fusil, nous irons en Sibérie... Il avait l'air d'y croire. »

A Moscou, Aragon ne se sent pas tout à fait étranger. Un soir où les Malraux veulent dîner avec lui, Louis répond : « Non, ce soir, je dîne dans ma famille ! » Clara se rappelle son air pénétré quand il l'a dit.

La fameuse jalousie d'Aragon, celle qu'il dit être fondamentale, qui parcourt tous ses livres et deviendra le thème central de *La Mise à mort* trouve aliment à Moscou. Le passé d'Elsa surgit à chaque pas. Comment savoir qui, de tous ces écrivains, poètes, peintres qui l'embrassent, l'admirent, la tutoient, lui parlent vite, avec tant d'intimité, l'a aimée d'amour ? Qui, peut-être, l'aime encore ? Il écrira :

« Les femmes m'ont élevé selon leur morale, où la jalousie est un sentiment honteux. *Elles m'avaient persuadé que l'attrait qu'elles pouvaient avoir d'un tiers, il était indigne de ne pas s'incliner devant lui.* Si je ne savais les retenir, je ne pourrais m'en prendre qu'à moi-même... Les femmes m'ont, dès ma première jeunesse, *appris à souffrir et à me taire*... Je considérais comme l'héritage de temps barbares ce droit imprescriptible que s'arroge l'homme pour la complaisance qu'on a pu avoir de lui »...

Tout est dit. Et, ailleurs : « Je suis un homme d'une jalousie telle que je ne saurais la surmonter. »

Ici, à Moscou, Elsa règne. Cette patience qu'elle montrait depuis cinq ans, elle en goûte les fruits.

Après le congrès, le couple reste longtemps en URSS. D'abord avec d'autres congressistes, ils recommencent un voyage à travers le pays. Ils ne peuvent ignorer que les hommes — et les femmes — employés aux grands travaux — canalisations, barrages — sont des prisonniers. Ils font confiance à Gorki qui préside à la confection d'un ouvrage collectif sur un grand barrage. On y parle des condamnés que ce travail « rééduque ».

Aragon envoie à *L'Huma* six papiers : « Les Soviets partout ».

A l'époque, à Moscou, un opéra de Chostakovitch, *Katerina Ismailova,* suscite encore l'enthousiasme de la presse. Et à la première de *La Dame aux camélias*, mise en scène par Meyerhold de la façon la moins orthodoxe, le public, debout, applaudit jusqu'à ce qu'on éteigne les lumières.

« Les Aragon », comme on les appelait déjà, se trouvent à Odessa en décembre 1934, pour un film d'après *Les Cloches de Bâle*, projet vite abandonné.

A Leningrad, le 1er décembre, Kirov a été assassiné. Secrétaire du Parti, on le considérait comme le « dauphin » de Staline et comme le chef du courant de libéralisation.

Alors commence la grande période de la méfiance. On arrête un jeune homme comme assassin de Kirov, Staline l'interroge lui-même, et obtient de lui des aveux. Après quoi, on retrouve ce jeune Nicolaiev mort... Après cela, des « accidents » ont raison des principaux témoins — tous ayant été interrogés par Staline personnellement...

Presque aussitôt se déclenche une vague d'arrestations de « contre-révolutionnaires ». La chasse aux « vipères déviationnistes » est ouverte. On les nomme dans certains milieux du Parti — par dérision — « les assassins de Kirov », tels les condamnés des grands procès des années suivantes[1].

---

1. Dans les années qui suivront le XXe congrès (1956) on soupçonnera, puis on trouvera les preuves que Kirov fut assassiné avec — au moins — le consentement de Staline.

En décembre 1934, à Odessa, que pouvaient penser les intellectuels, après l'assassinat de Kirov et les rumeurs étranges qui dénonçaient partout des traîtres cachés ? Lili, qui vivait avec le général Primakov dans cette atmosphère, en savait probablement assez long.

Odessa, d'avoir été le plus cosmopolite des ports, gardait une population plus tolérante, plus mêlée, plus maligne qu'ailleurs. L'hôtel de Londres, palace décati, conservait ses vestiges de vieille belle défardée et même, au restaurant, un squelette d'orchestre avec un violoniste aveugle.

Le consul d'Italie y venait parfois dîner parce qu'il y avait des filles. Bien sûr que la prostitution était abolie et interdite au pays de l'homme nouveau, mais on ne pouvait empêcher une femme d'entrer seule au restaurant et d'en repartir accompagnée. Une Italienne exerçait ses ravages sur Iouri Olecha, écrivain célèbre qui tombera bientôt en disgrâce. Le réveillon du 31 décembre 1934 déchaîna une soûlographie grandiose. Après un mois de décembre parcouru des pires craintes — qui seront toutes dépassées —, chacun avait besoin d'exploser. Tous les étrangers de la ville avaient retenu une table. On buvait, on dansait. Le violoniste aveugle s'approchait de tous les groupes. Il savait tirer de son instrument des sons qui ressemblaient à des blasphèmes, des insultes ou des obscénités. Olecha s'amusait, la fille qui lui plaisait (et qu'Elsa dans un de ses romans baptisera Bianca) s'était vêtue en femme fatale. Un étranger et Olecha commençaient à se la disputer quand... La porte s'ouvre et, tirant au bout d'une laisse son dompteur, une lionne a fait irruption : lionne miteuse, échappée d'un cirque miteux, que la musique et le bruit avaient réveillée.

Elsa racontera l'histoire — en la déplaçant — dans *L'Inspecteur des ruines*. Plus tard, dans une préface, elle a resitué l'événement au dancing de l'hôtel de Londres d'Odessa, en cette dernière nuit de 1934...

Dans le roman d'Elsa, la lionne se jette sur la caissière et le héros ouvre la porte, faisant ainsi sortir sous la neige la lionne et le dompteur tête nue...

Aragon évoquera ce réveillon dans *Le Roman inachevé* : « Mais où s'égarent donc mes vers ? »

> *Mais où s'égarent donc mes vers*
> *Odessa c'est plutôt la boue*
> *Que la poussière et cet hiver*
> *Quelle chanson tzigane y joue*

Le vent des quais qui souffle et meugle
Tandis qu'un violoniste aveugle
Iouri Olecha seul en rit
Imite d'un archet qui crie
Des jurons peu faits pour les dames
Alternant avec des polkas

« J'ai forcé les frontières de la langue »

« La méfiance... Tous les gens qui ne se trouvent pas à leur place d'origine sont toujours suspects à quelqu'un ou à tout le monde... Faut croire qu'il est naturel à l'être humain de naître ou de mourir au même endroit ou, du moins, dans les parages... que chacun fait organiquement partie d'un tout qui s'appelle le pays natal, la patrie... » Elsa le dira, devenue sexagénaire, écrivain français réputé. Elle citera les États-Unis, le melting-pot, éternel contre-exemple. Et pourtant : « Privé de sa patrie, l'homme éprouve un inconfort constant du corps et de l'âme toujours en peine... souffrant d'un mal terrible, le mal du pays. » « Un étranger, une étrangère c'est toujours pour le moins étrange. J'ai même songé, jadis, à écrire quelque chose qui s'appellerait "*Étrange étrangère*". »

« *Etre bilingue comme je le suis est une anomalie. Comme d'être daltonien ou gaucher...* »

« *J'ai forcé les frontières de la langue. Je traverse les murailles, je suis un perce-mur et un perce-oreille*[1]. »

Louis écrira :

« Elsa avait l'expérience et la perspective de quelqu'un à qui il avait été donné de voir l'évolution des esprits dans son propre pays et ailleurs dans le monde. » Et : « Elle avait subi l'expérience douloureuse d'un changement de pays, partout très dur, mais peut-être plus particulièrement en France : ce n'est pas moi qui vous expliquerai ce qu'est la xénophobie française », dira-t-il (à une interlocutrice elle-même d'origine russe[2]).

---

1. Extraits de son *Journal*, publiés par Elsa Triolet.
2. Dominique Arban, *Aragon parle*.

Au retour d'URSS, la question fondamentale : que devenir ? se combine à une difficulté immédiate à résoudre : où vivre ?

Pour la question fondamentale, Elsa peut se la formuler à présent. Aragon peut briller à Moscou s'il brille au PCF. Et elle ? Oui, il faut, en dépit de Louis, contre l'interdit que promulgue son silence, ce « Il ne veut pas que j'écrive », qu'Elsa commence à chuchoter, il faut conquérir cette langue. Être elle-même, en dehors de lui. Sinon, elle périra de solitude. Elle vit l'histoire de l'apprenti-sorcier : pour le garder, elle a poussé Louis vers le Parti et l'URSS mais c'est par la politique que désormais il lui échappe.

D'abord, ayant perdu l'atelier, il faut trouver un logis compatible avec leurs ressources.

La Sourdière

En 1935, Elsa découvre une ruelle qui sourd non loin de l'église Saint-Roch, paroisse des comédiens, la rue de la Sourdière, souterraine rivière qui se jette dans le faubourg Saint-Honoré tout près de la rue des Pyramides. Une maison d'Ancien Régime, où les entrées sont percées dans un mur. Les fenêtres sont hautes, l'escalier bien ciré.

Deux pièces précédées d'une entrée et se commandant l'une l'autre. Incommode ? Sans doute. Surtout pour deux écrivains. Guère de soleil... Ils y ont vécu pourtant un quart de siècle... mais ne s'étaient-ils pas associés pour un an, puis deux... Une tacite reconduction coupée d'orages et de scènes « définitives » toujours passagères.

Après la guerre, on y trouvera des objets rares. En 1936, Elsa y tisse un cocon mi-surréaliste mi-slave, un trop-plein d'intimité. Des fenêtres du XVIIIe, provenant d'une façade démolie, deviennent portes de bibliothèque... Elle en est fière. Les divers « styles » fabriqués sous Napoléon III, dont personne ne veut à l'époque, divertissent son côté « kitsch ». Les coffres rouges que tous imaginent russes mais qui furent rapportés de Chine par un ancêtre maternel de Louis viendront plus tard. Les guéridons de papier mâché, incrustés de nacre, destinés aux dames à crinoline, répondent aux plateaux de tôle russes, peints par des artisanes ci-devant.

Elsa reçoit dans un large fauteuil en corolle dont le velours s'orne d'une bande de tapisserie. C'est sa niche, son nid pour écouter Louis discourir, réciter en marchant, en tournant et pour s'infliger la torture d'écrire. Elle aime le marbre blanc de la cheminée — bien que l'appartement soit chauffé par d'immenses radiateurs. Sur la cheminée, elle pose un masque primitif, des icônes et ces statuettes de plâtre colorié, produits du folklore russe, qu'elle transporte partout.

Ici se tiennent plusieurs réunions où se prépare officieusement le « Congrès international des écrivains pour la défense de la culture », première grande manifestation de l'Association des écrivains et artistes révolutionnaires.

Aragon apprend à calquer ses insolences sur les virages de la Ligne. Il en parle avec Paul Vaillant-Couturier.

Assise dans son fauteuil, versant selon l'heure le café du filtre en terre brune ou le thé du samovar, accueillante, Elsa écoute. Le sourire du visage fin mais arrondi à la mâchoire solide s'ouvre et se referme en coup d'éventail. Elle tend son fin menton vers l'interlocuteur qui peut se croire un moment, pour elle, seul au monde, même s'ils sont dix. Elle appuie sa joue sur sa main pour mieux observer, s'imprégner, absorber.

Ehrenbourg donne parfois ses rendez-vous chez elle. Le vieux complice agace toujours Aragon... Elsa le trouve utile, amusant, riche en ragots internationaux et en conseils. Chez elle, des camarades français rencontrent aussi un Soviétique dont l'importance dépasse le rôle officiel. Journaliste de la *Pravda*, Michel Koltsov a quelque chose d'occulte. Il sait arranger les choses.

Parfois Louis s'étonne que ce rouquin un peu gros, avec ses lunettes et ses jambes courtes, plaise autant aux femmes. En plus de l'épouse de Moscou aux dépressions graves, il a rencontré une aristocrate allemande, Maria, qui voyage avec lui. Plus tard, pendant la guerre d'Espagne — il deviendra un commissaire politique sans titre —, Koltsov et Maria adopteront un petit Espagnol abandonné dans un escalier... Plus tard encore... Pour le moment, Koltsov fait le va-et-vient entre Moscou et l'Occident. Il a été très proche de Lili ; il demeure un intime. Un conseiller.

D'autres venaient, sans doute pour parler politique, mais surtout pour voir Elsa. Ainsi un physicien célèbre. Il avait vécu un grand amour avec une scientifique slave [1]. Pour Elsa, de vingt-deux ans sa cadette, il éprouvait une passion à la Chklovski : sans cesse refrénée et, en même temps, subtilement nourrie : Célimène de ces zones de la lutte des classes, Elsa attirait-repoussait. Défense d'aimer, mais tu m'es le plus proche... Une stratégie amoureuse où Laclos est barré par un Marivaux qui assouplit mais garde les grands principes. Tous les méandres d'une carte du Tendre sans issue.

---

1. On peut supposer que ce fut Paul Langevin qui vécut un grand amour avec Marie Curie dont il eut une fille, Ève.

Elsa, dès le milieu de sa trentaine, joue sur un double registre ; les aînés protecteurs et les cadets subjugués. Ses conseils se murmurent, détachés, sans lyrisme inutile.

Y eut-il une nuit d'abandon avec le physicien ?... ou est-ce Aragon qui a écrit : « Songez à ce que vous m'avez dit au plus haut de notre amour : *Nous resterons ensemble.* Et ces difficultés ne valent que parce qu'elles se placent au milieu de la vie... Vous êtes d'une jeunesse qui m'épouvante, Blanche, car vos désirs sont d'une adolescente. »

Trop d'hommes ont répété les mêmes mots et elle a répété les mêmes mots à combien d'hommes ? Dans le roman *Luna-Park*, le héros fait allusion à une certaine nuit où, cette Blanche (Aragon adore ce prénom), il l'a tenue dans ses bras... Mais comment, jusqu'à quel degré de possession ? On ne sait pas...

En attendant, rue de la Sourdière, on prépare le congrès. Elsa la bilingue joue un rôle indéniable de conseillère, de dépositaire de secrets plus que de traductrice.

On ne dort pour ainsi dire plus. La pièce de réception est la conque où résonnent les intrigues ourdies en marge des séances du congrès. A nouveau, Elsa est confrontée au passé. Les surréalistes, créateurs de la première Association, réclament au moins le droit de parole.

En URSS l'assassinat de Kirov a entraîné des emprisonnements que Victor Serge évalue à environ trois mille, plus la déportation de « dizaines de milliers d'habitants de Leningrad »... Les lettres de Lili sont de plus en plus codées, mais tristes. Elsa savait que les temps durcissaient dans l'immense pays tandis que les petites histoires parisiennes occupaient leurs jours et leurs nuits. Sur ce qui se passait « là-bas », ses amis russes s'exprimaient par ellipses. Qu'auraient-ils pu détailler, sinon une peur générale ?

En 1935, les anciens compagnons de Lénine qualifiés d'« assassins de Kirov » ont totalisé cent trente-sept années de prison. Mais qui pouvait faire ce compte parmi les intellectuels ?

Malraux venait de publier le plus mauvais de ses romans... et le mieux intentionné : *Le Temps du mépris*, qui se passe dans une prison de Hitler. Un militant communiste sur le point d'être libéré fait cadeau de son identité à un dirigeant de son parti pour qu'il sorte à sa place. Plus tard, Malraux rejettera ce « navet ». Mais sa préface résume le « message ». « Il est difficile d'être un homme. Mais pas plus en approfondissant sa communion qu'en cultivant sa différence. » L'esprit de l'époque s'y formule avec une perfection qu'Aragon et Nizan célèbrent de concert, ainsi que les Soviétiques.

Au congrès des écrivains à Paris, Aragon fera figure d'officieux du PCF, de second de Vaillant-Couturier, de trait d'union entre Français et Soviétiques. Plus homme de couloirs, de billets scribouillés, qu'écrivain parlant au nom de son œuvre. Malgré *Les Cloches de Bâle*, c'est le militant du PC plus que le romancier qu'on écoute.

La délégation anglaise était brillante, l'allemande aussi et les Français comptaient parmi les plus célèbres [1]. En revanche, la délégation soviétique manquait d'éclat. Alexis Tolstoï avait trop longtemps vécu à Paris, Koltsov était un journaliste. Quant à Ehrenbourg...

Une paire de claques

Ehrenbourg avait publié chez Gallimard une suite de « portraits » vus par un écrivain d'URSS : Duhamel, Gide, Malraux, Morand, Romains, Unamuno... Il y parle des surréalistes qui, eux, *ne travaillent ni n'écrivent*. Ils mangent un héritage ou la dot de leur femme et, « maquereaux » et « gigolos », s'adonnent à « *l'onanisme, à la pédérastie, au fétichisme, à l'exhibitionnisme et même à la sodomie* ». L'URSS les dégoûte parce qu'on y travaille...

Le livre date de 1934, mais Breton n'avait pas revu l'auteur. Or, Ilya l'ébouriffé ne pouvait pas prétendre être mal informé sur les surréalistes... Il était venu au Cyrano, il avait lu l'enquête sur la sexualité... Aucune excuse.

Soudain, le 20 juin, Breton aperçoit Ehrenbourg qui entre dans un tabac, boulevard Montparnasse. Breton se précipite et lui envoie... « quelques bons coups de poing », selon Ehrenbourg..., une paire de claques selon Breton...

Ehrenbourg connaît les surréalistes : le pugilat n'a rien d'une offense, c'est la manifestation physique d'un désaccord. Mais il porte plainte auprès du bureau du congrès. Battre physiquement, c'est fasciste (au même moment, les tortures *battaient* leur plein à la Loubianka, mais n'importe). Un fasciste ne pouvait prendre la parole au congrès, surtout après avoir porté la main sur un délégué soviétique, un représentant du pays de l'antifascisme. Breton répond : « Le recours à la violence est la conséquence normale de l'abjecte calomnie. »

---

1. Il avait Aldous Huxley, E. M. Forster, John Strachey pour la Grande-Bretagne. Parmi les Germaniques, Robert Musil, Alfred Döblin, Bertolt Brecht, Ernst Toller, le frère de Thomas Mann, Heinrich, et l'un de ses fils, Klaus.

D'ailleurs, en quoi Ehrenbourg, qui passe sa vie à Paris, est-il un « délégué soviétique » ? Il n'est qu'un « faux témoin comme d'autres ».

Aragon, Vaillant-Couturier, tous les organisateurs communistes comprennent qu'ils tiennent le cheveu de l'Occasion. Breton allait parler de l'emprisonnement de Victor Serge, faire ressortir que ce « contre-révolutionnaire » figurait parmi les fondateurs du premier groupe communiste français de Moscou. Victor Serge a travaillé à l'Internationale. Aragon le connaît très bien. Elsa mieux encore... rien d'embarrassant comme cette question et toutes les autres qu'André Breton va soulever sur Trotski et sur la répression.

Alors intervient René Crevel. Lui, dira Paul Eluard, « n'avait pas tous les défauts, mais il avait toutes les qualités, même la beauté ».

Le « never more » de René Crevel

Pour Elsa, l'intraitable poète incarnait le passé de Louis. Jamais il ne consentira à ce que la rupture entre surréalistes et communistes devienne définitive, se sentant organiquement lié aux deux. Il avait signé *Paillasse*, ce tract anti-aragonien de Breton, il avait été exclu du Parti. Puis, après avoir publié *Les Pieds dans le plat* et *Le Clavecin de Diderot*, il avait été réintégré. A l'époque, c'était rapide. Elsa le voyait, en ces belles journées printanières de 1935, arriver sans prévenir rue de la Sourdière, comme il jaillissait jadis rue Campagne-Première. Elle se rappelait l'enthousiasme de Louis. Elle aimait Crevel. Il la touchait par sa grâce, sa mortelle sincérité, son désespoir vrai.

En 1935, René se sait de nouveau atteint par la tuberculose, lui qui en a parlé de si déchirante façon :

« On oublie qu'on a en cage dans le thorax un poumon qui bat de l'aile et un autre tout déplumé, on oublie les bacilles qui se promènent dans les ruines des bronches. »

Allait-il retourner dans ces sanatoriums où, disait-il, « la bourgeoisie s'endimanche dans ses plus pieux, ses plus prétentieux atours parce que l'oisiveté lui vaut de se sentir plus qu'ailleurs en partance vers la mort » ?... Il n'en voulait plus...

René surgit rue de la Sourdière, tente de convaincre Louis dans l'affaire Breton-Ehrenbourg : « Mais enfin, dit Elsa, les coups sont des arguments de fascistes, et ce congrès est tout entier contre eux... »

« Comment pouvez-vous traiter André Breton de fasciste ? »

s'indigne Crevel... Elsa se tait. La dispute éclate avec Ilya l'ébouriffé qui postillonne à travers sa pipe.

On téléphone à Malraux. Il arrive. « La décision appartient aux Soviétiques », dit Aragon. Malraux suggère que Jean Cassou, qui n'est pas du Parti mais n'a rompu avec personne, tente une négociation.

Crevel, accompagné de Tristan Tzara, va chercher Cassou le lendemain. Ils arrivent par un crépuscule pluvieux et cuivré à la Closerie des Lilas, où Ehrenbourg est attablé avec d'autres Russes.

Cassou s'approche d'Ehrenbourg, le prend à partie. Il parle de raison, d'union, il invoque l'opinion. Ehrenbourg montre une obstination nourrie de longues rancunes. Les surréalistes — Aragon compris — l'ont dédaigné pendant des années.

A ce moment, les récits des divers acteurs divergent. Cassou se souvient que Crevel a tenté, à son tour, d'intervenir. Puis qu'ils sont repartis ensemble, dans un taxi qui déposa Tzara rue de Condé, Cassou rue de Rennes et que Crevel garda pour rentrer à « Montmartre »...

Aragon raconte l'affaire autrement, dans l'article consacré à la mort de Tzara [1] — récit troublant :

« *J'ai oublié le détail de ces "problèmes", la nature de la discussion* et n'ai de cette soirée, comme d'un songe — il pleuvait au-dehors de grosses gouttes chaudes —, gardé que la couleur générale, une sorte de lumière de cuivre rose et les reflets violets de la moleskine. » Ce qui donne à tout cet affrontement un éclairage différent, poétique — Aragon était donc là. Mais où ? Avec les Russes ? C'est plausible. Il aurait donc assisté à la plaidoirie de Cassou, au refus d'Ehrenbourg ? Il avait entendu Cassou observer qu'un congrès antifasciste ne pouvait refuser la parole à Breton, et Ehrenbourg répondre que Breton « *s'est conduit comme un flic* ». Dans la bouche d'un Soviétique, qualifier quelqu'un de « flic », c'était le dénoncer, parce qu'un flic était obligatoirement un agent de l'Occident.

Aragon, d'après ses souvenirs, se serait donc levé et serait parti avec Cassou, Tzara et Crevel. L'étrange version s'insère dans l'autojustification qui deviendra le thème central, le sujet même de son œuvre, à partir du *Roman inachevé*, de *La Mise à mort*. La mémoire de Cassou, ayant moins à plaider l'innocence, pourrait être plus fiable.

Aragon continue, dans le même sens, modifiant la « lumière » de cette pluvieuse soirée de juin 1935, comme le miroir à trois faces de *La Mise à mort* modifiera les positions,

---

1. « L'homme Tzara » (*Lettres françaises*, 9 janvier 1964).

221

les attitudes et donc les sentiments et responsabilités d'un personnage morcelé.

Voici donc la sortie de la Closerie des Lilas qu'il ne nomme pas : « J'en étais sorti assez las, pas très heureux, la pluie s'espaçait et nous prîmes un taxi à trois, *Tzara, Crevel et moi*. » Cassou a donc disparu. Il faut dire que le texte est écrit en 1964 et que Jean Cassou — depuis 1949, depuis l'affaire Tito — est devenu un « adversaire ». La mémoire d'Aragon fonctionne comme ces photos officielles du PC où se trouvent gommés les visages des dirigeants tombés en disgrâce.

Pourquoi Cassou aurait-il inventé sa présence dans ce taxi ? cela ne change rien pour lui. En revanche, la figure historique d'Aragon, s'il a vraiment pris un taxi avec Crevel, Tzara et Cassou, gagne une dimension nouvelle : il se trouvait à la Closerie, il n'est pas resté avec Ehrenbourg, il est parti avec ceux qui défendaient André Breton... Comment savoir ?

D'après Aragon [1], en sortant de la Closerie, Crevel montra son découragement des Soviétiques.

— Si ces gens-là, c'est cela ! Alors à quoi bon rompre avec les surréalistes ? Ils ne valent pas mieux que Breton !

Tzara aurait répondu, se fâchant, que peu importaient « les gens » : l'important c'est ce qui se passe en Allemagne.

— Et contre ça, il faut réunir les gens, Breton compris !

— Ah, dit Crevel, et puis qu'est-ce que ça me fait ? De toute façon, je suis fichu. J'ai eu cet après-midi les résultats de l'analyse. Ils ont encore trouvé des bacilles dans le rein, alors, c'est tout qui va recommencer, la Suisse pour des années.

Sur un point topographique, Aragon a raison contre Cassou : Crevel habitait Passy et non Montmartre. Aragon et Tzara voulaient l'y raccompagner, il s'obstina à descendre place de la Concorde, prétendant vouloir marcher : « Vous voyez, il s'est remis à faire beau. »

« Nous n'aurions pas dû le laisser partir comme ça... » Cette même nuit, à Passy, René Crevel se suicide. *L'Humanité*, le 21 juin, titre : « L'écrivain révolutionnaire René Crevel est mort », attribue le suicide au découragement devant la maladie, déclare que « dans les derniers mois de sa vie, le poète s'était totalement consacré à la cause révolutionnaire ».

Dans la *NRF* qui paraît en juillet, Jouhandeau attribue le suicide au déchirement d'être communiste. Ni Aragon ni Breton n'admettent les motifs invoqués et Aragon se met en rage.

Crevel parlait souvent de son père, qui s'était pendu. L'image le hantait. Lui avait ouvert le gaz et pris des soporifiques.

---

1. En 1964.

Mais il y avait aussi que le goût des garçons « n'était toléré ni par les surréalistes ni par les communistes ». Nul parmi ses camarades de combat n'admettait donc que René se réalisât « selon soi-même », remarque Clara Malraux. N'est-ce pas un motif « pour quitter le combat » ?

A l'époque, Elsa et Clara analysaient ensemble des sujets très intimes... Quelle résonance les mots de son amie éveillaient-ils chez la compagne de Louis ? « En ce temps-là, je ne me doutais de rien pour Aragon et j'ignorais que je la frappais au cœur », m'a dit Clara.

Le congrès s'envole

Tandis que le congrès prend son vol, Gide et Malraux ne cessent, le matin, de se réunir en « parlottes ». La délégation soviétique est décidément trop maigre. Il faudrait Pasternak et Isaac Babel. Officiellement, c'est à l'insu d'Aragon et de Vaillant-Couturier que Malraux entraîne Gide chez l'ambassadeur soviétique. En réalité, Aragon le sait par Elsa à qui Clara Malraux a demandé conseil. Un peu surpris, Potemkine écoute... et câble. Malraux racontera que Pasternak dans sa datcha est réveillé par téléphone : Staline lui « ordonne » d'aller s'acheter à Moscou « des vêtements occidentaux », de prendre le train la nuit suivante et d'aller prononcer un discours sur la culture soviétique à Paris. Pasternak débarque « vêtu, dit Malraux, d'une incroyable lévite de rabbin et d'une sorte de casquette ». Malraux lui prête des vêtements et lit la traduction de son poème, Pasternak ajoute en français : « Parler politique ? Futile, futile... Allez campagne, mes amis, allez campagne cueillir fleurs des champs [1]. »

Commune donnera au discours plus d'envolée :

« La poésie sera toujours dans l'herbe. Elle est et restera la fonction organique d'un être heureux, reforgeant toute la félicité du langage, crispée dans le cœur natal... Plus il y aura d'hommes heureux, plus il sera facile d'être poète. »

Elsa aime Pasternak, la beauté de sa poésie et la naïve franchise de son caractère. Ils parlent interminablement. Maïakovski ? On le défigure et l'oublie à la fois. Lili ? Elle vit à Leningrad avec son général.

Elsa se montre partout entre Pasternak [2] et Isaac Babel qui,

---

1. C'est ce que Malraux racontera à Jean Lacouture.
2. Pasternak à ce congrès revoit Marina Tsvétaeva, après leur « correspondance à trois » avec Rilke. Ils sont tous deux profondément déçus (voir *Le Roman de Marina*, ouvr. cité).

sur la scène de la Mutualité, mime des histoires. Il est applaudi avec fougue. Et a droit à une ovation debout quand il dit : « Quand le jour de son mariage un jeune paysan-aviateur fait survoler son village par l'escadrille de ses copains, j'appelle ça une victoire de l'homme nouveau. »

Il restait cinq ans à Babel avant la déportation et la « disparition ». Pour Elsa, il rappelait les affres de *Camouflage* et le muguet de mai en consolation. Elle lui vouait une tendresse dont elle ne parlera plus... après. Pour en reparler plus tard. Elle aussi apprend vite le maniement de la mémoire à correction assistée.

Pourtant, ni Breton ni ses amis n'ont renoncé à leur propos.

Le 24 au soir, la Petite Dame assiste au congrès. Elle entend, au milieu d'un violent remous — et après des allocutions d'Ehrenbourg, d'Anna Seghers, de Tzara et de plusieurs autres —, la voix du populiste Henry Poulaille parler de Victor Serge. On l'interrompt. On passe la parole à Paul Eluard pour lire l'allocution de Breton. Poulaille s'en va dans un grand bruit mêlé.

Le 25, dernier jour, la séance a lieu dans une salle plus petite. Magdeleine Paz reprend l'affaire de Victor Serge : le voilà accusé de figurer parmi « les assassins de Kirov » alors qu'il était en prison depuis des mois quand Kirov est tombé. Elsa redoutait ce moment et s'effare de la « maladresse » (dira-t-elle à Clara) de ses amis russes.

Président, Malraux tente d'imposer le silence. Un Soviétique, Tikhonov, crie qu'il ne connaît pas « ce type » (or c'est Victor Serge qui a traduit ses œuvres). Puis, s'embrouillant, il ajoute que ce « Serge est un aigri contre-révolutionnaire ».

Édouard Peisson, écrivain français, reprend l'exposé de l'affaire Serge.

Cris, sifflets, indignation, Gide renonce à son discours de clôture, se contente d'exprimer son espoir en l'URSS. La séance du soir dans la grande salle est dominée par « Aragon réclamant comme un forcené un réalisme intégral ». Gide est exaspéré.

Ils vont tous souper au café d'en face.

Assis près de la Petite Dame, Malraux a le visage plus agité que jamais. Cette affaire Serge... « Les Russes sont lamentables. Dès qu'ils n'ont pas de mot d'ordre, ils n'osent plus rien dire. »

A Moscou, on ne réimprimait plus Maïakovski. Ossip Brik en semblait encore plus affecté que Lili. Pour lui, « l'absence de Maïakovski, c'est comme pour le survivant d'un duo de trapézistes : il ne peut rien entreprendre tout seul ».

Lili avait, elle, rencontré un compagnon stable, officiel. C'était un héros de la guerre civile. Le général Vitali Marcovitch Primakov. Il avait emmené à Leningrad cette femme, son aînée de six ans, qu'il adorait et appelait « l'enfant »... (C'était la force de Lili ; rester une femme-enfant à quarante-quatre ans.) Dans l'appartement quasi conjugal, Ossip et Genya avaient leur chambre. Lili murmurait à ses confidentes que pour la première fois, elle avait trouvé — après tant d'années — la plénitude sexuelle.

Au cours d'une revue, le général Primakov remit à Staline une lettre de Lili datée du 24 novembre 1935. Elle s'y disait la dépositaire des archives de Maïakovski. C'était si vrai qu'elle avait brûlé (mais Staline l'ignorera) les lettres et photos des autres femmes.

Lili demandait que l'on transforme en musée « le modeste appartement de Maïakovski dans la maison de bois du passage Guendrikov ». Elle se plaignait : « Notre gouvernement ne comprend pas le rôle colossal de Maïakovski comme propagandiste, son actualité révolutionnaire... »

Primakov était fin 1935 assez bien en cour pour remettre la lettre à Staline qui la lut et lui dit : « Je m'en occuperai ». Il griffonna en marge :

« *La camarade Brik a raison : Maïakovski fut et reste le poète le plus doué de l'époque soviétique. L'indifférence à sa mémoire est un crime.* »

La *Pravda* reproduisit les paroles de Staline. Maïakovski aussitôt devint, comme l'écrira Pasternak, « obligatoire comme les pommes de terre au temps de la Grande Catherine. Mais ça, ce n'est pas sa faute ».

L'année 36

En 1936, en France, les élections ont porté au pouvoir un gouvernement de gauche que le parti communiste soutenait mais auquel il n'a pas participé.

Le 26 avril, Ehrenbourg, Elsa et Louis sont descendus vers les boulevards. En lettres lumineuses, le nom des élus apparaissait sur un mur consacré d'ordinaire à la publicité, la foule accueillait les noms de gauche, aussi bien Blum, Daladier que Thorez d'ailleurs, d'un : « Debout, les damnés de la terre » spontané. Les noms de droite étaient salués d'un « Les traîtres — au poteau ! ».

Quand Louis et Elsa partent pour Londres, en juin, il y avait déjà des grèves avec occupations d'usines. Aragon était allé soutenir le moral des camarades en leur parlant de l'URSS, en leur lisant les strophes de *Hourra l'Oural* ! Des drapeaux rouges flottent sur des immeubles de Paris...

Elsa et Louis se trouvent à Londres, à un congrès de défense de la culture, quand parvient un message de Koltsov leur demandant d'arriver très vite en URSS : Gorki désirait les voir, et il allait très mal. Ils s'embarquent sur un paquebot qui unit Londres à Leningrad, non sans plaisir.

A bord, Aragon termine *Les Beaux Quartiers*, futur Prix Théophraste Renaudot, qu'il dédie « à Elsa, à qui je dois d'être ce que je suis, à qui je dois d'avoir trouvé du fond de mes nuages l'entrée du monde réel où cela vaut la peine de vivre et de mourir ».

Elsa-Louis arrivent à Leningrad, chez Lili qui vit dans l'apparat et l'inconfort des appartements alloués aux chefs de l'armée. « Les Primakov » donnent une réception où apparaît, dans toute sa gloire de chef d'état-major, le maréchal Toukhatchevski.

Lili rayonne, hissée au faîte de la hiérarchie soviétique par l'amant parfait. Elsa l'admire... Une éternelle jeune femme.

Le 18 juin 1936, Elsa-Louis sont à Moscou et Michel Koltsov vient les chercher dans sa voiture de service, toujours bas sur pattes, toujours le regard aigu à travers ses lunettes, le sourire gai sur des dents qui se chevauchent. Toujours vif-argent, Elsa, en robe imprimée, a coiffé ses tresses en hauteur, avec un peigne d'écaille blonde... La voiture de Koltsov est arrêtée par les gardes de l'« oussadba » de Gorki ; malgré l'insistance du journaliste et tous ses laissez-passer, même le médecin ne peut les faire entrer — ce médecin dont Yagoda, chef du Guépéou, fera l'assassin de Gorki. Et Aragon écrira, en 1965 : « Si j'avais su que ce médecin, on allait dire ensuite, croire pendant plus de vingt ans qu'il venait alors de mettre la dernière main à un crime, que c'était un *tueur*... Je ne l'ai pas bien regardé, il avait l'air d'un docteur comme un autre. »

« On » allait croire... Désinvolte aveu. Aragon se confond-il dans la foule du « on » ?

Mort de Gorki

A la mort de Gorki, Aragon et Elsa sont donc sur place. « Le point noir (écrira Louis en 1965 en évoquant ce voyage), c'est qu'on allait retrouver Gide à Moscou. Avec toute sa smala. A part Dabit pour qui j'avais un faible »... « Il ne vous aime pas », disait Herbart à Gide. Aragon l'avoue : « Remarquez, je ne l'aimais guère, Gide... mais, du point de vue français, c'était un écrivain important. »

Gide, en URSS, fut flatté de la magnificence de la réception et choqué de la médiocrité des « choses courantes », des objets usuels. On avait imprimé trois cent mille cartes à son effigie. On lui assurait que ses livres se vendaient à quatre cent mille exemplaires (*Les Caves* et le *Voyage au Tchad* ou *au Congo*. Bien entendu, *L'Immoraliste* et *Corydon* restaient ignorés).

Le récit d'Aragon sur le discours que fit Gide en mémoire de Gorki sur la place Rouge ne coïncide en rien avec celui d'Herbart. Qui ment-vrai plus que l'autre ? Faut-il, alternant les deux récits, leur faire remplir des séquences différentes de ces quarante-huit heures ?

La multiplicité des sources fait du séjour de Gide un beau modèle sur ce qu'est le témoignage : vu par Aragon trente ans après, par Herbart vingt ans après, vu par les notes tout à fait extérieures mais immédiates de la Petite Dame, plus les impressions de Louis Guilloux et des Groethuysen.

Elsa sur ce sujet ne dit rien, sinon de façon détournée.

Aragon montre Gide faisant irruption dans leur chambre, à Elsa et lui, au Métropole. Il ne parle nulle part d'Elsa qui, pourtant, partage cette chambre.

Cet hôte glorieux est venu demander à Louis « de regarder avec lui son discours pour la place Rouge », de le lui *corriger*. Aragon relate : « Rien dans nos rapports antérieurs ne pouvait me faire prévoir une telle confiance, mais quand j'ai vu le texte qu'il avait écrit... Pas de raison de laisser un écrivain français se ridiculiser... »

Ce que raconte Herbart est tellement plus dans le ton de l'époque, du Parti et de Gide qu'on est tenté d'y croire.

À son arrivée, Gide apprend la mort de Gorki. Le soir même, il assiste à une représentation de *La Mère*; le public ignore encore que l'auteur n'est plus... On le lui annonce. Gide est tout à fait en condition pour composer « l'oraison ». « Gide avait de belles envolées, moi j'essayais de leur rogner quelques plumes », dit Herbart.

Koltsov avait recommandé à Herbart de veiller à ce que Gide parle du « courant » et du « contre-courant ». C'est-à-dire qu'en pays capitaliste l'intellectuel doit être « contre » mais qu'en pays socialiste il doit être « pour ». Le courant ? C'est la Ligne. L'idéologie dominante, comme nous dirions.

« Ça plaira beaucoup », avait dit Koltsov. Herbart dit : « L'idée plut également à Gide » qui se mit à s'en bercer lorsque soudain quelqu'un, qu'on n'attendait pas, frappa à la porte.

Nous sommes le 19 juin 1936. Ce petit homme à barbiche, c'est Boukharine. Herbart le connaît et tente d'expliquer à Gide qui il est. Un compagnon de Lénine. L'homme politique, sans doute, le plus populaire d'URSS. Boukharine demande à rester quelques moments seul avec lui. Mais Gide ne pense qu'à son discours, retient Herbart. Au bolchevik qui peut-être allait enfin livrer une grave vérité, l'écrivain déclame son message sur le courant et le contre-courant. Il répète, retenant Herbart par la manche. « Non, non, Pierre n'est pas de trop. Parlez en toute confiance, camarade Bounine... »

Tragédie bouffe. Bounine, écrivain classique et conservateur avait émigré. Boukharine était l'homme qui aurait pu — s'il avait trouvé le courage de s'élever contre la discipline du Parti — essayer d'éviter la dictature stalinienne... peut-être... Herbart se souvient : « Un sourire d'indicible mépris se joua sur les lèvres de Boukharine. » Il me prend pour le flic de service, pense-t-il confusément... Et Boukharine s'en va. « Vous ne le reverrez jamais », dit Herbart, mais Gide ne comprend pas. Il est tout à son discours... Ce même 19 juin, il s'est tenu devant le cercueil de Gorki, entre Herbart et Aragon...

Gide pour sa part assurera à Victor Serge que Boukharine avait tenté par deux fois de le voir mais qu'« on » l'en avait empêché. Qui, « on » ? Herbart, les flics ? Qui dit vrai ?

Aragon décrit Gide parlant sur la place Rouge :

« Gide qui parle, son papier à la main, avec mes corrections, cette façon oblique de tenir sa tête, les paupières longues sous les besicles, la diction chuintante aux fins de phrase. »

Aragon décrit la tribune comme quelqu'un qui l'a vue :

« A sa droite, avant les écrivains : Cholokhov, Koltsov, Alexis Tolstoï, il y avait un type que je ne connaissais pas qui prenait de l'importance, disait-on, Boulganine, et, à l'arrière, un certain Khrouchtchev qui n'en avait aucune[1]... » A gauche, Staline « qui écoutait ce petit morceau d'éloquence et qui selon Koltsov aurait dit, quand le Goethe de la rue Vaneau se fut tu : « S'il ne ment pas, que Dieu lui prête vie »...

Qu'est-ce qui est vrai ? Tout peut-être. Même le récit burlesque des funérailles vues par Aragon.

Michel Koltsov emmène Elsa et Louis à l'enterrement, malgré les réticences, cette chaleur, cette fatigue ! Allons, dit Koltsov, on sera juste derrière le gouvernement. Lui, en effet, sera appelé. Il laissera Elsa et Louis avec Louppol, un ami, « ce grand homme blond, un peu gros, solide », dont on avait traduit en France un livre sur Diderot, qui faisait la cour à Elsa, comme tant d'autres... Et qui, comme tant d'autres, connaîtra l'horreur parce qu'« il n'aimait pas Staline[2] ».

Ils piétinaient, contenus par des cordons de gardes à cheval... Pas de soleil, « une lumière de la Toussaint. Une Toussaint chaude ». Aragon sent « la tristesse des gens... un peu canalisée ». Et soudain, il se trouve isolé... Des inconnus parlent fort, bousculent un peu le Français, en ricanant. Elsa et Louppol, très ennuyés, murmurent : « Ne leur réponds pas »... Mais les moqueries, les gestes, continuent. Un inconnu lui palpe le biceps, ce que Louis ne supporte pas. Soudain, il prend peur. Elsa crie : « Louis ! », mais déjà il a bondi et s'est faufilé entre les jambes des chevaux, qui n'ont

---

1. *La Mise à mort.*
2. C'est l'explication que donnent — sans commentaire — « les Aragon » sur le sort de Louppol qui mourra en déportation.

pas bronché. Il atterrit dans une foule « comme vous et moi, ceux qui... n'avaient pas de relations... J'étais sorti des mondanités »... « J'avais envie de pleurer. » Il pense aux ouvriers de France en grève, et...

« Tu es stupide, dit Elsa. Tu passes d'un extrême à l'autre. Je te dis souvent que tu admires tout à tort et à travers et puis voilà ! Pour un provocateur ! » Et comme une bonne mère à son fils effrayé, elle propose de rentrer à l'hôtel prendre un thé avec des « tianouchki », ces caramels mous qu'il adore et qu'ils achètent même à Paris.

Elsa-Louis sont encore en URSS quand arrive l'inimaginable : Primakov est arrêté dans le groupe des généraux. Ils s'agitent en vain. Tous tremblaient. Il aurait avoué. Il n'en sera pas moins fusillé.

En septembre 1936, tous les Français sont de retour à Paris, sauf Eugène Dabit, mort à Sébastopol, dont on rapatrie le corps. Aragon prend la parole sur sa tombe après Vaillant-Couturier, « déclarant combien Dabit avait été heureux de son voyage en URSS ».

La Petite Dame, qui ne pose jamais de questions, comprend à l'attitude d'Herbart, de Gide, de Schiffrin qu'ils sont désenchantés de l'URSS. Inquiets. Des procès de Moscou, Gide dit :

« Mais oui, c'est aussi odieux que le procès du Reichstag, c'est la même chose, cela pose des questions terribles. »

Il ajoute qu'en Russie le communisme c'est Staline, la notion de parti supprime toutes les nuances.

Espagne

Gide, après ses habituelles hésitations, écrivit en quelques jours — pendant une absence de la Petite Dame — son *Retour de l'URSS*, la première véritable bombe. Le 24 octobre, il en lit l'avant-propos à Pierre Herbart, qui lui demande de surseoir à sa publication à cause de la guerre d'Espagne. Gide s'ouvre de ses hésitations à des rédacteurs de *Vendredi*, hebdomadaire très à gauche. Le 16 octobre, Ehrenbourg, cheveux au vent, suçotant sa pipe, souriant, arrive au Coin Vaneau. Il assure Gide que sur le fond de son livre, il comprend tout très bien... mais il le supplie de ne pas le publier pendant la guerre d'Espagne. Il le supplie aussi de venir en Espagne. De voir sur place.

La rébellion de Franco, la guerre civile, ont transformé villes et villages en champs de bataille. La gauche française est divisée, obsédée par l'Espagne. Léon Blum sent que s'il prend parti le gouvernement tombera, et cette crainte raisonnable lui fait proclamer la neutralité, la non-intervention du Front populaire. Les communistes — mais aussi une foule du « peuple de gauche », étudiants et syndicalistes, « anars » qui songent aux Brigades internationales — parcourent les rues. Le grand élan unitaire du Front populaire se retourne contre le gouvernement. « Des avions, des canons pour l'Espagne ! » clament les banderoles. Ceux qui avaient fraternisé avec les artistes et les écrivains pendant les grèves et les occupations d'usine de 1936 continuent à prendre part au mouvement.

Très vite, malgré l'interdit gouvernemental, des combattants volontaires forment les Brigades internationales. Paris et Perpignan deviennent des lieux de recrutement.

Ce recrutement, ce sont les communistes qui le tiennent en main. Des envoyés de l'Internationale (dont l'un, un Croate, Josef Broz, avait pris le pseudonyme de Tito) enrôlaient surtout des émigrés allemands antinazis, des Italiens antifascistes. C'étaient à la fois les plus concernés et les moins enracinés en France. C'étaient aussi ceux qui comprenaient le plus profondément la nécessité de ce combat. On y trouvait également des émigrés russes, ou plutôt leurs enfants, attirés par la légende rouge du pays de leurs pères.

Au milieu de cette agitation, Elsa, en fréquentant les Russes qui partaient pour l'Espagne, se consolait de l'attitude de Louis. Même présent, elle le sentait fuyant comme de l'eau.

Dans ses lettres à Lili, dans ses confidences aux amis de passage, dans son *Journal*, toujours la même plainte : « Toi, tu vivais comme un possédé, tu travaillais, tu militais. » Et elle — elle le suivait partout : « meetings, grèves, accidents »...

Ils avaient perdu l'atelier de la rue Campagne-Première, elle avait aménagé leur nouvel appartement rue de la Sourdière. Et l'installation à peine terminée, elle accompagne Louis en Espagne. Ils font partie d'un groupe apportant les sommes collectées par l'Association internationale pour la défense de la culture, une association issue en partie du congrès de 1935, mais plus directement du Mouvement Amsterdam-Pleyel contre la guerre et le fascisme. Dans toutes ces associations, les communistes exerçaient le vrai pouvoir, disposant de l'argent venu de Moscou et plaçant en première ligne sur les tribunes ceux dont ils pouvaient dire : « Ils ne sont pas du Parti, ils ne sont d'aucun parti »... Et lorsqu'ils perdaient une de leurs cautions avec fracas — comme Gide pendant l'affaire du *Retour d'URSS* — ils en trouvaient une autre. Les proclamations de combat pour la justice trouvent toujours des volontaires.

En Espagne, les Français pouvaient se targuer d'un

« compagnon de route » assez exalté pour être influençable et assez rayonnant pour agir sur les foules. André Malraux, mèche rebelle et visage frémissant, avec ses gestes un peu théâtraux et son courage véritable. Avec son besoin d'être aimé par les foules — et pas seulement par les femmes ou les intimes. Avec son goût du spectacle, et sa réelle capacité à s'investir, corps et âme, dans une action collective.

L'action avait souvent réuni les Aragon et les Malraux. Clara et Elsa reconnaissaient leurs points communs : l'union avec des génies « invivables », le désir d'écrire, la nécessité pour elles de le faire dans une langue qui n'était pas la leur. Mais Clara n'était pas en Espagne. Déjà les amants-compagnons ne savaient plus panser les plaies qu'ils s'infligeaient. Déjà Malraux quittait — lentement — Clara pour d'autres...

Aragon n'aimait pas Malraux. Rivalité d'étoiles, de « divas » ? Sans doute. Et peut-être aussi trop de ressemblances. Des enfances qu'aucun des deux n'aimait se remémorer ; le mentir-vrai qui, même intérieurement, les masquait à eux-mêmes ; et aussi le fait que Malraux avait su conquérir, par sa vie aventureuse en Indochine, par ses actes comme par ses écrits, l'amour d'un public et des foules. Aragon, lui, conquérait depuis plusieurs années pour et par son parti — après avoir parlé « au nom » des surréalistes.

A leur arrivée, l'Espagne offre au couple un visage meurtri. Ils descendent dans des hôtels jadis luxueux ravagés par les bombes, et où les grèves, le va-et-vient des militants, des officiers, des journalistes ajoutent encore au délabrement. Mais au bar se retrouvent Ernest Hemingway, John Dos Passos, les Américains de bonne volonté vite déçus, Koestler le Hongrois qui sait écrire dans toutes les langues, Orwell le Britannique, alors le prophète de *1984,* militant de gauche. Et Pablo Neruda, poète chilien qui se lie aussitôt avec Aragon — et les Russes, nombreux, d'Ehrenbourg à Koltsov — et des Espagnols comme José Bergamin ou Rafael Alberti.

Il y a là aussi Pierre Herbart, que le couple ne voit pas. Ils savent qu'à Paris, la « bombe Gide » n'a pas fini d'exploser.

Elsa avait cru connaître le pire à Moscou, pendant la Révolution et la famine... Mais ici en Espagne, l'ébranlement des tirs, les incessantes destructions, les avions abattus, les villages détruits, les rues où l'on bute sur des pianos abandonnés, les bêtes mortes qui gisent en plein champ ou dans les terrains vagues, les blessés qu'on a à à peine le temps d'évacuer... c'est une trépidation sans répit, mais qui décuple en chacun l'amour de la vie.

Les bombardements se multiplient, au point qu'Elsa refuse de descendre à l'abri. A quoi bon ? L'insomnie, plus que la peur, la rend atone. Elle ne revient au monde que pour participer à de merveilleuses soirées fraternelles.

Peu après, à Paris, Picasso peindra *Guernica*, hurlement figé, éternel. Bientôt Malraux créera en même temps le roman et le film intitulés *L'Espoir* — qui frapperont les esprits au moment même où l'espoir s'effondrera...

C'est l'époque où Elsa, dans ses lettres à Lili et son *Journal*, exprime un désir imprévisible : élever un enfant. Dans ce couple perpétuellement tendu vers sa propre image mythique, uni, certes, par l'amour proclamé (et plus secrètement, par la certitude que chacun est le rempart de l'autre) mais aussi constamment menacé de sombrer, chacun pour soi, dans une irréductible solitude. C'est difficile à imaginer.

Michel Koltsov et sa nouvelle compagne, une aristocrate allemande révolutionnaire, venaient d'adopter un petit orphelin de guerre trouvé dans un escalier. Elsa croit-elle qu'un enfant éradiquerait ce « personne ne m'aime », thème obsédant de son ineffaçable insatisfaction ? L'éternel « Mes parents... voilà, je ne leur étais pas sympathique » qui ternit les plus mélodieuses déclarations et les succès les plus évidents ? L'enfant n'incarne-t-il pas dans toutes les littératures et toutes les confidences la tendresse fondamentale, la plénitude ?

Elle désire cet enfant. Et Louis ? Pour lui, la structure d'une famille avait toujours été un nuage vacillant, une communauté mal définie où l'on ne connaissait jamais exactement le vrai rôle de chacun. Le parrain-père ? La sœur-mère ? L'oncle qu'on disait son frère ? Élever un enfant mis au monde par d'autres devait lui sembler une simple variation de sa propre histoire. En tout cas, Elsa voulait adopter une petite Espagnole. Mais, dira-t-elle, les autorités de la République n'ont pas consenti. L'adoption fut refusée...

Ce refus s'explique mal. Michel Koltsov, russe, investi de pouvoirs occultes, devait jouir de certains privilèges susceptibles de faciliter les démarches du couple. Et même sans privilèges, à la même époque, des Français sans protection spéciale ont pu adopter des enfants espagnols. Alors ? Les Aragon n'étaient pas encore légitimement mariés ? Comment croire que de tels critères aient pu jouer en pleine guerre civile... Elsa s'est-elle trop vite lassée ?... Louis a-t-il finalement reculé devant cette responsabilité ?

Les Aragon ne sont restés en Espagne qu'une dizaine de jours. Elsa publiera à Moscou, dans *Znamia*, un reportage, « Dix jours en Espagne », où ne transparaît rien de ses frayeurs, de ses dégoûts, ni — bien sûr — de son désir d'enfant. Ce sont des articles « dans la Ligne », montrant la fraternité internationale, l'enthousiasme, la tension de toutes les volontés vers le même but. Ce qui était également vrai et qu'elle avait elle-même certainement éprouvé.

Mais ce qu'ils n'ont sûrement pas pu éviter de voir, c'est à quel point les Russes — qui faisaient exécuter leurs ordres par André Marty, dont Aragon avait subi la capricieuse rigueur à *L'Humanité* — tenaient la situation sous leur contrôle.

C'est d'ailleurs plus tard, le danger se faisant plus précis, que la menace s'accentuera, que les procès pour trahison, pour sabotage, pour désobéissance se multiplieront. Et les exécutions sommaires...

Qu'ils aient entendu parler d'injustices est probable, et incontestable qu'ils aient préféré les ignorer. Les longs mois passés en Union soviétique les avaient préparés à ces méthodes d'autopréservation morale.

Journalistes, ils rencontraient les délégués des Brigades. Et leur enthousiasme, leur courage, le don qu'ils faisaient de leur vie bouleversaient Elsa, très sincèrement.

Avec Aragon — qui à présent comprend sans difficulté le russe — elle traduit une chanson, composée voilà dix ans par un Ukrainien admirateur de Maïakovski. Mikaïl Svetlov n'était pas bolchevik et n'était jamais venu en Espagne. Il était internationaliste, et en ce début de Révolution russe, il souhaitait voir un jour les soviets « partout ». (« Les soviets partout » demeurera d'ailleurs longtemps le mot d'ordre symbolique des communistes occidentaux ; il signifiait « le pouvoir au peuple », rien de plus... rien de ce qui avait suivi et était à présent si controversé...)

Pourquoi cet Ukrainien chantait-il Grenade en 1926 ? Peut-être à cause de ce nom ?

> *L'Ukrainien fredonnait*
> *l'air de sa sérénade*
> *Grenade, mes amours*
> *Grenade, ma Grenade (...)*
> *J'ai laissé ma chaumière*
> *Me suis fait combattant*
> *Pour qu'à Grenade on donne*
> *La terre aux paysans*[1]

Plus tard, en 1956, Elsa insérera ces vers dans un roman : *Le Rendez-vous des étrangers*. Beaucoup les croiront d'Aragon et lui se souviendra : « Ce poème, je l'ai écouté, à la demande d'Elsa, dire par son auteur alors même que sa langue m'en était inconnue, je n'y entendais que ce refrain de Grenade...

---

1. *Le Roman inachevé.*

la voix de ce sentiment nouveau, comme une conquête moderne, l'internationalisme prolétarien, pour lui donner son grand nom ensanglanté. »

Elsa et Louis reviennent à Paris convaincus que si Franco n'est pas écrasé en Espagne la guerre se généralisera. Mais c'est encore le temps de l'Espoir...

Pierre Herbart est à son tour parti pour l'Espagne, envoyé en reportage pour *Vendredi*. Il emporte dans sa poche les épreuves de *Retour de l'URSS* dont il trouve la publication inopportune. Il avait supplié Gide d'attendre au moins son retour... A Barcelone, il montre les feuillets à Malraux qui s'emballe : « Gide ne va pas faire paraître ça immédiatement ? » C'est simple : si on trouve ces feuillets sur lui, Herbart est en danger. Homme des grands défis, au lieu de rentrer à Paris comme le propose Malraux, Herbart décide de montrer les épreuves à Koltsov, qui à Madrid le loge près de lui, à l'ambassade soviétique.

Koltsov, à l'ambassade, vit entre deux téléphones. A droite, ligne directe avec le Kremlin. A gauche, avec Paris... A gauche, est-ce Aragon ? Le directeur de *Ce Soir* est à peine rentré d'Espagne. Herbart entend sonner le téléphone de gauche. C'est en effet Aragon. Koltsov dit : « Oui, il est là, dans mon bureau... Responsable ? Pourquoi responsable ? Sans doute, ils étaient ensemble, mais ce n'est tout de même pas lui qui l'a écrit. »

Il raccroche. Il est blanc. Le livre de Gide est publié. Terrible... Un coup anéantissant. Aux yeux du Parti soviétique, Koltsov avait organisé le voyage de Gide en URSS.

Koltsov avait « *dû* rendre compte du livre » à son parti. Provocations et brimades alternent. Toujours sans aucun laissez-passer... Herbart se voit « fait comme un rat » et, profitant d'une absence de Koltsov, téléphone à Paris. A Clara Malraux, pour lui demander d'avertir le Coin Vaneau... Il parle à mots couverts. Comprendront-ils ?

En tout cas, Malraux comprend : il arrive, prétend emmener Herbart à Barcelone... et l'expédie sur Paris. Koltsov semble soulagé. En lui serrant la main, son « protégé » de Moscou a le pressentiment qu'il ne le reverra plus.

Herbart écrira qu'il prend de l'aéroport un taxi pour *Ce Soir*. Faux souvenir : la redoutable minutie de la Petite Dame nous le montre d'abord au Coin Vaneau, « marchant comme un furieux », téléphonant à Aragon...

Avant le rendez-vous, Gide énumère fièrement tous les échos à son livre : « Vous avez failli me faire fusiller ! » crie Herbart.

Après quoi, il se rend à *Ce Soir*. Devant la photo d'Elsa,

posée sur le bureau, la scène est pénible. Herbart refuse de s'asseoir. Partageant la même manie, les deux journalistes communistes arpentent la pièce en sens inverse et, se croisant, se lancent des répliques :

« J'ai senti que là-bas j'étais indésirable, ça ne peut venir que de vous et j'en ai assez de vivre dans cette atmosphère policière...

— Mais pas du tout ! crie Aragon... Mais au contraire ! »

Il a défendu Herbart quand on parlait de l'exclure. L'exclure ? Pourquoi ? Aragon reste vague : « Votre comportement... »

Ce fut la première scène. Il y en eut une autre au cours de laquelle Herbart comprit qu'on le soupçonnait de monter un complot autour de Gide, de profiter de sa gloire...

Herbart ne change jamais d'attitude selon son interlocuteur. Aragon, comme la vie, « tourne sur ses talons de verre ». Le masque de douceur qu'il offrait au « coin Gide » a disparu.

— L'Union soviétique c'est sacré.

— La vérité aussi.

— Les vérités d'apparence ne sont pas la vérité fondamentale. Même chose pour la liberté.

— C'est justement au nom de l'antifascisme que nous ne devons pas tolérer les injustices en URSS.

— Il n'y a pas d'injustices en URSS.

La *Pravda* accuse déjà Gide de mentir, récuse tous les faits, mais ne parle pas encore de « liaison homosexuelle ».

Aragon raconte, après coup, dans un style qui s'amuse bizarrement à pasticher le russe, comme s'il prenait, moqueur, des tournures d'Elsa[1]. « Comme je m'étais fâché, après, avec ce livre de Gide !... Je pouvais critiquer ceci ou cela, mais quand un Gide se permettait... Je me fâche parfois, c'est épouvantable. Dix ans, vingt ans après. Ou huit jours[2]. »

Le 5 novembre 1936, Aragon avait téléphoné à Gide à propos de *Retour de l'URSS* : « Je viens de lire *Vendredi*... Je suis attristé, non tant de la réaction probable de nos ennemis que de celle de nos amis. »

---

1. Le professeur Léon Robel note qu'à partir de 1953 l'influence de la littérature russe sur Aragon gagne en force (entretien avec l'auteur, avril 1994).

2. *La Mise à mort.*

Staline a toujours raison

L'année passe sur les fureurs et les espoirs. Une année de sang et de massacre pour l'Espagne. A cause de l'Espagne et des congrès antifascistes, et malgré l'institution d'une méfiance généralisée, des Soviétiques continuent à traverser Paris. A venir rue de la Sourdière.

Le 13 juin 1937, les agences de presse avaient annoncé l'arrestation des généraux et qu'ils avaient été fusillés, avec en tête leur chef, le maréchal Toukhatchevski. Primakov est sur la liste. Haute trahison, tractations avec l'Allemagne nazie...

A *Ce Soir*, journal « sans parti », Aragon s'était contenté de publier la dépêche.

Mais en 1965, à la page 52 de *La Mise à mort*, le roman d'Aragon le plus profond, le plus autobiographique — et le plus crypté — sur sa vie avec Elsa, il insère, en contrebande croirait-on, une petite phrase : « Il venait d'y avoir un procès pas comme les autres (...). Toukhatchevski, les généraux. (...) Parmi eux (...) Primakov, *chez qui nous avions été en 1936, à Leningrad.* Je revois le jardin dans la grande chaleur et l'arrivée du maréchal, dans son uniforme blanc et or. »

Phrase énigmatique, faussement anodine — on dirait presque qu'ils s'étaient trouvés chez Primakov par pur hasard... Chez Primakov, c'était chez Lili : ils vivaient ensemble. Et ils avaient tout naturellement hébergé les Aragon pendant leur séjour.

Primakov disait « Inch Allah » comme d'autres — tout aussi communistes et « sans dieu » — disaient « Dieu veuille » (ou plutôt en russe « Dieu donne », *« Daï Bog »*). Dans la correspondance codée de Lili et d'Elsa, elles l'appelaient donc

« Inch Allah »[1]. C'était pour les Aragon une figure familière de « là-bas ». A la maison, il ne parlait jamais de l'armée — Lili n'aurait pas supporté qu'il parle « boutique », et lui tenait à retrouver chez sa « petite fille » un milieu d'artistes, de créateurs, dont bien sûr les Parisiens, sœur et beau-frère, faisaient partie. Ils étaient de la famille.

En 1937, les compagnes des fusillés ont suivi leur sort, comme en Inde on brûlait les veuves sur les bûchers de leurs maris. Une seule y a échappé : celle dont le nom, barré, portait en marge la mention « Veuve de Maïakovski »... Primakov avait donc, grâce à la lettre-supplique adressée par Lili à Staline sur son initiative, sauvé par-delà sa propre mort sa rousse incendiaire, sa quadragénaire « petite fille ».

Vingt ans après, Elsa dira à Pierre Daix : « Lili en 1937 l'avait (Primakov) cru coupable et sa réhabilitation en 1956 — annoncée longtemps avant — fut pour elle le plus atroce des drames. » Voulait-elle vraiment lui faire croire que la mise à mort, la « liquidation physique » d'un innocent et la découverte de cette innocence pèsent le même poids ? Aragon prétendra alors ne l'avoir jamais cru coupable.

Lili, en 1937, à Leningrad, s'était trouvée dans une complète solitude — serrer la main d'une « veuve de traître » pouvait vous conduire en prison. Elsa, qui avait compris la situation, lui avait écrit : « Veux-tu que je vienne ? » Geste de tendre solidarité. Mais pour Lili, l'arrivée de « la Parisienne » n'aurait fait qu'ajouter au danger.

À cet isolement social s'ajoutait une solitude sentimentale torturante. Maïakovski et Primakov morts, Lili allait brutalement se heurter au glacial « personne ne m'aime », jusqu'alors réservé à sa sœur cadette. Ce fut assurément la période la plus difficile de son existence. Entièrement dépendante des hommes, l'irrésistible Lili ne vivait que si elle était aimée. Elle n'avait jamais pensé se retrouver seule un jour.

Aragon ne pouvait rien ignorer, quand il écrivait en 1965 *La Mise à mort*, de la détresse de sa belle-sœur, ni que cette détresse l'avait menée à l'alcoolisme — ni que son « éternel mari », Ossip Brik, depuis longtemps remarié mais lui aussi toujours attaché à elle, avait fini par lui envoyer un jeune critique, Katanyan, qui deviendrait le compagnon ultime et ramènerait Lili de Leningrad à Moscou.

Cette « petite phrase » d'Aragon sur Primakov, neuf ans après sa réhabilitation, est une parfaite illustration du mentir-

---

1. Entretien de l'auteur avec le Pr Léon Robel en 1994.

vrai. C'est probablement aussi une reconstitution exacte de ce qu'ils « montraient » de leurs pensées, Elsa-Louis, quand les « histoires de là-bas » les atteignaient. S'en tenir à la superficie, prendre les faits pour des données incontestables, refuser que les questions se formulent en vous... Peut-être était-ce d'ailleurs plus vrai pour Aragon que pour Elsa.

Elle se persuadait, certes, que Primakov était coupable. Mais comment n'être pas accablée par l'écroulement de tout l'édifice humain symbole de la Révolution ? Par les trahisons successives des fondateurs du régime, puis de ceux qui en avaient assuré la défense ?

Ce que les autres appelaient « son pessimisme », tous ces procès en dépassaient les pires prévisions.

En 1965, le roman enchaîne aussitôt (l'inconscient d'un romancier, si refoulé soit-il, finit toujours par se trahir) sur Michel Koltsov. Ce journaliste représentait — officiellement — la *Pravda*, mais il n'était pas le seul, et exerçait en réalité des fonctions de conseiller politique en Espagne [1]. Intime de Lili et d'Elsa, il était devenu un intime de Louis et fut l'un des organisateurs du congrès des écrivains en 1935. C'est lui aussi qui, aidé par Herbart, avait convaincu Gide de venir à Moscou, aucune sanction n'ayant apparemment suivi la publication du *Retour d'URSS*.

La Mise à mort continue : « Non, Michel ne savait pas grand-chose sur la mort des généraux. On les avait fusillés tout de suite après le jugement à huis clos, vingt-quatre heures après l'arrestation du maréchal... »

Au début de novembre 1937, Michel Koltsov, qui était reparti pour l'Espagne, resurgit rue de la Sourdière où, entre deux voyages, il laissait généralement une valise.

« ... il retournait à Moscou, brusquement rappelé. Il était si triste. Ça se comprenait, l'Espagne. Mais voyons Michel, ce n'est pas fini, cela peut encore se redresser... » Et au dernier moment, sur le palier, sans vouloir rentrer dans l'appartement, il dit qu'il ne savait pas « ce qui l'attendait ». Mais « que la dernière chose que vous avez entendue de moi », rappelez-vous, c'est que « *Staline a toujours raison* ». (C'était l'époque où tous les murs d'Italie étaient couverts d'inscriptions : « *Il Duce a sempre ragione.* »)

Pendant plusieurs jours, écrit Aragon quelque trois décennies plus tard, « Fougère » (Elsa) ne pouvait chanter (c'est-à-

---

1. Il était d'ailleurs lié aux services de renseignement.

dire écrire, sans doute, ou même parler). A cause de Koltsov ? Plus probablement à cause de Primakov et de Lili.

L'an 38. L'Anschluss... Koltsov dirige des publications, écrit sur l'intangibilité de la Tchécoslovaquie au moment où la question des Sudètes agite Prague, est élu député. En décembre 1938, il fait un discours de deux heures devant les écrivains... « Il avait dû être arrêté le lendemain ou presque », selon Aragon [1].

Aragon assure : « Comme un imbécile, j'ai été parler à l'ambassadeur. Tout ce qu'on voulait, Michel, je ne pouvais croire : qu'aurait-il pu me répondre d'autre, cet homme, que ce qu'il m'a répondu ? » (Amusant clin d'œil : on dirait, cette phrase, qu'il l'a traduite du russe.) On l'imagine, cette réponse : que la justice suivait son cours...

Aragon est-il vraiment allé trouver l'ambassadeur ? Ou s'est-il, une fois de plus, « arrêté au seuil des autres » ?

Elsa a-t-elle prononcé les mots qu'Aragon prêtera à Fougère ? « Pourquoi donc est-il si méfiant, Staline ? Je ne comprends pas un monde où la méfiance est de règle, si on doit changer le monde, est-ce que ce n'est pas pour que la confiance y règne ?

— La confiance viendra plus tard : c'est la dialectique.

— Alors c'est par la méfiance qu'on arrivera à la confiance ? »

Elsa, après ces explosions de langage, assurait — ce fut sa constante défense — qu'après tout, elle « n'était pas du Parti ». Son *Journal* exprime un mépris radical des « gens ».

De cette période, Aragon dira : « *On a les faits devant son nez, et on s'en tire avec un beau raisonnement. C'est une petite chose, après tout* [2]. Il n'y a qu'à rétablir le contexte, placer le détail à l'échelle de cette immense réalité. »

En 1938, Elsa, lourde de réalités, se demande ce que Louis peut y comprendre. Elle doit, si elle veut survivre, s'exprimer. Devenir elle-même. En français, parce qu'en russe on ne peut plus rien exprimer... sauf pour ces émigrés qu'elle prétend ne pas connaître, même si, parfois, elle en voit en secret. Car elle a rencontré Gala-Eluard-Dali et Marina Tsvétaeva, Nina Berberova... et bien d'autres. S'affirmer par l'écriture, c'est survivre, c'est affirmer son identité.

---

1. En réhabilitant Koltsov en 1954, les officiels ont déclaré qu'il était mort dans un camp en 1942. En fait, il a été fusillé le 2 février 1940.
2. Souligné par moi.

Le temps est venu de relever la voilette qui jette une dentelle d'ombre sur la prunelle trop claire. Devenir elle-même, se déployer. Aragon est le directeur de *Ce Soir*, l'auteur de deux volumes du *Monde réel*. Il a décidé d'en écrire un troisième.

Elsa, en cette année 1938, l'année des procès à Moscou (Boukharine avait été fusillé le 13 mars), de l'Anschluss à Vienne, du traité franco-anglo-nazi à Munich, se bat avec ce « *corset de plâtre* », la langue française, qui la mettait en transe, en crise.

Elsa, la déguisée, la travestie, la prudente aux yeux clos comme ceux de l'Inconnue de la Seine, nous laissera entrevoir, sexagénaire, quelques lignes de son *Journal* du temps. Jamais sans intention. « *L'écriture est toujours à recommencer. Comme la cuisine. Trois heures de préparation, trois minutes pour manger.* » (Surtout avec Louis, inattentif à la nourriture, qui se lève, marche, gesticule et discourt sans savourer.)

« *1er septembre 1938.* Je connais des hommes que la crainte de l'impuissance travaille au point qu'ils recommencent sans fin à faire l'amour, pour se prouver... »

Étrange flambée venue de loin, association immémoriale de la nourriture et du sexe. De qui parle-t-elle ? De ceux qui se trouvent alors dans sa vie ? Des amants passés ? Des fulminations de Louis contre les fascistes incarnés par Drieu ?

Clara Malraux m'a dit, bien avant de le résumer dans ses Mémoires[1], qu'elle était devenue à l'époque très complice d'Elsa. « *Nos choix conjugaux, nos origines étrangères et juives, nos difficultés, tout nous y poussait* », dit Clara. Bienveillante aux femmes, elle trouvait Elsa charmante avec sa voix chantante. Malraux aimant le confort luxueux, elle admirait l'austérité de la rue de la Sourdière, cet appartement « *minuscule et dépourvu de bonne* »...

En 1937, sans doute, Elsa put confier qu'elle « *écrivait en cachette* »... Étrange rencontre : Clara s'y exerçait aussi. Elles sont toutes deux compagnes d'écrivains célèbres, ce qui les freine. Comment — surtout dans une langue conquise bien après avoir appris à en parler une autre — oser... risquer... « Quoi, au fait ? dit Clara. D'écrire un mauvais livre ? » Mais, après tout, elles en seraient seules responsables. Ou craignent-elles « *de se heurter à une hostilité de mâle voulant garder pour lui seul la première classe ?* ».

---

1. Clara Malraux, *La Fin et le Commencement*.

Avec le coup de bistouri de son habituelle lucidité, Clara tranche le vrai nœud.

Aragon, devenu vieux et célébrant le culte d'Elsa romancière, n'a cessé d'évoquer sa jalousie devant ces *enfants de l'imagination* de sa femme — « ces enfants que je ne t'avais pas faits ». Elsa nommée, ou travestie en Fougère chantant, en Blanche écrivant, trahit l'amant-mari par son écriture — son chant. *Le trahit en devenant, elle, créatrice.* En accomplissant — bien ou mal, n'importe — le sacerdoce du créateur par l'écriture. Le plus total aveu tardera jusqu'en 1966 : l'auteur « ne s'était jamais représenté » qu'en secret de lui la Femme « se fût mise à *écrire*, ce qui s'appelle *écrire*, c'est-à-dire à *se servir de l'écriture comme d'une machine à inventer, à imaginer...* elle avait entrepris de *m'échapper par le roman* »...

Mais, dit Clara, quand Elsa ose montrer *Bonsoir, Thérèse* à Louis, « le miracle a lieu : Aragon aime le livre, a le courage de le proclamer, geste qui indigne André ».

« Bonsoir, Thérèse »...

En plein Front populaire, avant d'accompagner Louis au Vel' d'Hiv', au meeting « pour nos quarante heures », Elsa était allée jeter un coup d'œil à la pâtisserie-salon-de-thé à la mode, Rumpelmeyer, rue de Rivoli. Elle voulait écrire un récit intitulé *Femmes*. Et elle a, minutieusement, décrit en français « les champs plats des tartes... le mniam-mniam moelleux et mouillé du gâteau maison aux framboises... Les habillés, les endimanchés, les en-tutu, les brioches, gloire de la France. La pâleur des sandwiches minces et plats ».

Elle avait tout noté avec une précision de primitif, de naïf. Puis elle était allée au meeting grandiose.

« A six heures, les ouvriers n'ont pas le temps de changer de vêtements, ils sont venus avec leurs outils et leur poussière. A pied, à vélo, en car. Le Vel' d'Hiv' à la lumière du jour est un drôle d'endroit. »

Le 5 septembre c'est, à Garches, la fête du Parti... Mais eux vont aux Champs-Elysées voir un film intitulé *Mannequin*. Il pleut, elle abîme son chapeau.

« *Sommes pas allés à Garches à cause de la foule et du nombre de gens qu'Aragon y connaît.* » Pour le directeur de *Ce Soir*, c'est d'une belle insolence.

Constituant au fur et à mesure « ses réserves », selon le conseil de Maïakovski, brodant sur un fait divers découpé dans un journal, puis perdu, Elsa écrit *Bonsoir, Thérèse*.

Elle commence par traduire son texte du russe puis le continue en français. Sa migration de langue débute par une soudaine éruption de mal du pays : elle qui avait écrit « Moscou ne croit pas aux larmes » (c'était un proverbe russe) pleure à présent en pensant au dégel, à sa nourrice, aux pommes acides... Elle « n'avait jamais su qu'il y avait de la joie dans le froid ». La « Parisienne » de la rue de la Sourdière écrit : « Paris, ouvre-toi ! Je ne connais pas le mot magique qui le ferait s'ouvrir »...

Elle prétendra plus tard que ce premier récit, cet ensemble de récits, est réaliste. De fait, elle évoque une manifestation, avec les grilles closes de la gare de l'Est. C'est — elle ne le dit pas — la manifestation du 9 février 1934, la gauche désunie répondant aux Ligues du 6 février, Aragon et Breton se rencontrant de part et d'autre d'une flaque de sang humain, se jetant à la figure leurs différends... Mais Elsa n'en parle pas. Elle montre les responsables criant : « Par ici camarades, tournez dans cette rue lentement, les flics c'est comme des chiens, ça court derrière ceux qui courent ! » Et ensuite elle conclut : « Les gens du quartier de la gare de l'Est n'ont pu, ce soir, sortir leurs chiens que vers minuit. »

Elle évoque la rue Campagne-Première, leur premier logis commun. (Aragon dira : « La rue Campagne-Première, ce n'est pas de pavés qu'elle est faite, c'est de souvenirs. ») Elsa décrit le numéro 9, cette maison d'ateliers, ce dédale de couloirs où ont vécu Malraux et Clara, la première femme de Paulhan, où vivaient encore en 1937 le philosophe Bernard Groethuysen, maître à penser de Malraux et de Paulhan, et sa compagne Alix Guillain, qu'Elsa n'aimait pas. C'est qu'Alix restait insensible au charme slave. Intraitable au sujet du Parti, et en même temps inflexiblement critique. Sa bonté jetée à tout vent, son dévouement aux êtres, sa culture polyglotte, son exigence de vérité ne pouvaient entrer dans aucun jeu de séduction, aucun des réseaux de mystère qui rendaient Elsa si attirante à beaucoup, irrésistible à certains.

Ce numéro 9 de la rue Campagne-Première survit encore de nos jours, à peine restauré. Elsa y fait mourir de faim une femme à tête de squelette, une clocharde à manteau de fourrure...

Malgré les exhortations constantes vers plus de réalisme, plus de simplicité, dont Elsa ne cesse de combler Aragon, son « réalisme » est plein de fantastique et de cauchemars. Dans le métro une femme porte un sac qui dégouline de sang humain : dans son cabas de ménagère elle porte la tête de son amant, subtil clin d'œil vers la Mathilde de la Mole de Stendhal et sa noble aïeule...

Quand *Bonsoir, Thérèse* sera republié en 1948, Elsa me dédicacera ces pages en les nommant « des *rêves d'autrefois* ». C'est à la même date qu'Aragon fera appliquer les décrets du réalisme de Jdanov — mort en août — dans *Les Lettres françaises*.

Aragon semble avoir changé d'avis sur l'écriture d'Elsa qui dira : « De toi je n'avais plus rien à craindre, tu n'avais qu'une idée : m'obliger à continuer. »

La guerre qui menace ne fait pas disparaître le quotidien. Le jour même de la GUERRE, « le train-train continue, on a toujours envie de rencontrer l'homme qu'on aime : il faut aller chercher son beurre ». « C'est ça aussi le jour de la mort de quelqu'un, même de quelqu'un d'affreusement cher... Une manifestation dans la rue ne passe pas inaperçue même un jour de grande peine ou de grande joie personnelle ». On sent sous chaque phrase le vécu d'Elsa. On sent aussi le combat inégal avec la sonorité fuyante de la phrase française dont Louis enchaîne les méandres avec une si belle virtuosité.

Elsa tremble pour la publication de *Bonsoir, Thérèse*. Elle a si peur de ne pas trouver d'éditeur. Puis celui des *Cloches* et des *Beaux Quartiers*, Robert Denoël, écoute le début, lu par Elsa, et l'interrompt : « C'est très bien. Dès que vous m'aurez donné le manuscrit, je l'enverrai à l'imprimerie. » Quelle délivrance ! Mais s'il y a la guerre ?...

Bonsoir, Thérèse, un recueil de nouvelles ? Aragon affirmera que c'est un roman non traditionnel où le personnage principal est le Hasard. L'auteur des *Communistes* affirme avoir puisé l'idée des personnages de son livre dans *La Femme au diamant* et admire le courage d'Elsa qui, dans cette nouvelle, ose, en 1937, montrer les fascistes français, membres de la secrète Cagoule.

Les femmes du premier livre d'Elsa sont unies entre elles par deux mots captés à la radio, qui n'étaient pas destinés aux auditeurs : « Bonsoir, Thérèse »... Chacune pourrait être Thérèse, dans ces histoires, et l'une d'elles se nomme Anne-Marie-Thérèse...

C'est écrit en phrases brèves, comme une skieuse débute en s'accrochant à ses bâtons. Désormais, qu'elle lise, qu'elle écoute, elle « pique » des mots, les met en réserve... Désormais, pour les mots, ni son regard ni son oreille ne sont « gratuits »... Et les insolites hardiesses de style aragoniennes lui serviront souvent... avec un bonheur variable.

Dans *La Femme au diamant*, Louis a pu noter chez Anne des obsessions d'Elsa : « *Imaginez que votre vie dépende d'un homme. Ne plus le voir, ne plus l'avoir équivaut à la mort.* » Et voilà que cet « être épouvantablement cher » claque la porte, descend dans la rue « où il y a des hommes et des roues. Des roues, des roues, des roues. » C'est « la fosse aux ours ». Et elle imagine l'accident, ces roues qui poursuivent l'homme, « elles veulent lui passer sur le corps, faire jaillir son sang, sa cervelle »...

Anne, l'amoureuse, apprend à laisser son amant — elle ignore qu'il est de la Cagoule — sortir seul, et « à ne pas aborder certains sujets ». Elsa aussi, sans doute, pour d'autres raisons.

Mais cette passion — comme toutes les passions dans les romans d'Elsa et de Louis — demeure physiquement à peine suggérée. Pudique. Presque abstraite, alors que les gestes du quotidien sont cernés avec une profusion qui en fait le charme. Ainsi, Anne vide un coffret qu'elle répare : « Les pierres précieuses brillent discrètement entre un mouchoir, des œillets qui se fanent, des épluchures d'oranges, des vieux gants qui servent à essuyer les plumes »... C'est le quotidien même d'Elsa...

Après *Thérèse*, la nouvelle romancière française trouve un titre, *Le ciel est bleu*, qui parlerait très explicitement du présent. Sans ce glissement qu'opère Louis vers les débuts du siècle : elle, au contraire, veut décrire en myope ce qui se passe sous leurs yeux. La guerre d'Espagne : « On vit avec comme avec une affreuse maladie chronique, on ne peut pas penser tout le temps à sa tuberculose. » L'héroïne aime un homme dont la guerre d'Espagne est la passion, l'obsession, elle en est contaminée. « Le ciel est bleu, il l'est souvent inutilement. »

« Je me demande ce qu'une femme seule et honnête et même seule parce qu'honnête peut faire d'elle-même un dimanche après-midi à Paris et quand il fait beau ! » (11 septembre 1938, *Journal* d'Elsa).

Elle sort de la rue de la Sourdière, toujours sombre, et va s'asseoir sur un banc des Tuileries. L'errance, le jardin public, le banc où l'on fait connaissance deviendront des constantes de son œuvre future. Cette frontière entre la quête, l'errance, la clochardise apparaît et disparaît dans ses livres. Dans *Fraise*, l'étrangère solitaire à Paris sort dans la rue, et répond à un Américain un peu fou, puis suit à l'hôtel un jeune homme qui l'ennuie. La femme de *Bonsoir, Thérèse* erre de rue en métro, cherchant son nom de parfum. Dans *Camouflage*, Varvara cherche compagnie. Bien plus tard, dans *Écoutez voir*, l'héroïne se fera nomade, se clochardisera et se déclochardisera, non selon ses moyens financiers, mais selon ses états d'âme. Changer. Errer. Conquérir. Prendre des cœurs. Disparaître. Elsa dut faire au hasard de ses promenades beaucoup de connaissances et quelques expériences.

« Un homme sur un banc, écrit-elle le 11 septembre 1938.

Chaussettes bleues. Veston gris fil à fil, cheveux très noirs, jetait des cacahouètes aux pigeons, les prenant dans la poche de son veston... » Il a trente-cinq à quarante ans. Elsa en a quarante et un. « L'homme ne me regardait pas, mais j'étais déjà une possibilité, une aventure peut-être. » Elle s'en va. « Mais n'est-ce pas plus naturel de ne rien dire ? »

« Que voulez-vous qu'une femme seule fasse d'elle-même ? Une femme seulement normale, gentille et seule ? »

Aragon a l'attirance physique fugace, la sexualité hésitante, et l'amour n'a rien à voir là-dedans. Il y a aussi le secret qu'il cache sous son hostilité, sa hargne, peut-être son acharnement envieux contre des hommes comme Pierre Herbart, capable d'assumer son double choix sexuel.

Dans *Cahier enterré sous un pêcher*, Elsa parle de Cathie dont le mari ramène à la maison des jeunes gens de plus en plus crapuleux et la montre, pleurant, désespérant puis s'entourant d'hommes pour se prouver qu'elle était femme et désirable. Il lui fallait à tout prix des amoureux, des victimes, mais les amants la déçoivent. Enfin elle rencontre Alexis Slavsky, artiste peintre, marié avec Henriette qui explique à Cathie :

« Je t'ai dit hier qu'Alexis et moi on était comme frère et sœur... J'espère que tu m'as bien comprise ? Quand on est des amoureux comme nous, on a la vie devant soi ; et au-delà. Oui, au-delà. Alexis ne peut se passer ni de moi ni de mon amour. » Et Henriette espérait qu'ils mourraient ensemble, sans se suicider, juste en se tenant par la main...

Elsa n'a pas encore renoncé au désir. « *Évidemment je n'en ai plus pour longtemps, bientôt les hommes et les femmes ne s'occuperont pas plus de ma personne que si j'étais un dessin de papier peint.* »

Le papier peint ? Autre hantise, qui reviendra sous des formes variées dans ses romans. Feuille écrite, imprimée, marquée de caractères signifiants, matière de l'écrivain, le papier qui, soudain, par vous, devient violent ou tendre ou révoltant ou beau. Ou bien papier mural, tapisserie, décor dans lequel se déroulent les gestes, les bonheurs, les malheurs. Il vous environne sans même qu'on le perçoive.

« *Je suis étonnamment seule. En partie parce que les hommes me compliquent l'existence, mais en partie seulement.* » « Les hommes » ? Seule ? Et Louis qui se trouve tellement « homme nouveau » de rentrer au même logis où l'attend la même femme. Silencieuse, avec une sorte de distance qu'il ne comprendra qu'en découvrant son vice impuni, l'écriture. Louis revient aux incertitudes inconscientes de l'enfance, quand il tâtonnait entre sœur et mère, entre tuteur et père sévère... Tout ça — comme dirait Aragon — ça peut vous en creuser une, de faille, dans le caractère, car... On reste exclusif comme l'enfant au sein. Elle a beau, Elsa-la-femme, vous appeler « Mon petit », est-ce qu'on sait ? Elle a gardé le nom de cet André Triolet, ce fantasque dont on ne peut vraiment pas être jaloux. Mais ce nom. Oh, elle invoque des motifs, des alibis plus durs que le platine : ce nom a signé trois livres en russe, et combien d'articles ? N'empêche. Ils n'ont pas divorcé officiellement, les Triolet. « Tu t'occupes des registres d'état civil à présent ? » Ridicule, bien sûr : Lili reste bien la citoyenne Brik...

D'ailleurs, s'il est jaloux, c'est des hommes qui savent faire briller les yeux d'Elsa, souvent mornes et durs, la faire rire, danser, la rendre drôle, joyeuse. Même en Espagne, dans la tragédie, sous les bombes, quand elle répondait au regard des hommes qui chantaient *Grenade, ma Grenade,* comme il s'est senti oublié. Leur mode d'existence ? Mais que sait-on des « secrets d'alcôve » des autres ? Tout ça n'exclut pas l'intimité, ni cette inimitié ardente, par moments, que Sigmund Freud réserve à la passion. Lui, son besoin de souffrir est comblé. Mais elle ?

« *Bon, ça va. Le temps passe. Sans que j'aie besoin de le tuer, ou presque* », dit le *Journal* d'Elsa quelques jours avant Munich.

Munich

Elsa a quarante ans. Des passions ? Fugace et décevante alors, cette passion, car :

« *23 septembre : Quand on a beaucoup rêvé d'un homme, il arrive qu'on ne sache plus qu'en faire en le voyant en chair et en os.* »

En dix jours, donc, un rêve s'est écroulé dont elle ne dit rien... Mais qu'elle a tenu, presque trente ans plus tard, à imprimer [1], comme pour faire savoir aux lecteurs de l'avenir, d'après sa mort, qu'il y eut fêlure, cassure et déception.

Quand Elsa publie ces extraits de son *Journal,* les grands poèmes que Louis écrit sur ses *Yeux* et son prénom [2] sont connus. Elle est la Muse et le Mythe, elle est l'Inspiratrice et la Dédicataire. Et pourtant, à quelques années de sa mort, elle voudra saper le monument édifié par Louis. D'un clin d'œil à la postérité, elle fera savoir, en marge et malgré Louis, qu'elle fut une femme, une amoureuse, une passionnée, frustrée, déçue.

---

1. *Œuvres croisées.*
2. *Les Yeux d'Elsa, Elsa, Le Fou d'Elsa.*

Le 8 octobre 1938, les épreuves de *Bonsoir, Thérèse* sont là, sur son lit, rue de la Sourdière. Elle corrige. Puis la femme de ménage — enfin, ils en ont une — apporte journaux et courrier. Le téléphone sonne... Les nouvelles ?... Les Français et les Anglais ont signé à Munich avec Hitler. La Tchécoslovaquie est abandonnée. Voilà coupé cet axe Moscou-Paris qui pour elle, pour eux, forme le fil même du succès, de l'amitié. A vrai dire, depuis les procès, depuis la tragédie de Lili, tout leur équilibre était ébranlé. Le voilà rompu. Jamais, se disent Elsa et Louis, l'URSS n'admettra... Comment Staline pourrait-il tolérer que Daladier et Chamberlain aient signé avec Hitler ?

Le cœur d'Elsa lui bat au point qu'elle ne peut corriger son livre. Comment pourtant ne pas continuer à vivre ? Louis est de plus en plus fiévreux. Dès qu'une nouvelle l'indigne, il se met à téléphoner, à la commenter, dans les mêmes termes, avec deux, cinq, dix correspondants. Elsa n'a plus, au bout de dix ans, sa patience de la rue Campagne-Première. Comme dira, patelin, Louis, très ancien élève des pères, « elle n'aura plus, j'espère, à montrer cette patience ». Elle se met donc à crier, moitié pour rire, moitié par exaspération, qu'elle ne supporte pas d'entendre vingt fois la même histoire. Lui, coupant et logique, fait remarquer que les interlocuteurs changent : donc, pour chacun, il ne se répète pas... Dix ans plus tard, cette dispute, devenue rite, se reproduira avec régularité. Il emporte le téléphone au bout de son long fil jusqu'à la salle de bains.

Le monde se dérobe.

Le regard d'Elsa

Aragon lit les épreuves de *Bonsoir, Thérèse* et soudain le frappe un regard différent sur son pays, cette bourgeoisie qu'il croyait avoir peinte définitivement dans *Les Cloches*, dans *Les Beaux Quartiers*, dans le livre qu'il prépare, *Les Voyageurs de l'impériale*. Il voit son pays reflété dans l'œil de... de cette étrangère qui partage ses nuits, ses voyages. Celle qui lui a donné son « monde réel » à lui. Ainsi, pendant dix ans, ces yeux furieux ou tendres, méprisants ou désespérés, il ignorait ce qu'ils voyaient ? Ces détails recueillis, lui ne les « voyait » plus. Relit-il les épreuves en pourchassant aussi les aspérités de la langue ? Sa femme devrait avoir droit à tout, sauf aux rugosités du français. Et pourtant...

« On sert le café dans des tasses Empire droites à anses dorées. » Il lève la tête... « aux anses » sonnerait mieux. Mais sa lecture l'entraîne, il ne corrige pas. Il laissera passer chez Elsa ce qu'il attribue au regard étranger.

« Aux murs dans l'*oval* des cadres des dames à crinoline » — Louis a-t-il mis en marge l'« e » d'ovale ? Les dessins du Second Empire, oui, ils représentaient chez lui les dames Massillon et sa propre grand-mère, jeune fille, quarante ans avant sa naissance... « Les secrétaires, les guéridons, les chauffeuses. »

Soudain, la famille Triolet fait irruption dans le récit. Le seul homme dont il n'ait jamais été jaloux, André-Pierre Triolet, qui s'intéressait de plus en plus aux chevaux, de moins en moins aux femmes... C'est lui pourtant qui amena la Russe vers cette bourgeoisie française.

« C'est là une de mes trente-six destinées que d'être appelée "ma nièce" par cette dame au nez aquilin... Chaque route est la mauvaise... De ne pas avoir pris le tramway un certain jour m'avait, entre autres, donné une tante au nez aquilin. Cela m'a fait aussi voyager... » Cette histoire de tramway... Jamais il n'avait demandé comment elle avait connu Triolet. Ainsi donc, elle l'avait ou rencontré ou revu dans la rue, et leurs destins s'étaient noués sur un de ces trottoirs ou boueux ou poussiéreux de Moscou, dans l'inévitable foule malodorante et bariolée ?...

Comme Moscou est présente en Elsa, et la Russie — « la verdure claire et bouclée des arbres de mon pays ». Lui, les bouleaux ne sont pas ses arbres préférés... Elsa rêve la ville dont elle est à présent, sans doute pour longtemps, coupée. En lui, Moscou n'évoque pas le mal du pays, mais le mal de ces êtres chaleureux qui l'accueillaient si bien... et dont certains, parmi les plus chers, comme Koltsov ou Babel, se sont « évanouis ».

Elle écrit : « Puis il y aura une ville. J'en connais la monnaie, le goût et la forme du pain, je sais y prendre le tramway... Je sais téléphoner, commander un dîner, le préparer. J'en connais les chansons et les mots tendres. C'est ça, le mal du pays. »

Ce n'est pas seulement avec ces hommes auxquels elle sourit qu'elle le trompe, c'est avec ce pays qu'elle connaît autrement que lui, et son pays à lui qu'elle regarde autrement. Certaines phrases le blessent jusqu'à l'admiration : « ... Et puis l'amour est un sentiment tellement désespérant. On se sent devant lui comme devant quelque chose de trop beau, on ne sait plus que faire... faire l'amour ne l'épuise pas... Cet être épouvantablement cher, vous l'avez près de vous. Puis la porte claque : il est parti. »

Il le sait, qu'elle a peur ; il a lu *Fraise,* car il lit le russe à présent. Mais, ici, cette peur de la vie s'exprime en mots français, en mots à lui... Elle a donc aussi peur que lui de la disparition des êtres et de se sentir soudain rejetée ?... De plus, cette contrainte, cette punition d'un langage qu'il faut trouver, il ne la connaît pas.

Le s du mot savoir...

Que SAVENT-ils, Elsa et Louis, en ces derniers mois de 1938 ? Ce qu'elle apprend, par les Soviétiques de passage, par les amis russes établis à Paris et qui reçoivent, par divers moyens, des nouvelles, en dit-elle tout à Louis ? C'est possible. Si, en 1938, ils ne sont pas allés à la fête du Parti, à Garches, c'est sans doute que trop de camarades auraient posé trop de questions. Les lettres de Lili sont tendres mais opaques.

Le directeur de *Ce Soir* est submergé de dépêches et commentaires. Il écrit ce qu'il doit écrire. La trahison partout... Ce pays dont il a tant rêvé. Ce pays qui l'avait en somme fait devenir ce qu'il est : l'auteur du *Monde réel* et non plus du *Paysan de Paris*, le directeur de *Ce Soir* et non plus l'ami d'André Breton... Ce pays même s'éloigne.

Champs-Elysées

Le 2 octobre, Daladier, retour de Munich, vient « ranimer la flamme » sous l'Arc de Triomphe.

Elsa et Louis se trouvent sur les Champs-Elysées, lui pour écrire son article, elle pour tenter de comprendre. Le vent agite le gigantesque drapeau qui flotte de la voûte à la dalle. Le ciel est gris et le déploiement de police innombrable, de la garde à cheval aux inspecteurs en civil. « Prudence est mère de Sûreté », note Aragon. Ils se promènent parmi la foule. Deux cent mille ? « La voilà, la force de l'image : Munich c'est la paix. »

Ils dénombrent les ennemis : les royalistes à canne, les hommes excités, les « dames revendicatrices ». Les insignes des Croix-de-Feu, le PSF [1] de La Rocque. Aragon fait remarquer à Elsa combien d'hommes ressemblent au héros de *La Femme au diamant*... On crie « Vive la France ! » et « Vive la Paix ». Elsa-Louis entendront une dame se vanter de n'avoir pas crié, *elle* : « Vive Daladier ! »

---

1. « Parti social français », à ne pas confondre avec le PPF, parti de Doriot.

Aragon commentera dans *Ce Soir* du 3 octobre : « ... qui se refuserait à crier : Vive la France ! et Vive la Paix ? Pas moi. Mais encore faut-il ne pas se servir de ces mots pour acclamer Hitler et la paix compromise. » Il rappelle Daladier conduisant le cortège du Front populaire du 14 juillet 1935 : « Qu'a-t-il pensé, un peu après six heures et demie, quand la flamme ranimée alluma le drapeau français de reflets fantastiques ? Songeait-il aux autobus flambant sur la place de la Concorde ? » (c'est-à-dire à la manifestation du 6 février 1934 dont, en fin de compte, le Front populaire était né). Il a sous-titré son article : « Le triomphe de Daladier ».

Le 7 novembre 1938, on fête le vingt et unième anniversaire de la Révolution, rue de Grenelle, à l'ambassade soviétique. Elsa note : « Un buffet spécialement magnifique. Beaucoup moins de monde, moins de décorations, d'uniformes... Il paraît moins d'invitations, mais aussi beaucoup plus d'abstentions. »

Munich ? L'atmosphère de guerre ? La peur. Non. Les procès. La profonde désillusion des progressistes. Pourtant, nul ne soupçonne encore — sauf sans doute dans les services secrets — que les contacts se multiplient entre nazis et Soviétiques. Déjà. Mais ni Louis ni Elsa ne peuvent, je crois, le savoir.

Elle sort de l'ambassade « tout endolorie, des larmes dans la gorge », et le désir d'écrire un livre qui s'intitulera, non plus *Le ciel est bleu*, mais *Les Gens*.

Le 11 novembre, dans son *Journal*, une note mystérieuse, sous une ligne de points de suspension (a-t-elle été en butte à des insultes ? Son accent a-t-il suscité des « La France aux Français » ?) : « Car tout de même, c'est un mauvais jour et un mauvais quartier. Mais je suis si fatiguée que je n'ai pas envie de m'inquiéter... »

« Les Voyageurs de l'impériale »

Depuis Munich, Louis s'est mis à écrire le troisième tome du *Monde réel* : *Les Voyageurs de l'impériale*. C'était — dira-t-il plus tard — une résurrection de son grand-père maternel.

Le Pierre Mercadier qu'en 1938 le romancier reconstitue a peu de points communs avec le grand-père. Louis voulait, à la veille de la catastrophe certaine, témoigner « d'un univers qui allait devenir incompréhensible et, je le savais bien, prochainement sombrer ».

Le directeur de *Ce Soir* avait besoin aussi de s'abstraire de la politique. Et il lisait à Elsa ces histoires de bourgeois fin de siècle.

Elle s'était mise, nostalgie parallèle, à un livre sur Maïakovski. Chacun, ainsi, écrivait sur ce qu'il perdait, sur ce que l'Histoire lui arrachait. Elle, l'URSS des illusions, qu'elle avait reconstituée à partir d'une réalité haïe en 1918, qu'elle avait recollée avec cette force d'aimant qu'on appelle le « mal du pays ». Et lui, une France qui, déjà, était morte et que d'ailleurs il avait reniée.

Vers le dernier tiers des *Voyageurs*, une scène rend un son curieux. Pierre Mercadier est amoureux — sans en être l'amant — de Reine, rencontrée au casino de Monte-Carlo. Il l'avait connue par un ami de Jean Lorrain... C'est un des goûts d'Aragon, de mêler à son imaginaire des personnes qui ont vécu (Jean Lorrain fut un romancier connu pour son dandysme homosexuel). Cet ami, un Britannique dandy, se nomme Hugh Travelyan. Et Reine est la fille d'une grande chanteuse : début d'un thème que, Lui comme Elle, utiliseront comme si la Voix expliquait, à elle seule, l'amour. Cette Reine, le héros en est donc amoureux, et elle le croit romancier...

Quelque chose en cette Reine de la Belle Époque rappelle subtilement une Elsa décrite par elle-même. Reine soupire qu'elle est « un gant dépareillé. Un long gant noir en plein jour sur le trottoir d'une ville passante... Ceux qui ont perdu le secret de la romance et portent en eux l'air sans paroles... Les miens... les miens... ma race ». Mercadier répond : « Je crois que je suis des vôtres. » Il ne croit pas possible l'amitié entre un homme et une femme, mais... « S'il avait été son amant, Reine eût immédiatement perdu ce charme qui le poursuivait dans l'absence »... Elle se promenait dans sa chambre d'hôtel avec du gras sur le visage : « Je fais comme si vous n'étiez pas là ». Le goût de Louis pour l'intimité d'une femme — pour ses dessous, sa chambre considérée comme l'écrin toujours à demi clos sur la féminité. Un jour Travelyan (nom étranger : y a-t-il un travesti là-dedans ?) se fait annoncer et, malgré Pierre, la jeune femme décide de le recevoir.

« Je ne comprendrai jamais le goût qu'ont les femmes pour ce genre d'olibrius.

— Peut-être un certain sentiment de repos... C'est un fait qu'ils sont très gentils avec les femmes, sans doute parce que c'est tout ce qu'ils peuvent pour elles. »

Jamais encore les romans d'Aragon n'ont évoqué ces rapports explicitement... C'est que ce dernier tiers des *Voyageurs* a été écrit dans une fièvre, une hâte, une exaltation singulières... Entre la semaine qui a suivi le pacte germano-soviétique, signé le 23 août, et le départ de Louis Aragon, médecin auxiliaire, vers l'armée : le 2 septembre...

Le 13 septembre 1938, Elsa notait : « *Soudain, il m'est venu l'idée folle de divorcer, comme si c'était le moment, idiote !* »

De qui venait cette idée, saugrenue, après dix années de vie commune avec Louis Aragon ? Elle restait Elsa Triolet, et le *toujours-mari* se trouvait tout heureux de ce paratonnerre contre de nouveaux mariages. Ce statut civil satisfaisait tout le monde et durait depuis vingt ans.

Elsa en avait parlé avec Clara Malraux [1]. A ce moment-là, le mariage des Malraux se défaisait. Elles avaient ridiculisé l'institution de la conjugalité, son archaïsme, son absurdité. Puis, Elsa demanda : « Est-ce qu'il va y avoir la guerre ? Et est-ce une raison pour épouser Louis ? » Clara dit oui. La guerre aura lieu et c'est une raison. Si Louis est mobilisé quelque part dans une zone interdite aux civils, comment Elsa pourra-t-elle s'y rendre, si elle ne peut exciper de sa légitimité ?...

Décidée bien avant, Elsa parvient à imposer cette légalisation à Louis comme une conséquence fatale de la situation. Elle parle de guerre, de prison. A-t-il entendu le mot « mort », lui qui depuis 1914 est hanté de ce « mort au champ d'honneur », cliché tragique de la famille Toucas ? Clara ne savait pas qu'avant le mariage il fallait divorcer. Même après une séparation de corps — jamais constatée judiciairement, semble-t-il —, divorcer prenait alors du temps.

C'est seulement le *vingt-huit février mil neuf cent trente-neuf, à onze heures cinq*, dans la mairie du premier arrondissement de Paris, que fut dressé l'acte de mariage entre :

« Louis ARAGON, écrivain, directeur de journal, né à Paris, XVIe arrondissement, le 3 octobre 1897... quarante et un ans, domicilié 18, rue de la Sourdière à Paris, Ier arrondissement

et

« Elsa KAGAN, écrivain, née à Moscou (Russie)... le 12 septembre 1896, quarante-deux ans, domiciliée 16, rue de la Sourdière... à Paris, Ier arrondissement... Divorcée de Pierre-Marie-André Triolet... Un contrat de mariage a été reçu le 25 février 1939 par maître Ismael... Paul Gaston Chauveau, notaire à Paris... »

Fraude touchante : le 16 et le 18 rue de la Sourdière sont les deux entrées, ouvertes aux deux extrémités du mur abritant la même maison.

Un contrat de mariage, entre ces deux êtres qui ne possédaient rien ? Ils étaient donc séparés de biens ? Mais quels biens ?

---

1. Entretiens avec l'auteur.

Bonsoir, Thérèse avait fait d'Elsa un auteur français. Robert Denoël lui dit même qu'elle aurait ses chances au Prix des Deux-Magots. Le célèbre café de la place Saint-Germain-des-Prés avait en effet convaincu quelques critiques de se constituer en jury sous son patronage. Elsa éclata de rire : « Un prix ? Quelle drôle d'idée ? Si encore vous me parliez du Prix Goncourt... »

Peut-être dépité, Robert Denoël le prit en riant... Elsa consignera l'histoire — une fois qu'elle l'aura eu — pour montrer combien elle évaluait mal l'importance du Goncourt...

Le premier article sur *Thérèse* avait pour auteur un professeur de philosophie dont le premier roman avait remué les milieux littéraires : Jean-Paul Sartre. Il avait rencontré Aragon, ayant été, à l'École normale supérieure, l'intime de Paul Nizan, éditorialiste à *Ce Soir*. Son roman, *La Nausée*, parut très décadent aux communistes, mais Louis, que des amis américains tenaient au fait de leurs auteurs, en a perçu à la fois les influences et la nouveauté. Elsa, en revanche, ne prévoyait nullement la gloire future de son critique.

L'hiver 1938-1939, si mauvaises que soient les nouvelles, et malgré une maladie de Louis, passe tout entier en travail.

En 1939, un groupe d'Américains, progressistes ou communistes, les invitent à un congrès à New York... Aragon ne connaissait pas l'Amérique, Elsa l'avait traversée, il y avait vingt ans... Aragon affirme avoir vendu le manuscrit des *Cloches* et un autre pour payer le voyage : cinq mille francs par mois, tous frais inclus, ne permettent pas au directeur de *Ce Soir* de grandes folies. Son journal assurait quand même son voyage et son séjour. C'est donc pour Elsa qu'il a vendu les manuscrits.

La traversée fut belle et le couple oublia ses soucis. Elsa adorait les croisières, les bals et fêtes à bord, la diversité des gens.

Entre New York, le Connecticut et les incursions dans l'intérieur du pays, Louis et Elsa sont restés absents deux mois, mai et juin. Bientôt, quand le souvenir et l'imagination offriront le seul recours contre le désespoir, *Le Cheval blanc* ressuscitera — toujours superposés — les souvenirs du « Nouveau Monde ».

Parmi les progressistes américains, on trouve toujours quelques millionnaires aux habitations-musées, et les descriptions d'Elsa partiront — comme toujours — de choses vues. L'appartement de la richissime épouse américaine du roman est situé sur « Riverdrive ». C'est peut-être Riverside Drive où habitent de nombreux professeurs de Columbia University. Ou, peut-être, dans ces maisons donnant sur l'East River d'où la vue est en effet fabuleuse.

Depuis le premier voyage d'Elsa à peine sortie d'URSS, les gratte-ciel ont poussé, leur style s'est diversifié, les façades art déco, que les New-Yorkais d'aujourd'hui célèbrent comme nous nos cathédrales, étaient alors toutes neuves. Elsa admire « le confort électrique aux fils invisibles » que la France ignore encore. Chez les très riches, la domesticité noire veille aux fleurs fraîches et aux moquettes claires. Les superpositions vertigineuses des fenêtres brillent « sans qu'on vît le laveur se balancer sur sa dangereuse escarpolette ». Elsa sait que de jeunes émigrés russes acceptent ce périlleux emploi.

New York ? « Une vraie ville, nue et dure comme l'ardoise, montant vers le ciel, brique sur brique, pierre sur pierre, toute en dents pour mieux vous manger », les voitures longues et basses, les dais qui parent l'entrée des buildings élégants comme pour une constante réception, les portiers en livrée. « Une ville comme il se doit, toujours au cœur du drame. » Elle admire les Américaines pour la santé du teint, des dents, des cheveux, et cette démarche d'un corps bien contrôlé. C'est toujours une surprise pour les Européens aux muscles engourdis. Elle aime Broadway, vu de l'impériale des bus à l'anglaise. Elle s'amuse des pharmacies-bars — démodées depuis — qu'on appelait « drugstores » ; c'est drôle, et tant pis si tous ces sandwiches ont le même goût et si le pain ne rappelle en rien la délicieuse flûte, la baguette de Paris.

Ils ont été reçus par une comédienne qui avait fait venir un orchestre de jazz — pas de quoi éblouir Louis : Nancy *en faisait* autant. Elle avait aussi loué des serveurs déguisés en valets de Marivaux, mais Charles et Marie-Laure de Noailles leur avaient déjà montré ça.

Dans Harlem, ils ont eu pour guide le seul homme qui soit également adoré des Noirs et des Blancs : la Voix, une basse inoubliable, Paul Robeson... Dix ans plus tard, il *me* disait encore : « Je leur ai fait connaître mes amis et tous les ont aimés. Mais Louis tombait parfois dans des silences effrayants de tristesse »... Les night-clubs de Harlem, les pianistes noirs... Comment n'aurait-il pas revécu le temps de Nancy, sa Nane, la nuit de Venise ?

Dans le haut de la ville, Elsa s'est fait des amis parmi les intellectuels noirs. Elle a connu leurs logis étroits, leur culture orgueilleuse, leur vulnérabilité perpétuellement saignante, leur insécurité... Elle, russe à Paris et parisienne à Moscou, s'est retrouvée dans leur incurable déracinement d'étrangers en leur propre pays. Les Juifs américains lui paraissaient mieux acceptés par la société qu'elle en France — seuls, les Noirs...

A l'autre bout de Manhattan, elle aime Greenwich Village où elle retrouve des figures de son autrefois, des Russes émigrés et, parmi eux, Bourliouk, le roi de l'excentricité, futuriste de 1916, l'archer-cyclope de Maïakovski.

A-t-elle rencontré quelqu'un de proche ? Élisabeth, cette projection d'Elsa dans *Le Cheval blanc*, est à New York avec Stanislas, son mari... et tombe sur Michel, qui l'enlève... Elsa revêt son héroïne d'une redingote noire à triple collet, « un manteau de postillon » qu'elle-même possédait en 1939... Cette Élisabeth, Michel la pousse « grossièrement » sur le lit où elle tombe, se défendant « ... *mais un dément emploie la force. Élisabeth cria* ». Le lendemain, tandis que Michel avait sangloté toute la nuit et pensé au suicide, elle l'appela et dit : « *Mon petit, mon petit, quoi qu'il arrive, je me rappellerai toujours que tu m'as aimée. Comme ça je serai moins malheureuse...* »

Malheureuse, la femme de Stanislas Bielenki, pourquoi ? « Moi, dit-elle, je n'ai pas de patrie, je suis terriblement à plaindre. » Rien de « national » n'est organique en moi... « Une sans-patrie, c'est peut-être ça mon malheur. » La scène rend le son fêlé du vécu. A New York ou ailleurs.

Que penser du viol par un homme que l'on a trop aimé, qu'on a fui, qu'on refuse... et dont la violence est ensuite ressentie comme preuve d'amour ? Étrange frustration qu'un tel fantasme — ou une telle réalité. Autre étrangeté de la scène, cette culpabilité de Michel qui se sent, après avoir sangloté sur le viol qu'il vient de commettre, comme un candidat martyr qu'on ne veut pas jeter aux lions. Ce qu'il doit payer — et le suicide lui semblerait « normal » — c'est la « désinvolture » de sa vie... Écrite sous Pétain, au temps de « l'expiation » nationale, cette culpabilité fait-elle écho à l'ambiance ? Ou est-elle un reflet de la culpabilité latente sous l'arrogance du fringant, mordant, et soudain mélancolique directeur de *Ce Soir* ?

A New York, Elsa aimait, dans Greenwich Village, traverser Washington Square le matin, contemplant les petites maisons pleines de grâce européenne et les poubelles qui débordaient. « Des rues sans dais de noces, sans portiers de parade, ... des gens... portant encore les travers de leur pays d'origine... des femmes en cheveux, des hommes avec des pardessus qui ne sortaient pas des maisons de confection américaines et, de temps en temps, une de ces têtes typiquement montparnassiennes à se croire au Dôme. »

Un Américain, ami des temps surréalistes, les avait invités dans sa maison du Connecticut. Louis raconta *Les Voyageurs de l'impériale*. Matthew-Josephson — qui devait en recevoir le manuscrit avant l'éditeur français — reconnaîtra dans le texte achevé les mots mêmes que Louis inventait en parlant... C'est le secret de son rythme vertigineux. Une mémoire exceptionnelle enregistrait les métaphores, les bonheurs d'expression trouvés au cours des sempiternels va-et-vient.

Assis sur la terrasse, devant cette vallée, les Aragon (quelle étrange victoire pour Elsa que ce nom) se sentaient soudain apaisés.

« La guerre approche. Je crois que c'est là les dernières journées heureuses que j'aurai connues », dit Louis...

Elsa publiera ses impressions de voyage dans *Ce Soir* et dans *Commune*.

La terre tremble le 22 août

Rentrés à la mi-juillet, ils trouvent en France la menace de guerre si présente qu'ils mettent leurs objets précieux, leurs dessins et tableaux chez Jean Franck, l'homme qui avait imposé le « style blanc », l'ami de Drieu...

Le 21 août, Aragon sait-il quelque chose ? « Cessez de faire le jeu de M. Hitler », tonne l'éditorial de *Ce Soir*. Et puis tombe le couperet du 22 août. Le traité « de non-agression germano-soviétique » est signé par Ribbentrop et Molotov. Photos. Projecteurs. Caméras.

Pour Elsa, la réalité se fissure. Comment suivre les raisonnements ? Les nazis sont les ennemis absolus d'Elsa Kagan ; comme le Ku Klux Klan pour les Noirs d'Amérique ; c'est à ses origines mêmes, à ce dont elle n'est ni maîtresse ni responsable qu'ils s'attaquent. « L'URSS, entend-elle répéter dans leur milieu, doit se préserver du menaçant traité entre les nazis et les Franco-Anglais. » Elle avait dû mal interpréter le sens caché de ces mots. Ils ne changent rien. Pour elle, c'est la fin du monde...

Aragon, lui, est obligé d'écrire : « L'annonce du pacte de non-agression fait reculer la guerre. »

Sa dialectique vient assurément de très haut... Moscou l'a transmise à la direction du Parti français, très ébranlée, par le conseiller de l'Internationale, Eugen Fried, le directeur de conscience de Maurice Thorez, lui-même ébranlé. Presque aussitôt d'ailleurs, Fried déménagera — sur ordre — à Bruxelles, en changeant de nom [1]. Subtilités difficiles même pour le lecteur le plus déterminé.

---

1. Eugen Fried, le conseiller, le maître à penser de Thorez, vivait avec la première femme du secrétaire général du PCF et élevait son fils aîné. Il sera

Le 20 juillet encore, Aragon rejetait avec mépris les « calomnies » de la « presse bourgeoise » prétendant que « même Staline veut s'entendre avec l'Allemagne ». L'invraisemblance, en somme...

Voilà que la bouffonnerie se fait tragédie. Sans doute Elsa et Louis ignoraient-ils la liquidation physique et collective des dirigeants du Parti communiste polonais. Mais, en ce 22 août 1939, Elsa ne pouvait croire en ce qu'imprimait Louis dans son journal : que l'URSS, grâce au Pacte, obligerait la Pologne à se trouver dans le camp « juste »...

En tout cas, les Aragon se savent menacés.

Même si Elsa s'était rassurée en 1937 en croyant coupables tous les généraux, Primakov compris, le pacte de Staline avec le liquidateur proclamé des Juifs et des communistes ne pouvait lui inspirer que de la terreur.

Si on lui avait demandé de se désolidariser du parti qui lui faisait justifier ce pacte, Aragon aurait répondu avec indignation qu'on ne quitte pas une organisation interdite par les officiels, que ce serait la pire des lâchetés.

Peut-être son hostilité envers Paul Nizan, tant d'années après la guerre, tenait-elle non seulement à sa gêne, mais aussi à une admiration mêlée de rancune pour ces « traîtres » qui avaient pris la liberté de dire Non au Pacte et au Parti (un certain nombre, parmi eux, étaient d'ailleurs revenus aux communistes dans la clandestinité).

Nizan refuse

Aragon publiera vers 1967 — pourquoi ? — le recueil de ses articles dans *Ce Soir...* avant le Pacte, qui disparaît ainsi recouvert sous cet amas de feuilles mortes. Époque du grand gommage, où il « réécrira » *Les Communistes* en effaçant le personnage odieux d'Orfila, caricature ignoble de Paul Nizan.

Dès 1931, Aragon s'était affronté à Paul Nizan, l'universitaire, le militant acharné. L'un et l'autre essayaient de saper l'influence de Barbusse... avec le même insuccès. Ils s'étaient retrouvés, en 1934, au congrès des écrivains de Moscou. Ils se sont vus souvent à l'hôtel Métropole, où les Nizan venaient en visite chez les Moussinac... En 1939, ils sont l'un et l'autre à *Ce Soir* : Louis comme directeur, Paul Nizan comme éditorialiste de politique étrangère...

---

tué à Bruxelles, sur son seuil, à bout portant, par — on semble en être sûr à présent — la Gestapo.

Nizan, dit Annie Cohen-Solal[1], pendant tout le printemps et l'été de 1939, note « les signes sans pouvoir les décoder ».

La dernière série d'articles de Nizan dans *Ce Soir*, intitulée « La France trahie », dénonce les agents de l'Allemagne, recrutés par cet Otto Abetz qu'on avait expulsé... Le gouvernement, au lieu de sévir contre les propagandistes hitlériens, abat « ses foudres... contre ceux qui les dénoncent, comme c'est leur devoir et leur droit ». Parmi ces amis de l'Allemagne, il y avait aussi Louis-Ferdinand Céline et Drieu La Rochelle... Mais Nizan ne cite pas de noms. En août, Nizan part en vacances en Corse, chez Laurent Casanova... En 1980, Aragon dira que l'annonce du Pacte avait provoqué chez Nizan « un délire », un accès de folie[2]. Henriette, sa femme, relate leur retour vers Ajaccio. Achetant *Ce Soir*, c'est par « les articles d'Aragon que Nizan apprit la position du PCF sur le Pacte. Il demeura silencieux et pâle pendant toute la traversée »... A Paris, Nizan demande des explications. Puis, mobilisé, il est envoyé dans le Bas-Rhin dans un régiment de pionniers. C'est de Romanswiller, après avoir réfléchi — et s'être torturé — un mois entier, après avoir refusé à des amis « bourgeois » d'être ramené à l'arrière que Nizan envoie sa lettre de démission à Jacques Duclos. Le point déterminant fut l'invasion de la Pologne par l'Armée rouge. Pendant la guerre, Thorez traite Nizan d'« agent » dans un bulletin du Komintern. Son argument ? Un roman de Nizan met en scène un traître : voilà qui montre la psychologie de l'auteur. Paul Nizan sera tué à la guerre. Le PCF resta incompréhensiblement réticent à le réhabiliter.

Quand Sartre, après la guerre, au moment où il écrivait sa célèbre préface à *Aden Arabie*, proposa aux communistes — Aragon surtout — de revenir sur leur attitude, il n'y eut pas de réponse. Dans la dernière décade d'août 1939, Aragon ressent surtout le tourbillon de l'angoisse.

La fin de l'Impériale

Le PCF est interdit et ses journaux fermés, ses députés seront arrêtés, jugés.

Louis et Elsa répètent, répéteront sans cesse que le Pacte est nécessaire à l'URSS. Dans le dernier numéro de *Ce Soir*

---

1. Tous ces faits sont analysés et décrits dans *Nizan, communiste impossible*, livre précis, documenté et convaincant d'Annie Cohen-Solal et d'Henriette Nizan (Grasset, 1980).

2. Entretien avec Annie Cohen-Solal.

(dont la saisie empêchera la mise en vente), Aragon titre :
« Tous contre l'agresseur ! » Il se raccroche à l'invraisem-
blable.

« Rien n'est changé, le plus grand danger pour la paix est
le danger hitlérien... tous les Français, vous m'entendez bien,
tous les Français comme nous, même ceux que quelques-uns
avaient trompés en vantant M. Hitler et son régime de gen-
darme en Europe contre le bolchevisme, feront leur devoir
de patriotes pour le rétablissement du droit international. »
C'est là une tendance au « communisme national » qui sera
condamnée à Moscou fin 1939...

Qui, parmi les membres du PCF, n'était pas accablé par le
Pacte ? Au quartier Latin, les jeunes sympathisants, que les
procès de Moscou avaient retenus d'adhérer, se détournaient.
Le sentiment national aux heures de conflit devient chez la
plupart une sorte d'instinct de vie collectif.

Pour Elsa, le Pacte, c'est l'incendie. Ce n'est plus un roman
qui brûle, c'est toute la vie qu'elle s'était construite avec les
pierres de sa patience. Comme toujours dans les grandes circonstances, elle montre une détermination froide à sourire
figé. Le regard durcit encore. Agir vite...

Louis a réuni ses collaborateurs. Il faut rejoindre l'armée...
ou disparaître. Puis il accepte l'hospitalité de son ami Pablo
Neruda, le poète ambassadeur du Chili [1]. Mais il faut qu'Elsa
reste rue de la Sourdière, que tout semble normal...

Pablo Neruda me racontera la fièvre d'Aragon pendant ces
quelques jours où il termina cent cinquante pages de roman.
Ils se connaissaient alors depuis deux ans. Neruda, Latino-
Américain habitué au nonchaloir, était sidéré par le pouvoir
de création et d'organisation de Louis. Ses poèmes, ses énormes romans... il les récitait par cœur.

A l'ambassade du Chili, pendant cette dernière semaine
d'août, jour et nuit, Louis écrit. Quand il s'arrête, il raconte
ce qu'il écrit, ce dont il est possédé. Il marche, il parle, mange
peu, ne boit presque rien. « La famille Mercadier, m'a dit
Pablo Neruda, c'étaient des gens que je connaissais. J'aurais
pu décrire les robes de Reine — qui me plaisait — et Pascal,
cet étrange garçon qui avait un sens très particulier de l'honneur. Le sens, un peu, des surréalistes... »

Dix ans après, Neruda admirait encore cet homme : « Cent
cinquante pages en quatre jours. Et ces policiers qui le cher-

---

1. Pendant le bref gouvernement d'Allende, Pablo Neruda redevint
ambassadeur du Chili en France. A l'époque, il était chargé d'organiser le
départ des républicains espagnols pour le Chili et résidait à Paris à l'ambassade, où il accueille Aragon.

chaient. Cette chasse aux communistes en France. Le Pacte. Oui. Mais Aragon... Le cinquième jour, il est parti à la guerre. A quarante-deux ans...

— Il a justifié le Pacte, Aragon...

— Il n'y comprenait rien... Il fuyait cette réalité dans son roman [1] ».

Les Voyageurs de l'impériale, ce gros roman qu'il construisait en esprit dès le voyage d'Amérique, il l'avait repris où il l'avait laissé, à son bureau de la rue de la Sourdière, avant le Pacte.

Aragon écrit, talonné : il faut avoir fini le 31 août parce que son ordre de mobilisation — malgré ses quarante-deux ans, il est mobilisé comme « médecin auxiliaire » — est pour le 2 septembre.

Il arrête le roman à la guerre de 14, la guerre de son adolescence, guerre qu'il a faite pourtant. Pascal va partir, espérant que son fils, Jeannot, « ne connaîtra pas la guerre. Pascal pendant quatre ans et trois mois a fait pour cela son devoir ». Point final. Nous sommes le 31 août 1939.

---

1. Entretien avec l'auteur.

7

« Au cœur noir du vacarme »

Défenses passives

« Il faisait chaud, le 2 septembre »...

Elsa, en janvier 1940, dans la *NRF*, évoquera ce qu'elle a vécu. A partir de son *Journal* quotidien. Avec parfois ce que lui avait enseigné Aragon : qu'il était bon, dans un récit, de « glisser », de bouger, comme sur les clichés photographiques ratés où plusieurs images se recouvrent en surimpression.

« Il faisait chaud le 2 septembre 1939. Dans une gare inconnue, car le mystère de Paris est si grand qu'on peut y cacher même une gare... » Elsa marchait en robe d'été, les lèvres souriantes et l'œil dur — surtout ne pas pleurer, surtout ne rien montrer. Elle marchait à côté de Louis en uniforme. On l'envoyait dans un drôle de régiment. Un groupe d'hommes dont la société ne voulait pas, ou pas à égalité. Des gens qui avaient un casier judiciaire, ou des opinions qui ne convenaient pas. Un « régiment de travailleurs ». Ils s'arrêtent au bistrot face à la gare. « Des cascades de limonade et de vin blanc coulaient sur le zinc... et les hommes étaient bons les uns pour les autres comme si c'étaient des animaux. »

Elsa devait se sentir revenue au désespoir de *Camouflage* : plus rien n'est sûr, Louis semble soudain autant qu'elle étranger en son pays. Ni directeur de journal, ni même écrivain : un mobilisé même pas tout à fait comme les autres. Les communistes, déclare et répète la presse, se sont, en approuvant le Pacte, mis au ban de la communauté nationale.

La peur, cette ennemie d'Elsa, reprend possession de ses nuits et ses jours. Mais pas irraisonnée, cette fois. A la fin, en 1940, des policiers avec un mandat de perquisition viendront fouiller dans les papiers heureusement triés, lire les vieilles lettres d'amour, feuilleter les photos, jeter par terre les livres... Leur a-t-elle vraiment lancé des injures, aux perquisitionneurs ? La scène de *Vie privée* est glissée dans la manière qu'elle a de placer, avec un autre éclairage, un véritable souvenir. Ou bien est-ce le fantasme de ce qu'elle aurait voulu et n'avait pas osé faire ? Dans la nouvelle, nous sommes sous l'Occupation, à Lyon. Les policiers perquisitionnent, et la femme glapit que « ce n'est pas la France, c'est la jungle ». Le commissaire parle de la « perfidie » des Slaves qui « plantaient un couteau dans le dos de leurs frères » et elle hurle : « Je vous en ficherai des Slaves », au point que les autres policiers accélèrent, en se disant qu'elle devait, pour gueuler si fort, jouir de hautes protections.

Désormais, tout, même une carte postale, doit être chiffré. Le temps du poème et du roman remplace le temps des meetings, des articles et des proclamations.

Elsa le sent dès ce 2 septembre où le train s'est ébranlé. Elle a tout engrangé. Les femmes qui s'accrochent un dernier moment au bras puis, quand ils sont montés sur les marches du wagon, aux bandes molletières de ceux qui partent. Elles sont six qui reviennent de la gare en taxi collectif. Le train « était parti dans le grand soleil ». Une jeune brune, la chair voilée de tulle noir, dit : « On n'est pas des lâches, on se battra... Mais j'ai dit à mon mari de prendre du bon temps chaque fois que l'occasion se présentera. » (Elsa, elle, dira un jour à Louis : « Si tu es fait prisonnier, je ne t'attendrai pas. » C'est Aragon qui le rappellera, plus tard.)

Une autre, en gris, qui semble en deuil : « J'ai conduit mon fils, maintenant je vais à la gare de l'Est conduire mon gendre. » « Ces sales Russes, disait une troisième, ils nous ont toujours lâchés, c'est comme ça depuis Napoléon. »

« Le chauffeur ne disait rien. » Le chauffeur, pour Elsa, devait représenter l'instinct de classe.

Très beau ce premier texte en français d'une Elsa qui ne pouvait plus demander à personne si telle tournure était ou non « française » : « Les téléphones sonnaient dans le vide des appartements : il n'y avait personne au bout du fil. Dans le splendide désert asphalté de Paris, il était inutile de composer un visage pour les arbres mouillés des Champs-Élysées. »

Il pleut. Devant la bouche du métro une femme offre son parapluie à Elsa, qui lui prend le bras : « C'était une veuve de guerre. »

La sirène d'alerte ? « J'avais l'impression qu'elle hurlait à ma place. » Elle étouffe sous le pesant d'horreur des nuits. Le mystère l'entoure : a-t-elle jamais allumé cette lampe qui brille quand elle s'éveille ? Elle croyait l'avoir éteinte ? Est-ce un signe ? « Mais signe de quoi ? »

Le couvre-feu, « minuit à partir de huit heures ». Les passants sont des paysans, transformés en soldats. Voilà soudain qu'elle voit, sous les arbres des Champs-Élysées, un « ex »... Comme c'est bizarre, un homme qu'on n'aime plus, qui a perdu le pouvoir de vous faire souffrir.

Les pluies font monter la Seine. Elsa passe quelque temps chez des amis hors Paris, au bord du fleuve, tandis que le vent fait tomber l'or des feuilles, que l'eau monte sur la première terrasse. Elle voit courir « des rats gros comme des chats ». La hantise des rats au grenier, à Moscou... Et même : « La nuit, je vois à la lumière d'une lampe de chevet les dessins du tapis qui s'animent : c'est un petit rat assis sur son derrière rond », mais c'est lui qui prend peur et file. Les bûches croisées dans la cheminée lui semblent « des os surmontés d'un crâne »...

Si elle subit l'eau, l'inconfort, les rats, c'est à cause de la perquisition. Elle écrit à Louis, après s'être longuement demandé s'il faut le lui écrire : « Mon petit, il faut que tu saches ce qu'on t'a fait. » Tout est menace pour la solitaire, même la porte de la salle de bains qui claque.

Elle tente de plonger dans les souvenirs d'enfance. Les Russes attaquent la Finlande... Elle se revoit en Finlande, enfant... L'étrillage des masseuses des saunas, les nuits blanches de la Finlande d'été qui « vous mettent la tête à l'envers ». La Finlande ? Viborg... « Le Côté de Viborg » est une « partie de Pétersbourg, maintenant Leningrad ». Elle se rappelle dans ce faubourg un hôtel où s'« était passé quelque chose d'historique, ayant trait à la première Douma du temps de Nicolas II. Il y avait une grande inscription sur le mur vert d'eau, mais que disait-elle ? « A quelle histoire appartient ce quelque chose d'historique, c'est ce dont je ne me souviens plus. »

A ce non-souvenir, se mesure le désarroi de cette femme et l'absolu de sa solitude. Louis présent, même s'ils sont solitaires côte à côte, isolés, les deux îles se renvoient leurs ondes. L'un s'irrite des exigences, l'autre ressent sa double frustration (Elsa se raconte qu'elle s'est déracinée « pour » Louis) ; pourtant, ils sont ensemble. Et chacun est capable de percevoir le constant besoin de reconnaissance de l'autre.

Doublement étrangère, Elsa veut évoquer sinon sa ville — comment parler de Moscou après le Pacte ? — du moins l'*autre* capitale, à propos de l'actualité. Un hôpital bombardé à Imatra ?... c'est aussi le nom d'un hôtel « où la jeunesse de Pétersbourg emmenait ses maîtresses pour une nuit d'amour » et, au-delà, une forêt, un lac, « l'eau qui se bat avec fureur contre les grandes pierres ». Elsa ne rappelle pas que ce sont les Russes qui bombardent Imatra la Finnoise.

De ces textes, Aragon, plus tard, écrira qu'ils suggéraient « ce qu'il était interdit de dire ». Peut-être ce qu'Elsa s'interdisait de se dire ?

Les rapports des Aragon (désormais légitimement unis) et de Jean Paulhan, directeur de la *Nouvelle Revue française*, personnage clé des éditions Gallimard et grand ami de Gaston Gallimard, étaient complexes. Aragon avait été brouillé avec Paulhan suite à l'adhésion groupée des surréalistes au PCF en 1927. Puis ils s'étaient revus et Elsa avait exercé de son mieux tout son charme sur cet homme si séduisant avec sa haute taille, ses yeux gris, la vigueur de ses sourcils et la causticité de son sourire. Sa seconde femme, Germaine — qui sera bientôt rongée par la maladie de Parkinson —, goûta l'exotisme d'Elsa. Paulhan garda sa courtoisie raffinée mais vigilante.

Il désirait le retour d'Aragon — brouillé avec presque tous ses amis, Eluard compris — aux éditions et à la revue.

Elsa lui envoya son essai *Maïakovski, poète russe — Souvenirs*, dactylographié, avec une traduction des poèmes révisée par Aragon. Elle espérait qu'il le publierait ; il en fera paraître un fragment dans la *NRF* en mai 1939 (et ce sont les Éditions sociales internationales, la maison du Parti, qui sortiront le livre).

Les lettres à Paulhan montrent l'étendue de la gamme des « tons Elsa ». Plaintives ou inquiètes, discrètement revendicatives puis d'une charmante reconnaissance — des lettres qui donnent à l'homme l'impression d'être tantôt puissant, tantôt bourreau, tantôt magicien...

Ainsi le 17 février 1939 : « Mon pauvre manuscrit qui se promène tout nu, sans artifices, sans maquillage, avec ses défauts, sous des yeux trop experts pour être indulgents... » Paulhan la rassure : Eluard, bien que brouillé, a beaucoup aimé, ainsi que Michel Leiris. Plus inattendu, Jouhandeau l'implacable déclare « abandonner ses griefs contre le communisme » et Maïakovski, et écrit : « Elsa Triolet est si sympathique ! J'ai vécu deux jours sous le charme de cette évocation. »

Elsa enverra donc le livre à Paulhan en assurant qu'il doit beaucoup à la revue, « même si je suis l'oiseau bleu frappé par une sagaie ». C'est que le livre sort en décembre 1939, quatre semaines après qu'elle aura conduit Aragon au train des militaires.

Affecté à un poste de médecin auxiliaire dans un hôpital

de campagne, il se voit proposer de publier à nouveau chez Gallimard, par exemple l'énorme manuscrit des *Voyageurs de l'impériale* qu'il vient d'achever. Paulhan veut aussi les poèmes « bouleversants » (dit-il à Elsa). Elsa n'a pas un sou : il envoie des avances. Il publiera le récit du départ des militaires, « Le 2 septembre 1939 », dans les notes de la *NRF*, « L'Air du mois ». Aragon, de son hôpital, demandera qu'il commande une suite de chroniques à Elsa.

« Elsa est quelqu'un qu'il faut entretenir en écrivant, vous me comprenez... Je n'ai pas peur du ridicule à parler de ce qu'écrit ma femme. Je crois qu'elle trouve des chemins de l'expression qui nous sont fermés. »

Aragon en permission demeure « sourd-muet » pendant huit jours. Reparti, se croyant destiné à suivre l'infanterie au front, il demande aux Paulhan d'aller voir et de soutenir Elsa. « Vous ne vous faites pas idée de (sa) solitude. » Le poète, dans l'environnement bruyant, sordide et solitaire de ce poste médical où, précisément, il n'arrive pas à être seul — ce qui ne l'empêche pas d'écrire —, éprouve désormais pour sa légitime épouse un amour nostalgique, déchirant. Il se sent responsable d'elle, il est le chevalier devant sa Dame. Il lui écrit des lettres d'une insoutenable tendresse. Il a repris figure humaine durant ces jours passés avec elle, contre elle, près d'elle... La cristallisation qui ne s'était pas produite pendant leurs dix années d'orages et de voyages a lieu soudainement, au cœur de cette étrange guerre immobile.

Elle se dit « inconsolable en général et en particulier ». Femme d'un poète maudit — de par ses querelles personnelles, mais plus encore par l'interdiction qui frappe son parti — elle se sent triplement repoussée : comme étrangère, comme « espionne communiste » (elle qui n'est membre d'aucun parti), et comme femme. Elle écrit aux Paulhan qu'Adrienne Monnier a fait dans sa librairie une exposition des photos d'écrivains signées Gisèle Freund, mais que son portrait n'y figure pas. « Adrienne Monnier m'a marché sur les pieds avec ses photos... Ces "féministes" n'ont jamais voulu me remarquer à l'ombre d'Aragon en fleurs. »

En février, le « méd. aux. » est envoyé dans une division motorisée. Pendant la « retraite » dans la défaite, il se distingue des officiers qui n'ont d'autre objectif que de se mettre à l'abri. Le poète excommunié, le blasphémateur du drapeau et de la patrie, l'auteur de « Vive le Guépéou ! » se conduit avec tant de courage et de dévouement à ses hommes qu'on le décore de la croix de guerre, avec deux citations.

Le 8 mai 1940, Aragon apprend par Paulhan l'ignominie de son « ancien ami » Drieu La Rochelle qui menace de quitter la *NRF*, « une revue qui abrite en temps de guerre les écrits de l'ex-directeur d'un grand journal politique d'obédience étrangère, Aragon ».

L'ex-ami a pleinement goûté la structure de la phrase. Il écrit à Paulhan : « Mon ancien ami M. de R. n'avait pas encore atteint le fond de la fosse d'aisances, l'y voici. Qu'il y demeure », et dans la même lettre demande que les chroniques d'Elsa soient maintenues.

« Je tiens très peu à la vie et beaucoup à mon amour (excusez cette phrase ridicule, je ne la trouve pas ridicule du tout). » C'est que ce sentiment, il vient d'en faire la découverte. Il écrit ce qui se nommera un jour *Le Crève-cœur*, et ce n'est pas encore la patrie, mais bien la femme qu'il chante.

> *Elle seule l'angoisse et l'espoir mon amour*
> *Ma femme d'or, mon chrysanthème*
> *Pourquoi ta lettre est-elle amère*
> *Pourquoi ta lettre si je t'aime*
> *Comme un naufrage en pleine mer...*
> *Pourtant je chanterai pour toi tant que résonne*
> *Le sang rouge en mon cœur qui sans fin t'aimera.*
> *Et j'attends qu'elle écrive et je compte les jours*
> *Tu n'as de l'existence eu que la moitié mûre*
> *O ma femme (...)*
> *O mon amour ô mon amour toi seule existes*
> *O cette heure pour moi du crépuscule triste*
> *Où je perds à la fois le fil de mon poème*
> *Et celui de ma vie et la joie et la voix*
> *Parce que j'ai voulu te redire je t'aime*
> *Et que ce mot fait mal quand il est dit sans toi.*

Puis ce sera la déroute, la défaite, l'angoisse.

Aragon avait toujours eu la France au cœur et secrètement aimait encore Barrès malgré tous les procès surréalistes et tous ses « Vive le Guépéou ! ». Il écrit sur celle qui l'attend, prêtant sa voix — pour la première fois — à ses camarades, officiers ou soldats. Il se sent poète public, comme on est écrivain public dans un village.

Dans le délaissement des nuits où toute voiture lui semble venue pour l'arrêter, où toute portière lui paraît se refermer sur sa liberté, Elsa a-t-elle pensé qu'elle avait, cette fois, définitivement gagné ? Ce poème qui la célèbre sonne déjà comme une chanson. *Les Voyageurs de l'impériale* paraissent en feuilleton dans la *NRF*...

En septembre 1940, un poète mobilisé de trente-deux ans, Pierre Seghers, commence à publier une revue, *PC 40* (ce qui signifie Poètes casqués [1]). Aragon, après un échange de lettres, lui envoie *Les Amants séparés*.

> *Comme des sourds-muets parlant dans une gare*
> *Leur langage tragique au cœur noir du vacarme*
> *Les amants séparés font des gestes hagards...*

Langage codé — « appel clandestin, confusion de la bien-aimée et de la patrie » ? L'exégèse est devenue un exercice de lycée. Pour Elsa, ces mots étaient la plus personnelle reconnaissance.

Le 31 mars 1940, revenant en permission, Georges Sadoul a l'angoisse à la gorge. La presse parlait d'un dépôt clandestin des Éditions sociales internationales découvert, saisi. Un journaliste réclamait des arrestations. Le directeur des ESI était Léon Moussinac — l'ami naguère intime de Paul et d'Henriette Nizan — et la revue d'Aragon *Commune* figurait dans ce dépôt.

Rue de la Sourdière, il trouve Louis. Il avait entre-temps été affecté à Paris à la caserne Mortier. Puis on l'avait renvoyé près de Laon, à la 3ᵉ division légère motorisée. Et il était enfin à Condé-sur-Escaut ! Il est là en permission.

« Grande joie. Aragon est sur le front belge dans les tanks comme chef infirmier. » Louis est très agité. Exposé ? Oui, il l'est. Et d'ailleurs, comment tirer les blessés de sous les tanks en cas de bataille ? Il inventera une « clé », une sorte de cric spécial et sera félicité par le commandement, lui, le communiste, le directeur de *Ce Soir*.

Il marche de long en large et discourt. « Rajeuni et splendide dans son uniforme neuf. » Dix ans de moins...

La solitude dans un groupe de camarades. La responsabilité d'hommes inconnus. Le rêve à une femme lointaine... Le risque aussi. Est-ce une forme de cette exaltation, de cette fièvre, qui peut tenir lieu de bonheur ?

Elsa est entrée dans son rôle d'épouse de combattant. Et puis, elle écrit. Ils vont au cinéma, voir un film américain. Ces mêmes jours à Paris, les députés communistes déchus de leur immunité parlementaire, et jugés, sont condamnés — ils seront déportés en Algérie.

Le 6 avril, un décret-loi édicte la peine de mort pour toute participation à un tract communiste. Louis avait dit à Sadoul qu'il craignait une chute du gouvernement Reynaud, un ministère Laval-Flandin-Déat... et la guerre contre l'URSS.

Le 9 avril, Hitler envahit le Danemark et la Norvège. Aragon commande un groupe sanitaire d'étudiants en médecine

---

1. Entretiens avec l'auteur, en février 1983 et *La Résistance et ses poètes*.

sur la frontière belge. La retraite commence. Le 29 mai, Aragon et ses hommes — qui tous ont vanté son courage et sa bonne humeur — sont embarqués, après une longue attente sous les bombes.

A Plymouth... on les réembarque pour Brest. « Ayant à bord des Marocains superbes qui chantaient sur le pont tandis que dans le navire roulait le flot pas moins majestueux de leur merde que de la nôtre [1]. »

Louis est décoré de la médaille militaire pour avoir « *ramassé des blessés à quelques mètres de chars allemands* ». Il dira : « Cette guerre d'un mois et quelques jours où l'on me couvrit d'honneurs divers..., il en sortit *Le Crève-cœur*. »

Ô casernes, ô châteaux

C'est l'armistice. C'est Ribérac. Il écrira « La leçon de Ribérac ou l'Europe française », publié en juin 1941 dans *Fontaine* à Alger. « Moins épuisés d'avoir retardé presque seuls la puissante poussée d'un ennemi démesuré que du formidable débat en chacun de nous... du drame de la Patrie percée. »

Cet homme qui trembla de déplaire à son parti et céda, avec humeur mais constamment, à une femme, a toujours montré le courage physique de ceux qui veulent — fût-ce au prix de leur vie — être aimés. Un même besoin les fait plier devant les maîtres qu'ils ont choisis, et risquer tout auprès de frères de combat, face à l'ennemi. Aragon continue à ressembler au Drieu d'autrefois, celui de leur amitié. Celui qui ne se ressemble plus. Celui qui prendra la direction de la *NRF* dont Paulhan ne veut plus. Celui qui va se proclamer « nazi français », et dénoncer l'intime de jadis.

Ribérac, donc, un jour de juin 1940. Les officiers déjeunent. Accablés, mais tâchant de faire bonne figure. Soudain s'arrête une voiture du corps diplomatique du Chili. Et Elsa en descend, avec plein de bijoux et l'élégance citadine de ses vêtements. Malgré sa petite taille, les officiers lui trouvent de l'allure.

Aragon torche son croquis en vitesse : « Ma femme, Elsa, me rejoignit à l'improviste, tombant en plein déjeuner dans notre cantonnement, où pour la garder avec moi on lui fit porter une blouse d'infirmière jusqu'à ma démobilisation à Nontron. »

Démobilisé, il emmène Elsa à neuf kilomètres de Brive, dans le château d'un ami, où ils retrouvent Vladimir et Ida

---

1. Aragon, *Histoire d'un manuscrit...*

Pozner avec d'autres réfugiés... Ces compagnons ne sentent pas les Aragon très sociables ni très faits pour la vie commune. Tout occupés d'eux-mêmes. Louis ressasse *sa* guerre... Pozner avait la sienne, lui aussi, lui dont le passé recoupe si souvent les sentiers d'Elsa. Mais quelle cruauté justement que ce rappel au moment où elle se sent si mal intégrée dans leur blessure à tous. D'être née Kagan, à Moscou, d'être mariée à un Français catholique mais marqué de l'étoile rouge, de sentir que « rien de national ne lui est organique », cet isolement, ce double ou triple sceau particulier l'isole de la catastrophe générale. La défaite est un tremblement de terre. Mais elle, en plus, erre dans les décombres avec une clochette de lépreuse. Ne pas s'aventurer dans l'océan glacé des souvenirs interdits. Heureusement, Pozner possède cette divination des êtres qui préserve de faire mal.

Seul écrire vous « empoigne comme l'alcool ou le jeu ». Mais comment en trouver la sérénité dans le silence de fin du monde que composent tous ces cris de prisonniers, de disparus, de persécutés ? En ces premières semaines, l'écriture même semble une rive, un rêve inaccessible. Ils tâtonnent au long des ondes de la radio, ils veulent comprendre où en est l'Europe. Louis crie qu'il a mal à sa patrie..., mais Elsa ne sait même pas où est sa patrie. C'est très longtemps après qu'elle osera, mieux que dans un cri, une phrase, dire le malheur de ceux qui sont des « partout-différents ». Des années après la guerre, elle montrera une étrangère qui « se sentait fondre dans Paris... Mais jamais elle ne disait, même à voix basse, même pour elle toute seule : "mon Paris" ».

Louis martèle et chante des poèmes qui feront pleurer les vaincus et très vite scanderont les prises de conscience secrètes. *Le Crève-cœur* est commencé depuis septembre 1939.

Elsa rappellera, bien plus tard, ces semaines invivables [1]. « En principe les camarades de Louis et les gens que nous rencontrions étaient tous également atteints par la défaite, par le nazisme triomphant. Mais, en réalité non, pas également. Dans ces moments-là, l'horreur suprême c'est de ne pas savoir où est sa patrie... et si même on en a une. Cette hésitation, c'est l'horreur. Ma patrie, l'antinazisme, l'antifascisme ? Ce n'est pas charnel. La patrie, c'est l'odeur d'une terre, des arbres, la forme des villes, la particularité singulière des rues... Et puis le son des voix dans une langue. »

Elle reviendra sans cesse sur cette patrie essentielle de l'écrivain : sa langue. « Je les haïssais, par moments, les autres, d'éprouver une douleur à la patrie aussi précise qu'à un point

---

1. A Romain Gary qui l'a raconté à l'auteur.

du corps... on aurait dit que leur blessure à la patrie se trouvait localisée à l'estomac, au foie, au cœur. Moi, j'avais deux "patries percées", mais en sens inverse. Je ne savais vraiment plus où j'en étais. » Cette confidence, l'a-t-elle même faite à Louis, en 1940 ?

Dans le château de leurs amis où s'unissait tout un groupe de désemparés, Louis se sentait « comme dans une Chine où l'on parlerait français ». Il tentait d'évoquer sa guerre au petit déjeuner, quand la servante apportait la cafetière d'argent et que les abeilles entraient par les fenêtres. Mystérieusement, malgré le manque d'essence, de transports, sans cesse de nouveaux réfugiés arrivaient et l'on tentait de voiler l'incertitude et le chagrin sous des choses quotidiennes. Le ravitaillement. Ou la question : partir ou pas ?

L'Amérique ?... Pour les Pozner, c'était sans doute la seule issue. Elsa comptait aux USA des appuis, des proches... Ou l'Angleterre, au moins ? Les rapports avec l'oncle anglais étaient rompus depuis la vague d'épurations en URSS. Un parent avait été arrêté comme profiteur de la NEP, homme d'affaires à l'occidentale, et accusé d'activité subversive ; la moindre dénonciation bien placée suffisait. L'oncle s'était adressé à Elsa-Louis — ce devait être en 1936 ou 1937 : ne pouvaient-ils intervenir ? La sécheresse de la réponse avait stupéfié le Russe juif devenu anglais conservateur : si ce proche avait été arrêté, c'est qu'il était coupable. Contre-révolutionnaire. Au pays du socialisme, la justice est dure mais pure : les contre-révolutionnaires complotaient pour la mort du régime, donc s'étaient conduits « objectivement » en assassins. Ces mots, Elsa les avait prononcés au téléphone. Dictés par Louis, par l'atmosphère, par son horreur des émigrés « blancs »... Ceux-là, les émigrés par antibolchevisme, l'avaient baptisée — elle le savait — « l'espionne du Guépéou », chuchotaient que sa sœur comptait parmi ses amants des tchékistes passés au MVD (ministère de l'Intérieur) ou dans les services secrets. Ils citaient Tobinson, d'autres, puis le général Primakov... et, qu'ils aient eu des « ennuis », que le général ait été « physiquement liquidé », selon la formule, ne changeait rien à leur jugement sur Elsa.

L'oncle, révolté, a fait appel aux sentiments « sinon familiaux du moins simplement humains ». Elsa a répondu que le directeur de *Ce Soir* ni sa femme ne pouvaient intervenir pour un « Nepman », un prisonnier de droit commun : les « criminels économiques » étaient rangés à la fois parmi les escrocs et parmi les contre-révolutionnaires selon les besoins [1].

---

1. L'auteur tient ce récit de l'oncle, M. Berman lui-même.

Donc l'Angleterre n'offrait guère d'appui... Mais en fait — Elsa l'a dit souvent — l'idée d'émigrer, d'entrer dans un nouvel exil, une nouvelle langue — même si elle la parlait — ne lui était pas venue. Sa solidarité avec Louis se nouait encore plus depuis qu'elle devenait la « Dame des poèmes »... et le désarroi de celui qu'elle nommait de plus en plus publiquement « mon petit » l'attachait fortement. Elle disait parfois, le sourire mystérieux : « Louis n'est pas un homme qu'on peut laisser seul. » D'Amérique et du Chili on les pressait de venir. Louis était sûr qu'il fallait rester : « Ni toi ni moi ne voulions quitter la France. »

Au château, Louis fulminait. « Quand je leur ai raconté que, dans les villages, les Français tendaient la main comme des mendiants pour recevoir des cigarettes des motocyclistes casqués, ils n'ont pas vu le point ! »...

Elsa, comme tout le monde, ayant choisi de survivre ici devait inventer des moyens de subsister. Elle avait fait parvenir le manuscrit des *Voyageurs de l'impériale* aux amis new-yorkais qui aussitôt, avec la générosité des Américains en pareille circonstance, avaient envoyé en dollars une « avance sur droits d'auteur » couvrant toute l'édition. Ils l'enverront en plusieurs fois, ce qui causera des angoisses. Ce sera le capital des Aragon pendant longtemps, ces dollars cachés dont on retrouvera l'importance dans *Vie privée* : « (elle) vendit ces dollars à un prix monstrueusement avantageux. »

Langages chiffrés

Séductrice du Midi

Louis voulait aller quelque part où ils seraient tous les deux, sans témoins. Elsa attribuera au héros de *Vie privée* son « air de prince charmant, excentrique, dolent et boudeur » qui crie qu'ici « on vit comme dans une vitrine ». Un jour, Elsa avait répondu à une question que vivre en vitrine, sous le regard de témoins, c'était l'*enfer*...

Ils sont d'abord partis à la recherche de Gaston Gallimard, à Carcassonne.

Les gens de Carcassonne, provinciaux effrayés par l'assaut de l'Histoire mais tout autant par ces Parisiens qui menaçaient de s'installer, ont dû renforcer ce qu'Elsa pensait des Français : « égoïstes, intéressés, sans enthousiasme, sans autre foi que leur petit confort mesquin, sans idéal, sans esprit de sacrifice ».

Pourtant, paralysé depuis l'autre guerre, jamais amer ni médisant et n'admettant de jugement qu'à partir d'une certaine sérénité, le poète Joë Bousquet rassemblait qui voulait autour de lui, chaque après-midi. Elsa y voit la « seule lumière dans cette ville aux portes closes, inhumaines ». Peut-être Joë Bousquet et la belle hauteur de Paulhan qui y fréquentait l'empêchèrent-ils de désaimer complètement le pays dont Louis éprouvait la furieuse passion ? La France, femme envahie, c'est Marguerite Toucas tyrannisée par sa mère exigeante, son père méprisant et coûteux, son ami dédaigneux... ou Elsa, dans la mesure où il perçoit son désarroi et son malheur, où il admire son courage. Déjà, elle couvre de notes des carnets. Louis s'amuse des grands jambages que les Russes conservent en traçant l'alphabet latin.

276

Carcassonne, « une ville classée monument historique à cause de la couronne de pierre qu'elle portait sur la tête ». Et la description des rues aux magasins trop serrés autour d'une cathédrale sans émotion, et les beaux hôtels négligés. Surtout, elle note à quel point le vent est maître de la ville : « C'était l'usage d'avoir froid. »

Ils logent chez une femme généreuse, Mlle Agnès, qui tient un minuscule hôtel-restaurant. Dans sa cuisine, Aragon lit à Jean et Germaine Paulhan *Les Lilas et les Roses*. Mlle Agnès pleure et se sent prête à acheter une épicerie pour en donner la gérance aux Aragon. Paulhan, de mémoire, récite le poème à quelqu'un du *Figaro* qui le publie le 21 septembre, avec des erreurs. Aragon les rectifie : le 28 septembre, le poème reparaît, sonnant juste... et sonne jusqu'à Paris. Madeleine Renaud en fait don aux auditeurs d'une matinée poétique de la Comédie-Française.

Un après-midi, chez Joë Bousquet, arrive un homme jeune, l'air de descendre d'une ascension ou de sortir d'une longue nage, tout bruni, barbu et rieur. Aragon rencontre enfin l'audacieux qui lança en 1939, à l'armée, une revue de poésie, *Poètes casqués*, Pierre Seghers. Aussitôt sortis, il annonce : « Venez, je vais vous conduire chez ma femme, Elsa Triolet. Elsa Triolet est un grand écrivain. Vous avez peut-être vu ses chroniques dans la *NRF* ? Comprenez bien, je donnerais tout ce que j'ai écrit, même *Le Crève-cœur* qui me tient encore à la peau, pour une de ses nouvelles. »

Seghers, à trente-quatre ans, est un grand amateur de femmes — il le restera. Il quittait doucement sa première épouse, Anne, en restant son ami. Ce même jour, dans le minuscule hôtel de Mlle Agnès, cette Elsa de quarante-quatre ans lui semble la séduction même. Il perçoit la retenue, la période d'observation, cette évaluation discrète du regard bleu. Perçoit-il, de profil, ce que la mâchoire a de broyeur ? Non, il trouve l'accueil souriant et malicieux, le rire gai, et touchant ce qu'elle dit de la joie d'avoir enfin retrouvé Louis. Le charme agit par la voix, par les yeux, par les gestes gracieux, par cette manière, assise, de poser la joue dans sa main et d'écouter. Quarante-trois ans après, il se rappelle : « Oh, oui, une jolie personne, ce grand-écrivain-Elsa-Triolet. Quarante-quatre ans ? Peut-être, mais... oserais-je dire qu'elle était parfaitement "opérationnelle ?" » Encore ravi, il sourit à son souvenir. « D'ailleurs, dans la rue, les regards la suivaient. Rieuse ? Mais oui. Gracieuse, élégante... »

Elsa dira de Seghers, beaucoup plus tard, qu'il fut leur soutien et leur porteur. *Porteur*, en effet... Seghers sent encore au bout de ses muscles de sportif le poids de livres et papiers, le

277

poids de plomb des valises d'Elsa, qu'il aura beaucoup d'occasions de soulever.

D'abord, il les emmène aux Angles, à Villeneuve-lès-Avignon... La maison est à deux kilomètres du chemin. Pierre Seghers procède à son premier exercice-valises. Les Aragon habitent une dizaine de jours dans cette demeure à l'écart, tout entourée de mistral... Pierre va travailler à Avignon. La ville enchante Elsa et déjà elle note le décor des *Amants d'Avignon* : « Ville sainte, ville satanique, vouée aux miracles et aux sortilèges... la magie d'Avignon ! Dans quelle autre ville trouverez-vous sur un mur une inscription glorifiant la naissance d'un amour, comme celle d'un grand homme : "Ici Pétrarque conçut pour Laure un grand amour qui les rendit immortels"... Que de couples immortels dans les rues de cette ville de l'amour, de cette ville mystique et galante... »

Décor, donc, des amours immortelles et chantées. Mais ce vent, et cette solitude... Jamais, à l'entendre, la Moscovite n'a eu si froid. « Allons à Nice », dit Elsa — « Tant qu'à être malheureux, il valait mieux l'être sous un ciel bleu. »

A Nice, il y avait aussi — surtout peut-être — le docteur Gaston Baissette qui, à la préfecture, pouvait arranger beaucoup de choses... et prévenir de ce qui se préparait.

Les voilà donc chez Célimène, une maison discrète, où se donnaient des rendez-vous d'amour, mais où de petits appartements loués faisaient façade honorable. La promenade des Anglais est juste derrière. On la voit, de biais, par la fenêtre de la chambre-boudoir rose.

Mais la police ne cesse d'ennuyer la propriétaire pour qu'elle écoute et lui répète les conversations des locataires. Elle préfère, pour ne pas s'y plier, qu'ils partent. Alors, ils logeront derrière le vieux marché aux fleurs. De sa chambre, assise ou couchée, Elsa ne voit que la mer. Toute la nuit, les camions amènent les fleurs au marché, et la réveillent malgré deux rangées de toits. N'importe, elle se sent bien. Elle écrit.

A Paris, le 11 novembre 1940, des étudiants et des lycéens manifestent place de l'Étoile. Il y a des morts et beaucoup d'arrestations.

A Nice, dans le « garni capitonné » de la rue de France, le 31 décembre 1940, Seghers fête le Nouvel An avec Elsa-Louis qu'il a installés. Par une voie miraculeuse (la Suisse peut-être), Elsa a reçu de Lili (de Moscou !) une boîte de caviar « grande comme une boîte de petits pois ». Pendant quelques heures, on oublie tout. Elsa parle de Maïakovski, de Pasternak qui a écrit : « Quel millésime est-il aujourd'hui dans la rue ? »

Aragon était brouillé avec Paul Eluard depuis les années

surréalistes... Et voilà qu'en janvier 1941, Seghers lui montre
Livre ouvert I qui vient de lui parvenir de Paris :

> *La charrue des mots est rouillée*
> *Aucun sillon n'aborde plus la chair (...)*
> *Les yeux les meilleurs s'abandonnent*
> *Même les chiens sont malheureux*

Aragon propose une critique non signée pour *Poésie 41*...

« Un destin personnel »

Elsa, dans le boudoir de Célimène, s'est mise à griffonner.
Le malheur atteint les chiens, non les rêves. Dans son coin,
sur des cahiers d'écolier, elle scribouille et se tait. Lui écrit :

> *O nuit en plein midi des éclipses totales*
> *Triste comme les rois sur leurs photographies*

Et elle : « Cet hiver de 1940-1941, maman et mon beau-
frère Paul, le frère de mon mari, avec sa femme et le petit,
sont venus habiter chez moi. »

C'est une nouvelle : *Un destin personnel.* Charlotte, « qui
aime rendre service », envahie, chez elle, par une intolérable
famille, fuit chez une amie de pension. La clé du « suspense »
est donnée, comme dans les meilleures histoires policières,
dès la page quatre : Charlotte connaissait le mari de l'amie
de « bien avant ». L'amie est gâtée, heureuse... Elle s'absente.
Charlotte découvre que le mari trompe sa femme... et cueille
des champignons vénéneux, les fait manger à l'infidèle. Ils se
soûlent ensemble. Elle explose, lui reproche les quinze ans
de malheur qu'il lui a fait passer, « *notre enfant dont tu n'as pas
voulu* ». Scène dostoïevskienne, tête qu'on se tape contre le
carrelage... pour rien... car l'alcool fait vomir les venimeuses
amanites fausses oronges.

Elsa remplit ses carnets de notes. Elle décrit de patibulaires
réfugiés qui entassent des trésors de nourriture, rachètent des
bijoux aux nouveaux pauvres, satisfont leur concupiscence
contre un peu de nourriture. Engrangeant tout ce qu'elle
entend dans les cafés mal chauffés où l'on se réunit, Elsa écrit
Mille regrets.

Une Parisienne est perdue dans ce Nice qui grouille d'êtres
désemparés et de trafiquants de marché noir. Elle guette chaque jour son image, la voit se flétrir dans la glace. Jadis elle
avait été sauvée du suicide par son reflet dans le miroir ; elle
n'avait pas voulu « détruire un si bel objet ». A présent, ce
reflet lui répugne. Soudain, elle apprend que son bien-aimé

est vivant, qu'elle va le revoir... Tout pourrait recommencer ?... Mais les voisins un jour perçoivent l'odeur du gaz filtrant sous sa porte, devant laquelle un fleuriste, las de frapper, a déposé une corbeille de jacinthes... La femme n'avait pas voulu reparaître flétrie... Déjà s'esquisse le thème de la vieillesse, cette guerre inévitable où la défaite est certaine, thème qui ne cessera plus de dominer l'œuvre d'Elsa.

Robert Denoël publie, en 1941, ce recueil de nouvelles. Aragon raconte que Roger Martin du Gard, l'ami de Gide, ne sachant pas qui est Elsa Triolet, lui envoie une carte interzone « enthousiaste » qui part de Nice, franchit les censures jusqu'à Paris et les refranchit au retour. Max Jacob aussi écrit « à cet auteur dont il ne savait rien ».

Aragon correspond par SOS désolés avec Paulhan. Le 17 octobre 1941 — pour que Gallimard obtienne le visa de censure — Louis doit faire parvenir la citation de sa médaille militaire. *Le Crève-cœur* a été publié, en avril, sans écho : « Je me fais à ce grand silence noir. » Pas un journal ne rend compte du *Crève-cœur*... Gallimard semble croire que d'avoir envoyé une avance sur les droits d'auteur suffit à panser les plaies. « C'est fatigant d'avoir raison. »

Aragon croit en la possibilité d'une contrebande « légale » par la poésie, le roman... à condition de changer d'époque. Du Moyen Age à l'avant-guerre, l'espace est infini. Georges Sadoul sera initié à cette Résistance littéraire qui « utiliserait avec les fictions et les contradictions de la zone libre toutes les publications ».

« Le Cheval blanc »

Vient juin, le 21 juin, la nuit la plus brève de l'année... l'attaque des nazis contre l'URSS.

Angoisse ? Joie plutôt pour Elsa. Trembler pour les êtres chers, là-bas ? Oui, mais sentir à nouveau un lien entre les antinazis du pays de Louis et de son pays natal à elle. Elle devenait pour l'occupant une ennemie plus persécutée que les autres... C'était exaltant.

Louis décide de monter à Paris, Elsa s'obstine à l'accompagner : de toute façon, même sans elle, il devrait franchir clandestinement la ligne de démarcation.

Celui qui vient les chercher se nomme Georges Dudach. Elsa lui trouve « une tête de camarade »... C'est un homme long, chevelu et brun, d'un courage tranquille, mais appliquant à la lettre la « ligne dure » du Parti pour rassembler des écrivains résistants. Il a l'ardeur des militants qui croient dans les « minorités agissantes » et acceptent difficilement les compromis : il avait combattu ceux du Parti qui voulaient faire reparaître *L'Humanité* en vertu du pacte germano-soviétique [1]. Il sera tué par les nazis et sa veuve, Charlotte Delbos, déportée, publiera de magnifiques *Lettres*.

Contrairement à Dudach, farouche partisan d'une littérature d'opposition clandestine, Louis et Elsa jugeaient indispensable de publier ouvertement tout ce qui pouvait passer, parfois en usant d'un langage crypté. Ainsi les textes sur les troubadours et les travaux du médiéviste de la Sorbonne Gustave Cohen. Ainsi certains poèmes du *Crève-cœur*, que *Le Figaro* replié à Lyon avait publiés. Faire paraître au grand jour tout ce qui pouvait passer la rampe, et clandestinement ce qui ne le pouvait pas : c'était la ligne qu'Aragon entendait défendre, celle qu'à la Libération on flétrira sous le nom de « communisme national » alors même qu'il s'efforçait de ne pas « faire passer la ligne du marxisme entre les intellectuels » [2].

Les jeunes et les vieux, en zone pétainiste — et jusqu'à Paris — répètent ses vers :

> *O mois des floraisons mois des métamorphoses*
> *Mai qui fut sans nuage et juin poignardé*
> *Je n'oublierai jamais les lilas ni les roses*
> *Ni ceux que le printemps dans ses plis a gardés*

Vers que l'on murmurait, recopiait, que l'on chantait déjà sur n'importe quelle musique, vers que les jeunes de ce temps mêlaient aux chansons de Piaf et de Trenet, c'est-à-dire à ce qui n'était nullement « politique », mais tout simplement vital...

Georges Dudach revient — pour leur fixer rendez-vous — le 22 juin 1941. Précisément ce jour où les Allemands entrent dans une URSS dont le chef ne croyait pas cette invasion possible. Si la nouvelle leur est parvenue immédiatement, ce fut pour Louis et plus encore pour Elsa un grand jour, angoisse et joie mêlées. Enfin la Russie n'était plus l'alliée de Hitler... Ils se sentaient comme délivrés du Pacte. De plus tous les communistes de l'époque pensaient que les nazis signaient ainsi leur arrêt de mort — sans pour autant imaginer combien leur exécution serait longue... En même temps, pour Elsa, le sort de Lili et de ses amis devenait angoissant.

---

1. Ceux-là, on le sait à présent, représentaient une fraction de l'Internationale qui avait pour porte-parole français Jacques Duclos. La ligne inverse avait eu pour représentant Benoît Frachon.
2. Cette attitude lui sera reprochée, aussitôt connue, à Moscou.

Le 25 juin, après avoir passé la ligne de démarcation à Tours, ils se font prendre dans une rafle. Leurs faux papiers étaient d'apparence parfaits. Toujours est-il qu'ils seront incarcérés pendant près de trois semaines dans la caserne-prison de Tours. (Elsa parlera, à tort, de dix jours — Aragon rectifiera : « Arrêtés par les Allemands trois jours après l'entrée des troupes hitlériennes en URSS le 22 juin, nous étions encore à la caserne de Tours plusieurs jours après le 14 juillet (...). Cela fait donc un peu plus de trois semaines. » Qu'à la Libération le chantre de *Celui qui périt dans les supplices* n'ait pas voulu donner pour un grave danger cette arrestation, par ailleurs sans conséquence sérieuse, se comprend. C'était dans l'esprit du temps. Aragon s'offrira même le chic désinvolte de noter : « Même les Allemands n'avaient pas osé nous séparer [1]. »

Dans des notes inédites prises pour une nouvelle, Elsa décrit l'équipée. Dudach devient « André », qui a déjà « passé une vingtaine de fois » la ligne de démarcation. Elsa déplace la rencontre à Loches, « ville frontière ». Ils attendent la nuit, André arrive en bicyclette. Ils traversent. Arrivés en lieu sûr, André frappe à un volet, un paysan les accueille, les héberge. Le lendemain, il est inquiet car « il y a des patrouilles ».

Ils attendent le bus, sur la route nationale. Soudain — « entre le moment où j'ai senti une main sur mon épaule et celui où j'ai compris que cette main appartenait à un Boche en bicyclette, il y eut le temps qui se passe entre l'éclair et le tonnerre ». (La maladresse de la note montre à quel point Elsa devait encore travailler son écriture en français, trois ans après *Bonsoir, Thérèse.*)

Pour elle, l'emprisonnement ne fut pas un épisode : « Le premier soir, la première nuit passés dans la caserne de Tours ont été les plus longs de ma vie. J'étais seule dans la grande chambre d'une caserne transformée en prison, tous les autres étaient dans la cour. »

Ils rentreront à Paris le 16 juillet. Aragon semble avoir obtenu aussitôt l'accord des responsables communistes pour hâter la formation d'un Comité national des écrivains. Son organe clandestin, *Les Lettres françaises*, sera dirigé à Paris par Jean Paulhan et Jacques Decour (Daniel Decourdemanche, communiste). Ils obtiendront l'adhésion, entre autres, de

---

1. À notre époque, l'historienne Annie Kriegel s'étonne que l'antenne parisienne du Mouvement ne se soit pas préoccupée du retard des Aragon. À l'époque, retards et lacunes d'informations étaient pourtant fréquents.

François Mauriac, Jean Blanzat, Édith Thomas, Louis Martin-Chauffier (plus tard déporté).

Tout cela se fera lentement, une fois les Aragon revenus à Nice. Jacques Decour sera arrêté en février 1942, comme Politzer, Jacques Salomon, Georges Dudach et Danielle Casanova. Ces quatre hommes seront fusillés.

Pendant ce temps, à Nice, Elsa se plonge dans son premier vrai roman. « Toute ma vie vécue jusque-là allait passer dans l'écriture », dira-t-elle du *Cheval blanc*, et Louis ajoutera qu'elle avait dès le début planifié l'ampleur finale du roman : « J'ai toujours mis un point d'honneur à ne pas parler de moi-même... Le narcissisme, le perpétuel autoportrait me font honte. » Mais elle dira : « Michel Vigaud, c'est moi », et avouera aussi qu'Élisabeth — cette Elsa idéale — tient d'elle « certains » de ses traits de caractères.

Michel Vigaud ? « Ma Mme Bovary. » « J'ai eu sa vie, facile et difficile, sa solitude entourée, sa sotte pureté. » Ce Michel qui chante sa vie, laisse les femmes le désirer, les hommes l'entretenir, mène, sans le savoir une « vie surréaliste ». Il ressemble un peu à l'Aragon entrevu en 1925 et aussi un peu au *Gilles* de l'ennemi, de Drieu, qu'elle vient de lire, réédité sans coupures.

Dans son lit, près du poêle, devant le buffet-bibliothèque, elle écrit les aventures de Michel Vigaud. Son enfance rappelle les voyages d'Elsa dans les villes d'eaux. La mère, trop environnée d'hommes, ne lui prête pas assez d'attention. Ainsi commence le nomadisme de Michel. Fugues du collège. Puis, à dix-sept ans, il vit chastement, semble-t-il, avec un Sud-Américain très riche qui, lui, éprouve une passion pour ce jeune Français — « Michel acceptait, se laissait faire ». Entre eux, des histoires de femmes. Michel traverse tout, y compris le Berlin de 1923.

Quand ni Elsa ni Louis ne travaillent, ils sortent dans ce Nice surpeuplé où chacun traîne son secret, voient beaucoup Gaston Baissette. « Ces longs après-midi, ces soirées à passer »... Elsa déguise l'angoisse en simple ennui parmi ces hôtels surdorés. Ils allaient dans des boîtes écouter les chansons de Piaf :

La fille de joie est triste

« Je te lisais tous les jours un chapitre du *Cheval blanc*. Ça te rendait heureux. Tu as commencé à écrire *Aurélien*. » (En réalité, il avait déjà commencé avant.) « *J'avais encore assez de jeunesse pour vivre dans l'amour. Or si je ne connais pas l'amour malheureux, je sais ce que c'est que le malheur de l'amour.* » Très aragonien : « Il n'y a pas d'amour heureux. »

Leurs analyses se croisent : « *Le désespoir devant ce qui toujours reste "l'autre"... le fuyant de... son rêve*. Et j'allais, comme malgré moi, inventer *un homme pour me plaire : imprenable, innocent des ravages de sa séduction.* » Un homme-enfant, comme on dit femme-enfant. « *Un homme en pure perte* »... Ce que ne cesseront d'être les héros aimantés d'Elsa, « l'Inspecteur des ruines », homme-épave de guerre ou Luigi l'inventeur...

C'est le roman le plus proche, dit-elle, « de ce que j'ai vu et senti au monde ». Né de toutes ses *braises*. Son coffre à trésor, avec, toujours, le Hasard comme personnage principal.

C'est l'époque de sa vie où Elsa se sent le plus « libre » parce qu'il n'est question d'aucun pouvoir, qu'on est coupé de tout, que ni le Parti ni les contraintes ne pèsent, parce que chaque jour, chaque heure peuvent être les derniers.

Si elle est Michel, elle se montre aussi en femme. « Elle avait un visage flou qui se présentait toujours de profil perdu... », blondeur rousse, rose et fuyante, « comme froissée par un orage ». Dos un peu voûté, jambes parfaites. Des yeux « gris-bleu et ternes, ils s'illuminaient brusquement d'un regard... Quel regard ! ». C'est la première présentation d'Elisabeth Krüger, cette ombre de référence qu'Elsa introduira souvent en contrebande. Michel la voit dans un café et la suit ; il est le quatrième. La drague en file indienne. Étant le plus hardi, il gagne... mais quoi ? le premier soir, la « petite garce » s'amuse... Le deuxième, elle dit avec simplicité : « Je vous aime », et ajoute : « Je ne veux pas coucher avec vous. » Le système Elsa ? Pas toujours, semble-t-il...

D'après les confidences des intimes de 1929 ce jeu, ces « je vous aime » et ces fugues, ce n'était pas le jeu d'Elsa, c'étaient les caprices et les aller-retour de Louis l'« invivable ». A-t-il reconnu dans ce premier portrait d'Elisabeth — incontestablement un « idéal du Moi » pour Elsa — son jeu à lui ? En a-t-il tiré le désir, non seulement d'un roman, planche de salut, mais d'un personnage composite ?

Elsa semble avoir attribué à l'homme les inconséquences de la femme. Lui sent en lui le désir de pétrir ensemble ce qu'il avait été et ce qu'avait été l'avenir devenu ennemi.

Tandis que Michel accumule ou plutôt égrène les femmes, Aragon s'est lancé — en contrepoint du *Cheval blanc*, dira-t-il — dans les cinq cent dix-neuf pages serrées d'*Aurélien* qui ne sera achevé qu'en 1944. Encore une histoire de jeune homme de l'entre-deux-guerres. Moins jeune que Michel, c'est un ancien combattant... Drieu ?... « Aurélien n'est ni Drieu ni moi, si j'ai pourtant cherché dans l'un et dans l'autre une sorte de vérification du personnage », a dit Aragon dans ses

Entretiens. Il cite aussi le héros de *La Fin de Chéri* de Colette. En privé, il disait : « J'ai voulu faire le portrait de cet homme qui a été mon ami. »

Dans le journal de Doriot, *L'Émancipation nationale*, Drieu s'était livré à une attaque — surprenante, chez lui qui ne dénonce pas. Décidément, d'avoir créé le personnage de Galant dans *Gilles* semble l'obliger à une haine passionnée, incompréhensible. A travers un article sur la poésie médiévale, il avait décelé les visées militantes d'Aragon. Comment ? Il incite à préférer Perceval, Lancelot et Tristan « aux ouvrages d'André Gide, de Drieu La Rochelle ou de Jean Giono ». Drieu a compris ce salut à la Résistance. Il sait que tout tract communiste est puni de mort. Il sait qui est Elsa. Il écrit pourtant « Cousu de fil rouge », dénonce « le communiste militariste et belliciste de 1935-1939 », « tous ces appels à demi-mots qu'Aragon répand dans les revues littéraires et poétiques, cousues de fil rouge, pour la résistance et le durcissement, ne sont pas au service de la France ».

En octobre 1941, tous les matins, Elsa entend le bulletin de victoire des Allemands en Ukraine, leur avance en URSS. Et voilà qu'un matin d'octobre, une radio reprend l'article de Drieu.

Aragon avait commencé dans *Aurélien* l'évocation de « cet ami qu'il avait eu », et qui était infidèle à lui-même. Cette mise en valeur de sa qualité de résistant — dont beaucoup doutaient puisqu'il publiait officiellement — a dû à la fois le mettre en rage et, secrètement, le flatter. Il répond par un poème écrit à la demande du gouverneur de Tunis, le pétainiste amiral Estéva, et publié très officiellement.

> *Il paraît qu'en rimant je débouche des cuivres*
> *Et que ça fait un bruit à réveiller les morts.*

La correspondance avec Paulhan fera parfois allusion à *Gilles*. Pour une anthologie de la *NRF*, Paulhan demande à Aragon si l'on peut insérer un de ses textes. La réponse surprend en août 1943 : « Si Gilles ne joue pas encore une fois la comédie, je dois dire que je ne vois aucun inconvénient à un entracte qui ne sera pas de longue durée et qui pourrait ressembler à une désinfection. » D'Aurélien, son auteur dira qu'il avait décidé de s'en tenir à un Drieu qui n'irait pas jusqu'aux horreurs du fascisme.

Anicet ou le Panorama-roman, en 1920, annonce : « Matisse est une rousse qui naquit aux Batignolles » ; elle est l'incarnation de la Beauté Moderne.

Henri Matisse, en décembre 1941, dans sa maison de Nice, devant la fenêtre que ses tableaux avaient rendue si célèbre, cite en riant *Anicet*... Et aussi, un certain Blaise d'Ambérieux (Aragon) qui a écrit sur Matisse, peintre, dans *Poésie 41* (dans *Aurélien*, un peintre figuratif se nommera Ambérieux). Aragon-Ambérieux veut recommencer : la peinture de Matisse présente un caractère profondément français, national (sous-entendu : c'est une valeur de notre résistance). Les articles s'intituleront « Matisse la grandeur » et « Matisse en France ».

Elsa s'enchante de tout ce qu'elle voit. De plus, la secrétaire-amie de Matisse, Lydia [1], est russe d'origine : avec Elsa, elles se trouvent en commun tant de goûts, de saveurs, d'allusions. Avec Louis, Elsa posera pour Matisse (plus tard, en 1946). Mais dès lors il fera d'eux quelques croquis. Quel enchantement... elle suit en peinture les goûts de Louis, mais Picasso — comme *Le Libertinage*, comme tout ce qui rompt brutalement avec le « monde réel » — la dérange. Les harmonies matissiennes lui sont plus mélodieuses.

Matisse deviendra pour Aragon un « roman » quand, à nouveau, le désenchantement lui rendra les couleurs de sa liberté ; vingt-sept ans après leur première rencontre, et quinze ans après la mort du peintre [2].

Elsa, pour ceux qui rêvent de révolte, est un mythe en devenir. *Les Yeux d'Elsa* ont été publiés en Suisse grâce à Albert Béguin. *Le Cantique à Elsa* paraîtra en mars 1942 à Alger. Déjà elle est, dans les réseaux clandestins et les prisons, le prénom même de la France. Jamais la poésie n'a eu pareille emprise de contrebande et de protestation.

Aragon écrira un jour : « L'impossibilité du couple est le sujet même d'*Aurélien*. Impossibilité du fait que la femme, elle, a une certaine continuité de pensée malgré la guerre, à cause de la continuité de sa vie, sans l'entracte des tranchées, et qu'elle est de ce fait à un autre stade qu'Aurélien. » Pourtant, dans la Deuxième Guerre, Elsa en apparence partage tout — tout de cette clandestinité ambiguë. Aragon publie chez Gallimard et dans la revue *Confluences* de René Tavernier (que d'ailleurs son article fait suspendre pour deux mois),

---

1. Lydia (Delectorskaya) fut auprès de Matisse pendant vingt-deux ans.
2. *Henri Matisse-roman* (1970) contient sur Aragon beaucoup de vrai non menti.

dans *Poésie* de Pierre Seghers presque depuis sa création. En même temps il écrit à la gloire des martyrs de Châteaubriant fusillés par les nazis, et figure parmi les fondateurs des *Lettres françaises* en 1941 aux côtés de Jean Paulhan et Jacques Decour.

Le 16 janvier 1942, Aragon écrit aux Paulhan qui le félicitent de « La leçon de Ribérac », parue dans la revue de Max-Pol Fouchet *Fontaine* en juin 1941 à Alger. Cet essai répondait aux attaques de Drieu, à son article dénonciateur dans la revue de Doriot, devenu un dignitaire français du nazisme. Étrange ambiguïté d'Aragon envers cet « ancien ami » qu'il place « au fond de la fosse d'aisances », qui le dénonce par écrit et auquel il répond par la dignité d'un essai.

En février 1942, Jacques Decour est arrêté ; *Les Lettres françaises* ne reparaîtront qu'en septembre 1942. Le Comité national des écrivains continue depuis sa fondation en 1941 avec Paulhan, Decour au début, Mauriac, Blanzat, Louis-Martin Chauffier et Édith Thomas.

Dans la correspondance avec Paulhan, rien ne mentionne l'arrestation de l'écrivain en mai 1941, suspecté de cacher chez lui une ronéo clandestine (en effet cachée, mais jetée par la suite pièce à pièce dans la Seine). Paulhan avait été pris dans le sillage de la rafle qu'on nomma « l'Affaire du musée de l'Homme » — des collaborateurs de ce musée éditaient clandestinement *Résistance*. Certains furent fusillés, d'autres déportés.

Paulhan n'aurait certainement pas été relâché sans l'intervention (qu'il qualifie de « courageuse ») de Drieu La Rochelle, qu'il remercia par écrit le jour même de sa libération. Il resta en prison moins d'une semaine.

Noël 1941. Elsa, ayant reçu un foie gras cru de Jeanne Moussinac, tente de le faire cuire, à travers mille incidents. Ils le mangent avec un nouvel ami : le romancier de *Pigalle*, Francis Carco, et sa femme. Le soir, ils le terminent avec Matisse et Lydia.

Louis ne manque pas d'admirateurs à Nice. Ni même de poètes, d'éditeurs, clandestins ou audacieux, qui font le voyage tout exprès pour lui demander des textes.

Tel René Tavernier, un Lyonnais, tout en hauteur et en courtoisie, savourant la ferveur, mais avec le goût lyonnais de la discrétion. Il était venu les rencontrer à la chartreuse de Villeneuve. Il revient à Nice. Louis l'entraîne vers un des cafés bondés de la place Masséna et là, insoucieux des regards et des chuchotements, se met à déclamer *Les Yeux d'Elsa*. Le Lyonnais croit périr de honte mais son admiration en est accrue : quel homme ! se moquer à ce point du qu'en-dira-t-on ! Il se croit aux temps surréalistes...

Nice est un carrefour. Elsa reçoit son éditeur Robert Denoël. Il arrive « avec une amie... elle était juive et peut-être anglaise, et il voulait la mettre en lieu sûr. Ce voyage était un risque dévoué, passionné ». Elsa lui montre la première partie du *Cheval* : « Il n'eut qu'une peur : est-ce que la suite allait être à l'avenant ? » Elle le revoit, en septembre, à l'hôtel de l'Europe d'Avignon. Étendue sur le lit, après avoir tout conclu quant au roman, elle lui demande s'il est vrai qu'il travaille pour les Allemands.

« "Oui, dit-il, c'est vrai." C'est à peine si je parviens à articuler. "Mais alors, on ne peut plus être amis !" Et lui qui me console et me prie de ne pas dire de bêtises. Ses employés doivent manger tous les jours, n'est-ce pas ? »

Les Aragon écrivent, durant cette année 1942, jusqu'en novembre. Romans parallèles, non seulement par l'époque choisie mais par leur signification profonde.

Le couple est impossible. *Le Cheval blanc* en est la négation. Michel passe, nul ne peut le retenir. La seule passion qui « traverse » le roman et qui semble durer chez Michel se heurte chez Elisabeth aux barrières contradictoires de la déclaration d'amour et du refus de « faire l'amour »... et se résout par le « viol » accepté comme preuve d'amour. Michel galope à travers des vies de femmes. Il ne pourra que mourir à la guerre.

Dans *Aurélien*, Bérénice — dont Aragon assure que les modèles se défont, se perdent parmi les femmes de son passé [1] — ne peut se lier à un homme aussi fuyant, instable, inconscient, que le héros. La pensée de la femme, dira Aragon, est demeurée continue sans « l'entracte des tranchées », de la guerre. Cette « arête vive du massacre » en 1914-1918 a rendu les jeunes hommes inaptes à reprendre le joug d'une vie réglée. Drieu, comme le « méd. aux. » Aragon, le refus de la société les a conduits vers une vue manichéenne, globale, « totalitaire » du monde, aux deux extrêmes. Cette expérience rend impossible pour Aurélien tout ce qui n'est pas amour rêvé, refusé, mythique.

Dans *Aurélien*, c'est la femme qui meurt de la guerre. Dans *Le Cheval blanc*, c'est l'homme.

Dans l'un et l'autre roman, le héros, l'héroïne, objets

---

1. Pierre Daix, dans son *Aragon* de 1994, révèle le nom de la femme qui inspira le personnage : Denise Naville, cousine de la première épouse d'André Breton. Mais les « clés » de tout personnage sont multiples...

mythiques d'une impossible passion, doivent mourir d'un cataclysme social.

Le secret de Nice

A Nice, quelque chose s'est produit. Pour Elsa, les derniers feux ? Une autre de ses passions proclamées — refusées ? A-t-elle joué les Elisabeth auprès d'un « homme en pure perte », d'un archange fugueur ? Une amie proche d'elle a parlé de demi-confidences voilées. A Nice, aussi, on peut faire des rencontres stupéfiantes, comme ça, au coin d'une rue... comme Michel soudain avait retrouvé Elisabeth à New York, en voyage.

Louis, dans *Aurélien,* écrit sur l'impossibilité du couple et sur la jalousie. Le mari de sa Parisienne type, Rose Melrose, qui n'est ni Nancy ni Elsa, se plaint de la nécessité d'une incessante conquête de sa femme : « On ne gagne pas toutes les batailles. » Mais de quel droit refuserait-il à « quelqu'un d'aussi exceptionnel » « ce qui la tente » ? Il énumère « hommes, femmes, monstres ». Les monstres, c'est l'imaginaire ? Vieillie, Elsa aimait dire à des jeunes qu'elle avait eu « plus d'amants que d'étoiles au ciel ». Poétique exagération qui coupait court à la curiosité.

Marguerite Toucas meurt à Cahors en mars 1942. Louis la trouve à l'hôpital. Depuis six mois, elle était inscrite au chômage... et le chômage était étique à l'époque pour une femme sans autre métier reconnu que la traduction et l'écriture. Il ne permettait pas de payer les soins. De sa mère, Louis emportera un petit missel venu de l'arrière-grand-mère italienne.

La mort de Marguerite. L'aveu des origines. Un poème. (De passage à Toulouse chez des amis communistes, en 1942, j'ai emporté ce poème à peine écrit et dactylographié. Je l'ai su par cœur avant *La Rose et le Réséda* ou *La Ballade de celui qui chantait dans les supplices.* J'ignorais de qui il était.)

Ce choc a dû rejeter Aragon vers Elsa... mais peut-être aussi en même temps — en sens contraire — déterminer une crise de vie. Pour sortir du chagrin peut-être s'est-il lancé — comme il le fera ouvertement après la mort d'Elsa — vers ce qu'il nommera alors « une nouvelle façon d'aimer » ?

Elsa a-t-elle senti dans le poème *Marguerite*[1] (comme moi et mes amis) un son, un ton, une émotion qu'Aragon n'avait pas encore atteints ? Les poèmes à Elsa glorifient toujours la

---

1. *Marguerite* a paru dans *Poésie 42.*

beauté et la difficulté d'aimer. Mais cette femme-ci, il l'aimait, quand il ne savait pas encore *qui* il aimait, ni ce qu'aimer veut dire.

> *Ici repose un cœur en tout pareil au temps*
> *Qui meurt à chaque instant de l'instant qui commence*
> *Et qui se consumant de sa propre romance*
> *Ne se tait que pour mieux entendre qu'il attend*
>
> *Rien n'a pu l'apaiser jamais ce cœur battant*
> *Qui n'a connu du ciel qu'une longue apparence*
> *Et qui n'aura vécu sur la terre de France*
> *Que juste assez pour croire au retour du printemps*
>
> *Avait-elle épuisé l'eau pure des souffrances*
> *Sommeil ou retrouvé ses rêves des vingt ans*
> *Qu'elle s'est endormie avec indifférence*
>
> *Qu'elle ne m'attend plus et non plus ne m'entend*
> *Lui murmurer les mots secrets de l'espérance*
> *Ici repose enfin celle que j'aimais tant*

Aragon est retourné à Nice. Que s'est-il passé là, avant novembre 1942 ?

Un jour Louis, à propos de la dénonciation de son action par Drieu, dira : « Un tueur m'avait cherché à Nice juste après notre départ. » L'extrême droite. Mais à Londres, les Français combattants semblaient très divisés sur ces poètes, Aragon et Eluard, patriotes et communistes (Eluard avait réadhéré au PC clandestin). Les uns tiraient leurs poèmes en tracts pour les parachuter en France. Les autres, au nom d'une gauche plus dure, proclamaient que seul le silence est grand et répandaient un pamphlet, *Ideology and Confusion*, contre ces écrivains publiés à la fois légalement et clandestinement. A Marseille, de petits noyaux gauchistes auraient décidé d'abattre le « traître Aragon ». Donc des menaces — sans doute réelles, de la droite et de la gauche extrêmes...

Mais aussi... Un témoignage... Un homme qui exige l'anonymat se trouvait alors dans « l'administration [1] » à Nice tout en donnant des gages à la Résistance. Bien après sa retraite, il m'a jeté quelques phrases sibyllines sur un, ou des (je ne me rappelle plus) poètes « aussi mineurs par l'âge que par le talent » qui auraient joué autour de Louis un jeu équivoque et déclenché — sans le vouloir — des « enquêtes déplaisantes et bientôt étouffées ».

---

1. La police.

Y eut-il une plainte des parents inquiets, retrait de la plainte ? Nul ne sait... Peut-être. Aragon, à Nice comme à Paris, était le conseiller patient de poètes débutants. On le voyait souvent dans les cafés de la place Masséna, religieusement écouté par son entourage.

Le 17 avril 1942 Aragon écrivait à Paulhan : « Sans doute aurez-vous la visite d'un jeune homme qui vient de rentrer à Paris et que j'ai un peu vu ici. Il a du goût pour la littérature et aurait besoin de vos conseils. Il vous dira mieux notre vie et nos projets littéraires. »

Le 19 juin 1942, alors qu'Aragon a perdu sa mère — ce fut un choc terrible — et que Paulhan vient de vivre le même drame, dans une lettre par conséquent de ton grave et où chaque mot importe (« J'ai très peu le cœur à plaisanter »), il demande : « Avez-vous vu le jeune homme qui m'avait envoyé des poèmes ? J'aurais voulu lui faire savoir combien je les avais aimés [1]. » L'identité de ce « jeune homme » reste à ce jour un mystère...

En 1943, dans *La Vie privée d'Alexis Slavsky, artiste peintre,* une phrase... Alexis désire une jeune Lyonnaise, Cathie. Celle-ci fuit un mari qui « *s'était mis à ramener à la maison des jeunes gens... de plus en plus bas, de plus en plus crapuleux* ». *La Vie privée...* déborde d'ailleurs de révélations travesties comme si, en 1943, Elsa avait éprouvé un besoin vital de se libérer, sous le masque, d'une écrasante pesanteur.

Au début de novembre, les Alliés ont débarqué en Afrique du Nord et les troupes d'occupation en zone pétainiste. Pierre Seghers, toujours inconditionnel, vient chercher les Aragon qui, aidés de Lydia, l'amie de Matisse, entassent leurs livres dans des valises et grimpent dans le dernier train de Digne. Là, l'hôtel a les draps « non pas humides, mouillés », Elsa grelotte de fièvre en arrivant à Villeneuve, chez son amie Hélène Cingria. Elle y reste dans l'amusement des vieux meubles, des bibelots, automates et poupées, si baroques dans une chartreuse. Que lui dit-elle, à son amie, quand elle a fini de corriger *Le Cheval blanc*, assise sur le poêle à peine tiède ? La vérité ? Le culte qu'Hélène Cingria-Guenne garde pour Elsa ne permet pas de savoir jusqu'où elle s'est confiée...

> *Toi, tu étais parti, sans attendre*

---

1. Dans cette même lettre — en provenance de Villeneuve-lès-Avignon — Aragon annonce à Paulhan qu'il a enfin obtenu le visa de censure pour *Les Yeux d'Elsa*.

Les clandestins

Ciel d'enfer

Ils la baptiseront « Ciel » cette grange-maison au carrefour de trois communes, à deux kilomètres de grimpée raide au-dessus de Dieulefit. Ils couchaient, dit Seghers, dans la paille. Elsa y était arrivée de bonne humeur après une soirée chez des amis de Seghers avec foie gras et vins. Puis le bus à gazo-gène, le sportif Pierre haletant sous le poids des bagages... Ce « Ciel » gagnera sa féerie de neiges et de clandestinité, plus tard, dans *Les Amants d'Avignon*. Ce fut plus que du simple inconfort, que l'horreur des rats galopants, le manque de tout. Ce fut un affrontement dramatique entre deux êtres qui, depuis quatorze ans, tentaient la moins habituelle des vies communes.

Fin décembre, Seghers comprend, à un appel téléphonique d'Aragon, l'urgence du départ et aussitôt retourne à Dieulefit en bus à gazogène. Elsa lui paraît exsangue, rapetissée, pathé-tique. Elle repousse son accolade : « Non, Pierre, je pue ! » Pour la parfumée-soignée, la séduisante, c'était l'aveu du complet dénuement.

De cette période, Aragon se rappellera qu'ils avaient vécu là avec « deux communistes allemands ». Qu'il écrivait *Auré-lien* sur des cahiers d'écolier « ridicules », faisait « croître ce qui allait être *Aurélien* » : quatorze cahiers.

Il reste à Villeneuve tandis qu'Elsa en compagnie de Pierre Seghers va chercher à Lyon des faux papiers établis grâce à Pascal Pia, et un jeune ami à lui nommé Albert Camus.

Elle y rencontre aussi une responsable du PC qu'elle nomme Nicole, et qui est Madeleine Braun, piaffante, les mots mordants et drôles, que son humour quitte seulement quand la Ligne entre en jeu.

Lors d'un de ces voyages avec Seghers, Elsa cache mal cette brisure en elle et un jour ose dire : « Pierre, je n'en peux plus, je vais quitter Louis. » L'ami-parfait s'exclame, dit ce qu'on trouve en pareille circonstance — et à pareille époque —, parle de fatigue, de coup de cafard, de sous-alimentation, de la nécessité de se remettre d'aplomb physiquement...

Elle fixe devant elle un regard désormais dur.

« Six pages de ta haute écriture... comme un cri »

A cette époque, Aragon écrit *Il n'y a pas d'amour heureux*[1], sorte de réponse, de résumé à la fois du *Cheval blanc* et d'*Aurélien*.

Ils s'en expliqueront de ce « Il n'y a pas... » vingt fois, jusque dans les interviews télévisées.

Dans des *Entretiens*[2], Aragon construit sa thèse, dix ans après : « Ce poème est des premiers jours de 1943. *A cette époque, Elsa a voulu me quitter.* Je peux vous raconter pourquoi et comment, cela n'a pas un caractère tellement intime. » Et il raconte que les mouvements de Résistance interdisaient à leurs militants, « le mari et la femme ou quels que soient leurs rapports », d'habiter ensemble parce qu'ils multipliaient ainsi le risque d'attirer la police.

« Je croyais avoir justement transposé la chose, moi qui "travaillais" comme on disait par raccourci, en essayant de persuader Elsa que ce qu'elle écrivait était suffisant comme travail social. Elsa ne le pensait pas et elle me disait : "Je ne peux admettre l'idée qu'on arrivera à la fin de cette guerre et que quand on me demandera : Et vous, qu'avez-vous fait ? Je devrai dire : *Rien*."

« Et puisque, si elle "travaillait", nous ne pouvions rester ensemble, elle avait décidé de me quitter. Ç'a été pour moi... bien sûr, je le sais, je le sais. Il y avait certainement dans mon esprit un double point de vue. »

Bref, il assure avoir réglé « *ce drame entre nous* », en désobéissant aux règles de la sécurité. Mais Elsa lui avait « *arraché (ses) lunettes masculines, ces préjugés de l'homme qui, sous prétexte d'assumer toutes les responsabilités du couple, confine la femme à n'être que sa femme, son reflet* ».

---

1. Le poème — dont René Tavernier possède l'original — a été publié dans *Confluences*.
2. Avec F. Crémieux.

C'est là le vrai-menti pour consommation crue. Dans le mentir-vrai raffiné du roman, dans *Blanche ou l'oubli*, il montre un homme dont la femme, Blanche, s'était mise à *écrire*, et l'avait quitté, lui envoyant une lettre de six pages « en grands caractères bleus, ces jambages de malheur ». « *Six pages de ta haute écriture, écrites d'un coup, comme un cri.* » Dans cette lettre, elle lui avait reproché... ce qu'il était.

« Je te dis écoute parce que tu ne m'entends, m'entendras pas, jamais. C'est vrai. Tout est vrai. Tout ce que tu me reproches. » Cette lettre, l'*homme de lettres*, le mari abandonné, avait voulu la publier pour se punir. Puis il n'avait pas pu. « Ce serait indécent, abominable, de l'exhibitionnisme. » Il en a « tout le cœur griffé, pis que le cœur, le visage ». (Merveilleux aveu : le secret, la déchirure interne, on les supporte... mais pas que les autres en soient témoins.)

« Ce n'est pas tolérable. Ne te fâche pas. *Je sais bien que c'est la vie que je t'ai faite qui n'était pas tolérable. N'empêche.* » Et puis, la plongée dans la culpabilité. Il énumère tous les reproches de la femme : égoïsme, inattention, colères, humeurs, grossièretés. Et l'attitude traditionnelle de l'homme, mais surtout du créateur. Cette attitude, Elsa l'avait chaque fois cherchée, en élisant Maïakovski, puis Marc Chadourne, un romancier, Ivan Pougny, un peintre, et même un champion d'échecs professionnel et d'autres. Enfin, elle s'était acharnée à « obtenir », conquérir, *attacher* Aragon. Ce dont elle l'accuse et qu'il reconnaît, « *cette façon de considérer ce que je fais comme le plus important, cette solitude où je t'ai tant de fois laissée, ces distractions, ces... rien ne sert d'énumérer, pour tout cela et le reste, j'aimerais que tu saches que j'ai payé chaque jour, chaque nuit, que je paye encore, que je payerai jusqu'à mon dernier souffle* ».

Aveu déchirant qui ne peut pas viser seulement des colères, des inattentions, « le machisme ordinaire ». Aragon, habitué par son enfance, en est d'ailleurs moins inconsciemment imprégné que la majorité des hommes. Ce que la femme reproche à l'homme constitue une offense, une inattention, un déni qu'il reconnaît comme *inexpiables*. Il ne demande *aucun pardon*. Veut seulement faire savoir qu'il paie. « Cela ne se voit pas. C'est une affaire entre moi et moi. *C'est comme de saigner dans son propre ventre.* » Image violente de la féminité inversée...

Il continue. Comment a-t-il pu croire « qu'avec des raisons données » (c'est donc que tout est clair entre eux, ou du moins que l'essentiel a été dit, dès le début) — « qu'avec des raisons données *on fait oublier à une femme l'humiliation perpétuelle qui lui vient d'un homme* »... « A quoi bon s'excuser toujours, puisque *les excuses n'empêchent pas, n'ont pas empêché la*

récidive, toute une vie ? J'avais tellement cru pouvoir me changer... »
Mais il n'a pu « paralyser les réflexes d'habitude ».

Terrible plaidoirie.

A quel moment, la lettre d'Elsa ? Peut-être de 1964. L'abandonné du roman reproduit quelques mots, les plus anodins.

« *Ce que je veux ? Rien. Le dire. Que tu t'en rendes compte. Mais j'ai déjà essayé. Je sais que c'est impossible.* »

Ce cri parvenait des profondeurs d'un être qui se sent exposé. Elle dit :

« Je te reproche de vivre depuis trente-cinq ans comme si tu avais à courir pour éteindre le feu. » On ne peut pas le suivre, ni « faire quoi que ce soit *avec* toi, *ensemble* ».

Et elle trouve que rien, en trente ans, n'a changé.

« J'étouffe de toutes les choses pas dites, sans importance, qui auraient rendu la vie simple, sans interdits ». « Avoir constamment à tourner sa langue sept fois avant d'oser dire quelque chose de peur de provoquer un cyclone... »

(L'exécuteur testamentaire, le gardien du « fonds » Triolet, Michel Appel-Muller, a publié ce texte sous un titre qui unit l'écriture, l'encre, les sentiments d'Elsa, « Les jambages bleus du malheur [1]. »

Sous le tissu pailleté de « l'amour du siècle » transparaît l'éternel « personne ne m'aime ». En 1964, Elsa est célèbre. Symbole de la Résistance, inspiratrice de la phrase indéfiniment répétée « la femme est l'avenir de l'homme », elle entend les chanteurs célébrer, dans les vers d'Aragon, ses yeux, sa valse. Rien ne peut l'apaiser.

L'auteur de *Blanche* commente, évaluant les rapports inégaux entre homme et femme : « Je ne sais pas comment sont les autres, mais j'aurais voulu être différent, mieux. C'est plutôt raté. » Il lui donne raison de le « quitter » en spécifiant qu'on peut aussi « *quitter sur place. Sans que rien ne s'en voie* ». « *Sans que personne ne pense : elle l'a quitté, il l'a quittée. Quelle abomination, mon Dieu, quelle abomination.* »

Les papiers d'identité établis, *Le Cheval blanc* remis à Denoël (ce sera le grand succès de l'année 1943), les Aragon vont loger plusieurs mois dans la maison de René Tavernier à Lyon, dans le quartier de Montchat.

Confluences et traboules

Colline ouvrant sur Lyon, fenêtres de dernier étage ouvrant de l'autre côté sur les arbres d'un hôpital, les trois pièces

---

1. M. Appel-Muller, in *Recherches Croisées* — 1993 (Les Belles Lettres).

de Louis et d'Elsa se prolongeaient d'une terrasse d'où, tous ensemble, ils regardaient, spectacle irréel — trop irréel —, les bombardements alliés sur Lyon.

Les Aragon vivaient avec une grande discrétion et si Tavernier les voyait presque tous les jours, c'était par choix réciproque. Pour parler de la revue *Confluences* où jamais Aragon ne s'est immiscé. Et surtout à cause du Comité national des écrivains de zone Sud. Car si les Allemands, à présent, étaient partout chez eux, les Français restaient divisés par la ligne de démarcation.

Aragon avait imaginé — et fait admettre — une organisation en « étoile », réseau poussant ses branches à partir d'un centre. Ils fonderont même avec le jeune professeur Auguste Anglès une publication, *Les Étoiles*, sur laquelle, sitôt la légalité revenue, le PC mettra l'embargo, l'ayant préalablement noyautée.

La maison sur la colline a vu se réunir ou passer Camus, Pierre Emmanuel, Pascal Pia, Jean Prévost qui mourra au maquis du Vercors, Georges Mounin, Louis Martin-Chauffier, le père Bruckberger, André Rousseaux, critique au *Figaro*, grand admirateur d'Aragon. Et aussi Francis Ponge le minutieux, l'homme du mot-objet, de la modestie devant le langage qu'Elsa déclarait pompeux. Plus tard, Georges Sadoul deviendra l'agent de liaison d'Aragon et travaillera constamment avec lui. Les idées de Louis, même bizarres, se révélaient efficaces. Ainsi, pourquoi prendre contact avec Henri Malherbe, romancier et critique, ancien vice-président des Croix-de-Feu, ancien Prix Goncourt, très ancien combattant de 14-18 ?... Tavernier comprit bientôt le calcul : Malherbe disposait d'une imprimerie et pouvait procurer des faux papiers.

Elsa-Louis s'adonnaient à une orgie d'écoutes radiophoniques. La nuit, ils tâtonnaient pour trouver Londres, Moscou. Tous les postes, constamment. Un vrai carrefour de nouvelles. Entre les attaques constantes contre les communistes, la diffamation fréquente des surréalistes — qui le faisaient, curieusement, souffrir presque autant — et parfois des attaques personnelles, Louis sentait, dit Elsa, un grouillement de reptiles venimeux sous ses pieds.

La marque d'Elsa ? Tavernier la sentait partout sans que jamais elle intervienne ou conseille. Louis faisait les courses, plus habile qu'aucun à trouver du beurre dans une teinturerie, des pommes de terre chez un marchand de chaussures. Elsa, parfois, demandait à Tavernier une casserole ou de faire réparer le réchaud. Aragon se pliait en apparence au moindre désir de sa muse.

Elsa avait accepté une — ou plusieurs — missions clandestines. *Les Amants d'Avignon* et d'autres récits évoqueront les trains de l'époque, leurs entassements, leurs incertitudes, le péril des contrôles et des rafles, les rencontres imprévisibles des étapes, le froid dans la solitude, ou la soudaine flambée de tendresse... comme entre Juliette Noël et Célestin dans *Les Amants d'Avignon*.

Les Amants d'Avignon ont paru en 1943, aux éditions de Minuit (clandestines), à Paris, sous le nom de Laurent Daniel. Laurent c'était Laurent Casanova, qui deviendra le responsable du PCF aux intellectuels et qui était alors haut responsable dans la Résistance communiste. Danielle, c'était sa femme, une militante, née Perrini, qui ne reviendra pas du camp d'Auschwitz. Tous deux étaient corses, véhéments, courageux, et admiraient les Aragon.

Dans *Les Amants...*, il y a bien sûr Avignon — « j'aime parler d'une ville quand je l'ai déjà quittée ». Il y a Lyon aussi, « complice de sa vie : la bouche cousue des maisons, le noir secours des traboules, l'absence d'élégance et de frivolité de ces grands murs lépreux et ce qui se tisse de luxe derrière eux ». Elsa détaille les lignes croisées de la Résistance, armée ou non, qui cerne secrètement la France, et dont Juliette est un maillon.

Les bas d'Elsa !

Au temps même où elle y vivait — et commençait à écrire *Les Amants d'Avignon* —, s'est produit dans la maison de Montchat un incident qui fut ressenti par Tavernier comme la première fêlure de son mythe. Il aimait à se dire qu'il vivait avec Elvire et Lamartine.

Parfois des militants venaient, chargés de liaisons et de contacts. Ainsi, une Parisienne « repliée », Hélène Ritmann, à laquelle on avait fourni des papiers au nom d'Hélène Légocien — qu'elle gardera par la suite. Dans la conversation, elle avait mentionné une remailleuse de bas qui en vendait, en soie, au noir. Aussitôt, Elsa lui donna de l'argent pour acquérir des bas et en faire remailler. Quelque temps passe, puis Hélène arrive un soir, décomposée : « On a arrêté le père Larue ! » Aragon l'interrompt : « Les bas d'Elsa ! Où sont les bas d'Elsa ? »

Entre celle qui voulait que l'on prévienne de l'arrestation et celui qui réclamait les bas s'engage une surenchère où vite les voix atteignent leur plus haut diapason. Et Aragon finit par hurler dans une de ses illustres colères (le plus souvent très contrôlées). « Sors d'ici ! tu reviendras quand tu auras les bas d'Elsa ! » Hélène partie, il jette à Tavernier : « C'est un flic. » Bien sûr, c'est un mot cher aux surréalistes, mais pour la première fois l'éditeur de *Confluences* a senti un frisson devant l'auteur de *Il n'y a pas d'amour heureux* et sa muse. « Seigneur, a-t-il pensé, ils vont la faire descendre »... Ils se sont contentés, peu après, de lui communiquer que tout contact avec Hélène Légocien était interdit, avec l'air d'en savoir très long... (A son « dossier » figurait qu'au moment du pacte germano-soviétique le local de la section où elle militait n'avait pas été vidé à temps de tous les tracts et que la police en avait saisi... Elle n'était pas seule dans son cas.) D'autres rumeurs circulaient[1].

En 1945, pour Hélène, sa réintégration, son besoin d'être réhabilitée étaient devenus le point crucial de sa vie. Elle rencontrera le philosophe Louis Althusser, deviendra sa compagne. Lui adhérera au Parti. Ni lui ni ses proches — toute une promotion de normaliens, communistes ou sympathisants, en témoigne[2] —, personne ne pourra, pendant plus d'un quart de siècle, réussir à faire rendre sa carte du Parti à Hélène. Le PC incitait ses amis à obtenir qu'Althusser renonce à elle. Il l'épousera... On sait dans quelle tragédie elle perdra la vie... se perdront ces deux vies[3].

Comment interpréter cette histoire au moment même où Elsa allait écrire successivement *Les Amants d'Avignon*, délicieux roman bref de la Résistance et *La Vie privée*, récit complexe à l'arrière-son dostoïevskien ?

René Tavernier rappelle, sans méchanceté, qu'au cinéma Elsa lui prenait la main, et manifestait une coquetterie qu'il feignait de ne pas comprendre... Il ne sait plus pourquoi. Parce qu'elle était la Muse du Poète ? Parce qu'il n'était pas très attiré ?... Ou parce que des signes comme l'histoire des bas, cette manière d'exclure, de feindre d'indicibles mystères, l'inquiétaient ?

Elsa parlait de Louis « avec la plus grande admiration, comme d'un enfant surdoué auquel tout le monde voulait du mal ». Et en même temps, elle cherchait avec René l'épreuve de force, le bras de fer des écoliers obstinés.

Un jour, il raconte avoir vu flamber une mairie. Non, dit

---

1. Voir Yann Moulier-Boutang, *Louis Althusser* (Grasset).
2. Comme, par exemple, Emmanuel Le Roy Ladurie. J. T. Desanti et moi avons effectué plusieurs démarches aux « Cadres » (c'est-à-dire à la section de contrôle) pour tenter de faire réintégrer Hélène, militante rigoureuse jusqu'au sectarisme. L'obstacle était — on a fini par nous le dire — Aragon.
3. Louis Althusser étrangla sa femme. Il fut interné. Jamais jugé. Son *Autobiographie*, document psychiatrique, eut un retentissement international.

Elsa, je regardais de la terrasse, elle ne brûlait pas ! Il proteste : il l'a vu. Elle s'obstine. Il écrit un petit poème montrant la mairie en feu. Elsa est furieuse. Incident risible mais où l'homme se voit contraint de céder contre toute raison, à dire « *credo quia absurdum* ». Quand elle affirme, on acquiesce...

On leur procure des « papiers à toute épreuve » et ils partent pour Saint-Donat dans la Drôme. La maison n'avait pas le jardin espéré. La seule vue du village glaçait Elsa d'« un ennui désespéré ».

Ils louent une chambre à Lyon. Ils font un séjour à Paris, chez les Robert Denoël, dans leur appartement neuf et blanc du Champ-de-Mars. Pour ce séjour, l'éditeur et sa femme se privent d'aide domestique par souci de la sécurité de leurs hôtes.

Son éditeur était un collaborateur avéré, Elsa savait pourtant qu'elle pouvait se confier à lui sans réticence... même s'il avait rayé la phrase finale du *Cheval blanc* qui était : « Stanislas Bielenki ne reçut pas cette lettre. Il y avait un an qu'il était dans le camp de concentration de Gurs où l'on ne fait pas suivre le courrier. » Denoël avait arrêté le texte à « lettre »...

Au Prix Goncourt, au premier tour, trois voix étaient allées au *Cheval blanc*, signé Elsa Triolet, dont Francis Carco était le défenseur.

Ils mènent ainsi une triple vie. Les grands poèmes du *Musée Grévin* sont écrits. *François la Colère* est publié illégalement, en même temps qu'Aragon l'est au grand jour, tandis qu'entre Saint-Donat, Lyon, Valence, Paris, circule un couple nommé Andrieux ou une femme seule.

Elle aussi se sent triple : l'Elsa, patrie des poèmes, l'Elsa Triolet de ses propres écrits, et Blanche, la voyageuse aux faux papiers.

Dans les prisons, comme dans toute la France, mystérieusement dactylographiée, ronéotée, imprimée, circulait la *Ballade de celui qui chantait dans les supplices*. Aragon l'avait écrite d'un élan en lisant la dernière lettre de Gabriel Péri, éditorialiste de politique extérieure à *L'Humanité*, publiciste militant cultivé et charmant. Sans doute dénoncé, il fut arrêté, condamné, exécuté par les nazis. Pierre Daix raconte qu'en prison ses camarades ouvriers croyaient, tant le poème leur semblait une chanson, que c'était l'œuvre d'un ouvrier.

> *Et s'il était à refaire*
> *Je referais ce chemin*
> *Une voix monte des fers*
> *Et parle de lendemains*

Elsa, quand ils partaient, enterrait ses manuscrits dans une boîte en métal. « Écrire était ma liberté, mon défi, mon luxe. Personne ne pouvait m'empêcher d'inventer une réalité. »

La liberté d'Elsa, sous l'extrême contrainte, trouve pour se dire, parfois, la transparence, l'allure populaire des *Amants d'Avignon*, conte sentimental d'un temps où l'amour du pays était une passion interdite. Mais le récit portait déjà les germes d'un futur plus amer. Juliette Noël, héroïne pour magazine, prononce une phrase qui ne devrait pas lui ressembler, et qui n'était pas due au seul malheur des temps : « J'ai toujours su que l'amour n'était que de la fausse monnaie et qu'il n'y a de vrai que l'illusion. On ne s'aime pas, personne n'aime personne... »

Albert Camus et la Baronne

Et voilà qu'entre les deux Elsa, inspirée par Camus et en désaccord « de principe » avec son pessimisme, veut répondre à *L'Étranger* et au *Mythe de Sisyphe*. Elle écrit *Le Mythe de la baronne Mélanie* : une vie à rebours, de la baronne agonisante à la petite paysanne qu'elle fut... le vrai titre étant « *Quel est cet étranger qui n'est pas d'ici ?* ». *Le Mythe*, dont le héros est, dit Aragon, le symétrique du *Cheval blanc*, a été écrit à Lyon entre février et mai 1943... Il paraît dans *Poésie 43*.

Albert Camus, touché et piqué que cette « baronne » veuille lui faire la leçon, réagit. Il parle de « réussite étourdissante » ; on ne sent (la leçon) qu'à la fin : c'est que la meilleure façon de philosopher est de proposer « des images qui ont du sens ». Il attribue à l'état de femme la grâce d'être « si à l'aise dans le concret et dans le quotidien ».

Il a fort bien perçu ce que vise Elsa : « Quant à votre point de départ, la critique de mon essai, vous avez tout à fait raison : il peut y avoir un mythe absurde, mais la pensée absurde n'est pas possible. » Son dessein était de poser une « définition de commencement, comme le doute cartésien ou comme la déclaration d'amour qu'on est obligé de faire avant d'en venir aux choses sérieuses. En somme, c'est le point zéro. *Car je sais bien que pour finir la vieillesse dérange tout et qu'avec elle s'en iront le courage, la passion et le défi et qu'il n'y a pas de philosophie qui puisse arranger ça* ».

Seuls peuvent aider l'art et le mythe. Ce qui, trouve-t-il galamment, est encore mieux dit dans *Mille Regrets*. Et pourtant, Camus maintient que l'optimiste, finalement, c'est lui.

En 1943, avant l'optimisme officiel, avant les prises de position du réalisme socialiste, l'affrontement se fait en sens inverse. C'est Albert Camus qui maintient contre Elsa Triolet :

« Une chose seulement : je ne crois pas que l'amitié, ni tout ce qui touche au cœur humain, soit tout à fait une illusion... C'est pour ça que je n'ai pas parlé de solitude personnelle — qui ne regarde que moi — mais d'une solitude de l'espèce, si j'ose dire. Mais ce sont des détails. »

Le texte l'a touché, il dit sa gratitude. Il ignore que la phrase sur « la solitude de l'espèce » — celle qu'Elsa éprouve depuis si longtemps, celle qui ne la quittera jamais, va devenir le scandale, l'inadmissible, l'indicible. La solitude vient de la société mal faite. Le socialisme est, « doit être » un remède à cette « solitude de l'espèce ». Et de 1944 à 1956, tout en ne criant dans ses écrits que la solitude et le « personne n'aime personne », la femme du poète national, dont les yeux — on commence déjà à en plaisanter — sont « les pupilles de la nation », affirmera que « la solitude est un sentiment culturel et occidental ».

En 1960 encore, dans « son » choix des œuvres d'Elsa, Aragon, publiant la lettre de Camus, défend la vision Triolet... Mais non, ce n'est pas de l'absurde « à la Camus » ! Ah, certains ont été déçus de trouver un Alexis Slavsky indifférent à la politique au lieu d'un héroïque FTP ? Et si pour la postérité c'était ce peintre, acharné à créer une œuvre malgré les pièges de l'Histoire, qui témoignait de l'époque ?... Comme Aragon s'enflamme à défendre ce temps où ils créaient tous deux, osaient écrire « malgré » l'occupant...

Le 15 juillet 1943, donc en pleine Occupation, une lettre de Paulhan remercie de l'envoi du *Cheval blanc* d'Elsa. Il fait allusion à un projet d'Aragon.

La *NRF* avait été sabordée par Drieu qui ne trouvait pas de collaborateurs dignes de la revue. Ou bien on lui proposait des récits « perfides et néfastes », écrit Paulhan. Aragon a-t-il proposé la création d'une revue ? Pour « après » peut-être, une revue liée aux *Lettres françaises* ? En tout cas, Paulhan répond :

« Je serai membre du comité, n'est-ce pas ? Quant à la direction de la revue, non. J'ai trop de choses à faire pour moi. Je suis trop vieux... puis, je ne serais capable de refaire qu'une revue : celle où Benda peut voisiner avec Jouhandeau, Aragon avec Audiberti. Cette revue-là ne sera pas plus possible demain (pour les raisons opposées) qu'elle ne l'était il y a trois ans. » Il ajoute : « Mais à ma place, dans le comité, je tâcherai de me rendre utile. »

On dirait qu'il pressent les désaccords qui, dès la Libération, l'opposeront aux Aragon dans le comité dressant une liste noire d'écrivains « collabos » interdits.

Déjà, en juin 1943 il y avait eu des malentendus avec Elsa. Elle avait donné aux éditions de Minuit clandestines un texte d'un grand charme, *Les Amants d'Avignon*, et, comme on lui demanda des coupures, elle imagina que la direction, donc Paulhan, l'avait refusé. Tous les thèmes, les plaintes, colères, toute la construction de persécution qu'elle va développer dans *Personne ne m'aime* sont déjà présents... « C'est d'une tristesse à sangloter du matin au soir. Ce que je suis bien décidée à ne pas faire. » « Mon mari, dit-elle, est écrasé par cette histoire. » Ils construisent ainsi leur soupçon de persécution à deux... peut-être pour recouvrir ce qui les a séparés.

Déjà le mythe Aragon-Elsa existe dans la poésie clandestine. Déjà leur lien jette d'autres racines. Le besoin réel qu'ils ont l'un de l'autre pour se rassurer. Le besoin, pour lui, de cette femme qui lui indique, par sa seule présence, où se trouve et comment est le monde réel. Cette femme qui, à ce Parisien qui rêvait d'« étrangères », apporta tout un immense empire d'étrangeté. Le besoin pour elle de ce poète. Qu'elle l'ait aimé avec délire, douleur et désir de douceur est indéniable. Elle sait à présent combien cet autre est Autre. Mais il reste les deux mondes qu'elle a choisis : la littérature et la France. Et peut-être cet insaisissable, fuyant au plus fort de sa présence, est-il devenu pour elle comme l'air qu'elle respire ?

Les Aragon vont aller vivre à Saint-Donat-sur-l'Herbasse, dans la Drôme. Ils se nomment à présent Elisabeth et Lucien-Louis Andrieux... (Aragon, après la mort de sa mère, récupère ainsi, clandestinement, à sa manière ambiguë, le nom du père : Louis Andrieux. Il remplace, en paraissant prendre un pseudo clandestin, le nom de fantaisie que son père avait choisi pour lui : Aragon, par le patronyme dont l'illégitimité l'avait exclu. Elsa, qui avait, elle, effacé le nom du père et s'était enveloppée dans le chantant patronyme du premier mari, devait constater ce retour aux sources... avec crainte ? avec ironie ?)

Fin août, sous ce nom, ils sont allés à Paris. Ils descendaient chez Robert Denoël, l'éditeur officiel d'Elsa, le « collabo » comme l'appelaient leurs amis. Vercors (Jean Bruller, l'auteur du *Silence de la mer*, le grand succès de l'édition clandestine) les rencontra. Il innocenta Paulhan, expliqua les motifs du refus des *Amants d'Avignon* : le texte dépassait les trois formats de 32 pages — 96 en tout — que l'imprimeur pouvait tirer en un dimanche. Or chaque travail clandestin faisait courir des risques à l'artisan. Était-ce la peine pour cinq à six pages ? Elsa, écrira un jour Vercors, consentit à couper... A-t-elle cru aux raisons invoquées ?

Le 17 juillet, avant le voyage, Aragon refusera « de figurer actuellement dans une anthologie dont j'ai pu être absent quand les initiales de la *NRF* étaient parfaitement propres ». Il demande à Paulhan de dire cela « gentiment à Gaston ».

Le Cheval blanc suscite, en zone pétainiste, grands articles, grandes colères « et le succès qui ne s'écrit pas ».

La Drôme en armes

En 1944, dûment annoncée par les responsables, Elsa va, pour un journal clandestin intitulé *La Drôme en armes*, voir sur place un groupe de FTP du Lot. Elle y rencontre un poète, un brun pas grand, maigre parce que c'est l'époque, mais fait pour vite devenir massif. Un garçon bouclé à l'œil châtain... et pour celui-ci, elle est l'apparition. L'éblouissement. Pour lui Elsa, comme Louis et comme un peu plus tard Paul Eluard, représenteront la poésie de la vie et du Parti. Il se vouera à vivre à leur ombre, avec tout ce qu'exige la dévotion. Elsa rencontre donc Jean Marcenac. Elle arrive « dans une voiture noire volée à la Gestapo ».

Il y eut à Romans, en 1944, plusieurs moments de fausse joie. On croyait à la Libération, on imprimait le journal clandestin fenêtres ouvertes et, soudain, on voyait passer les Allemands, fusil à l'épaule.

Le 6 juin 1944, à Romans, à Privas, en bien des régions, des chefs de maquis croiront venu le moment d'investir les villes... et se feront massacrer quand ils n'arriveront pas à fuir à temps, car les Allemands revenaient avec des troupes nouvelles.

Le 6 juin..., les messages personnels comme « le premier accroc coûte deux cents francs », les « containers » d'armes parachutés, faux papiers, chocs en retour. Ce premier débarquement semblait fragile...

« Le 15 août, il y avait eu un deuxième accroc... De ce deuxième accroc je n'ai jamais su le prix. Déjà toute l'étoffe s'en allait en pièces parce que, dans notre impatience, nous nous étions tous mis à la déchiqueter. »

Elle écrit ces lignes à Paris, en novembre 1944.

8

Le couple en majesté

Pourquoi dans un couple d'amants
Un tel amas de solitude

ARAGON, *Le Roman inachevé.*

Chaque fois que je te voyais arriver, venir, revenir...
La belle surprise. Je t'ai tant attendu et tout au long
de la vie.
— Tu n'as pas perdu ton temps, mon cœur. Tu
en as fait des choses, pendant que tu m'attendais.
— Non. Je ne faisais que t'attendre. J'étais possé-
dée par ton absence. Et aussi par ta présence...

Elsa TRIOLET, *Le rossignol se tait à l'aube.*

8

Le couple en miettes

Éclats de liberté

L'été qui n'en finit pas

La libération de Lyon déroule son tapis rouge pour les Aragon. Le commissaire de la République, Yves Farge, accueille le Poète national, et celle qui — dans *Les Amants d'Avignon* qu'on va republier avec leur vrai nom d'auteur — avait écrit sans, dit-elle, autrement y penser la phrase : « On ne pourra pas gouverner le pays sans le parti des fusillés. » Un jour Elsa verra une affiche : « Adhérez au Parti des fusillés, comme dit un romancier de la Résistance. »

Aragon publiait en Suisse depuis 1943 dans la revue *En français dans le texte*. Son dernier texte légal, *Nymphéas*, avait, en effet, fait interdire *Confluences*. Entre Lyon et Paris, paraissent *Les Cahiers de la Libération* dont le responsable va être déporté à Bergen-Belsen : c'est Louis Martin-Chauffier, membre du CNE, ancien rédacteur en chef de *Lu*, de *Vu*, de *Vendredi*... Il reviendra. D'avril 1944 à la Libération, les Allemands ne faisaient plus de prisonniers : tout maquisard était abattu.

Les combats contre l'ennemi se sont tus — ou presque — quand Elsa et Louis entament leur tournée triomphale. Alors commencent à percer les nouvelles terribles de ceux qui ne reviendront plus, ou qui ont disparu.

A Grenoble, à la radio libérée, Elsa et Louis trouvent la fondatrice du journal clandestin de la région, l'un des plus écoutés de France, *Les Allobroges*. Simone Devouassoux, philosophe de formation, membre de l'Union des étudiants communistes au sortir du lycée, avait exercé des responsabilités au maquis. Elle interroge Aragon, devant Elsa silencieuse, sur un camarade, un responsable de la Résistance, un philosophe de l'ENS de la rue d'Ulm, François Cuzin.

Cuzin, ami à Lyon d'Auguste Anglès (fondateur de la revue *Les Étoiles*) et de Tavernier, avait été membre des Étudiants communistes. Puis, lors du pacte germano-soviétique, il s'était écarté pour, très tôt, entrer dans la Résistance. On savait, aux dernières nouvelles, qu'il avait eu rendez-vous avec des camarades dans un village nommé Oraison. On avait su aussi que la Milice (cette para-Gestapo française) avait investi le village. Que François Cuzin, averti, refusant d'abandonner ses copains, était allé au rendez-vous. Il n'avait eu aucun moyen de les prévenir. On ne savait rien de plus.

Mais Aragon, peut-être ?

Simone Devouassoux (qui deviendra Simone Debout-Olieszkiewicz, spécialiste des « utopistes ») lui pose la question. Aragon connaissait François Cuzin. Militant dès le lycée, il fut, en 1935, envoyé à l'hôpital par des camelots du roy cogneurs. Mais sans doute Aragon sait-il aussi qu'avant de réadhérer au Parti clandestin, Cuzin s'en était, en septembre 1939, éloigné à cause du Pacte ? En tout cas... Est-il à la prison des Baumettes, à Marseille ? ou ailleurs ? Louis répond de haut : « Je ne sais rien de précis mais vraiment quelle imprudence !... Quand un responsable sait qu'un endroit est "brûlé", il n'y va pas. Comment a-t-il pu ?... »

La fondatrice des *Allobroges* éclate : « Que vous n'ayez pas, vous, l'imagination suffisante pour comprendre qu'un responsable refuse, même si ce sont les consignes de la sécurité, de laisser ses hommes dans un guêpier ! »

Elsa feint de ne pas écouter. Elle porte une jolie petite robe à pois... Simone Devouassoux finit par lancer le mot de Cambronne.

Il y eut ainsi quelques coups d'indiscipline dans le concert qui montait vers le Poète national, le Poète lauréat, le Poète de la Résistance.

Plus tard, sur la plaque des fusillés de la Résistance, François Cuzin (qui, le jour de ce non-dialogue de Grenoble, avait déjà été tué par la Milice dans le petit bois près d'Oraison) ne figurait pas. Je l'ai fait remarquer à Aragon qui parla d'un air vague d'inévitables et fâcheux oublis, irréparables sur cette plaque-ci...

Paris-Goncourt

La rue de la Sourdière portait encore les bandes de papier bleu du couvre-feu. Le froid et le manque de ravitaillement faisaient souffrir un Paris enfin libre et déjà impatient.

Elsa et Louis sont rentrés.

En octobre 1944, l'auteur de ce livre fait leur connaissance au bar-restaurant du septième étage de l'immeuble réquisitionné par la presse communiste, au 37 rue du Louvre.

Quand pendant des mois on a récité les vers d'un poète, la *Ballade de celui qui chantait...* et *Celui qui croyait au ciel*, quand on a lu *Marguerite* à peine écrit, quand on sait presque par cœur *Le Paysan de Paris, Anicet* et les trois volumes du *Monde réel*, mais aussi *Le Cheval blanc*, quand *Le Mythe de la baronne Mélanie* vous semble une merveille de jeu avec les temps, alors on se fabrique un rêve. Comme pour des centaines de résistants de vingt-cinq ans, juste sortis de la clandestinité, le mythe n'avait pas la pointure des êtres sur lesquels on voulait l'ajuster.

Aragon parlait ce jour-là de ratés de détail dans l'organisation des journaux. Elsa parlait des pourparlers autour du Prix Goncourt.

Pour l'auteur de ce livre, le Prix Goncourt, à l'automne de 1944, avant que les déportés soient revenus, que la guerre soit finie, quand on apprenait tous les jours les noms des copains fusillés, torturés, morts, le Prix Goncourt... Je ne saurais plus exprimer aujourd'hui à quel point je trouvais ça dérisoire... Non... Insultant finalement. Le label même de l'embourgeoisement. Le signe que la vieille société recommençait, renouait ses fils les plus frivoles. C'était une période difficile pour les communistes de la clandestinité. Apprendre la discipline. Rendre les armes. Connaître la hiérarchie de ce PCF auquel nous avions adhéré en 1943 dans l'enthousiasme, à cause de Stalingrad et parce que les procès de Moscou ne pourraient jamais recommencer... Nous avions cru que la Libération serait révolutionnaire, que notre monde à nous allait changer de base. Je me refusais aux vieilles valeurs : l'agrégation, les décorations. Alors, les prix littéraires !

Après ce Prix Goncourt attribué en 1945 pour 1944 à ses nouvelles *Le deuxième accroc coûte deux cents francs*, Elsa découvre l'argent. Elle s'habille en haute couture. Belle revanche pour la fournisseuse de colliers.

Qu'imaginer de plus glorieux que l'après-Libération d'Elsa-Louis, cette après-guerre du Poète national (« Mon parti m'a rendu les couleurs de la France ») et de sa muse, Prix Goncourt ? Ils vont séjourner sur le lac de Constance où le gouverneur, Degliame-Fouché, compagnon de la Libération et membre du Parti, les reçoit en souverains dans un hôtel de rêve.

Aurélien devait sortir fin 1944 (le dépôt légal est du 4 décembre). Aragon réécrivit l'épilogue et le livre ne sortit des presses que le 30 mars 1945. En un an, il s'en est vendu quinze cents exemplaires, et l'édition américaine, en 1947, est tombée dans cette indifférence qui, là-bas, menait déjà un volume au pilon. Les milieux littéraires boudaient les Aragon. Déception insurmontable : ils avaient cru régner. Mais dans l'opinion internationale, la France, c'était un autre couple, celui de Sartre et de Simone de Beauvoir.

Dans leur *famille*, le PCF, se produisaient de bizarres clivages. Les purs-et-durs, les militants tout-crin-tout-fer, ne voyaient pas « l'intérêt » d'un roman bourgeois comme *Aurélien* ni de *La Vie privée*. D'autre part, les jeunes-turcs rétifs retranchés dans l'hebdomadaire *Action* (qui jouira jusqu'en 1948 d'une relative autonomie malgré le contrôle communiste) faisaient, eux, profession de dédaigner cette littérature non pour son contenu, mais pour sa forme.

Cette disproportion soudaine entre les ventes des nouvelles d'Elsa et du roman de Louis a marqué — sans doute sans que jamais elle se l'avoue — une revanche de celle qui grimpa un à un les échelons escarpés du français, qui dut subir ce « corset de plâtre », escalader la paroi abrupte d'une langue qui se défend. Sous l'Occupation, *Le Cheval blanc* s'est sans doute mieux vendu que *Les Voyageurs de l'impériale*, mais avec une moindre disproportion.

A l'automne de 1945, Elsa s'est rendue à Berlin. Où retrouver les souvenirs de *l'autre* après-guerre, de *l'autre* défaite de l'Allemagne, ce qu'elle avait vu, insouciante, à vingt-sept ans ? Elle y rencontre, comme en 1923, des amis russes. Les soldats vaincus mendiaient alors dans la rue. Une guerre plus tard, plus vaincus encore, ils revenaient des camps russes, ayant marché des milliers de kilomètres, la peau verdâtre sur des os saillants, les uniformes en lambeaux. Mais à partir de cinq heures de l'après-midi, les occupants vont lever des Allemandes dans les *Nachtlokale*, les boîtes de nuit où chaque faveur se paie en cigarettes, café, bas de soie, pâtes, sucre, riz. Elsa ose écrire ce que disait son ami Ilya Ehrenbourg sur cette ville en ruine : « Il faudrait niveler, faire table rase, nettoyer, désinfecter et recommencer... Après tout, la bombe atomique a peut-être son utilité dans un cas pareil ? » La fragilité des villes émeut Elsa. Elle écrit qu'elle a « envie de caresser les tendres pierres de Paris, de leur dire de faire bien attention de ne pas attraper froid et de se méfier des voitures ».

Puis Elsa a continué jusqu'aux ruines de Varsovie l'innocente, tellement plus atroces à supporter que celles de l'Allemagne, ruines qu'on disait « coupables ». Varsovie, souvenir de son enfance, ville qu'elle n'aimait pas à cause du ghetto juif, est à présent réduite à ses rez-de-chaussée où le vent fait choir les derniers morceaux de façades, où les gens se terrent dans les caves et font des heures de queue pour remplir un broc d'eau... L'ambassadeur de France reçoit Elsa. Aux bougies, faute d'électricité mais somptueusement, « Varsovie en ruine regorge de ravitaillement... La ville n'a plus que trois cent mille habitants ».

A la fin de mai 1946, j'ai vu Elsa Triolet au procès des criminels de guerre, à Nuremberg, fascinant et scandaleux caravansérail, avec le « Press Camp » installé dans un faux château médiéval. Au tribunal, les juges portaient la toge ou — les Anglais — la perruque, les Soviétiques siégeaient en uniforme.

Elsa y apprit des détails sur la mort de sa mère, en 1942, dans le Midi soviétique (Mme Kagan était rentrée, semble-t-il, vers 1933). Et sur l'infarctus qui avait tué, en 1945, Ossip Brik quand il montait son escalier, à Moscou, où ils venaient tous de revenir. Ils avaient passé la guerre derrière l'Oural ; ils vivaient toujours ensemble, Lili et Katanyan, Ossip et Genya. Puis, pour l'aînée, ce nouveau déchirement.

Elsa fera paraître dans *Les Lettres françaises*, en juin 1946, un article d'une profonde ironie sur la folie du procès de Nuremberg. Comme les Russes et comme beaucoup d'entre nous à l'époque, elle trouve les débats fastidieux et assez scandaleux l'appareil implanté dans le pays en ruine.

En 1946, Elsa écrit alors des choses qu'au Parti français on n'exprimait pas encore : « Nous sommes en pleine guerre. Tâchons donc de reconnaître l'ennemi, aujourd'hui sans uniforme. »

Seuls les Soviétiques commençaient déjà à parler des intentions à peine cachées de Winston Churchill, dont le discours à Fulton sur le *rideau de fer* datait du 5 mars 1946.

Avec Louis, à l'été 1946, Elsa repartira à travers les démocraties populaires. Voyage recommencé l'année d'après.

A Belgrade, Tito est encore le héros communiste qui a su libérer son pays par la force de ses partisans. Un incident se produit. Toutes les pancartes, banderoles, invitations, célèbrent et convient Aragon... Elsa déclare qu'elle ne sortira pas de sa chambre d'hôtel. L'incident est arrangé par la confection hâtive de banderoles glorifiant la camarade Triolet. Quand éclatera l'affaire Tito, en 1947, Louis me dira : « Je le pressentais, nous avons eu une très mauvaise impression, là-bas... »

Le reste de la tournée des nouveaux pays où se « construisait le socialisme » ressemble à une marche nuptiale entre les jeunes PC au pouvoir et le puissant PCF représenté par son couple le plus poétique.

Elsa se souvient : « Un voyage de grandes vedettes dont je n'éprouvais ni étonnement ni fierté, tant nous faisions étrangement partie de ce qui nous entourait, et je restais pourtant étrangère à cette fête difficile, je continuais mon itinéraire à moi, regardant autre chose que ce qu'on me montrait. Non, je n'en étais pas encore à la reconstruction ; mon rythme de l'Histoire me maintenait dans les ruines. »

Moscou, ma plus-aimée

Une chanson soviétique dura toute la guerre : « Ma patrie, *ma* Moscou, tu es *la* plus-aimée. »

C'est ce qu'Elsa se répète tandis qu'ils survolent « un univers de poussière » pour enfin atterrir dans son pays natal.

La délégation de l'Union des écrivains réduit à rien les formalités. Derrière les barrières, tassée, plus maigre que mince, Lili. Elle porte plus que son âge — cinquante-quatre ans —, elle porte en elle trop de morts. Pourtant l'œil et le sourire s'allument encore...

Les dignitaires de l'Union des écrivains se remettent de la guerre plus vite que les autres, avec leurs appartements, dans des immeubles réservés, qu'ils ne partagent avec personne, avec les magasins spéciaux où l'on trouve l'introuvable... (pour Moscou).

Jdanov s'est remis à tonner. A nouveau, « l'idéologie dépravée de la bourgeoisie » *contamine*, dit-il, le lyrisme d'Anna Akhmatova, l'humour de Zochtchenko, la musique — déjà attaquée vers 1936 — de Chostakovitch. Elsa s'informe des uns, des autres, avec précaution. Le gendre d'Ilya Ehrenbourg, Boris Lapine, écrivain plein de promesses ? Tué — elle le savait déjà — dès le début de la guerre en portant sur son dos un camarade blessé... qui ne survivra pas. C'est l'image de ce pays. Que de « disparus » aussi... Des proches, partis on ne sait où.

A Moscou, déjà, on lutte contre la « prosternation devant l'Occident », contre la « décadence cosmopolite » en art et dans les lettres. Jdanov reprend les mêmes thèmes : le *réalisme*, c'est-à-dire la peinture du monde tel qu'il deviendra — le réalisme socialiste.

Au retour, le voyage se résume pour Elsa en une image : l'URSS est un « être » qui porte en lui « le cadavre de son âme »... Paris, après ce périple, semble une fête assiégée de fantômes armés. Des pays de l'Est, Elsa rapporte l'angoisse : Churchill arrivera-t-il à convaincre les Américains de reprendre, non, de « continuer », la guerre contre les Soviétiques ?

Fuir la politique ?... Fuir dans l'écriture ?... Elsa Triolet sourit, multiplie les réunions dans un joli hôtel réquisitionné, 2 rue de l'Élysée, baptisé « Maison de la Pensée française » et où siège, entre autres organisations « de masse », le Comité national des écrivains.

Elle écrit *Personne ne m'aime*, histoire de Jenny Borghèze, grande actrice. Le roman, écrit en 1944, remanié sans cesse, paraît en 1946 à cette « Bibliothèque française » dont Aragon assure qu'elle n'est pas communiste.

L'année suivante *Les Fantômes armés*, histoire d'Anne-Marie, l'ombre abandonnée de Jenny. Un résistant progressiste sera tué par ses anciens compagnons de combat devenus — ou redevenus ? — des « fascistes », les non-repentis des guerres et des morts.

La mort, le désir de « donner un sens à la vie » deviennent pour Elsa des thèmes obsédants... Mais ce « pouvoir personnel de l'homme sur son destin » qui caractérise le « héros positif », ses personnages n'arrivent pas à le conquérir. Jenny se tue, Antonin Blond, inspecteur de ses ruines intérieures, se sent vaincu d'avance. Elle voudrait décrire un *avenir au bien*, mais montre le présent et l'avenir *au mal*.

Après le retour de Moscou, Louis reprend sa lutte pour le « réalisme » où il l'avait laissée avec le cycle du *Monde réel*.

Le couple refuse de devenir la potiche-souvenir de la Résistance. Dans les démocraties populaires (reçus chaque fois d'une part à l'ambassade de France, de l'autre dans toutes les récentes unions d'intellectuels), ils ont entendu réciter *Celui qui croyait au ciel...*, la *Ballade de celui qui chantait dans les supplices*, et *Les Yeux d'Elsa* dans toutes les langues de l'Est européen... En France, toutes les sections du PCF serinaient les mêmes vers, mais... Si *Aurélien* et les romans d'Elsa qui ont suivi le Goncourt avaient été portés aux nues, les Aragon auraient-ils mis tant de zèle à propager le « réalisme socialiste » de Jdanov ? Aragon, l'intime de Picasso et de Matisse, aurait-il « inventé » Fougeron ? Ils se sentaient seuls sur un îlot fragile menacé par la débâcle.

Roger Garaudy, responsable communiste commis aux intellectuels avait publié un article, « Artistes sans uniforme », assurant que le PCF n'imposait aucune esthétique. Point de vue repris par le polémiste communiste le plus aigu et le plus populaire, Pierre Hervé, dans *Action* : « Il n'y a pas d'esthétique communiste. »

Grand branle-bas dans les démocraties populaires qui ont du mal à mettre au pas leurs artistes et intellectuels.

Aragon part en guerre : « Parlant en mon nom, je considère que le parti communiste a une esthétique et que celle-ci s'appelle réalisme. » C'est ce qui « répond au matérialisme historique ». Dans une note, il attaque Hervé et *Action*...

Hervé fonce. Il sait ce qui se passe à Moscou mais croit encore en un communisme différent à Paris, et de plus, ne peut supporter « le couple royal ». Pour moins compromettre *Action*, très menacée, il intitule « Tribune libre » ses « Nouveaux propos sur l'esthétique ». Il cite Jdanov et Lénine..., puis soudain attaque Elsa. *Personne ne m'aime* vient de sortir. Il déclare que l'atmosphère dans les romans de Sartre ne lui semble pas plus trouble que chez Elsa Triolet... et que si Aragon est certes un grand écrivain on n'en retrouve pas moins dans *Les Yeux d'Elsa* et dans *Aurélien* le même « bric-à-brac surréaliste » démodé que dans « les films de Prévert ».

Voilà donc déclarée la guerre des générations et des tendances à l'intérieur du PCF. Malgré une autocritique, Roger Garaudy est remplacé à la direction des intellectuels par Laurent Casanova, l'ami des Aragon.

Elsa lutte ouvertement contre *Action* où chacun de ses romans sera critiqué sans complaisance. Les rédacteurs (dont j'étais) deviennent, à des degrés divers, des « ennemis » et provoquent des ultimatums du type : « Vous fréquentez X ou moi »...

Au-delà des petits conflits, cette fermeture de l'esthétique communiste, après un an et demi de liberté, ne contribue pas à rendre la situation facile au CNE.

La liste noire

Sur l'affaire de la liste noire qui a servi de motif — ou de prétexte — à l'effritement du Comité national des écrivains, j'ai pu, grâce à René Tavernier, avoir des précisions par Gérard Loiseau dont la thèse porte sur « Les écrivains et la collaboration ».

Des « avertissements » sont lancés par les Français des États-Unis dans *Life* dès août 1942. Puis, en mars 1943, François Mauriac réunit chez lui Paulhan, Blanzat, Guéhenno, Peisson, entre autres, pour esquisser une liste dont on ignore les noms. Ensuite, d'août à décembre 1943, le journal clandestin d'André Jacquelin, *Bir Hakeim*, condamne à mort, entre autres, Maurras et Guitry à côté de Brasillach et de Chateaubriant et exige le jugement de Céline et de Cocteau, de Ramon Fernandez, Montherlant... et de Paul Valéry sans oublier Morand et d'autres. A quoi *Combat*, clandestin, réplique : « Provocation ou inconscience ? » En novembre 1943, *Les Étoiles*, organe du CNE de la zone Sud titrent : « La confusion sert les traîtres. » En avril 1944, *Les Lettres françaises* mettent en garde contre les amalgames de *Bir Hakeim* qui disqualifient la Résistance.

Entre la Libération et le retour des Aragon à Paris, une commission du CNE où figuraient Queneau, Eluard et Debû-Bridel dresse une liste qui désignait les écrivains avec lesquels les membres du CNE, refusaient de voisiner dans des publications.

Deux listes ont paru dans *Les Lettres françaises* en novembre 1944. Aragon était rentré. Il dira à Daix qu'il avait dû les assumer alors qu'il n'y était pour rien. Gérard Loiseau estime que, « sauf preuve contraire », ni Aragon ni Elsa Triolet n'ont pris part directement à cette élaboration.

Sur cette cinquantaine de noms (où certains semblaient prévisibles : Montherlant, Jouhandeau, Céline, Giono) une quarantaine était inconnue de Daix.. Le premier sur lequel il fallut rediscuter fut Giono.

L'affaire de la Liste noire date de février 1947. Les ministres communistes sont encore au gouvernement. Paulhan, fondateur du CNE, dit dans une interview que la Liste noire cite des noms bien moins pronazis que Rimbaud n'avait été proversaillais ou Romain Rolland pacifiste, défaitiste, « anti-guerre-nationale ».

Paulhan ajoute : « Personne n'a pris un instant Aragon au sérieux. Mais je sais *un homme qui admirait Aragon, qui le prenait même au tragique, c'est l'infortuné Drieu La Rochelle* ». La morsure rouvre la plaie... Louis se sent « accusé » du suicide de Drieu, de la mise à mort d'*Aurélien*. Rien ne lui était plus rude à assumer sauf la rupture avec Breton — qui, rentré à Paris, faisait donner contre l'ex-ami les surréalistes de toute tendance. De plus Koestler accuse les « professionnels de la littérature de Résistance » — Aragon en tête — de « charlatanisme ».

Le Comité national des écrivains, à la Libération, est considéré, dans *Les Lettres françaises* « *comme la seule organisation représentative et agissante des écrivains français qui, de toutes générations, de toutes écoles et de tous partis, sont venus à lui* ». Le rédacteur en chef, Louis Parrot, sera remplacé par Claude Morgan puis par Pierre Daix.

Amère, Elsa regarde la liste des membres du CNE libéré :

en premier, le nom de Georges Duhamel. « *Le mien n'y est pas.* »

Le CNE rétrécit par démission : Mauriac, Paulhan, Sartre, tant d'autres.

Tavernier, démissionnaire par solidarité, se souvient d'avoir, peu après, rencontré Elsa à un cocktail du Seuil. Elle lui cria : « Rrené, je tirre sur vous ! »

« J'ai répondu en plaisantant, bien sûr, mais n'ai rien obtenu qu'un regard en lame de couteau. Ah, les yeux d'Elsa... J'ai senti que si nous avions en effet été sur une barricade elle aurait tiré... Ah sa main dans la mienne, au cinéma, à Lyon... elle en aurait nié jusqu'au souvenir... Peu après, j'ai reçu une lettre de la haute écriture à boucles. Six pages qui commençaient par : "Cher René, je vous écris dans l'espoir de vous être désagréable..." Suivait une longue critique de la revue *Confluences.* »

Après mai 1947, et l'exclusion des ministres communistes, Elsa doit se sentir presque soulagée. La guerre froide qu'elle avait sentie dès Nuremberg entre Occidentaux et Soviétiques devient aussi une « guerre froide » pour le Parti français, malgré ses illusions sur un retour au pouvoir.

Au congrès du Parti, en juin, Laurent Casanova lance le réalisme comme ligne officielle. Inspiré par Louis, ce discours cite même le peintre Fougeron.

En juillet 1947, Sartre demande à Louis Aragon en personne de dire sur quelles preuves il se fonde pour avoir qualifié de traître Paul Nizan, le camarade de Sartre à l'École de la rue d'Ulm, qui, pour ses condisciples, incarnait le communiste. Traître en quoi ? Aragon lui avait dit un jour que cette trahison c'était d'avoir démissionné du Parti, en 1939... Alors, quitter le PC transformait en traître un écrivain tué à la guerre ?

Aragon proteste. Sartre jette : « C'est sa parole contre la mienne ! » et quitte le CNE, où il reviendra d'ailleurs au plus fort de la guerre froide.

Elsa n'aimait pas Nizan qui lui prêtait peu d'attention... Louis n'aimait pas Nizan pour d'obscures luttes de pouvoir à *Ce Soir.* Et puis, après cette « défection », lui, Aragon, avait dû assumer seul l'explication du pacte germano-soviétique !

D'être, comme disait Elsa, « les pestiférés les plus fêtés de Paris » ne leur ouvrait qu'une voie : celle d'imposer la ligne jdanovienne. C'est-à-dire de devenir dans la zone d'influence intellectuelle du PCF le couple de la terreur.

Elsa, championne du romantisme, réaliste mais « lunaire », n'était pas douée pour créer des héros positifs. Comment se protéger sinon par le jeu du Couple ? Attaquée comme créatrice, elle ne pouvait l'être au PC comme inspiratrice et symbole de l'Amour-à-jamais. Le PCF de l'époque vénérait le Couple. Au sommet, Maurice Thorez-Jeannette Vermeersch (quand en 1950 son mari, atteint d'une attaque d'hémiplégie, fut transporté en URSS, elle exigea de régner à titre de porte-parole). Parallèlement à ce couple de haute politique, le couple de la création Elsa-Louis. Puis Laurent Casanova, à la fois veuf de Danielle et compagnon exemplaire de sa deuxième femme, Claudine Chomat. Puis toute une série de ménages se glorifiant de leur conjugalité. La mode communiste préférait l'union légitime. Seuls les Aragon et les Casanova se permettaient de ne pas avoir d'enfant.

Autre nécessité diplomatique : ne pas trop se référer à la Résistance, le couple Thorez ayant passé la guerre à Moscou.

Le réalisme donc. Et, dans ce parti dont Picasso, Fernand Léger, le peintre-tapissier Jean Lurçat étaient membres, le réalisme de l'art figuratif.

Dès la fin de 1946, Aragon avait préfacé un album à tirage limité des *Dessins de Fougeron*. « Le long cheminement de l'homme des cavernes à celui des gratte-ciel, de l'homme qui a figuré le premier bison au premier homme qui ait figuré un paquet de tabac va-t-il s'interrompre ? » L'art figuratif, c'est le destin du monde...

Aragon a renoué avec le « monde réel ». Elsa tente d'écrire son « monde réel » en trois romans. C'est, dans les trois, un désenchantement mortel qui devait tomber sous la hache des écobueurs de la « décadence ». Mais Elsa exprime des vœux d'espoir, des *intentions* de bonheur.

En 1947, Pierre Daix, ancien chef de cabinet de Charles Tillon, revenu depuis à peine deux ans du camp de Mauthausen, entre dans la vie d'Elsa. Il avait été arrêté dès 1942. Jadis, Aragon l'avait compté parmi les morts dans *Le Témoin des martyrs*. Daix écrit, dans l'hebdomadaire des Jeunesses communistes qu'il dirige, un article sur *Les Fantômes armés*. Elsa l'invite.

Stupéfait, lui qui les croyait au faîte de la gloire, Daix découvre qu'ils se sentent amers et isolés. Elsa lui montre ses coupures de presse : sauf le fidèle André Rousseaux du *Figaro* et l'inconditionnel Francis Carco, personne n'a consacré de vrais articles à ce roman. En avance sur l'époque, dit Louis, qui se plaint d'être contré à *Ce Soir* par Jean-Richard Bloch, son codirecteur (qui mourra cette même année) et aux *Lettres françaises* par Claude Morgan.

Daix, fils de gens modestes, ayant passé sa jeunesse de prison en camp, est ébloui par « la Sourdière » — le rite du thé, les tableaux surréalistes, les malles rouges, les beaux objets, le parfum des jacinthes. Par Elsa. Désormais il sera — pour des années — un inconditionnel, servira de second à Louis, comme rédacteur en chef à *Ce Soir*, puis aux *Lettres françaises*. Il acceptera tout : les humeurs, les caprices, les volte-face. Les exclusives... A présent qu'il s'est arraché tout ce passé du cœur, il maintient qu'Elsa tenait mieux parole et se montrait plus loyale avec lui qu'Aragon.

La vie très privée de Louis ? Daix dit : « Je n'affirme pas qu'il n'y ait rien eu. Je dis que je n'ai rien vu. Souvent, il me raccompagnait du journal, rue du Louvre, à Montmartre où j'habitais alors pour redescendre à pied vers la Seine, vers chez lui. J'ignore bien sûr ce qu'il faisait après m'avoir quitté... mais il appliquait peut-être l'habitude surréaliste d'exténuer le corps par de longues errances [1]. » C'était en effet une de leurs méthodes pour amener l'esprit « au bord de l'hallucination ».

_____

1. Entretiens avec l'auteur

Les yeux et la terreur

Elsa écrit *L'Inspecteur des ruines* et a l'idée de publier le roman sous le nom du héros, Antonin Blond. Ainsi, la presse jugerait un inconnu et non la muse des *Yeux* et du *Cantique*. Et si Antonin Blond obtenait le Goncourt ? Elle met Francis Carco dans le secret... hélas, dès le premier déjeuner, les jeux sont faits... (Elsa racontera l'histoire ainsi, en réalité, l'Académie jugeant sur des livres publiés et non sur des manuscrits, elle a dû décider de la signature bien avant...) Près de trente ans plus tard, Romain Gary réussira à faire attribuer « Le » Prix à *La Vie devant soi*, signée Ajar, et à produire, comme auteur, un jeune cousin désargenté — et il aura la force de maintenir le mythe jusqu'à son suicide. Elsa rencontra Romain Gary en 1945 : il avait eu le Prix Interallié pour *Éducation européenne*. Il venait de quitter son uniforme de pilote d'avion britannique. Romain plaisait beaucoup à Elsa ; elle lui trouvait quelque chose de son *Cheval blanc*. Romain trouvait qu'Elsa avait l'accent de sa mère mais la pensait redoutablement exclusive. Il n'est pas devenu un habitué de la Sourdière, comme elle l'y conviait, mais ils sont parfois sortis ensemble [1].

« Moi qui ne vivais que pour l'amour »

Elsa assure le fonctionnement du CNE bien que le secrétaire général en soit Louis. La Maison de la Pensée française s'orne dans l'entrée d'une immense tapisserie de Jean Lurçat,

---

1. Entretiens avec l'auteur.

ami fidèle du couple. On reçoit dans les salons, quand un étranger progressiste passe par Paris, à l'occasion de réunions du CNE...

Impossible de me rappeler qui l'on recevait ce jour-là, mais c'était avant les grandes ruptures puisque Paulhan promenait sur l'assemblée ses yeux de nuage. Ce devait être au début du printemps de 1947. J'ai vu entrer une femme d'une extraordinaire maigreur, à la fois négligée et excentriquement élégante, feutre gris, blouse rouge et tweed. Une démarche décidée qui n'allait pas avec son visage raviné. Le hasard m'a fait regarder Aragon comme elle se glissait, discrète. Il pâlit et la fixa avec une expression que je ne lui avais jamais vue. Que je lui reverrai en 1953 lors de l'affaire du portrait de Staline par Picasso. Une rage désespérée. Qu'elle soit là ? Ou qu'elle ne lui soit plus rien ? Une fraction d'instant. Puis il détourna la tête. Eluard me murmura : « C'est Nancy Cunard », et alla vers elle, me renseignant d'une ellipse : « C'est l'avant-Elsa de Louis. Il faillit en mourir. » Bien sûr, j'ai voulu connaître Nancy. Nous sommes parties ensemble. Elle m'a parlé de sa maison en Normandie, saccagée, détruite par les Allemands, de ses collections pillées ou fracassées : « ils ont tiré dans les statues nègres ». De son dévouement total à la cause espagnole antifranquiste. De Louis, elle disait : « C'est le génie poétique de ce temps. » Elle le voyait en secret dans le bureau de Daix car chez Louis pouvait surgir Elsa qui n'admettait pas ses visites. Elles avaient le même âge. Elsa avait le visage moins marqué, mais l'Anglaise gardait une allure qui forçait le regard. Elle voyageait avec des jeunes gens qui la délaissèrent quand elle n'eut plus d'argent.

Elsa, dès cette époque, proclamait aux intimes tel Pierre Daix, stupéfait d'une confidence que rien ne sollicitait : « Ma vie de femme est finie. » De même, quand Pierre Seghers était venu accueillir les Aragon à la gare en 1945, à Paris, et l'avait prise dans ses bras, louant sa mine, son éclat, elle avait secoué la tête : « Ah non, ne me parlez plus de ça, c'est terminé, Pierre. Je suis une vieille femme. »

Peu d'années y avaient suffi puisqu'elle écrivait, parlant de 1942, qu'en ce temps elle « vivait encore dans l'amour ». A l'inverse, Marcenac, dans ses Mémoires[1], raconte comment lui aussi est allé les chercher à la gare et comment elle a posé sur son bras une « main qui y restera jusqu'à sa mort ».

Dans L'Inspecteur des ruines, un personnage secondaire, Mme Emma — très grande, très myope, très riche (« on voyait derrière elle marcher ses capitaux »), s'en prend au biblio-

---

1. J. Marcenac, *Je n'ai pas perdu mon temps.*

phile Chenut qu'elle avait rencontré à l'hôtel des ventes (comme Michel avait rencontré Stanislas Bielenki). Cet adorateur timide, elle lui reproche de ne pas l'aimer de « passion profonde ». Elle va être « seule au monde, bientôt » : « ... tous les vieux sont seuls. Même ceux qui sont affligés d'une famille nombreuse. Quelqu'un qui ne participe pas à la vie est seul. Seul, comme un cadavre. Or quand vous ne vous intéressez pas à l'amour, vous êtes un cadavre... Imaginez-vous quelqu'un qui n'aurait plus besoin de manger pour vivre ? On ne vit plus quand on ne partage pas les besoins, les passions des hommes. On est seul comme un cadavre. »

L'Inspecteur des ruines rend dans sa brume le mal-être des rescapés de la mort qui ne peuvent plus comprendre l'exigence brutale d'une société restratifiée. Le contraire de « l'optimisme socialiste ». Le tracé reste indécis entre la solidité des évidences et les évanescences du rêve. Ceux qui sont touchés par le roman ne sont pas souvent ceux qui pourraient le justifier dans la politique du PC.

Découragée de la littérature, Elsa pendant cinq ans va se lancer dans la bataille des idées. A sa manière très concrète. Les acheteurs boudent les publications des communistes ? C'est faute de les connaître... Au temps de Maïakovski, on allait lire des textes dans les usines. Pourquoi ne pas mettre les travailleurs manuels et intellectuels en contact ? Elle doit en persuader l'appareil de ce parti dont elle n'est membre que par Louis interposé. Elsa propose aux dirigeants communistes une opération de « relations publiques » à l'échelle nationale. Des écrivains en personne expliquant, puis signant leurs livres. Les lecteurs invités à poser des questions. Ce n'était pas sans précédent, mais les conférences-débats n'avaient jamais pris cette ampleur ni visé ce public-là.

La hyène dactylographe

La querelle de l'esthétique durait depuis 1946. Désormais, Laurent Casanova est chargé d'endiguer les excès des « ingouvernables » intellectuels, et Aragon, grâce à l'appui de Thorez, rétablit le droit fil de la Ligne esthétique du PCF, en conformité avec les édits de plus en plus tonitruants de Jdanov à Moscou.

Car Jdanov à Moscou s'agite de plus en plus contre la « décadence » de Sartre, de Camus, et la peinture « informelle ».

Un Polonais vient proposer aux Soviétiques d'organiser un « Congrès des intellectuels pour la paix et la libre circulation des idées »... Le réunir à Wroclaw, l'ancien Breslau, avec tout le symbolisme des « territoires reconquis » pour la Pologne, c'est-à-dire pour le socialisme... Plein d'imagination politique, Jerzy Borejsza, Polonais et Juif ayant fait la guerre dans l'Armée rouge, communiste depuis ses quinze ans, espère sans le dire freiner le jdanovisme. (Cette tentative hardie va, au contraire, le promouvoir.) Il raisonnait avec logique : si les partis français et italiens l'aidaient, la présence de Picasso, de Léger, des Joliot-Curie, d'Eluard et d'Aragon pèserait si lourd dans la balance que Jdanov consentirait à ne pas faire du « soz-réalisme » une donnée fondamentale du communisme mondial, donnerait de la souplesse aux partis nationaux...

Aragon refuse de venir, malgré les interventions de l'ambassade polonaise auprès de Thorez, les messagères venues de Varsovie se jeter littéralement à ses pieds, le suppliant de sauver la liberté dans l'art comme il a sauvé la poésie française sous l'Occupation. Louis reste inébranlable : il écrit *Les Communistes*, le grand roman destiné à justifier tout, à montrer la nécessité du pacte germano-soviétique. Il n'ira pas. Elsa non plus.

Le congrès de Wroclaw ? Devant un aréopage de célébrités internationales, Fadeïev — l'adorateur d'Elsa de 1930 — a traité Sartre de « hyène dactylographe », de « chacal muni d'un stylo ». Sartre qui le premier avait écrit sur *Bonsoir, Thé-rèse*. Sartre, le plus illustre des intellectuels européens depuis 1944. Picasso en arrache, de rage, ses écouteurs de traduction simultanée. Eluard griffonne des petits dessins. Nous avons passé les trois quarts de la nuit dans le hall de l'hôtel, tuant notre désenchantement à coups de dérision et de vodka. Picasso s'est mis torse nu devant Guerassimov, le peintre réa-liste-socialiste soviétique et barbu — « Lui, quand il fait une fresque, il se vante que chaque veston a toutes ses boutonniè-res. » Eluard répète : « C'est plus fort que toutes nos provoca-tions surréalistes [1] »...

Laurent Casanova semble lui-même accablé..., au moins par la terminologie.

Ilya Ehrenbourg, quand je lui demande s'il avait prévu l'attaque, répond avec son ambiguïté coutumière : « Pas dans les métaphores »... Pas le *chacal* et la *hyène* ? Le reste ?

Avait-il prévenu Elsa-Louis, avant le congrès, de ce qu'il pré-supposait ? Il a pris l'air lointain : « *Elsa n'a pas besoin de moi pour téléphoner à Fadeïev.* »

Le 31 août 1948, pendant le congrès de Wroclaw, Jdanov

1. Voir D. Desanti, *Les Staliniens*.

est mort à Moscou et, le 9 septembre, Aragon publie un éloge de ce maître à penser en assurant qu'il le suit...

Le temps des « traîtres »

Entre 1948 et 1953, entre *L'Inspecteur des ruines*, qui signa son découragement, et *Le Cheval roux*, roman de la terreur atomique, Elsa a reconstitué un public pour elle et Louis en premier, mais aussi pour l'ensemble des éditions communistes.

Elle, toujours « sans parti », comme on disait en URSS, a su faire mobiliser toutes les fédérations du PCF pour mener pendant près de trois ans cette « Bataille du livre » qu'elle avait planifiée, assise par terre rue de la Sourdière, devant une carte de France, avec Laurent Casanova et Louis près d'elle pour lui indiquer les lieux forts, où le Parti pouvait amener aux réunions un maximum d'enseignants et de notables.

Elsa travaille dans une atmosphère d'orage. La guerre froide se double, à partir de 1950, de la guerre de fer et de feu en Corée. Les Soviétiques lancent l'idée que les Américains jettent des bombes à microbes sur la Corée du Nord. Personne au Parti français ne met en doute ni ce fait, ni que l'assaillant soit la Corée du Sud poussée par les Occidentaux. Parallèlement, les Français mènent la guerre au Viêt-nam. Au PCF on répète que la « Grande Conspiration » contre l'URSS est déclenchée. L'affaire Tito montre la détermination de l'Occident à casser le « camp socialiste ».

L'été 1949 a vu la condamnation et l'exécution du ministre hongrois de l'Intérieur, Laszlo Rajk, « agent de Tito », devenu un « traître » à la merci des « services secrets occidentaux depuis la guerre d'Espagne ». A la suite de quoi, dans toutes les démocraties populaires et en URSS, le fait d'avoir combattu en Espagne dans les Brigades internationales représenta non plus une preuve de dévouement internationaliste, mais une « faiblesse ». Raisonnement d'une logique très « communiste » : dans les Brigades, il y avait eu des anarchistes, trotskistes, libertaires et autres « anticommunistes »... donc des militants avaient pu être « contaminés »... d'ailleurs qui donc recrutait pour les Brigades ? Josef Broz, dit Tito... Alors... Tout responsable communiste ayant eu affaire à Tito et aux Brigades devenait suspect ; on pouvait l'arrêter et « *démontrer* » qu'il avait trahi.

Ce que croyaient et pensaient les Aragon de ces procès ? Louis expliquait la culpabilité des condamnés dans ses articles. Dans le privé ? L'une des rares « leçons d'écriture » que j'ai reçue d'Aragon eut lieu dans son bureau de *Ce Soir*, en la présence, silencieuse, d'Elsa qui lisait. Depuis la mort de Jean-Richard Bloch le journal était dirigé par Aragon seul. La fenêtre donnait sur l'étendue des toits de Paris... Louis me lança quelques-unes de ces phrases qui, à première écoute, vous pénètrent sans bruit ni mal comme un rayon laser et qui, ensuite, font proliférer en vous des questions. Il n'y répondait jamais. J'avais publié une brochure antititiste débordante de véhémentes contrevérités-de-parti que je prenais pour des faits incontestables. Elle était sous presse quand j'avais entendu le Bulgare Traïcho Kostov proclamer son innocence et cet acte, malgré les explications des responsables, m'avait troublée. Pour me retrouver en terrain sûr, j'avais alors écrit un documentaire romancé sur des militants, des grèves, la répression à Paris et l'avais baptisé « roman ». Aragon, directeur aussi des Éditeurs français réunis, me parlait d'un chapitre où une manifestation défilait devant une tribune sur laquelle j'avais placé des dirigeants communistes, en les nommant.

« Écoute... Je n'ai pas besoin de te rappeler que sur Tito nous avions — Elsa surtout — vu clair avant que l'Affaire éclate. Rappelle-toi le reportage d'Elsa dans *Les Lettres françaises*, fin 1947... Il y avait eu un incident avec ce parti yougoslave qu'ils appelaient Ligue, je crois, hein ? Écoute, les démocraties populaires, que savons-nous de leurs dirigeants ? Ils ont, de toute façon, peu d'expérience du pouvoir. Et même chez nous. Écoute... à ta place, je citerais Maurice (Thorez), là tu es sûre. Benoît (Frachon) ?... tu y tiens ? Bon. Les autres ? A quoi bon tous ces noms ? Un livre, c'est fait pour durer en principe. Alors... si des remous... tu vois ce que je veux dire ? Hein ? Les noms... »

Je m'aperçus qu'Elsa, feignant de lire, souriait. Après quoi, j'eus droit à l'énoncé de règles toujours présentes : l'adverbe est un ennemi et l'adjectif un médicament homéopathique... Le classicisme enseigné par ce grand baroque... Peu après, l'écrivain Pierre Courtade, éditorialiste de politique extérieure à *L'Humanité* où il tuait un beau talent de conteur, me répète un mot d'Aragon : « Un bon communiste ? C'est un communiste qui a été un bon militant et qui est mort... On ne peut pas le savoir avant. » Pour nous, c'était un sommet du cynisme et nous nous chuchotions cette impertinence comme on se raconte des histoires « osées » entre adolescents.

Que pensait Elsa ? Sur les procès des démocraties populaires, elle n'en savait sans doute, en ce temps, guère plus ni moins que nous. C'est-à-dire « tout » si on prend la presse dite « bourgeoise » au sérieux et « rien » si on la considère comme « propagande antisoviétique ». Par confort intellectuel, par besoin de garder ses attaches avec le pays natal et pour faire gravir à Louis les échelons du PCF, Elsa avait accepté l'exécution du général Primakov, le compagnon de Lili, sans s'interroger, semble-t-il, sur sa possible innocence. Pourquoi se serait-elle posé des questions sur des procès en Hongrie ? Les comptes rendus et exposés communistes officiels étaient détaillés. Les fautes, erreurs, crimes du camp adverse fournissaient des arguments contre les questions, du style : « Qu'avez-vous à dire, vous qui acceptez le napalm en Asie et la chasse aux sorcières en Amérique ? »

Même pour les communistes qui, par leur appartenance au PCF, perdaient socialement plus qu'ils ne gagnaient, la *Vérité-de-parti* créait cette cécité douillette que sécrètent les contre-sociétés bien structurées. La caméra de leur jugement opérait des glissements, des travellings incessants : chaque événement devait être apprécié dans sa perspective.

L'affaire Tito, la condamnation de Rajk et des autres coïncident presque avec les victoires de Mao Tsé-toung en Chine. La Chine : sept cents millions d'humains de plus dans le camp du socialisme. Et le Mouvement de la Paix pour lutter contre l'horreur d'une nouvelle guerre en Europe.

Défendre les positions soviétiques, lutter pour des positions antiaméricaines en France, lutter contre le rejet des communistes par la société officielle française... Dans cette lutte s'inscrit la Bataille du livre d'Elsa. Aux avant-postes se déchaîne le combat pour Lyssenko. Aragon lance la défense des thèses du biologiste soviétique dans la revue *Europe*, dès octobre 1948, aussitôt après le congrès de Wroclaw...

Elsa écoute : tant de disputes, de colères de Louis... « Arrête mon petit tu me donnes le vertige », tant d'amis perdus, tant de sottises entendues... Louis soutient les ultimatums terroristes de la politique culturelle moscovite avec une verve, une « bonne mauvaise foi » surréaliste. Malgré la vente forcée militante, les six volumes des *Communistes* ne soulèvent qu'un enthousiasme préfabriqué. L'action, le Mouvement de la Paix servent aussi de compensation.

Picasso-Colombe

Pour annoncer le premier Congrès mondial de la paix, il fallait une affiche. La paix, c'est quoi ? Une colombe bien sûr. Une fois de plus les témoignages divergent.

D'après Elsa, la veille du jour où il fallait couvrir Paris d'affiches, Aragon s'écrie qu'il avait vu une lithographie de colombe dans un carton, chez Picasso. Louis et Elsa savent qu'en fait c'est un pigeon. Aragon court chez Picasso rue des Grands-Augustins, obtient la litho et l'autorisation, file chez Mourlot, l'imprimeur, et, le soir, amène aux organisateurs la maquette de l'affiche. Dans l'entourage de Thorez il y a beaucoup de gens du Nord et les « ch'timi » sont des « coulonneux », des colombophiles — l'un d'eux trouve cette colombe bizarre : c'est un pigeon. Aragon décide : « Il ne s'agit pas d'ornithologie. » Les autres rient.

D'après Françoise Gilot, des pigeons aux pattes poilues « de guêtres blanches » avaient été donnés à Pablo par Matisse. Pablo, au début de 1949, s'estima satisfait de la lithographie qu'il avait réussie de l'un d'eux. Or, il avait promis depuis longtemps une affiche pour le Congrès de la paix et, n'ayant rien fait, donna ce pigeon... Cette variante ressemble plus à Picasso.

Tout Paris se couvre de colombes « comme de papier peint », dit Elsa. Le finale du congrès aura lieu au Parc des princes, sous un soleil éclatant. Partout, brandie, collée, en banderoles, en bannières : la colombe. Picasso éclate de joie : « Mais alors, c'est la gloire ? » Il était déjà le plus illustre des peintres vivants mais cette gloire-là, populaire, vibrante, criante et chantante, il ne l'avait pas encore connue ni ne croyait qu'un artiste pouvait la connaître. Quelle revanche sur les imbéciles de Wroclaw ! Pablo, en ce temps-là, ne faisait pas le lien, refusait de voir que le congrès de Wroclaw et ce congrès-ci poursuivaient, par deux voies en apparence opposées, le même but. Le fameux « c'est la dialectique, camarade ! » le faisait rire... Mais la gloire populaire, Pablo l'aimera au point d'accepter les interminables directives politiques d'Aragon.

Au Congrès de la paix, Picasso exultait. Elsa conte : « *Il venait de lui naître une petite fille et on avait donné à l'enfant le nom de Paloma.* » Rien de moins innocent que les mots. Ce « *lui naître* », ce « *on* » laissent la mère dans l'ombre... C'est que Françoise Gilot était partie, emmenant les enfants. Le récit d'Elsa date de 1966 et il ne fallait pas fâcher Pablo.

Pourtant, de la Libération jusqu'à son départ, Elsa avait toujours témoigné une amicale attention à Françoise Gilot, admirant peut-être que, si jeune, elle tentât de maintenir sa personnalité face au génie-moloch. Elsa donnera à Françoise ses deux romans *Personne ne m'aime* et *Les Fantômes armés*, réunis sous le titre *Anne-Marie* avec une bizarre dédicace : « Personne n'aime personne. Tout le monde couche avec tout le monde, et même quand ça n'en a pas l'air, c'est que ça y est. »

Françoise se demandera — Elsa ne disant jamais rien au hasard — si l'allusion visait les constantes passades de Pablo ou sa propre vie...

Les Picasso voyaient souvent les Aragon ; Françoise trouvait à Louis un air d'abbé de cour du XVIIIᵉ siècle. Son discours emphatique et gesticulant lui semblait un match de tennis exténuant à suivre au point qu'on finissait par dire un « oui » halluciné à tout ce qu'il proposait. Si au bout de la pièce il y avait un miroir, il s'y regardait, rectifiait sa chevelure de la main gauche sans cesser de « parler » de la droite puis tournait les talons. Elsa protestait : « Cesse de te regarder. » C'est ainsi qu'est né le mythe dans *La Mise à mort* de l'homme qui regarde les glaces parce qu'il a perdu son reflet. Rue de la Sourdière, les dîners à quatre comportaient caviar, champagne, mets raffinés et Picasso, qui aimait l'austérité chez les autres, secouait la tête en sortant : « Ah ces Russes ! Cette Elsa ! Et cette fidélité ! »

Les Aragon venaient aussi à Vallauris, dans le Midi. Pas question de descendre avec eux sur la plage. Ou du moins, Elsa refusant de se mettre en maillot, « pour des raisons esthétiques » expliquait-elle, Louis sacrifiait son goût pour la nage et restait sur le sable en complet de flanelle grise près de sa femme en tailleur, chemisier de soie, petit chapeau. (Colette Seghers, jeune fille, les verra de même à la piscine de Trouville : parmi les femmes presque nues et les hommes en slip, Louis en complet et Elsa en robe foncée, sa barrette à pierres bleues et sa voilette sur la tête.)

Aragon-Picasso ? A propos de Louis, le peintre citait Breton : « Je n'ai pas d'amis, je n'ai que des amants. » Il assurait que, sans aucun contact physique, il aimait éprouver en amitié « ce sentiment de chaleur que donne l'intimité totale », cette détente, qu'il n'éprouvait pas auprès du poète. Et il n'aimait pas Elsa. C'est elle qui poussait Louis vers le réalisme. D'ailleurs, Louis n'avait jamais compris les nécessités internes des « non-figuratifs ». C'est pour se justifier d'avoir abandonné la recherche en littérature qu'il prenait ces partis outranciers. Déplaçant la cible — l'art, c'est trop brûlant —, Picasso attaquait Louis sur sa monogamie devant Elsa et Françoise. Comment pouvait-il porter ce culte, toujours, à la même femme ? « Elle vieillira » (il n'osait pas articuler : « Elle a vieilli »). Louis répond : « Mais c'est justement cela. J'accueille tous ces petits changements. Ils me font vivre. *J'aime l'automne d'une femme.* »

Françoise, silencieuse, admire. Elsa, sa joue dans la main,

sourit. La présence de Françoise rend Pablo féroce : « Tu aimes aussi les dessous de dentelle ? les bas de soie ?

— Oui, répond l'auteur du *Libertinage*, j'aime les dessous des femmes.

— Tu es vraiment fin de siècle !

— Et toi, tu es un éternel adolescent... »

En art, la discussion est plus agressive. Qu'Aragon trouve « charmante » une litho représentant Françoise, et Picasso s'indigne : en peinture, il n'y a aucune différence entre une femme charmante et une grenouille... La « figuration », ça n'existe pas.

— Tu es fou avec ton Fougeron. Ça un grand peintre !

— Si tu aimes Balthus, pourquoi pas Fougeron ?

« Chacun, se souvient Françoise Gilot [1], tentait de marquer des points sur l'autre. » Avec Elsa, elles arbitraient sans rien dire. Le lancement de Fougeron parut à Picasso un canular surréaliste, mais l'idée que les braves gens qui acclamaient sa colombe prenaient ces édits sur l'art au sérieux le mettait en rage. Pour le deuxième Congrès mondial de la paix, à Varsovie, Picasso dessine une colombe en vol. Elle sera mondialement répandue, reproduite.

L'écrivain et son public

Parallèlement aux épurations des démocraties populaires et à la querelle Lyssenko, la Bataille du livre s'organisait. Elsa en était le centre et le PCF, responsable en titre, se fiait à elle, qui se tenait au courant même des salles louées, du texte des affiches, du contenu des tracts, des communiqués de presse. Et surtout de l'ordre de préséance des noms. En dehors des auteurs membres du Parti ou édités par lui, elle en attirait d'autres auxquels elle offrait un public inespéré, une expérience nouvelle. En 1950, les « Batailles » devaient encore se contenter d'auteurs « bourgeois » pas très connus. Mais aux ventes annuelles du CNE, plus tard, elle parviendra à faire venir des écrivains à forts tirages.

Le 14 mars 1950, Marseille connut le coup d'envoi de ce marathon culturel de trois années. Membre du bureau politique et du secrétariat, François Billoux, député, le plus redoutable adversaire du député-maire socialiste Gaston Defferre, avait voulu faire les choses royalement. On avait loué la plus grande salle de cinéma, on l'avait ornée, couverte de bande-

---

1. Françoise Gilot, *Vivre avec Picasso*, et entretiens avec l'auteur.

roles à se croire dans une capitale de démocratie populaire. C'était plein.

Le couple royal descend de voiture, avec Billoux. Elsa, une cape à grand collet sur les épaules, une broche ancienne fermant son chemisier, est priée d'écrire sur le Livre d'Or. Elle s'en acquitte, signe. Louis prend le stylo et signe, juste au-dessous : « et son amant — Aragon ». Le hasard m'a placée derrière eux. Quel sarcasme froid dans les yeux illustres quand la voix chantante, grondante, amusée, maternelle, tance l'espiègle en secouant la tête : « Oh, Louis ! voyons ! » Elle lui lance le regard glacé que nous rendent les interviews télévisées.

Salle comble, orateurs divers. Le grand moment, c'est l'exposé d'Elsa, qu'elle portera à travers la France : « L'écrivain et le public. »

Un jeune historien a étudié ce texte — le seul d'Elsa que publiera la « revue du marxisme militant » *La Nouvelle Critique*[1] : il y décèle cette combinaison de guerre froide et de messianisme qui, alors, animait la majorité des intellectuels du PCF.

D'abord l'idée d'un Homme nouveau, nouvel « homme des lumières » qui sauvera la culture française de l'américanisation. Cette nouvelle culture, fécondée par le prolétariat, tient du populisme russe de jadis. L'écrivain va-au-peuple en pédagogue, mais en retour est fécondé par les richesses, les sources vives du peuple.

« Fétichisation russe et juive du Livre ? » C'est possible. Mais au PCF de l'époque, le livre, moyen de transmission de la doctrine ou moyen de séduction par le poème et le roman, tenait un rôle privilégié. L'écrivain à la fois s'inspirait de la Ligne du Parti et entendait ensuite les militants lui répéter ses propres paroles. Un peu comme dans une pièce qu'il aurait écrite et dont tous les acteurs lui renverraient le texte, mais dont le thème lui aurait été « inspiré ».

Le frisson de l'écrivain est réel devant son public vivant, groupé devant lui — un public qui le plus souvent n'a pas encore lu ou ne lira pas son livre. Elsa et Louis retrouveront le sentiment de communion de l'immédiat après-guerre, quand tous récitaient les vers de Louis et connaissaient *Les Amants d'Avignon*.

Plus profondément encore[2], l'écrivain éprouve son pouvoir

---

1. Marc Lazar, « Les intellectuels communistes et le mineur de fond » (thèse inédite) et « La bataille du livre » dans *Communisme*.
2. Voir interview de J. T. Desanti dans *Les Staliniens*.

d'être un acteur de l'Histoire. Un pouvoir que lui donne le Parti... à certaines conditions.

Quand « la Bataille » se déroulait en présence d'Elsa et de Louis — comme à Marseille —, des volontaires étaient désignés pour étudier les romans des auteurs et poser des questions... Dès les premiers « combats », Aragon sentit que *Les Communistes* ne prenaient ni sur le public plus âgé du « monde réel » qui les trouvait schématiques, ni sur les militants ouvriers qui trouvaient le langage complexe, les personnages pas assez « carrés ».

Mais ce soir de Marseille a représenté pour Elsa une expérience neuve. Jamais elle n'avait parlé devant un auditoire aussi nombreux. Elle n'avait rien d'un orateur. La voix chantante parvenait déformée, l'accent perdait de son pouvoir exotique.

« Le Cheval roux »

« Passent les jours et passent les semaines », comme aurait dit le maître de la vingtième année. Pour Aragon, le réalisme socialiste se referme et, trappe à loups, plante ses crocs dans la chair à vif.

Les Communistes l'ont déçu. Par l'accueil de commande du public certes. Mais aussi, au-delà, dans son exigence profonde d'écrivain... Livres de propagande, ils manquent leur but.

En octobre 1950, Maurice Thorez, le protecteur, tombe, frappé d'une attaque d'hémiplégie. Le cerveau reste intact mais ni la parole ni le corps. On l'emmène en URSS. En son nom, Jeannette Vermeersch parvient à faire déléguer l'autorité par intérim — constamment contrôlée par elle — à un homme, capable d'entraîner des militants mais certainement incapable d'apprécier des œuvres d'art : Auguste Lecœur. Dès lors, commence à couler un sectarisme qui rappelle les années vingt. La guerre froide paraît tout justifier.

Aragon est désormais pris entre les peintres qui « représentent » les scènes militantes et les écrivains qui les décrivent. Ce qui ne l'empêche pas de s'enfermer lui-même dans les prisons de la politique générale.

Paul Eluard est mort le 18 novembre 1952, on l'enterra par un jour de neige. Il avait, après la tragédie atroce qu'avait été la mort de Nush, rencontré Dominique, une femme grande, très française malgré son visage exotique. Ils n'ont eu que trois ans pour se connaître, se reconnaître. Dominique avait assisté, comme Claude Roy — qu'elle connaissait depuis la Faculté à Bordeaux —, comme Elsa, silencieuse, aux scènes entre Louis et Paul. Toujours sur le réalisme ou la politique. Louis montant à l'extrême de la tension nerveuse, criant, suppliant et au besoin insultant, sanglotant... et se réconciliant, toujours. « Ses rages ont un thermostat », avait dit un jour Eluard.

D'Elsa, Dominique Eluard dit avec élégance : « J'ai souvent déploré qu'elle ne m'aimât point. » Dominique se rappelle un déjeuner chez Elsa et Louis avec les Roy. Les Eluard revenaient d'un voyage en URSS et Dominique, tout en appréciant la poule au pot mijotée par Elsa, dit qu'on pouvait rester communiste, malgré un voyage en URSS, quand on l'était avant, mais qu'on ne pouvait pas en revenir communiste. Louis s'indigna. Elsa dit, très calme : « Je ne suis pas du Parti, vous savez. »

A la mort de Paul, la douleur spectaculaire de Louis parut glacée à Dominique. « Elsa était au fond plus humaine que lui. Elle disait : "Écoute, Louis !" Il n'écoutait jamais personne. »

Elsa soupire, songeant à ces années : « J'aspirais à la paix, à l'amitié, à la confiance... » Elle se remet à écrire et aussitôt surgit en elle une vision d'horreur. *Le Cheval roux*, celui de l'Apocalypse : l'explosion atomique, la contamination des êtres et des choses, les monstres brûlés, les défigurés, la peur, l'angoisse... « Les intentions humaines », c'est le sous-titre. Un roman d'anticipation ? « Un Jules Verne de l'homme » ?... pas de fin heureuse, de happy end à l'américaine en tout cas...

En 1941, l'héroïne de *Mille Regrets* se suicidait plutôt que de reparaître devant l'homme aimé avec ses rides. Elsa n'avait pas encore quarante-cinq ans. Elle en a cinquante-sept, quand elle « se » décrit (la rescapée se nomme Elsa Triolet, elle est écrivain, on l'apprend dès le premier tiers du premier tome), rendue monstrueuse par la catastrophe... « ce qui m'arrive ne se distingue guère de la vieillesse. *Il est même comique de penser que, faite comme je suis, on me prenne pour une jeune femme défigurée quand dans l'autre monde j'étais simplement vieille.* »

« Monstre », elle est trouvée par un pilote américain chargé de bombardements et lui-même rendu monstrueux par un accident de napalm. Ils sont les plus « marqués » parmi les terrifiés, les irradiés présents et futurs, les contaminés. « Ma hideur m'élève au rang d'un symbole... Peut-être en sera-t-elle pour moi moins écrasante. »

Le besoin de compagnonnage, l'insatiable besoin de communauté l'attache à l'ennemi de naguère : le pilote-bombardier américain, Harry devenu frère d'infortune. Être deux... Les fantasmes, les rêves de l'Elsa défigurée tournent autour de Louis et de leur vie. Dans ses souvenirs morcelés passent les luttes communistes, la chasse aux sorcières, la crise du logement, les grèves, la guerre de 1939-1945, le Mouvement de la Paix !

Le deuxième tome finit sur la chute de l'avion de Harry l'Américain avec Elsa la défigurée à bord et les derniers mots sont : « Adieu, Louis ! » Autour d'eux des voix chantent « la messe des vivants ».

Le livre paraîtra après la mort de Staline.

De décembre 1952 à janvier 1953, les Aragon étaient allés à Moscou. C'était avant la mort de Staline, mais déjà Elsa apprenait ce qu'elle avait préféré ignorer...

Or Aragon, dans *Les Lettres françaises*, soutenait toujours le réalisme le plus déclamatoire. Fougeron, dans *La Nouvelle Critique*, devenait « le peintre à son créneau ». André Stil reçut le prix Staline 1952 avec *Le Premier Choc*. C'était un moment où certains intellectuels du Parti commençaient à s'interroger au moins sur l'esthétique. Elsa, tout en écrivant *Le Cheval roux*, fixait sur les murs de leur moulin depuis 1951 des œuvres d'amis, Matisse, Picasso, Fernand Léger, Braque. et aussi d'amis russes qui n'avaient pas le réalisme socialiste dans le sang. Un *Joueur de jazz* de Rodtchenko de 1943 ; une *Couturière* de Jean Pougny qu'il lui avait donnée au temps de Berlin. Seuls les dessins que Matisse avait faits d'eux à Nice pendant la guerre étaient « figuratifs ». Que pensait Elsa ? De la situation en Russie, du « procès des blouses blanches » (les médecins, juifs pour la plupart, accusés de tuer leurs éminents malades), elle n'ignorait rien. Si prudente d'ordinaire, Lili s'était exprimée clairement. Mais, avec Thorez malade en union soviétique, les partisans d'une politique ouvriériste avaient pris le dessus au Parti français. Daix résume cet état de « double vérité [1]. On s'avouait entre gens « sûrs » (ainsi Aragon, Elsa, Daix) des doutes ou des certitudes qu'on reniait dès qu'un non-initié surgissait...

Au début de la guerre froide, lors de la fondation de *La Nouvelle Critique*, les militants sortis de la clandestinité — et sans doute Aragon aussi — étaient assez portés par l'enthousiasme pour se méfier de leur propre esprit critique. Aragon a très probablement prêté foi aux théories de Lyssenko. mais en 1952, après Moscou, il accomplissait ses devoirs de militant comme on fait ses pâques.

Où trouver, quand on était communiste, une troisième voie entre l'Amérique de la « chasse aux sorcières » et un espoir angoissé en « l'internationalisme prolétarien » ?

---

1. Pierre Daix, *Aragon* (Flammarion, 1994).

Pendant qu'elle écrivait *Le Cheval roux*, Elsa installait sa première maison. Jamais elle n'avait possédé de parc ni de jardin, sauf devant la passagère case de Tahiti. Cette fois, après une longue quête, ils ont eu tous deux le coup de foudre pour un moulin, à Saint-Arnoult-en-Yvelines. Elsa, ancienne élève architecte, exténua l'architecte, mais obtint ce qu'elle voulait. La roue du moulin, cloisonnée de verre incassable, tournait à volonté. La maison avait la forme d'un L. Les chambres et le bureau, mansardés, étaient installés dans l'ancien grenier du minotier. Sur les murs et la balustrade de la loggia, des toiles — ce que la peinture du premier demi-siècle avait produit de plus glorieux. En bas, sur le dallage, se détache le paravent de cuivre qui avait éclairé la Sourdière. On pouvait s'installer dans des fauteuils de rotin — un goût constant d'Elsa — ou sur un canapé capitonné. De la haute époque au xxᵉ, les styles s'enchaînaient. Les livres familiarisaient, réchauffaient le tout. C'était plaisant, vivable, rien ne sentait le luxe — encore que presque tout ait été précieux.

Dehors, dans le parc, on voyait s'envoler des faisans après lesquels couraient les caniches. Dans les vases de pierre, Elsa s'amusait à soigner des volubilis.

Quelle revanche de la « sans-patrie » que ce domaine, payé par les droits d'auteur des *Communistes* et le traitement de directeur des Éditeurs français réunis. Aragon n'avait jamais demandé un sou au Parti... qui « compensait » son travail par cette maison. Elle était sa propriété (il la léguera à son éditeur).

C'était donc pour Elsa une époque de prise de possession, à la fois d'un morceau du sol de France et d'une stature internationale. Non plus celle de la muse, celle des Yeux, mais celle de l'écrivain, de l'organisatrice. Elsa devenait une vedette du Mouvement de la Paix, voyageant de comité en congrès. En plus de la grande vente annuelle du CNE, dont les Aragon ont maintenu, au plein de la guerre froide, le caractère de fête, Elsa avait groupé de jeunes poètes autour d'elle, prosatrice marchant vers le sexagénat. Pour désamorcer la moquerie, ils s'étaient baptisés « la Belle Jeunesse ». Aux ventes du CNE les jeunes poètes avaient leurs stands mais s'occupaient aussi, avec le service d'ordre du PC mobilisé, à canaliser savamment les files d'acheteurs. Une année, Elsa eut pour vedette-attraction, signant avec elle, Louis Jouvet. Elle s'était ce jour-là habillée en héroïne de Tchekhov (qu'elle avait traduit) : tresses blondes autour du front, épaisses et donc postiches, surmontées d'une voilette. Le tailleur, très haute couture, noir, piqué de bijoux anciens rares. Aragon achetait sans marchander pour Elsa tout ce qu'elle pouvait désirer et, avouera-t-il plus tard, il n'avait jamais éprouvé le moindre souci à s'endetter : douze millions de cadeaux en un an...

Tout en « lançant » Fougeron, Aragon organise une exposition Matisse à la Maison de la Pensée française ; il écrit la préface du catalogue. Six mois plus tard, il préfacera *L'Exemple de Courbet*, où il exalte le réalisme. En 1952, dans *Les Lettres françaises*, il édictera : « Les Egmont d'aujourd'hui s'appellent André Stil », glorifiant le jeune romancier du pays minier qu'il fera entrer environ dix ans après à l'académie Goncourt.

Certains jours, il recevait Fougeron aux *Lettres* le matin et retrouvait Picasso rue de la Sourdière ou chez lui le soir.

Au Mouvement de la Paix, Elsa avait rencontré Frédéric et Irène Joliot-Curie, Prix Nobel pour la découverte de la fission nucléaire. Frédéric était devenu communiste tandis que sa femme, fille de Marie et de Pierre Curie, restait un « compagnon de route »... que le congrès de Wroclaw, par exemple, avait hérissée sinon découragée.

Frédéric Joliot avait été touché de la capacité d'attention, de l'écoute inlassable, des questions détaillées d'Elsa. Il fut le « conseiller scientifique » du *Cheval roux*.

Le livre paru, il écrivit un article dans *Les Lettres françaises*, remerciant Elsa Triolet d'évoquer « avec une documentation solide les perspectives et certitudes heureuses que la science est capable d'apporter aux hommes ». Ce qui fera sourire les lecteurs : « l'aspect bienfaisant de la science » est évoqué et même « théorisé » dans le livre, mais seuls sont montrés la catastrophe, les monstres, et l'impitoyable acharnement à survivre fût-ce au détriment du voisin, des « gens de bien », des bien sages, de ceux « qui ont toujours détesté Picasso, les communistes et tout ce qui dérange ».

9

De douloureux dégels

Tes monstres n'ont pas triomphé (...)
Le chant ne remue pas les pierres
Il est la voix de la matière
Il n'y a que de faux Orphées

ARAGON, *Le Roman inachevé.*

Faut-il donc que l'histoire se répète et que nous
ayons à subir une nouvelle apocalypse ? Je n'arrive
pas à y croire comme on ne peut se résoudre à croire
à sa propre mort.

Elsa TRIOLET, préface au *Cheval roux.*

Premiers craquements

A la fin de 1952, Elsa et Louis se rendent, avec l'habituelle cohorte, au Congrès de la paix de Vienne. C'était une grande première : Jean-Paul Sartre y venait se réconcilier avec les Soviétiques. Des nuits entières de conversations dont Fadeiev eut le bon esprit d'être absent. En revanche, l'Ukrainien Korneitchouk, style vodka et cœur sur la main, habitué aux salles pleines et aux gros tirages, tenait amicalement tête à Sartre, ainsi que Constantin Simonov au visage de Méridional. A eux deux, ils représentaient la vision « marxiste » du monde. Sartre — seul à vraiment connaître Marx — montrait une souple et spirituelle décision à trouver un compromis sans rien abdiquer. Les Soviétiques avaient besoin de lui et couraient au-devant. Sartre avait interdit la représentation des *Mains sales* — pièce considérée comme anticommuniste — qui devait commencer dans un théâtre de Vienne. Ce fut très apprécié [1]... Les Soviétiques et Sartre s'unissaient contre l'impérialisme américain, ennemi commun.

Elsa fut chargée de préparer un congrès international des écrivains. Comme elle est loin des photos radieuses de la Libération, l'Elsa des responsabilités mondiales ! Délibérément « dame d'un certain âge ». Une aptitude à l'organisation, au commandement qui la durcit et rend plus rare cet impalpable marivaudage des âmes qu'elle maniait avec une grâce si experte. Parfois, pourtant, elle ouvrait encore des yeux de jacinthe.

Ne vivant plus comme elle disait « dans l'amour », elle devait vivre « dans le pouvoir ». Devant les projecteurs —

---

1. Voir *Les Staliniens*, ouvr. cité.

qu'elle parle en séance plénière ou en commission —, elle compose son personnage, maquillage, vêtement, bijoux, gestes, en comédienne experte. Ses interventions montrent qu'elle entend rester un écrivain tout en devenant l'organisatrice. La trépidation narcissique de Louis lui est difficile à porter.

Mais qu'il soit angoissé et elle en est atteinte. Les impatiences, sa façon à présent de l'interrompre, de le contredire cèdent sitôt qu'il appelle à l'aide. Alors il redevient « Mon petit »... à condition de ne jamais relâcher l'attention, la dévotion qu'elle considère avoir chèrement acquises.

De Vienne, ils prennent l'avion de Moscou. Ilya Ehrenbourg n'avait pas caché à Elsa ce qu'elle y trouverait. Pourtant, l'étau de la nouvelle terreur l'étreint dès l'arrivée... Sa sœur murmurant que « 1937 recommence » ; des amis qui ne répondent pas au téléphone, d'autres qui prennent un ton distant, se disent occupés... et vous attendent à la sortie de l'hôtel, dans un musée, devant un théâtre pour expliquer...

Pendant que Louis, à Vienne, soulevait les volontés contre la guerre d'Indochine, on pendait, à Prague, des amis qu'il connaissait — comme André Simone — depuis les années trente. On avait arrêté Arthur London, le « Gérard » héroïque du camp de Mauthausen, un de ceux qui en Espagne menaient le combat international de *Grenade, ma Grenade...*

A Moscou, les médecins les plus renommés d'URSS, ceux qui soignaient les sommités du Parti et du gouvernement, sont soudain accusés d'être des « assassins en blouse blanche ». Lili fait remarquer qu'ils sont presque tous juifs. Elle montre des caricatures, des articles nettement antisémites : être juif c'est être sioniste, or Israël est soumis aux Américains... Une idéologie de pogrom jamais exprimée. Mais dans la rue on entend parler de « youpin » *(jid)*... Lili voit les amis disparaître autour d'elle. Déjà elle sent que l'on rappelle ses origines. Son père ? Un avocat juif, Mᵉ Kagan... ce n'est pas très prolétarien. Ni très russe... Comme après l'exécution du général Primakov, elle combat le chagrin à la vodka.

Elsa sent tout crouler. C'est pour Louis qu'elle craint le plus : il a misé sa vie sur ce pays, sur ce parti, et voilà qu'à présent... Elle en a toujours « su » plus que lui. Si pour elle tout croule...

Ils partent dans la lointaine république où Maurice Thorez se soigne « en bolchevik », comme on dit dans le Parti, c'est-à-dire avec opiniâtreté. Il a reconquis la parole, la marche et seul un bras demeure inerte. Une belle démonstration en somme que ces médecins arrêtés n'avaient pas assassiné tout le monde. Dans cette maison de repos du plus haut niveau,

« Maurice » est entouré de la pompe des chefs d'État. Lui, semble sceptique sur la culpabilité des médecins. En revanche, la toujours véhémente Jeannette Vermeersch fait escalader à sa voix toute l'échelle du cri au sanglot : « Vous imaginez que ces crapules auraient pu tuer Maurice... et qui sait s'il n'aurait pas guéri plus vite sans eux... »

Au retour, à l'hôtel Métropole, Elsa un matin entend un grand bruit. Louis s'est évanoui dans sa baignoire, heureusement en faisant déborder l'eau. Le cœur. Cette atmosphère...

« Je vais mourir. »

Elsa a-t-elle pensé à la perpétuelle angoisse d'une héroïne de *Bonsoir, Thérèse* qui voyait l'être « épouvantablement cher » broyé par des roues sitôt qu'elle le quittait ?

Ils décident de repartir pour Paris.

Pierre Daix va chercher le couple au pied de l'avion, au Bourget, par tempête de neige. Il porte Elsa sur la passerelle verglacée qui lui donne le vertige et Louis lui semble un vieillard. En quelques minutes, ils lui jettent au visage des vérités qu'il n'est pas préparé à comprendre. « Ils m'ont mis ce jour-là en présence du stalinisme... du moins m'en suis-je rendu compte plus tard. » Il se dira « englobé dans leur secret ». Elsa explique que l'inéluctable ennemie, la vieillesse, a eu raison du cerveau de Staline... Aragon découvre dans *Ce Soir* — déjà condamné à disparaître faute de lecteurs — une série d'articles contre le cosmopolitisme et les « blouses blanches ». Daix dit que les articles ont été transmis par « la direction » (du Parti). Tempête.

Picasso-Staline

Staline meurt officiellement le 6 mars 1953. Le PCF l'annonce le 7. Peut-être Elsa pense-t-elle que tout va redevenir normal à Moscou ? Autour d'elle, angoisse, chagrin, consternation, pleurs. Ici, au PCF, le « petit père des peuples » reste le tsar marxo-léniniste qui sauva l'Europe à Stalingrad.

Elsa écrira : « Des centaines de millions d'hommes pleuraient Staline. » Louis expose à Daix le sommaire du numéro des *Lettres françaises* qui viennent d'inaugurer une nouvelle formule. Un article d'Aragon, un de Joliot, un de Sadoul, un de Courtade, un de Daix. Picasso voudra-t-il écrire ?

Daix dit qu'il envoie un télégramme à Vallauris : « Fais ce que tu veux », le signe Aragon et donne le 11 mars pour date limite. Françoise Gilot se souvient d'un télégramme signé Aragon demandant de téléphoner aux *Lettres françaises* au sujet d'un portrait de Staline [1]. Elle téléphone à Aragon : comment faire ? Pablo est dans son atelier. Il n'a sûrement aucun désir de dessiner Staline : ça risque de ne pas être bon. Aragon insiste, Françoise part pour l'atelier, déniche une photo de Staline vers ses quarante ans, Pablo assure qu'il ne voit plus du tout le visage, seulement les gros boutons de l'uniforme, une casquette et une moustache. Enfin, pour faire plaisir à Aragon... Avec son habituelle exigence professionnelle, Pablo multiplie et jette les esquisses. Françoise trouve que ce visage ressemble plus à son père à elle qu'à celui des peuples. Pablo n'a pas plus vu l'un que l'autre. Enfin, un dessin lui semble meilleur, mais il hésite. Françoise assure qu'Aragon saura bien s'il faut le passer ou non.

Daix reçoit le rouleau de carton à la dernière limite le mercredi 12, à onze heures trente du matin. Ce Staline jeune ressemble à l'une des photos publiées par *Regards*. Quelqu'un suggère une légende : « Éternelle jeunesse de Staline ». Daix préfère ne pas commenter : « Staline par Pablo Picasso » (8 mars 1953). Il trouve le dessin « d'une facture à la fois naïve et étonnamment décidée ». Aragon paraît soulagé. Les travailleurs de l'imprimerie semblent approuver. Daix et toute l'équipe montent déjeuner au septième étage.

Avant, tandis qu'il se trouvait encore au marbre, on avait apporté la morasse au bureau de l'administrateur de la presse communiste [2]. Sa secrétaire, veuve d'un martyr de la Résistance et très « vox populi », fait irruption dans son bureau : « Regarde ça ! Ça gueule en bas, je te jure ! Tu dois le montrer à Étienne. Tu es l'administrateur des *Lettres* malgré tout ! » Étienne Fajon est le membre du bureau politique responsable de la presse. L'administrateur, un peu surpris et sans réaction, va lui porter la morasse. Fajon, instituteur laïc, a un visage en croissant de lune et l'air d'un *prévost des études* jésuites. Il fait : « Pffeu ! » Il déteste très fraternellement Aragon et sa bande de poseurs, Laurent Casanova et ses intellectuels « supérieurs », l'intouchable Picasso, ce « barbouilleur glorieux ». Il dit de sa voix de pédagogue méridional, mais gelé : « Oui, ça va en faire une, d'histoire ! Heureusement ça ne nous regarde pas. C'est pour eux... » Eux : Casanova, Aragon, Thorez au besoin, les admirateurs de Picasso...

Au restaurant du septième, les premiers exemplaires des *Lettres* arrivent, le clichage du dessin est parfait. Daix entend les rédacteurs de *France nouvelle* pousser des cris : c'est l'hebdo

---

1. Françoise Gilot, *Vivre avec Picasso*, et entretiens avec l'auteur.

2. Jacques Meaudre de Sugny (Loyola dans le maquis, plus tard Trémolin à la télévision). Entretien avec l'auteur.

du comité central, la zone la plus rigide de la presse communiste. Il est l'heure de déjeuner, les rédacteurs de *L'Humanité* déboulent de l'ascenseur et assaillent ceux des *Lettres*. Abasourdi, Daix appelle rue de la Sourdière. Elsa répond.

En août 1965, Elsa donnera sa vision : « ... tu avais demandé à Picasso d'écrire quelques mots. A la place de mots est arrivé du Midi — une heure peut-être avant le tirage du journal — un dessin, le portrait de Staline : Picasso aimait mieux dessiner qu'écrire. C'est à peine si tu as eu le temps d'y jeter un coup d'œil, et tu envoyais le dessin au clichage. Tu n'étais pas encore rentré quand le coursier m'a apporté le journal... Et j'ai su aussitôt que nous allions vers le drame... » Elsa regarde le dessin avec les yeux des militants : « La distance allait être grande pour les gens entre cette image d'un jeune gars folklorique aux yeux innocents et la représentation habituelle de l'homme qui venait de mourir, incarnation de la sagesse, du courage, de l'humain, de celui qui a gagné la guerre, de notre sauveur... »

Ce 12 mars 1953, quand Daix appelle rue de la Sourdière, elle répond : « Oh oui, je sais déjà ! J'ai déjà reçu des coups de téléphone d'injures... Mais vous êtes fous, Louis et vous, de publier une chose pareille !

— Mais enfin Elsa, Staline n'est pas Dieu le Père !

— Justement si, Pierre. Personne ne va lire ce numéro. Personne ne va même réfléchir à ce que signifie ce dessin de Picasso. Il n'a pas déformé le visage de Staline. Il l'a même respecté. Mais il a osé y toucher. Il a osé, Pierre. Est-ce que vous comprenez[1] ? »

Bien sûr que non, il ne peut pas comprendre ce qu'elle voit si clairement. Depuis le dernier voyage ? Ou depuis 1937 ? Elle dira à Daix qu'après les procès et les purges (sûrement en grande partie à cause de Primakov, de Lili) elle avait empêché Louis de retourner en URSS. Elle ne voulait pas que l'armature de l'illusion lyrique soit rongée par l'acide vérité. Donc au fond d'elle, même si elle ne pouvait mesurer l'ampleur de la répression, elle *savait*. Elle serrait les dents. Selon la formule britannique : « Qu'il ait tort ou raison, c'est mon pays » ? Ou par nécessité de poursuivre l'ascension où elle avait engagé l'auteur du *Monde réel* et d'où il ne pouvait revenir qu'en tombant ? Inextricable mélange de sincère engagement et d'habitude — vite prise — du pouvoir que l'on baptise « rayonnement ».

Daix entend au téléphone la voix brisée d'Aragon (mais d'après Elsa, il n'était pas rentré — donc plus tard ?) : « Je

---

1. P. Daix, *Aragon* et entretiens avec l'auteur.

prends tout sur moi, petit, tu entends. Je t'interdis de faire quelque autocritique que ce soit. Toi et moi avons pensé à Picasso, à Staline. Nous n'avons pas pensé aux communistes. »

Quelle amère lucidité sur l'état d'esprit des militants dans cette fin de phrase... Sans doute, Elsa l'a bien vu, les gens, ce jour-là, voulaient un Staline funèbre et solennel. « A certains ce portrait semblait sacrilège et leur était, à tort ou à raison, douloureux. » Rien mieux que cette affaire ne montre à quel point Staline était en effet devenu une image pieuse, religieuse, pour les militants. Il suffisait donc d'insuffler l'idée que Picasso et Aragon avaient voulu, en saisissant l'occasion d'un tel deuil, défendre leur idée secrète d'un art... profane, donc profanateur... contre ce que le « réalisme socialiste » comporte de sacré. Auguste Lecœur, secrétaire général jusqu'au retour de Thorez, exploite à fond la religiosité. Fait rédiger, au secrétariat du Parti — c'est-à-dire au sommet, et en l'absence de plusieurs membres du bureau politique — un communiqué, qui paraît en première page de *L'Humanité*. Le secrétariat « désapprouve catégoriquement » la publication du dessin par Aragon, membre du comité central. Les bons sentiments « du grand artiste Picasso dont chacun connaît l'attachement à la classe ouvrière » ne sont pas mis en doute. Les camarades qui ont manifesté leur désapprobation sont félicités, priés de continuer. Aragon doit publier leurs protestations.

Encouragées par toute l'organisation que Lecœur tenait en main, les protestations arrivent par paquets. Le secrétariat avait choisi ce qui passerait. Daix calibrait. Notamment une lettre de Fougeron attristé qu'un « *grand artiste* » soit « *incapable... de faire un bon mais simple dessin du visage de l'homme le plus aimé des prolétaires du monde entier* ».

A la surprise de Françoise Gilot, Pablo prit l'affaire avec détachement : « J'imagine que le Parti est dans son droit, mais tout vient d'une confusion parce que je n'avais aucune mauvaise intention. » Pas de meilleure mesure de son humilité : Picasso n'admettait de critique de personne, mais le Parti, « *c'est comme les familles nombreuses* » : il y en a toujours « *un qui veut faire des ennuis, mais il faut le supporter* ».

Aragon, lui, ne le supportait pas. Elsa téléphone à Casanova (c'est de lui que je le tiens) : « Louis va se suicider, comme Maïakovski. » Puis elle fait une « démarche » pour tenter d'éviter la publication de l'autocritique.

Casanova, bien que membre du bureau politique et responsable aux intellectuels, n'y peut rien. Malgré son avis (mais il avait une façon si corsico-talleyrandienne de donner ses avis qu'elle a pu ne pas comprendre), Elsa est allée voir « le secrétariat », c'est-à-dire Lecœur. La petite dame précieuse et indignée face à ce rouleur de muscles gras qui affectait d'être resté un prolétaire du fond des mines. Elle ne racontera rien de la séance, sinon, douze ans plus tard, son désarroi : « Ineffaçable est pour moi le jour où j'ai fait cette "démarche" dans l'espoir d'alléger les choses pour toi. Cette pénible séance a été, sans interruption, suivie du moment où je me retrouve derrière l'Opéra. Je ne me suis pas vue y aller. On aurait dit le réveil après une anesthésie, un non-être. Je vous raconte cet épisode pour illustrer la force de l'émotion alors éprouvée. Le mécompte était trop grand, il n'était pas supportable. » (Du carrefour Châteaudun où siégeait alors la direction du Parti — 44, rue Le Peletier — à l'arrière de l'Opéra on met en marchant très lentement dix minutes.)

Autour d'eux, la meute des envieux, mais aussi de tous ceux, très nombreux, que « les Aragon » avaient, par caprice ou par tactique, vexés, humiliés, négligés, a montré « toutes les arrière-pensées au grand jour ». Pour Elsa, même en comptant les angoisses de la guerre, et les récentes semaines de Moscou : « De tous les mauvais jours que nous avions vécus côte à côte, c'était probablement — jusque-là — les pires. » *Jusque-là* fait allusion à ce qui allait venir trois ans plus tard.

Les révélations de Moscou, deux mois plus tôt, n'avaient donc pas suffi ? Il leur fallut ressentir — avec la distance interplanétaire qui sépare l'emprisonnement, la torture d'une autocritique —, expérimenter dans leurs vies ce qu'est le rejet par « les siens ». Aragon, libre, installé dans le parc somptueux du Moulin, mais contraint à un faux aveu, s'imaginera qu'il est passé par le calvaire des innocents.

Elsa et Louis ont-ils pensé alors au texte signé en 1930 promettant de soumettre toute l'activité littéraire au « *contrôle* » du Parti ?

Dans son « autocritique », Aragon analyse habilement le dessin où Picasso ne se livre pas à ses habituelles « distorsions » de la figure humaine, montrant par là que la disparition de Staline le touchait. Puis il reconnaît : « Habitué de toute ma vie à regarder un dessin de Picasso, par exemple, en fonction de l'œuvre de Picasso, j'ai perdu de vue le lecteur qui regardait cela sans se préoccuper du trait, de la technique. C'est là mon erreur. Je l'ai payée très chèrement. Je l'ai reconnue, je la reconnais encore... »

Rien à voir avec une autocritique à l'instar de Moscou. Le poète maintient la beauté du dessin, maintient son goût et explique simplement qu'il aurait dû penser au manque d'évolution artistique des militants communistes, dirigeants compris.

Cette autocritique sous forme de défense de Picasso — c'est-à-dire de rejet de ce qu'il avait vanté : Fougeron et consorts — s'explique par ce qui s'est passé entre le coup de téléphone d'Elsa à Laurent Casanova, qui doit dater de la troisième semaine de mars, et le 8 avril, date de l'article.

Casanova est allé immédiatement au moulin de Saint-Arnoult. Il a dit ce qui n'avait été mentionné par personne. C'est que Maurice Thorez — qui devait revenir le mois suivant — avait télégraphié au secrétariat du PCF pour désapprouver, non le dessin, mais le blâme. Et ceux qui avaient exigé de publier les désaveux, puis l'autocritique, le savaient. Tentaient-ils de prendre de vitesse celui qui revenait ? De lui montrer que son règne était passé ?

Elsa écrira en 1965 : « Les Russes aussi avaient fort bien accueilli le portrait, peut-être parce qu'ils sont rapides à passer du présent à la légende. » Curieuse manière de faire allusion à la sourde « déstalinisation » des esprits qui avait commencé en URSS par la réhabilitation des « assassins en blouse blanche ».

Les eaux du dégel

Thorez rentre : c'est la sécurité, la certitude de régner à nouveau sur les intellectuels du Parti. Dès Moscou, Louis avait écrit l'hymne du retour :

> *Il revient les vélos sur le chemin des villes*
> *Se parlent rapprochant leurs guidons éblouis (...)*
> *Il revient Je redis ces deux mots-là sans cesse*
> *Il semble qu'à les dire on ouvre l'avenir*
> *Et l'on entend déjà chanter les lendemains*

Ces vers publiés en première page de *L'Huma* font rire les intellectuels et les milieux populaires ne s'enthousiasment pas. Mais Aragon prend tranquillement ses revanches. Au congrès du PCF, c'est lui qui intervient sur « l'Art de Parti ». Son recueil de poèmes, *Les Yeux et la Mémoire*, est vanté comme un classique de la poésie. Mais s'il proclame :

> *Salut à toi Parti qu'il faut bien qu'on choisisse*

il annonce déjà son besoin nouveau :

> *Je réclame le droit de rêver au tournant*
> *de la route*

Fougeron reçoit le châtiment de sa lettre quand il expose au Salon d'automne. Tiré de l'obscurité par Aragon en 1947, le voilà rejeté dans la nuit : peut-on, quand on intitule sa toile *Civilisation atlantique*, « peindre hâtivement, grossièrement, de façon méprisante » ? Verdict rendu. Fini, Fougeron.

En décembre, après vingt ans sans réunion plénière, l'Union des écrivains tient à Moscou son deuxième congrès. Entre les deux assemblées, plus de six cents membres de l'Union ont perdu la vie et davantage encore sont « quelque part en URSS ». Mais certains ont été relâchés. Elsa apprend des vérités que moi-même j'entendrai entre Varsovie et Moscou l'année suivante.

Ce qui n'empêche pas Aragon de glorifier les progrès accomplis par « les » littératures soviétiques, qu'il rattache au réalisme russe classique. Louis a obtenu de Gallimard de diriger une collection où il proposerait les littératures de l'immense pays « avec leurs traditions multiples et leur commune destinée ».

C'est comme s'ils se raccrochaient au givre de leurs certitudes tandis qu'arrivent sur eux les torrents du dégel. On parle de renouer avec la Yougoslavie. Alors, si Tito n'est plus un traître, pourquoi les communistes responsables exécutés comme titistes le seraient-ils ? Rajk, sur lequel Aragon, avec nous tous, s'est montré si affirmatif : puisqu'il avouait... Et Kostov, qui niait ? Nous étions tous devant le gouffre de terribles vérités.

Ilya Ehrenbourg a écrit un bref roman où les héros, sympathiques, complexes, humains portent le faix d'un passé... qu'ils ont vécu dans des camps. Presque rien n'est dit, à peine des « erreurs judiciaires », des « injustices ». Mais ce livre ébranlera si fort les certitudes que les communistes français — moi, entre autres — ont voulu le nier, le rejeter, crier que ce n'était pas ça l'important, que l'URSS c'était tout de même Stalingrad...

Le Dégel est une clochette d'agneau auprès des sonneries de cathédrale que déchaînera la *Journée d'Ivan Denissovitch* de Soljenitsyne, mais ce tintement même sonne le glas d'une foi qui a du mal à mourir.

En 1954, à Moscou, Elsa a rencontré des amis de son autrefois, et même des gens de sa famille qui lui ont conté chacun un morceau d'univers concentrationnaire. Sans mesurer l'étendue du goulag, elle pouvait en voir l'effet — le plus souvent une sorte de silence, le désespoir de communiquer les « jours de leur mort » aux vivants.

Au retour d'un voyage à Moscou, Elsa avait annoncé à

Daix : « Imaginez l'état de Lili : son mari va être réhabilité. » Stupeur de Daix : il savait tout sur des milliers d'hommes devenus fous de faim dans les camps nazis mais avait nié avec d'autant plus de vigueur que des « camps » semblables puissent exister à l'horizon de l'espoir... Et de plus, les *maris* de Lili c'étaient Ossip Brik, Maïakovski et l'actuel Katanyan... alors ? Aragon, l'air lointain, lui apprit d'un mot à la fois l'existence, la mise à mort et l'innocence reconnue du général Primakov, héros de la guerre civile...

L'affaire du portrait de Staline l'a démontré, Elsa et Louis ne peuvent bouger intérieurement que s'ils sont frappés, rejetés, eux, personnellement.

En apparence ils n'ont rien dit. En Elsa commencent à germer deux « intentions humaines » différentes. Le désir de montrer qu'en art « le réalisme » n'est pas une panacée et le poids des origines. Vivre en URSS est impossible. Elle se sent russe de langue et de tradition. Seulement, même à Moscou, elle est « différente ». Les Kagan sont juifs. Elle a beau s'appeler Elsa Aragon, ce n'est pas « née Triolet » qu'elle est. Le cheminement a commencé, qu'elle n'avouera jamais totalement par écrit. Par bribes à sa sœur. Et à quelques amis...

Le mal du pays, le mal à la langue l'ont reprise. A cause de ce dégel et des floraisons qu'il promet ? Ou à cause de cette agonie que les siens ont traversée ? Elle se sent en France branchée sur un voltage qui n'est pas le sien.

L'avalanche

« Et tant pis qui j'écrase et tant pis qui je broie »

Elsa commençait *Le Rendez-vous des étrangers*, roman bâti autour de cette douleur contre nature : d'être étranger au lieu même où l'on vit... Elle finissait quand tomba l'avalanche.

Dans la troisième semaine de février 1956, au milieu du XXe congrès du Parti communiste soviétique, le nouveau secrétaire général, Nikita Khrouchtchev, ukrainien — lui-même responsable de dures et longues répressions en Ukraine —, a fait un rapport à huis clos devant les seuls délégués soviétiques du congrès. Il a parlé d'illégalité, de déportation de populations entières, des *« crimes »* de Staline, de culte organisé autour de sa personne. Il avait besoin d'ébranler, d'un coup très dur, l'appareil ossifié, sclérosé du Parti. Il espérait réveiller, effrayer, dynamiser. Le rapport, dans la journée qui suivit, fut montré à tous les chefs des délégations étrangères. A Thorez comme à Togliatti, au Polonais comme au Hongrois.

Thorez — influencé par les refus quasi hystériques de Jeannette Vermeersch, sa femme — a décidé de taire le plus possible, d'amortir, de nier, de minimiser ; de ne pas « démoraliser Billancourt ». Des coups pareils vous font tomber et l'électorat et les adhésions... De plus, Thorez devait sa carrière au choix final de Staline, et lui vouait un attachement sincère.

Louis et Elsa savaient tout. Ils l'ont su très vite d'une quadruple source : les amis de Moscou, Thorez et son entourage, les amis polonais, les amis italiens qui étudiaient le « rapport secret » dans les sections de leur parti qui faisaient de même.

(Même à mon échelon connaître des Italiens ou des Polonais suffisait pour « savoir ».) *Le Monde*, puis un éditeur publient le rapport. Au PCF on interdit de faire état de la « presse bourgeoise ». On apaise. On divertit. On avoue le « culte de la personnalité de Staline ». On parle de « perversion de la légalité socialiste ».

Parmi les intellectuels, membres du Parti ou compagnons de route du CNE, c'est la stupeur et l'horreur. Alors c'était pour rien, les carrières, les promotions *sacrifiées* au nom des lendemains qui, un jour, chanteront ? Les amitiés et parfois les amours rompues parce que l'autre ne pouvait pas « comprendre », ne se laissait pas persuader ? Les positions prises en public, les articles, les pétitions ? Les interventions pour affirmer coupables les innocents, pour glorifier Staline, et son *système*, c'est-à-dire des camps à peine moins inhumains que ceux des nazis ?... Comment ? Les dirigeants communistes soviétiques l'avouent eux-mêmes et le PCF édulcore et ment ?

A l'intérieur du Parti, entraînant Tzara et Picasso, quelques écrivains, dont Claude Roy, Roger Vailland, Hélène Parmelin, demandent des réunions, qui se succèdent, houleuses, désespérantes, sans que rien soit éclairci. Les protestataires sont écrasés, minoritaires... Thorez avait bien vu : les croyants préfèrent leur foi à la vérité. Comme l'écrira Elsa : « J'ai cru, cru, cru... » Mais pour elle, la réalité s'était imposée dès 1952. Et en 1956, la réhabilitation de Primakov avait prouvé l'innocence des condamnés. Elle n'avait — sauf dans l'intimité — rien dit. Mais du moins les militants croyaient le pire arrivé. On commençait à se dire que l'avenir au moins était sûr, que ces tragiques aveux au moins empêcheraient les Soviétiques de recommencer. « Quel autre parti, disait-on, était capable de reconnaître ainsi ses fautes ? »

En été, le XIVe congrès du PCF fixe une ligne de fidélité à l'URSS. Aragon est réélu au comité central. Elsa est présente, le regard d'acier. Or en octobre-novembre 1956, le même Nikita Khrouchtchev, dénonciateur des crimes de Staline, envoie ses chars tirer sur le peuple insurgé à Budapest. Cette foule, prétend-il, est menée par des contre-révolutionnaires manipulés — vieux langage stalinien — par les services secrets occidentaux.

A quel moment Elsa a-t-elle appris que son nouveau beau-frère, le mari « définitif » de Lili, Katanyan, avait eu lui aussi un frère massacré ? Arrêté une première fois, ce militant modèle avait clamé son innocence au Soviet suprême qui l'avait fait libérer. Sûr par conséquent que l'on ignorait la vérité en haut lieu, il rédigea un rapport sur les tortures et les camps. Des hommes du NKVD sont venus l'abattre chez lui. Primakov ? Lili depuis longtemps le savait innocent. Et ce parent arrêté pour n'avoir pas compris à temps que la NEP était finie et avoir continué à faire du « commerce privé », pourquoi l'avait-on mis à mort ? Et cet autre parent, sorti de camp, pourquoi l'y avait-on envoyé sans jamais le juger ? Et Koltsov, Babel, Meyerhold, fusillés ? Mandelstam mort dans un camp ? En revenant de Moscou, Elsa avait confié à Daix en lui faisant jurer le secret qu'elle avait vu sortir des camps, non des ennemis mais des communistes innocents... et qui restaient communistes.

Elsa se rejette, par une sorte d'instinct de conservation, vers ceux qui restent des *étrangers* en France, ceux qui traînent leur mal du pays. Le thème était esquissé dès *Le Cheval blanc* — Elisabeth Kruger dit son malheur d'être *apatride* partout —, elle le répète dans le *Cahier enterré sous un pêcher*. En 1956, le mal du pays et de la langue éclate. Pour la première fois, Elsa montre qu'être juif peut devenir une affaire de conscience. La belle Olga Heller, qui fut une résistante française, est vaguement suspecte d'être un agent du Guépéou... juste parce qu'elle est russe et vit seule. L'irrésistible Elisabeth Kruger, revenue en France (avec un mari prénommé Olaf), a une fille adoptive, Agnès, qui se découvre juive et décide de partir pour la « Palestine » inconnue. Sacha Rosenszweig, fils de déportés morts à Auschwitz, refuse sa judaïté, s'invente des ancêtres baltes, s'agrège à l'extrême droite. Olga se révolte même contre le « nouveau racisme » des victimes du racisme. Elisabeth qui ne se sent de « nulle part » ne se donne pas le droit d'empêcher Agnès de se créer un pays, même mythique... Le roman rassemble toutes les formes d'exil, des Espagnols aux Algériens.

Pour Elsa c'est une somme, non de sa vie, mais de ses manques. Le livre sort chez Gallimard, le premier roman d'Elsa sous cette couverture souvent enviée. Joie vite saccagée : la semaine même, les chars soviétiques tirent sur le peuple hongrois.

Au CNE, c'est la tempête. Au comité directeur, dont Sartre se retire, la crise est pire que celle de 1947. Aux fidèles du Parti qu'il rencontre, Aragon siffle : « Ah si tu savais ce que je vois autour de moi de visages inhumains ! »

Elsa frêle, glacée, mais intérieurement comme calcinée, expose ce qu'avaient souffert les Soviétiques. Et conclut :

« Nous ne sommes pas des bourreaux, nous sommes des victimes.

— Vous ne pouvez pas prétendre n'avoir rien su. Et alors

pourquoi n'avoir rien dit ? Menti. Travesti la géhenne en lendemains prêts à chanter ? »

« Quelle meute ! Quelles gens a-bo-mi-nables ! » dira Louis à Claude Roy. Pourtant, quelque chose s'est produit entre la première et la deuxième intervention soviétique en Hongrie, entre la dernière semaine d'octobre et la première de novembre 1956. Tzara, rentré de Budapest, avait voulu, fin octobre, s'exprimer dans *Les Lettres françaises*. Aragon refuse au nom de la « ligne du XIVe congrès du PCF ». Début novembre, il y eut un subit revirement. Est-ce parce qu'Elsa s'affolait pour la vente annuelle du CNE dont les « vedettes » et les non-vedettes se décommandent en bloc, depuis Sartre jusqu'à certains membres du Parti ? *Les Lettres* commencent à publier les communiqués des écrivains hongrois... Trop tard. La vente doit être annulée.

Elsa, à peine sorti *Le Rendez-vous des étrangers*, écrit en quelques semaines *Le Monument*. Elle en explique la genèse, sans mentionner la réunion du CNE.

Un soir de l'automne 1956, Elsa reçoit des amis tchèques, Hoffmeister, le dessinateur surréaliste qui fut ambassadeur, son gendre, le poète Ivo Fleischamm qui fut conseiller culturel. Quelqu'un raconte l'histoire du sculpteur de Prague qui avait exécuté un monument à Staline, l'avait trouvé hideux, s'était suicidé et avait légué l'argent du monument à l'Institut des jeunes aveugles parce que eux, au moins, ne verraient jamais cette horreur... L'histoire est peut-être enjolivée mais Elsa s'en saisit, « et bien que son récit se passât avant 1956, il allait baigner dans le bain révélateur du XXe congrès ».

Le Monument paraît dans *Les Lettres françaises*, le 4 avril 1957, et chez Gallimard, quelques semaines plus tard.

Elsa pensait avoir rendu un grand service au Parti, ayant minimisé tout, réduit l'interrogation fondamentale à la question du *réalisme socialiste* auquel personne ne croyait plus. Un artiste avait mal interprété la théorie. On ne l'avait pas tué. Il s'était suicidé. Tout est miniaturisé. Pas des millions de déportés sortis des camps, ni des chars qui écrasent. A peine, dans cette démocratie populaire, une opposition, de droite, ignoble, et une de gauche, utopique et impuissante.

Pourtant, la direction du Parti et notamment *L'Humanité* ont manifesté un vif mécontentement. Entre ceux qui la trouvent « arrogante » et ceux qui, comprenant son habileté, la lui reprochent, Elsa navigue à vue.

Nombre d'intellectuels qui l'ont dit et de non-intellectuels qui se sont tus n'ont pas repris leur carte du Parti en 1957. D'autres ont hésité un an de plus et sont partis en 1958. D'autres ont continué à manifester à l'intérieur du Parti leur inquiétude, leur besoin d'explications en espérant gagner leur pari : modifier les structures communistes de l'intérieur.

Pour les Aragon, un tournant est pris. Face aux cadets qui veulent des réponses, Louis joue des scènes inénarrables. Claude Roy trouve « infâme » un article stupéfiant où Aragon demande aux protestataires de quoi ils se plaignent : leur a-t-on pris leur patrie, leur enfant ?

Claude Roy indigné dit qu'on a détruit par le mensonge leur foi dans le socialisme qui reste leur « seule solution »... Aragon se met à parler des dix millions de Soviétiques sortis des camps, des victimes de la famille d'Elsa — quatre, tu entends ! Il clame, imprévisible : « Et c'est à un peuple pareil que vous autres, vous osez demander des comptes ? » Les pirouettes, la loi surréaliste de crier d'autant plus fort qu'on a plus tort ne cachent pas son profond effondrement.

Elsa a été la première à se mettre en question, même si elle s'est arrêtée sur son propre seuil. Aragon durant cette année écrit son œuvre la plus sincère malgré les scories — *Le Roman inachevé*, journal intime en vers, cherche le sens d'une vie : l'enfance, Nancy, Elsa, Moscou, l'engagement total :

> *On sourira de nous d'avoir aimé la flamme*
> *Au point d'en devenir nous-mêmes l'aliment*

et

> *Je te dois tout je ne suis rien que ta poussière...*

ce cri d'un être soudé à « Elsa ma lumière ». Pour les intellectuels communistes, le Couple était plus coupable que la direction du Parti même. Ils s'étaient proclamés leurs intercesseurs, ils *savaient* et s'étaient tus... et sauf ces vers tragiques mais autojustificateurs, ils continuaient à se taire. Elsa fuyait toute question sur le PCF dont elle « n'était pas membre », refusait d'entendre des critiques sur l'Union soviétique, « sa patrie », et obstinément s'affirmait victime. En 1969 encore, elle écrira : « Je me suis trompée parce qu'on m'a trompée. »

Aragon choisit le mythe. Il écrira *Le Fou d'Elsa*, histoire d'un insensé, inspiré des temps médiévaux, amoureux fou d'une femme qui ne peut exister, qui ne peut naître que dans les siècles à venir. Elsa. « Le Couple est son utopie. »

Mais, conclusion terrible : « ... c'était maintenant le siècle d'Elsa et, souffrir n'ayant pas changé ni mourir, il se mit à trembler pour elle. » Un culte comporte toujours la mise à distance de l'objet.

Il leur faut aménager leur place dans la contre-société du Parti, persuader la direction qu'ils lui apportent le cadeau d'une image exemplaire ; celle du Couple créateur qui, avec les souples esquives, les ruses et demi-confessions de l'intelligence, garde sa fidélité.

Elsa, d'être à nouveau éditée hors du Parti, se sent libérée... Elle entend, le soir, Louis marcher dans la grande salle du moulin en déclamant. Si elle n'aime pas sa façon de mordre ou de faire traîner les syllabes, les vers la rendent heureuse-malheureuse. Il évoque ce qui les a liés... mais montre, pour les générations à venir, la force du premier amour qu'il eut. Eux deux, unis, ils le furent toujours pour le drame et le combat. Elle a voulu le retenir, l'arracher à Breton, lui faire aimer Moscou. Elle a voulu qu'il la chante, qu'il la proclame... A-t-elle voulu qu'il fonce ainsi dans les excès soviétiques ? L'exaltation de Jdanov ?

Elle a « traduit » plus que lui, adapté davantage. Peut-être parce qu'en effet, pour Elsa, leur vie s'est toujours inscrite en traduction. Son bilinguisme, sa « traduction » intérieure lui ont permis d'interpréter davantage... En une sifflante revanche secrète, elle glisse une phrase dans son essai final [1]. Oui, dans sa vie, elle s'est trompée « parce qu'on l'a trompée », mais ses écrits n'en ont jamais été affectés..., « je n'ai pas eu à corriger mes romans ». Demi-ligne cruelle pour Louis qui avait en partie réécrit ses *Communistes*... Elle ne risquera cette vive piqûre que treize ans plus tard. En fait, elle-même coupera les digressions du *Cheval roux*.

Comme toute leur vie durant, elle dresse en 1956 la colonne des « Doit et Avoir ». A son crédit, l'humiliante *démarche* auprès de Lecœur, qu'elle nommait dans le privé « le boucher des abattoirs ». Plus le *Monument*. Donc Louis *doit* plus qu'il n'*a*, et en paiement il *doit dire, chanter* sa dette...

Dans *Le Roman inachevé*, Elsa s'est peut-être — à voir son attitude future — sentie moins touchée par les pages de leur commune aventure que par la nostalgie tendre et toujours présente des poèmes consacrés à Nancy.

Tu me parles de ton enfance et ta tête est sur mes genoux

C'étaient là de vrais aveux. Ce que la vie avait fait de cet

---

1. *La Mise en mots.*

homme, c'est Elsa qui devait, chaque jour, le subir. Même si, près d'elle, il jouait le Chevalier. Le Troubadour et sa Dame, langage chiffré de la désincarnation, la mise à distance des cultes, elle s'en défie. Elle connaît l'histoire d'Auguste Comte qui jamais ne toucha Clotilde de Vaux, dont il fit la Vierge de la religion positiviste. Elsa vit avec celui qui jette hors de lui son sadisme :

> *Je traîne après moi trop d'échecs et de mécomptes*
> *J'ai la méchanceté d'un homme qui se noie*
> *Toute l'amertume de la mer me remonte*
> *Il me faut me prouver toujours je ne sais quoi*

Elle sait bien qu'au fond de lui, il la rend responsable.

> *Et tant pis qui j'écrase et tant pis qui je broie*
> *Il me faut prendre ma revanche sur la honte*
> *Ne puis-je donner de la douleur Tourmenter*
> *N'ai-je pas à mon tour le droit d'être féroce*
> *N'ai-je pas à mon tour droit à la cruauté*
> *Ah faire un mal pareil aux brisures de l'os*
> *Ne puis-je avoir sur autrui ce pouvoir atroce (...)*

> *Je suis le prisonnier des choses interdites*
> *Le fait qu'elles le soient me jette à leur marais*
> *Toute ma liberté quand je vois ses limites*
> *Tient à ce pas de plus qui la démontrerait (...)*

Elle l'écoute déclamer, presque crissant des dents, marchant sur les dalles de la grande salle au milieu de la « politesse des objets ». Ce pouvoir de haine, comment s'en croirait-elle exclue, même quand il clame son adoration ? S'est-elle dit aussi que certains interpréteront ces vers au-delà de la politique ?

Le Roman inachevé eut un retentissement profond, chez ceux qui restaient au Parti — pour eux c'était comme l'encouragement au scandale — et chez ceux qui s'étaient arrachés : pour eux, c'était une justification. Ils l'avaient franchi, eux, ce « pas de plus » qui démontrait leur liberté. Ils « achevaient ».

Louis a plongé dans les eaux tumultueuses et glaçantes de la quête de soi. *La Semaine sainte* lui a reconquis un public... Il peut nager à grandes brassées dans l'or et la boue de son chef-d'œuvre. *La Mise à mort.*

Elsa, plus tard, jugera : « Les romans historiques sont... mensongers comme l'Histoire... C'est le roman tout court qui l'est, historique, il appartient à une certaine époque du seul fait d'y être né, comme le meuble dont l'antiquaire dit "il est né comme ça"... » Elsa décide, dès 1957, que sa propre compagnie n'est pas « de tout repos » et donc qu'elle va conter les histoires *des autres*. Ne pas *s'impliquer*... Mais, elle le sait et le dit, l'image de soi vous reste toujours renvoyée par l'écriture.

Aragon paiera une partie de sa « dette » en clamant[1] que *certains*, après le XXe congrès, perdaient « confiance dans tout ce qu'ils avaient tenu pour le beau et le bien de la vie », tandis qu'Elsa Triolet, avec *Le Rendez-vous des étrangers* et *Le Monument*, écrits « au lendemain même », réaffirma « la grandeur de l'internationalisme prolétarien », puis restitua le dur combat de l'artiste et de la réalité. *Le Monument*, dit-il, figurera un jour auprès d'*Adolphe* et de *La Princesse de Clèves*. Elsa dans ses livres ne pense qu'« au temps où le bonheur sera la règle » : c'est, dit Aragon, sa manière de lutter contre la défaite de la vieillesse.

Elsa se lance dans *L'Age de Nylon*. Le premier tome, *Roses à crédit*, lui vaudra des succès de lecture qu'elle n'avait plus connus depuis son Prix Goncourt. Certains manuels scolaires français en offrent des passages aux élèves des lycées. Exemplaire, l'histoire de Martine, née trop pauvre, qui vend son « âme » pour les « choses » : son avenir pour posséder à crédit toujours plus. C'est la Marguerite du Méphisto de la Consommation. Et, bien sûr, elle se retrouvera délaissée, plus misérable que jamais, pour mourir[2]...

Le Couple Elsa-Louis devient une mode jusque dans *Elle* dont la rédactrice en chef, Jeannie Chauveau, est une amie proche depuis Lyon, et dans *Vogue* dont la rédactrice en chef, Edmonde Charles-Roux, devient une intime. Grandes interviews sur ces deux êtres si longuement unis, si poétiques, dont l'homme est membre du mystérieux « comité central » communiste, dont la femme est née dans les mystères de Moscou et eut pour beau-frère le légendaire Maïakovski...

Un coup de grandeur

En 1960 a lieu le grand déménagement. Au bout d'un quart de siècle, ils quittent la Sourdière et emménagent 56, rue de Varenne. Un coup de grandeur. Cet appartement — leur dernier — est « une œuvre de choix qui vaut beaucoup

---

1. *Elsa Triolet choisie par Aragon*, 1960.
2. *L'Age de Nylon* sera — enfin — traduit en URSS, et à sa suite *Anne-Marie*, qui date de 1947. Jamais aucun roman d'Elsa n'avait été traduit. Après sa mort, Aragon fera paraître ses premiers romans russes en français.

d'amour ». Ils aménagent complètement ce logis lambrissé, bourgeois en haut d'un hôtel noble. D'un côté, la fenêtre donne sur une cour très belle et au-delà sur la rue. De l'autre, sur un jardin, prolongé par un autre jardin : celui de l'ambassade soviétique, rue de Grenelle. Aragon amenait le visiteur vers la fenêtre en chien-assis, montrait ce gazon, enclos de murs, et, avec un coup d'œil complice, ricanait : « Oui ? Tu vois ce qu'on pourrait dire... hein ? »

On pourrait dire ? Elsa avait obtenu ce qui à l'époque était rare : le transfert en France des droits — considérables — que leurs traductions leur valaient en URSS et dans les démocraties populaires.

L'installation avait été longuement méditée par tous deux avec l'architecte. De l'étage, un petit escalier tendu de rouge vif conduit à la porte étroite ouverte sur le hall [1]. A gauche, on monte vers la chambre d'amis prévue pour les séjours de Lili et de Katanyan. A droite, des marches mènent à la salle à manger. Tommettes rouges, fauteuils de rotin, table haute époque et, entre deux fenêtres, un étonnant tableau-fenêtre. Derrière, la cuisine. Un couloir conduit au bureau de Louis et à la chambre-bureau d'Elsa, séparés par le salon. Les murs sont presque entièrement couverts de tableaux, de dessins, d'objets.

Elsa s'est installée à la fois dans l'étrange beauté du logis et dans ce style « vieille dame », perfectionné depuis ses cinquante ans. Beaucoup de bijoux, des tissus parfaits, des châles. Et souvent, même chez elle, une voilette sur ses cheveux gris pour ombrer les rides autour des yeux.

Ils voyagent beaucoup. Le « printemps de Prague » leur est accueillant et Elsa retrouve la ville d'eaux où le manuscrit de *Camouflage* avait brûlé : Franziské Lazné, Franzensbad... cette fois, c'est le meilleur hôtel bien sûr.

Entre les volumes de *L'Age de Nylon*, Elsa abandonne le récit « extérieur » pour des bribes d'autobiographie fantasmée : *Les Manigances, histoire d'une égoïste*. La chanteuse, l'égoïste, révèle — Aragon le fera remarquer — des moments de sa vie qu'elle avait jadis, dans d'autres livres, « camouflés » autrement. Les parents l'ont « si mal aimée (qu'elle) en porte encore les cicatrices ». Elle ne les a pas pleurés. Comme toujours chez Elsa, le récit est situé : la guerre d'Algérie existe. Cette chanteuse perd sa voix, elle n'est pas belle et la beauté des femmes la « remplit d'un terrible désarroi ». La roman-

---

1. Après la mort d'Elsa, tout un panneau du hall sera couvert par sa photo.

cière montre, comme pour les rejeter, tous les traits qu'elle déteste en elle.

Voyageuse, chroniqueuse théâtrale des *Lettres françaises*, Elsa est une personnalité du Tout-Paris. A toutes les premières, le « Couple » est placé de manière à n'être pas offensé par la proximité d'un « fasciste » ou — horreur pire — d'un ex-membre du Parti...

En 1960, Gallimard publie un *Elsa Triolet choisie par Aragon*, avec introduction de soixante-deux pages où le poète met toute la souplesse de sa phrase au service du culte de sa Dame. Il cite Mauriac, qui comparait Elsa à Colette, et Katherine Mansfield. Il expose les intentions philosophiques de *L'Age de Nylon* et des *Fantômes armés* : toujours la lutte de l'ancien et du nouveau : « extraordinaire diversité romanesque (je veux dire d'invention romanesque) et... profonde unité humaine ».

Le désespoir de vieillir — que Louis éprouve aussi — lui fait obligation de célébrer Elsa de plus en plus constamment. Avant l'anthologie, un livre de poèmes : *Elsa*. Chaque strophe révèle — à travers les pirouettes — combien elle lui est à la fois colonne vertébrale et bouclier. A ces Autres, ce « on » (le Parti, les lecteurs, tout le monde), il doit, pour se protéger, clamer son amour — pour entre les vers glisser une demi-confession :

> *On ne veut pas me croire. J'ai beau*
> *L'écrire avec mon sang, mes violons, mes rimes (...)*
> *On ne veut pas me croire. Ils se sont fait*
> *Une image de moi peut-être à leur image (...)*
> *En attendant d'être une rue*
> *Je suis dans les dictionnaires*
> *Et dans les livres des écoles*
> *Le scandale m'est interdit*
> *J'ai beau crier que je t'adore*
> *Et ne suis rien que ton amant...*
> *... Voilà trente ans que je suis cette ombre à tes pieds...*

Se souvient-il de l'autre, de Viktor Chklovski, le chef de file des formalistes russes qui écrivait en 1923 : « Je suis comme un tapis, Alia, sous tes pieds [1] » ?

Elsa exige toujours plus à mesure que le temps de vivre rétrécit. Son image au miroir la fait autant souffrir que son cœur défaillant. Aucun honneur ne suffit plus. Toute critique

---

1. Viktor Chklovski a fêté en 1983 ses quatre-vingt-dix ans et, après des années sans publication ni reconnaissance, il est enfin célèbre.

creuse des plaies qui ne peuvent plus cicatriser. Elle veut être à la fois au centre de l'œuvre d'Aragon et compter sans lui.

Quand tu dors dans mes bras je peux longuement caresser ton âme

D'accord, il lui caresse l'âme, mais c'est à lui qu'on en fait crédit. Les journalistes de la télé, de la radio ou des journaux préfèrent Louis. C'est à lui que viennent les jeunes écrivains et poètes — comme ils venaient déjà rue Campagne-Première en 1929, mais alors elle ne pouvait encore prétendre compter.

« Les plus étranges paroles d'amour... »

En 1961, à *Vogue*, revue de mode et de luxe, on avait passé la photo de Louis en grand et celle d'Elsa en petit parmi d'autres. C'était l'époque d'*Elsa Triolet choisie par Aragon* et de *L'Age de Nylon*. François Nourissier [1] tenait en partie la chronique des livres. Le lendemain, il reçoit un appel de Louis. D'abord sarcastique : « Alors, je suis quelqu'un qui passe dans les portes avant les femmes ? Ma photo en grand, et... » Nourissier présente ses excuses. D'ailleurs pour un hebdomadaire de gauche, *France-Observateur*, il a préparé un article sur Elsa, mais qui met du temps à être publié. « Tu préfères sans doute que ce soit un hommage posthume ? » La maladie de cœur très réelle d'Elsa faisait partie du chantage sentimental. Elle-même en parlait avec une froide désinvolture. Nourissier, au bout du fil, s'impatiente : « Écoute, Louis, je viens de passer un papier sur toi. Je crois t'avoir donné les preuves de mon attachement !
— Écoute bien, petit. Est-ce que tu n'as pas encore compris que tout ce que tu fais pour moi, tu le fais contre Elsa ? »
Le « petit » a-t-il compris qu'Elsa tenait l'autre écouteur, et dardait son regard bleu ? Il prononce : « Voilà la plus étrange parole d'amour que j'aie jamais entendue... » Alors se déclenche une des célèbres fureurs aragoniennes, connues de tous ses collaborateurs. Mais Nourissier, ne travaillant pas avec lui, en a soudain assez et déclare : « Je te raccroche à la gueule », et le fait. Cinq minutes plus tard, le téléphone résonne. « Écoute, petit. Je te demande pardon. Tu entends ? Aragon

---

1. Romancier. Devenu membre de l'Académie Goncourt, c'est lui qui y fera élire Aragon.

te demande pardon... » Il continue, puis soudain : « Et quand passera l'article sur Elsa dans *France-Observateur* ? »

Enfin l'article paraît et Aragon vient chez le « petit » lui donner *Une vague de rêve*, livre composé par lui, à la main, sur les presses de Nancy, vers 1927...

En 1965, Aragon publie *La Mise à mort*. Les *Œuvres croisées* étaient en route. L'un et l'autre se révèlent — et chacun révèle l'autre — dans les textes de présentation.

Mais en 1964 Elsa lui avait écrit une lettre, « les jambages bleus du malheur [1].

Dr Jekyll et Mr. Hyde...

La Mise à mort est le chant d'un homme double, les face-et-profils d'un miroir à trois volets. Alfred, le poète, a l'œil bleu. Anthoine, le militant, a l'œil noir et s'aperçoit un jour qu'il n'a plus de reflet dans la glace. Dr Jekyll et Mr. Hyde : un troisième homme, Christian, est le propriétaire du miroir. Tous trois aiment une seule femme. Étrangère, bien sûr, Suédoise (comme l'Elisabeth du *Cheval blanc*). Elle porte le nom d'un mari désaffecté, le baron d'Usher. Dans l'intimité, Anthoine — et Alfred — la nomme Fougère (senteur verte au lieu du bleu de jacinthe). Alfred, écrivain, dans ses nouvelles, la baptise « Murmure ». Elle est la plus grande cantatrice du monde occidental. Illustre Ingeborg d'Usher. Tyrannique Fougère : elle a « inventé » Anthoine aux yeux noirs et le torture — mais il y voit une exigence très naturelle — en déclarant parfois préférer Alfred aux yeux bleus, qu'elle a pourtant détruit. Le militant aime Staline, a vécu à Moscou, vu la guerre d'Espagne, fut l'ami de Michel Koltsov. Il se nomme Anthoine Célèbre. Ingeborg-Fougère n'a jamais voulu vivre sous ce nom.

Le roman fait miroiter par facettes l'histoire du couple, l'aventure politique et le mythe. Le culte d'Elsa... qui d'ailleurs paraît aussi sous son vrai nom : la romancière Elsa Triolet qu'Ingeborg admire. Six pages sont consacrées à l'exégèse de son œuvre...

Anthoine est la création d'Alfred et d'Ingeborg, leur façon de dire : Ah, voilà ! c'est le militant qui agit et qui parle. Mais, peu à peu, Alfred tombe jaloux d'Anthoine, comme on tombe amoureux. L'objet de cette jalousie, est-ce vraiment Fougère ? ou la liberté de créer, de vivre à sa guise, le fameux « pas de plus » en dehors des limites ? Roman savant,

---

1. Voir page 295.

construit, déconstruit. Biographie de lui et d'eux, histoire du monde et, soudain, bond dans l'imaginaire... Rien ne manque, pas même le mémoire de maîtrise d'un étudiant sur « La conception romanesque chez Aragon dans *La Mise à mort* ». Le livre finit par des questions sur la peinture et l'autoportrait. Avant cette réflexion, Anthoine tente d'assassiner Alfred... Le poète survit mais, ayant aimé Fougère « à la folie », il devient fou... Fougère — comme Elsa — avait, auparavant, sombré dans une syncope cardiaque sans en mourir. Et Anthoine a retrouvé son reflet dans la glace. Reprise du militant par lui-même : il redevient un individu, avec une image. Ce qui le rend si redoutable pour Alfred qu'il en perd la raison... Si l'autre est un homme complet, il peut supplanter le poète, il lui enlève sa raison d'être.

Les échéances

C'est vrai qu'Elsa a des syncopes. Aragon aussi... mais lui, dit le médecin, garde un électrocardiogramme normal. Il ne le sait pas, mais il « simule ». Elsa, elle, voudrait vivre, mais elle est atteinte.

Entre-temps, Aragon accepte (« sur la demande de Thorez », dit-il) le Prix Staline débaptisé Prix Lénine.

En 1964, Tzara et Thorez meurent : la fin de la jeunesse et du grand frère protecteur. Deux grands chocs qui rejettent Louis vers Elsa. Les amis les entourent, François Nourissier, et aussi les fidèles de toujours, Marcenac, Daix, Seghers. Les deux Pierre, Daix et Seghers, amènent leurs jeunes femmes. Colette Seghers, les Aragon l'avaient connue très jeune à Trouville. Quant à Françoise... c'est la fille d'Arthur et de Lise London [1]. C'est un dîner joyeux. Colette Seghers trouve à Elsa « un regard de neige » et ne l'entend pas souvent rire. Pierre lui répète que pendant la guerre ils riaient beaucoup ensemble... Les yeux d'Elsa montrent à présent l'acuité de l'oiseau qui sait viser et saisir.

La dernière évasion de Nancy

En mars 1965, Nancy Cunard, malade, désormais abandonnée de presque tous, délirante souvent, vécut à Paris d'atroces derniers jours. Georges Sadoul, Rutha Sadoul pleine de

---

1. Arthur London, « Gérard », le rescapé du camp de Mauthausen, où il avait connu Daix, et des procès de Prague, l'auteur de *L'Aveu*.

compassion et Michelet, un autre ami de jadis, lui étaient restés fidèles. Nancy s'est cassé la jambe, enfuie de l'hôpital, a mis le feu à sa chambre d'hôtel... Le 19 juillet 1960, écrivant à son amie Janet Flaner, elle lui avait dit : « Je ne crois pas que quiconque m'ait jamais aimée sauf Louis... qui le fit, je crois, entièrement tout le temps que nous fûmes ensemble... » Elle avait aimé Louis, dit-elle, mais aussi quelques autres, puis elle cite Louis de nouveau : « Il n'y a pas d'amour heureux. »

Le 12 ou 13 mars 1965, Seghers se trouvait chez les Aragon. Le téléphone sonna. Louis prit l'appareil et blêmit. Il dit :

« C'est Nancy et elle va mourir.

— Fais ce que tu veux, envoie-lui de l'argent, vas-y si tu veux. Moi je ne la veux pas ici », dit Elsa.

Très gêné d'être là, Seghers partit. Dix-huit ans après, il explique que c'était sûrement « l'explosion d'une intense jalousie féminine ». Il refuse que ce moment altère l'image de la femme aux yeux bleus de Carcassonne et d'Avignon. Sa biographe[1] raconte que Nancy, dans un demi-délire, réclamait Aragon, et que Michelet téléphona à Louis. « Mais ce dernier et Elsa en avaient assez. Ils ne voyaient pas ce que la présence de Louis pourrait bien apporter à Nancy. Sa place était apparemment à l'hôpital, puisqu'elle était malade. »

C'est en effet à l'hôpital Cochin qu'elle finit par mourir, le 16 mars, « dans l'anonymat d'une salle commune ».

Complexité des êtres et des témoignages...

Le lendemain, François et Cécile Nourissier ont emmené dîner les Aragon qui venaient d'apprendre la mort de Nancy. Pendant toute cette soirée au restaurant, Louis ne parla que d'elle, répétant : « J'aurais dû y aller, je ne l'ai pas fait, j'aurais pu... » François Nourissier admira l'attitude d'Elsa : « Jamais aucune femme n'a montré, pour une rivale, autant d'attention, n'a repris avec autant de tendresse tout ce que disait Louis. Elle le consolait : "Ton plus beau poème d'amour, ce n'est pas pour moi que tu l'as écrit, c'est pour elle." Quelle rayonnante générosité... » Cette histoire, il la racontera à la télévision dans une émission glorifiant Aragon mort... Tout est vrai. Le refus, les serres de la cruauté puis, tout risque consumé, les gants de la tendresse.

Que pouvait faire Elsa contre les poèmes à Nancy, imprimés depuis presque dix ans dans *Le Roman inachevé*, sinon se les approprier en les glorifiant ? Que risquait-elle en montrant, devant témoins, sa mansuétude ?

Aragon, dans *Blanche ou l'oubli* comme dans *La Mise à mort*,

---

1. Anne Chisholm.

étale sa jalousie, s'en glorifie. Jaloux de celle qui en écrivant se détourne... Il connaît si bien, lui, cette évasion.

Elsa s'est montrée jalouse des femmes de Louis, comme pour exhiber un sentiment moralement admis, et cacher ainsi ce qu'elle savait dès le début : que les femmes étaient pour lui un abri, un bouclier. Et que parfois...

Ce sont, pour les Aragon, de dures années. La mort de Breton, en décembre 1966, frappe Louis de solitude dans le fantasme — la pire sans doute —, et ravive des blessures dont Elsa n'est pas innocente. Il répète qu'il n'eut jamais d'ami plus proche. Que rien dans sa vie ne l'a fait souffrir comme cette rupture. Cet aveu, Elsa le ressent comme un défi plus rude que la mort de Nancy.

C'est l'époque où elle lui dit : « Je voudrais qu'une fois, avant que je meure, tu aies écrit un livre où je serais visible telle que je suis, j'étais. » « Et ces mots-là, commente Aragon, m'ont longuement hanté, bouleversé, parce qu'ils signifiaient pour elle la conscience de la mort approchant. » Il l'exprime dans un « *Après-dire* » à son roman *Blanche ou l'oubli*, où il fantasme une Elsa très vraie. La plus vraie, peut-être... Ce roman, il le donne pour invention pure, de crainte qu'on n'y décèle leur vérité. « ... Qui, lisant ce livre, y aurait reconnu le visage de la peur... qui prend le nom de l'oubli et le plus grand oubli, n'est-ce pas de mourir ? »

C'était vrai.

Le mythe aux yeux clos

Vrai aussi qu'il avait, dès 1965, rencontré un jeune poète, dont il avait lu un texte. Ce jeune homme habitait la province. Ils s'étaient revus tous les mois. Le jeune homme venait et le poète lui lisait des passages de ce qu'il écrivait — y compris *Blanche ou l'oubli*, précisément... — ou bien des passages d'Henri Bataille (ininventable détail). Ils demeuraient ainsi des heures. Elsa appelait par l'interphone. Mais Louis poursuivait sa lecture, son monologue en tête-à-tête dans le bureau. « Louis, c'est l'heure du déjeuner. » « Elle montrait beaucoup d'irritation », se souvient Ristat[1]. Puis il a parlé d'elle à la radio et elle lui dit sa gratitude.

Souvent, ainsi, avec d'autres jeunes écrivains — même quand le jeu restait purement intellectuel —, Aragon aimait lire interminablement ses œuvres. Ainsi avec Philippe Sollers,

---

1. Jean Ristat, *Le Nouvel Observateur*, 21 décembre 1981, « Le poète et son ombre », et au téléphone avec l'auteur.

très jeune auteur d'*Une curieuse solitude* — roman que Mauriac et Louis avaient également prisé. Mais ici, Elsa survenait pour inviter, offrir du thé, donner un de ses romans. Avait-elle lu le livre du révolté qui fuyait sa famille ? L'avait-elle mal compris ? Ou au contraire, interprété ? Elle lui dédicaça son écrit : « Maternellement — Elsa Triolet. »

Marek Halter, en revanche, représentait pour elle une conquête personnelle. L'auteur de *Le Fou et les rois*, le jeune Juif qui voulait réconcilier Israël et les Arabes, reçut, après une chronique dans *Combat*, un appel. Une station de radio avait invité Elsa pour conduire son « Journal improvisé », où elle avait à son tour le droit d'inviter quelqu'un. Elle choisit Marek Halter...

Il est souvent revenu rue de Varenne. Sitôt la porte ouverte par Maria [1], il levait la tête et voyait Elsa contre la balustrade de l'escalier intérieur, toute en châles et voilette. Il montait dans la salle à manger, avait droit à un fauteuil de rotin. Elle appelait : « Louiiis ! Nous avons un invitê ! » La voix répondait : « Je viens, je viens », et Louis entrait, et elle chaque fois trouvait quelque chose à redire à son chandail, sa chemise, sa veste... et lui, en souriant, allait se vêtir pour lui plaire. Puis Maria apportait le plateau et le rite du thé se déroulait, immuable... La conversation, au contraire, était singulière. Marek voulait leur faire visiter Israël. Visiblement, Elsa en avait grande envie, Louis trouvait toujours quelque prétexte. Elsa répétait qu'elle aurait bien aimé. Marek Halter croit à la sincérité de ce désir, si neuf chez elle, même après *Le Rendez-vous des étrangers*.

François Nourissier la trouvait « plus juive qu'on ne croit et aussi russe qu'elle paraissait », c'est ce qu'il aimait en elle.

Tout dans la vie du couple n'était pas dramatique. Les anecdoctes plaisantes abondent. Un soir, les Nourissier emmènent les Aragon dîner dans un restaurant de la rue George-Sand, et Louis s'écrie, désignant le coin de la rue et de la villa (le numéro 26) : « Regarde, Elsa, l'endroit que tu as habité avec M. Triolet, c'est devenu une plomberie »... Ils ont ri, comme jadis.

Elsa publie *Le Grand Jamais*. Elle commentera beaucoup cette étrange histoire de la jeune seconde épouse d'un grand historien, l'un de ses écrits les plus révélateurs. L'historien n'apprend pas à vivre à sa femme-enfant, il est « distrait et

---

1. Maria, Italienne du Frioul, est entrée au service des Aragon en 1960, lors du déménagement. Elle, qui se sentait plus familière avec Elsa, demeura pourtant rue de Varenne jusqu'à la mort d'Aragon et elle fut la dernière personne qu'il reconnut.

égoïste comme un génie ». Il ne l'aide pas à *devenir*, à *trouver son destin*. « Il ne l'a pas aidée à vivre, elle l'aidera à mourir, prendra sur elle ce fardeau pour le restant de ses jours. » Elle a eu un amant ? Ce « n'était pas trahir Régis ». Quand il est mort, « les autres » le trahissent. Les Bien-Pensants, alliés à sa première femme, à ses enfants, le tirent à eux. Madeleine, aidée par un sculpteur, tente de résister. Elle sera vaincue. Elsa dit avoir pensé à Maïakovski, à la manière dont on l'a présenté comme uniquement militant, politique, combattant. Et Lili, en effet, subit de rudes assauts renouvelés depuis 1952. Ne serait-ce pas aussi l'avenir-fiction d'un possible veuvage et d'un combat posthume entre l'Anthoine et l'Alfred de *La Mise à mort* ? Dans ce roman, à la façon d'Aragon, elle inter-vient : l'auteur mêle ses propres souvenirs à la vie de Made-leine, à laquelle elle consacrera un deuxième volume, *Écoutez-voir*, où le texte et l'image s'entrelacent, comme dans les *Œuvres croisées*. Les fantasmes d'Elsa jaillissent à loisir : Made-leine se fait clocharde, non par pauvreté mais par besoin d'être en marge. Des hommes l'aiment éperdument sans qu'elle donne rien en échange.

L'intention de l'auteur va très au-delà, elle l'expliquera dans *La Mise en mots*[1] où sont *livrées* les intentions de son œuvre : « Et tout cela que j'ai mis en mots était inventé pour dire l'impossibilité qu'il y a de discerner la vérité dans l'His-toire... cette vérité change quand le pouvoir change de mains... » Elle a voulu le montrer sur la biographie d'un homme, l'historien Régis Lalande qui *devient autre* quand on l'éclaire autrement. Elsa confesse une autre intention, plus subtile, qui est celle aussi d'Aragon dans *Blanche ou l'oubli*. Le lecteur, d'ordinaire, consent à la fiction qui fait du person-nage de roman une personne vivante. Et si l'auteur veut détruire cette fiction ? Elsa Triolet commence *Écoutez-voir* — récit de Madeleine, la veuve de Régis —, par : « J'ai déjà existé sur les pages d'un autre roman. » Elle vend la mèche, dit Elsa, elle s'avoue « inventée ». Non, elle ne veut pas casser le jeu du romancier : elle suit son sentier... Mais déjà elle sait que le sentier devient impasse.

---

1. *La Mise en mots*, Skira, fini d'écrire en avril 1969.

10

Le rossignol se tait à l'aube

Le diable ne rend pas leur jeunesse à ceux dont il a
[pris l'âme...
Que serais-je sans toi qui vins à ma rencontre
Que cette heure arrêtée au cadran de la montre
Le bonheur c'est un mot terriblement amer...

ARAGON.

Quelqu'un l'avait trouvée. Dans l'herbe, dans la
rosée à la renverse. Ses yeux ouverts les englobaient
tous dans un regard unique. En plein soleil...

Elsa TRIOLET, *Le Rossignol se tait à l'aube.*

Les événements de Mai 1968 les trouvent tous deux désarmés. Aragon tente de plonger parmi la jeunesse étudiante en insurrection. Si certains le protègent, la plupart le huent. En août, il retrouvera de l'audience en condamnant l'intervention en Tchécoslovaquie.

Elsa, un jour, passe en voiture rue de Sèvres. C'est une manifestation pour la Tchécoslovaquie. Habituée à être un objet d'attention, elle constate que pour ces garçons et filles rassemblés elle n'est rien, ils regardent ailleurs. Elle, dans sa voiture, roule « ni vue ni connue », ne sachant même pas à quoi elle « ne prenait pas part ».

Le cœur lui joue des tours constants. Les jambes se dérobent. Il faut, l'escalier ne permettant pas d'ascenseur, installer une sorte de petit télésiège qui la hisse chez elle. Chklovski, son ex-amoureux transi, dira un jour — octogénaire : « Je sais ce que c'est qu'être vieux. On peut faire ce que font les jeunes, mais ça fatigue ! » Elsa ne pouvait même plus promener sa chienne Patte, qui la renversait. Elle dut la donner, elle l'aimait.

Elle a commencé d'écrire *La Mise en mots*, message sur elle et son œuvre. Un génie « ne se prend pas pour Napoléon, il se prend pour lui-même ». Elle ? « Moi qui ne suis qu'un saint Sébastien traversée par les flèches, arrimée à un arbre, impuissante, ne pouvant ni bouger, ni fuir », elle prend « à sa vie des vivres pour l'écriture ». La dernière phrase sonne comme un premier testament. « Les mots filent, rapides comme les secondes du compte à rebours. Que puis-je vous dire d'autre sur mon sentier de la création qui se perd dans les herbes folles et la forêt vierge devant moi ? J'entends les cris de détresse des animaux sans paroles. »

En août 1968, l'entrée des chars soviétiques dans Prague avait été condamnée par Waldeck Rochet, alors secrétaire général du Parti, et le bureau politique. Ce qui avait permis à Louis, dans une préface célèbre à *La Plaisanterie* de Milan

Kundera — qui vivait à Prague —, de parler d'un « Biafra de l'esprit », c'est-à-dire d'un génocide de la création.

Pierre Daix se rappelle qu'un jour Elsa lui avait demandé ce qu'il ferait si on leur interdisait de parler des « monstruosités » dans *Les Lettres françaises*. Il répondit qu'il demanderait à mettre la clé sous la porte. Aragon rejeta le dilemme ; jamais le Parti ne les mettrait en demeure de choisir entre le mensonge et le déshonneur (il avait vraiment des trous de mémoire). Elsa répéta : « Êtes-vous sûr qu'il ne se présentera jamais une telle situation ? »

Elle se sait condamnée. Aragon dira qu'il « l'obligea » à l'effort d'un dernier livre : *Le Rossignol se tait à l'aube*. Cent cinquante pages déchirantes : une comédienne (toujours la Voix, le rossignol) voit les hommes de son passé dans une dernière fête. Seule femme parmi une dizaine d'hommes, dans une maison au fond d'un parc (le moulin ?). Les vins des meilleures années. « La femme présente était membre à vie de leur passé commun. A vie... » Elle regarde souvent l'heure. « ... il y avait des soirs où elle arrivait à faire illusion, une illusion tragique par sa brièveté. » Elle regarde son mari « et ça lui fit plaisir de savoir que la mort le trouverait tel qu'il était là, mince, à peine voûté ». Elle dit : « Ne me regarde pas. » Et lui : « Tu pourrais être lépreuse, j'aimerais ta lèpre. » « Beau parleur, va ! *Tu étais trop beau pour moi, j'ai joué perdante, j'ai perdu* »... Elle rêve son passé, ses hommes, ses échecs, ses victoires : « Ah, m'imaginer jeune, balayer les années »... A la fin de la nuit, dans le parc, ils entendent comme un cri, le tintement d'une tasse brisée. Les derniers mots du Rossignol la montrent gisant dans la rosée : « En plein soleil. La nuit était bien finie. Ils la voyaient, ils se voyaient, ils voyaient tout, dans les plus petits détails. »

Aragon racontera qu'il l'avait crue morte le jour où ce roman leur était parvenu, qu'il la secouait, criant : « Ton livre ! Ton livre ! »

Aragon aurait voulu qu'elle recommence à écrire. Elle disait aux amis : « Louis ne veut pas le comprendre. Je n'ai plus la force. » Il savait. Il n'en dormait plus.

En réalité, elle vivra presque un an après avoir fini *Le Rossignol*. Maria raconte qu'un vendredi de juin, partant pour le week-end, elle se plaignait des jambes « mais pas plus que toujours ». Le mardi, s'habillant pour regagner Paris, *elle est tombée*.

Ce fut un enterrement comme le PCF sait les concevoir, avec exposition du corps dans le hall de *L'Humanité*, boulevard Montmartre. Neruda avait prononcé un discours qui bouleversa Daix. Lili et Katanyan étaient arrivés de Moscou.

Deux femmes de générations différentes, Clara Malraux et Colette Seghers, ont raconté l'enterrement d'Elsa. Clara, venue avec son « bouquet miteux », pensait se trouver presque seule devant le catafalque... Mais autour du « monument princier », le hall « ressemblait à la Bourse en plein travail ». Les larmes aux yeux, comprenant mal ce qu'elle faisait là, elle se laissa photographier, puis elle sortit en pensant aux gâteaux qu'Elsa lui préparait, aux cadeaux bien choisis pour Florence, « à sa vulnérabilité qu'on soupçonnait peu, à (leurs) destins parallèles et divergents ».

Colette Seghers se rappelle que Pierre, la dernière fois, rue de Varenne, avait trouvé les Aragon tristes et seuls. Elsa l'embrassa quand il partit et, montrant d'un geste l'appartement-musée, prononça une parole de mourante : « Qu'est-ce qu'on va faire de tout ça ? » Puis, inquiète du sort du monde, ajouta : « Nous nous sommes trompés, peut-être. Mais voyez-vous nous avons été les plus généreux. »

La nouvelle de sa mort fit revenir les Seghers de Sardaigne au moulin de Saint-Arnoult pour le transport du corps. Aragon avait obtenu d'enterrer Elsa dans le parc — et de l'y rejoindre. La pierre tombale portait les deux noms, et, pour Elsa, les deux dates. (Pour lui, la dernière s'ajoutera treize ans plus tard.) Le comité central célébrait sa cérémonie. Georges Marchais, dont Elsa avait toujours dit en privé le mal qu'elle pensait, prononça l'oraison funèbre devant les caméras.

Puis Aragon se mit, très lentement, prenant un douloureux plaisir à la visible impatience des dirigeants communistes, à disposer les roses sur la tombe. Une à une. En homme seul...

Vers la fin de l'automne, Aragon invite Mstislav Rostropovitch, le violoncelliste russe qu'aimait Elsa, à jouer sur son tombeau. Deux soirs après, il mène les Seghers, dans la nuit, au long des sentiers qu'il a, des deux côtés, ourlé de cœurs faits de feuilles mortes que le vent disperse.

Aragon corrige *Henri Matisse-roman*, livre d'art dont les marges et les incidentes portent de brusques bouffées de sa vie. La mort d'Elsa survient au milieu de ces corrections, ce qui rompt le récit par de soudaines phrases de désespoir. Il écrira encore *Théâtre-Roman*, un étrange lâchez-tout où les paragraphes, comme par inadvertance, laissent passer les lambeaux de vie que *La Mise à mort* préservait... Cette vieillesse qui les a hantés, Elsa et lui, pendant quarante-deux ans, voilà qu'elle se traîne. Ah, profiter vite des moments [1]...

---

1. On a parlé d'une tentative de suicide lors de la mort d'Elsa. Ce n'est pas confirmé par les témoins.

« Il y eut une période où j'avais pour ainsi dire eu curiosité de la jeunesse, assez bizarrement j'avais cru me constituer ainsi des amitiés, et certains d'entre eux avaient partagé ou cru partager cette illusion. » Mais il apprendra que c'est une illusion, qu'il est exclu de « la complicité de l'âge ». Parfois il comprenait « qu'ils avaient quelque impatience à (sa) façon de (s)'éterniser avec eux, et le désir de rester ensemble », sans lui. Parfois il replongeait dans l'illusion — « Et même cela, peu à peu, comme les chaussures, ça s'use. »

Ainsi, pendant treize ans, vêtu avec une théâtrale élégance, l'a-t-on rencontré dans Paris la nuit avec sa cohorte de jeunes hommes.

Mais ce qu'il nommait jadis une « habitude sexuelle », et vers ses quatre-vingts ans une « nouvelle façon d'aimer », ne peut expliquer ni ses volte-face ni la façon dont il demeurait agrippé à un parti que souvent il reniait.

Au début de sa vie, il exhiba les femmes qu'il aimait en cachant les hommes pour — sans doute — ne pas blesser cette mère qui s'était dite sa sœur. Après trente ans, il accepta la règle d'une épouse-sœur maternelle, exigeante et sévère, sa complice et son bouclier. Sans elle, il n'aurait peut-être pas plongé dans les eaux glaciales du communisme. Mais c'était — comme disait Picasso — « une famille nombreuse » et Louis ne se sentait pas assez à l'aise avec lui-même pour se passer de ces contraintes, de cette chaleur... ni de ce pouvoir.

Il faut pour parler en son nom seul une harmonie interne que ce maître des mots mélodieux n'avait pas. Jean-Paul Sartre savait rester fidèle à lui-même et changer d'alliés quand il avait reconnu son erreur. Pas Aragon. Il éprouvait le besoin de s'adosser à cette puissance faite de millions d'hommes. Communiste mais aristocrate, il ne croyait pas que tout homme le valait. Il avait besoin de se croire chargé de donner une forme à des vérités promulguées. Et jusqu'à *La Mise à mort*, il s'était interdit de montrer son moi déchiqueté. Il fut un cardinal qui s'est parfois cru pape.

Elsa, qui l'avait engagé et sans cesse poussé sur les routes du pouvoir, se sentait, elle, vraiment déchirée. Vingt fois elle a écrit qu'il n'est pire malheur que de n'avoir ni pays ni langue. De ce passé dont elle s'était violemment arrachée, seul demeurait en elle l'amour ambigu pour sa sœur.

Elsa n'avait, pour rappeler sa beauté, que les chants d'Aragon et pour se prouver sa propre existence que les romans qu'elle écrivit. Et où toujours ses personnages — étrangère calomniée, chanteuse qui perd sa voix, comédienne vilipendée — font résonner le thème : « Personne ne m'aime. » Cette voix en elle, ce constat de faillite, l'obligeait à exiger toujours plus de celui dont elle était devenue la sœur maternelle, la complice éternelle. Éditer leurs *Œuvres croisées*, c'était pour elle le passeport vers l'avenir. Celui de la femme qu'elle avait été — au-delà de la muse et du mythe. Et le mal-être amer de cette femme qui avait tout exigé mais aussi tout accepté, Aragon l'a compris et dit. Il exprime Elsa, il la divinise, il se projette en elle. Elle devient la partie féminine de lui. Elle a, pendant quarante et un ans, vécu à l'intérieur d'un amour-haine dont les autres voyaient les lilas et les roses mais dont elle sentait les épines la déchirer. Lui aussi : « Ma déchirure », dira-t-il dans un poème.

Aragon a très tôt — avant Elsa — fabriqué son personnage. En amour, il voulait être « comme un chien — c'est ma façon ». Le Chevalier de la Dame, de la Madone — et de la Cause. Le troubadour usant du langage chiffré du « trobarclos » qu'elle entendait plus que tout autre.

Jamais Aragon n'osera rejeter en public, avec des mots sans ambiguïté, le monde où à trente ans il s'était, avec Elsa, immergé. Aux vieux amis rencontrés, il assurait au contraire que sa « nouvelle façon » ne lui était qu'une manière de survivre. Le jeune homme de 1965 fut son appui dans cette « nouvelle façon d'aimer ».

Mourir comme un mauvais amant toujours en retard au rendez-vous.
Une bonne fois éprouver comme à la nage sa folie
Aller jusqu'au bout de sa force aussi loin qu'on peut dans la mer
Comme on découvre le plaisir comme on s'y plonge et s'y oublie
Faire encore une fois l'amour quitte à mourir de le refaire
Honte à qui trouve sa limite à qui sa limite suffit.

Les 18 et 19 juin 1981, au Festival international de Lyon, fut créée *La Messe d'Elsa*. Dépassé, le Fou. Cette fois nous tombons en pleine mystique. Tout ce qu'Aragon, du vivant de la Femme, répétait sur la réalité charnelle de son amour est nié par cette projection d'Elsa vers le ciel de la vérité révélée.

Je dirai la messe d'Elsa sur les marches du soir profond (…)
Je dirai la messe d'Elsa pour couvrir le parler des loups (…)
Je dirai la messe d'Elsa sous le soleil noir des tortures (…)
Je dirai la messe d'Elsa sans yeux sans mains les dents brisées (…)
Je crois en toi comme au parfum (…)
Je crois en toi comme à la rose ouverte à minuit (…)
O mon magnolia d'insomnie (…)
Comme à l'oreille croit le cri.

Comment trouver le fond vrai de ces vies ? Ils ont voulu, l'un soutenant l'autre, construire dans les agitations les plus profondes de ce siècle le mythe de l'intemporel Amour.

Dans *Elsa*, tout un chapitre est rythmé par : « Cela ne rime rime rime Cela ne rime rime à rien ». Mais le recueil se ferme sur leur statue de mots enlacés.

> *UN JOUR ELSA MES VERS MONTERONT À DES LÈVRES*
> *QUI N'AURONT PLUS LE MAL ÉTRANGE DE CE TEMPS...*
> *UN JOUR ELSA MES VERS QUE LEUR AJOUTERAIS-JE*
> *D'AUTRES QUI LES LIRONT LE DIRONT APRÈS NOUS*

Ces deux vies de roman restaient voilées par le mentir-vrai. Elsa-Louis ont voulu marcher sur l'Histoire — comme, dans les écrits sacrés, les élus marchent sur les eaux. Mais les humains s'y engloutissent. Seuls surnagent les mythes enfermés par les serrures des mots. Dont s'offrent ici certaines clés, peut-être.

Un couple ambigu ?

Leur histoire a pris sa place. Ils sont classés parmi les « amants du siècle », même — médiatisation suprême — à la télévision.

Les Yeux d'Elsa, Elsa valse, « Nous étions faits pour être libres, Nous étions faits pour être heureux », « Elsa qui disait la ballade » ou « Il n'est pas d'amour heureux », et « Mon bel amour mon cher amour ma déchirure »...

Les poèmes, comme Aragon le souhaitait, partent, partent en chansons... Le souhaitait ? Pas toujours : « Ils vont jusqu'à citer mes vers — De telle façon qu'ils leur servent — Ou deviennent pour eux de charmantes chansons. »

Les titres de ses livres répètent inlassablement le prénom, même quand il parle du Moyen Age *(Le Fou d'Elsa)*. Et lorsqu'il peint une autre femme, de mémoire *(Blanche ou l'oubli)*, il emprunte le nom d'un personnage d'Elsa, comme pour voiler son audace. Il la glisse également dans ses livres, sous son nom : Elsa Triolet, célèbre romancière... Et les *Œuvres croisées*, devenues objets précieux pour bibliophiles, témoignent de l'entrelacs des œuvres et des vies. Quarante et un ans...

La légende est toujours plus forte que les faits.

Leur légende est double.

D'abord, le duo de l'impossible amour. Lui : « Il n'est pas d'amour heureux », elle : « Personne ne m'aime ».

En ce temps, dans la communauté, la société fermée où ils étaient censés vivre, on leur reprochait leur « pessimisme », leur manque de confiance en « l'homme nouveau », et ils étaient obligés d'expliquer qu'ils parlaient du « vieil homme » dans la « société aliénée »... D'ailleurs, ils parlaient de l'amour qu'on ne peut rompre : « Je vais te dire un grand secret — Je ne sais pas — Parler du temps qui te ressemble. »

Ensuite, l'intime complicité du mentir-vrai, la double vérité, ce qu'on se dit en tête-à-tête (encore ne se le dit-on pas toujours)...

Ce qu'on dit en petit comité (et selon le classement de l'auditeur sur leur échelle d'initiation) et ce qu'on dit quand le cercle s'élargit. Encore y a-t-il un mentir-vrai pour les adversaires, un autre pour les sceptiques (comment s'en tiraient-ils avec André Triolet, qu'ils recevaient parfois ?), un autre enfin pour les compagnons de route.

Et des mentir-vrai gradués d'après ce que l'autre sait de votre passé. Mentir-vrai avec Jean Baby ou Georges Sadoul, les plus proches depuis le début du couple, n'est pas comme mentir-vrai avec Daix, qui les a connus après la guerre, en pleine gloire... Et comment mentir-vrai à ceux qui vont souvent en Russie — comme par exemple Hylsum, le directeur de la Banque de l'Europe du Nord ? (A ma surprise, bien plus tard, j'ai découvert que les initiés se contentaient souvent, en évoquant entre eux leur plus récent voyage soviétique, d'allusions fragmentaires, d'une épaule haussée, d'un regard, sauf quand on devait informer d'une crise extrême, préférant ne pas insister.) Avec ceux-là, comment prononcer les formules usées, bonnes pour le gros des militants ?

Le mentir-vrai ? Chacun le pratique parfois, dans toute vie. En politique il est une constante, sous tous les régimes — et c'est pourtant là qu'on le juge le plus durement. Il s'exerce moins quand l'opinion publique a les moyens de s'exprimer. Mais il gagne dès qu'un régime réduit peu à peu au silence les voix contestataires.

Aux temps d'Elsa-Louis, le paradoxe de la société fermée, communiste, à l'intérieur d'une société grande ouverte aux informations contraires, atteignait l'absurde. Tous les journaux de tous les pays étaient en vente (ceux des pays communistes n'arrivaient que dans certains kiosques, mais la *Pravda* n'était pas très achetée, il faut en convenir). La presse d'Occident était friande de révélations et de témoignages sur les camps soviétiques et les mensonges des communistes, partis ou gouvernements. Donc, en France, en Italie, dans tout l'Occident, on lisait, on entendait tout...

Mais pour les communistes (des centaines de milliers, même si les statistiques du Parti n'étaient pas fiables), la règle, à la fois proclamée et intériorisée, voulait que soient tenus pour vrais uniquement les faits approuvés par les instances reconnues. Un « Nihil obstat » permettait aux faits relatés d'être acceptés. Toute critique, toute observation embarrassante amenait la question : « Tu tiens ça de la presse bourgeoise ? » Était « bourgeoise » toute la presse non contrôlée par le Parti. La presse bourgeoise, c'était devenu un axiome, « avait pour seul but de calomnier le communisme ». Très vite, il y eut des évidences : guerre du Viêt-nam, chasse aux sorcières aux États-Unis, guerre d'Algérie. La guerre froide prenait l'allure de vrais combats. Les communistes d'un côté, tous les autres de l'autre. En revanche, si dans « l'autre » presse filtrait un renseignement favorable, le Parti notait que « même » cette publication-là ou cette radio (et plus tard cette télé) reconnaissaient que...

Au Parti — comme d'après la lettre-verdict d'Elsa sur ses rapports avec Louis — il fallait « tourner sept fois sa langue dans sa bouche » pour ne pas « déclencher un cyclone ». Et chacun s'adonnait à une autocritique d'autant plus efficace qu'elle devenait à la longue subconsciente.

Mais ces devoirs de céci-surdi-mutité s'appliquaient-ils en haut de la hiérarchie ? Et enfin, quand des communistes avaient souvent sous les yeux la « réalité » des pays-du-socialisme, comment pouvaient-ils la travestir ?

Les Aragon, surtout Elsa, russe et sœur de Lili Brik, que savaient-ils ?

On ne peut que lire entre les lignes d'écrits, de témoignages et, d'après les dates, supputer les degrés de leur « mentir-vrai » et de leur « se mentir-vrai ».

Ce mentir-vrai, brume qui voile-dévoile-revoile, s'étend au-delà de la politique, et jusqu'aux plus intimes émotions.

Aragon, en 1950, est élu au comité central du Parti. A ce congrès, qui suit de près la condamnation à mort de Rajk à Budapest et de Kostov — qui avait, seul, crié son innocence — à Sofia, vingt-sept membres issus de la Résistance sont renvoyés « à la base ». Non réélus. Pour un ouvrier communiste, le renvoi à la base était souvent synonyme de mise à mort politique, mais aussi de plongeon social : un permanent communiste n'avait aucun espoir d'embauche dans une entreprise publique ou privée. C'était la guerre froide, qui pour les syndicalistes et les militants du Parti incluait le combat de rues avec la police dans les manifestations, mais surtout, quotidiennement, l'affrontement avec la direction ou ses représentants.

Les responsables « déchus », presque tous fortement enracinés dans leur région, y avaient dirigé la résistance à l'occupant en promettant, certes, la révolution future mais avant tout, surtout, la libération du pays. C'est au nom d'un étrange accouplement de Jeanne d'Arc et de Saint-Just que les militants obtenaient l'entrée en dissidence de gens jusqu'alors résignés. À cette époque Aragon, dans ses poèmes, c'est la France qu'il exaltait. Sa folle dérive du premier voyage en URSS, ses *Hourra l'Oural !, ses Vive le Guépéou !* restaient enfouis dans un passé rarement évoqué, dans l'éden interdit, attendrissant, où il avait rangé aussi sa période surréaliste. Il avait pendant ces années chanté « les lilas et les roses » de « ma France aux yeux de tourterelle » et « Celui qui croyait au ciel, celui qui n'y croyait pas » et il s'était institué « témoin des martyrs » de la France. Les responsables surgis de la clandestinité imaginaient qu'il les exprimait, eux, communistes en somme parce que patriotes, Français soucieux de construire en France une société meilleure.

Mais en ces années cinquante, à Moscou, donc à la direction du PCF, on craignait que ces militants-là n'aient pas « d'instinct » le sens de l'obéissance inconditionnelle à l'URSS.

Ainsi, Aragon fut élu à contre-courant, au rebours de ce qu'il avait chanté, pensé, propagé, prophétisé pendant l'Occupation. C'étaient ses *Vive le Guépéou !,* ses enthousiasmes prosoviétiques qui lui valaient les honneurs... ou du moins l'approbation de Moscou.

Dans *Les Communistes* (avant la correction habile, le toilettage à petits coups de ciseaux à ongles qu'il leur fera subir et la préface explicative à l'édition de poche), Aragon parle d'un document communiqué par le philosophe communiste Politzer (fusillé par les nazis) lors du voyage mouvementé du couple à Paris, en juillet 1941. Ce document — une adresse du PC au gouvernement — proposait d'armer les Parisiens, de libérer les communistes emprisonnés à la suite du Pacte, d'arrêter les pronazis des administrations, de faire de Paris une citadelle. La proposition datait paraît-il du tout début de l'invasion, quand il y avait encore un gouvernement français... à Bordeaux.

C'était là — nous le savons aujourd'hui, mais nul n'en parlait à l'époque de la guerre froide — le point de vue de Benoît Frachon (qui en 1950 dirigeait la CGT). Ce n'était pas encore, alors, la position de Jacques Duclos qui au contraire tenta de faire reparaître *L'Humanité* dans Paris occupé (il ne l'avouera jamais publiquement et parlera en privé, vaguement, « d'ordres mal transmis », de « malentendus »). Duclos deviendra vers l'automne 1941 le responsable de la Résistance communiste en France, *avec* Benoît Frachon. Les responsables de la lutte armée seront Charles Tillon, Laurent Casanova et — noyautant des mouvements non communistes — Pierre Villon. (Tout ceci a été révélé par Charles Tillon, bien après son éviction de la direction du Parti, en 1977.)

Aragon en 1941 était d'accord avec le document de Politzer, il pensait que si on avait écouté les communistes[1]... Or cette « ligne » du communisme patriotique, « national » s'accordait mal au moment le plus chaud de la guerre froide. En 1950, on criait : « *Jamais, non, jamais le peuple français ne fera la guerre à l'Union soviétique !* » C'était le moment où l'adversaire publiait romans et films de politique-fiction sur l'occupation de Paris par les Russes, où les hebdos faisaient passer des questionnaires : « Que feriez-vous en cas d'occupation de la France par les troupes soviétiques ? » Le temps où les titres évoquaient « Les chars russes d'Allemagne de l'Est pourraient être à Paris en... » (ici le nombre d'heures, variable selon les calculs).

Aragon dit à Pierre Daix — au moment même où *Les Communistes*, son roman, était glorifié — que les combattants d'Espagne, et même ceux de la Résistance étaient désormais suspects en URSS. D'abord, beaucoup avaient été recrutés par Tito, ce traître. Ensuite qui avaient-ils rencontré en Espagne, où se côtoyaient tant d'agents secrets ? Ces contacts avec « l'ennemi », n'est-ce pas la base des « aveux » des communistes condamnés en Hongrie et ailleurs ?

De même, dans la clandestinité, en France, comment savoir à qui on avait affaire ? (Que pouvait en penser Pierre Daix, résistant déporté à dix-sept ans, qui connaissait la vie des concentrationnaires et savait que l'on bâtissait des calomnies même dans les camps ?)

Aragon m'a dit, après « l'affaire Tito » : « Vois-tu, on ne peut avoir confiance en personne sauf dans les Soviétiques. Les autres n'ont pas encore fait leurs preuves. »

Alors comment justifiaient-ils, Elsa-Louis, leur vie durant la guerre : publier chez Gallimard et Denoël, « collabos » directs, et en même temps écrire « S'il était à refaire je referais ce chemin » ou *Les Amants d'Avignon*, cofonder *Les Lettres françaises*, et s'occuper de *La Drôme en armes* ? Ils avaient pratiqué un jeu d'équilibre qui leur a été reproché, mais leur liste d'épuration excluait certains qui avaient gardé trop longtemps la façade d'une profession légale. Aragon-Elsa savaient

---

1. Au point qu'à Moscou des rumeurs circulaient sur lui en 1941.

qu'ils appliquaient une « ligne » qu'eux-mêmes n'avaient pas suivie...

Bref, en 1950, Aragon accédait à la hiérarchie du Parti à contresens de ce qui avait fait de lui un poète national... Ils étaient un certain nombre à « perdre de vue » leurs positions de guerre et de libération, à se perdre de vue eux-mêmes. L'ancien médecin auxiliaire de 1940, décoré pour son courage durant la débâcle, a cru montrer « un autre courage, celui du militant ramant à contre-courant de la société ouverte », en renflouant de toute son autorité les thèses les plus étroites, les plus sectaires de sa société fermée. Il est monté sur les tribunes pour démontrer que les aveux des accusés, dans les pays de « démocratie populaire », prouvaient leur culpabilité (tant de nous l'ont fait, dont moi, refusant d'écouter même leurs proches qui leur offraient des témoignages contraires troublants)... Aragon a même su convaincre Paul Eluard de prononcer un mot qu'on ne lui pardonnera pas : « J'ai assez à faire avec les innocents clamant leur innocence pour ne pas m'occuper des coupables avouant leur culpabilité. » Phrase admissible seulement dans l'état de crédulité *volontaire* où nous étions, convaincus que les communistes ne torturent jamais, n'extorquent pas d'aveux, ne mentent pas, et que donc les coupables seuls avouent... Eluard pensait, dans les tourments de son âme angoissée, qu'on ne déserte pas en pleine guerre froide. Eluard ne connaissait — c'est-à-dire ne croyait — que des vérités filtrées par Aragon. Il avait décidé qu'en politique il lui faisait confiance, quelles qu'aient été leurs différends dans le passé, et même s'il savait que « l'ami » le repoussait toujours à la seconde place (Eluard est mort dès 1952).

Elsa-Louis étaient revenus de Moscou deux mois avant la mort de Staline, désespérés. Lui, taciturne, sombre, inaccessible, Elsa avouant à Daix combien c'était « terrible »...

Oui... Ils savaient. Ils ne pouvaient imaginer Isaac Babel coupable d'antisoviétisme. Certes ils ignoraient qu'il avait été arrêté parce qu'il avait connu, avant son mariage, l'épouse de Beria, maître de la police. Ils ignoraient ces révélations pour nous si récentes (1994), mais Elsa se rappelait Babel l'aidant à corriger son premier roman, *Fraise des bois*, et lui apportant du muguet, et qu'une grande tendresse les unissait alors, et qu'en plus Babel croyait en la grandeur de la construction soviétique. Ils savaient que Mandelstam avait à jamais disparu, et même si Elsa n'aimait pas tous ses poèmes, elle en récitait beaucoup par cœur, comme les poèmes d'Akhmatova, qu'elle disait trop intimiste... Pouvait-elle admettre que pour cette seule raison, le lyrisme et la foi en Dieu — on l'interdise de publication, et la prive ainsi de gagne-pain ? Sa propre famille, à Elsa, n'était pas épargnée, sans compter les proches de Lili...

A Paris l'opulence revenait, à Moscou l'intelligentsia tremblait, et que l'on soit ou non membre du Parti n'y changeait rien. L'arbitraire s'installait. En littérature, en art, on n'admettait plus que les clichés les plus délavés du « réalisme socialiste ».

En mars 1953 survint l'épreuve, l'ordalie. Staline est mort. Elsa partagea l'émotion générale, non qu'elle conservât des illusions sur lui, mais elle craignait que la succession ne fût pire. Les communistes pleuraient Staline par crainte du lendemain.

Les Lettres françaises publient un portrait de Staline jeune dessiné par Picasso. Le tollé des protestations « populaires » déferla, soigneusement organisé d'en haut.

Or, depuis la maladie de Thorez, soigné (pourquoi ?) en URSS, depuis la prise de pouvoir dans le Parti français d'Auguste Lecœur, ancien résistant certes mais ouvriériste, sectaire et ne comprenant rien aux « intellectuels » dont il sentait la distance et imaginait le dédain, le Poète lauréat est soudain devenu vulnérable. Lui, Aragon, revenu de Moscou chargé d'indicibles secrets, et le cœur malade.

Alors s'est produite — fréquente dans la plupart des trajectoires militantes — cette « régression », comme disent les « psy »... L'audace, l'agressivité contre les « autres », l'ennemi, peut s'allier à une peur infantile de la transgression dès que se dresse devant le militant « croyant et pratiquant » la hiérarchie des siens, du Parti (Arthur London le montre très bien dans *L'Aveu*)[1].

Aragon, décoré par l'armée pour son courage devant l'ennemi, est sans défense devant le « conseil de famille ». Enfant puni, perdant le sommeil, l'équilibre, sanglotant, muré dans une insupportable tension, il publie son autocritique, publie les lettres qui l'accablent et, en tête, les venimeuses réflexions de Fougeron, ce peintre « réaliste-socialiste » qu'il avait lancé, puis rejeté. Il « avoue » qu'il n'aurait pas dû accepter même de Picasso ce jeune Staline solide, bouillonnant (inquiétant ?), alors que « les masses » attendaient l'image pieuse, rassurante, du « Père des peuples ».

---

1. Et même Koestler dans *Le Zéro et l'Infini*.

Elsa s'humilie, tente de fléchir les « cadres », constate qu'à Paris comme à Moscou les apparatchiks sont de bois, pas seulement par la langue, mais par la sensibilité. Idolâtres incapables d'infléchir le culte de leurs idoles, ils trouvent blasphématoire cette représentation qui ne reproduit pas l'icône autorisée. Elsa le leur aurait prédit, qu'« ils » crieraient au blasphème[1].

L'autocritique d'Aragon fut un modèle de « mentir-vrai ». Que tous deux aient « su » de source sûre ce qui se passait au « pays du socialisme » ne pouvait modifier leur « devoir » de maintenir la légende pour que les militants français ne fléchissent ni ne doutent. Ce Staline « humain trop humain » menaçait la nécessaire distance entre « l'essence supérieure » du dirigeant suprême et la foule des croyants.

En 1956, quand Khrouchtchev eut lancé sa bombe, son rapport destiné au « premier cercle » sur les crimes du stalinisme, Aragon-Elsa le surent aussitôt... En Italie comme en Pologne, on discutait librement dans les instances du Parti sur ces « déviations du socialisme ». On y parlait du « rapport secret ». En France le Parti commença par en nier l'existence puis, d'accord avec les Russes, l'édulcora, à une époque où déjà on pouvait le lire, mais imprimé par « les autres »...

Elsa depuis longtemps savait qu'on allait réhabiliter Primakov et tant de victimes innocentes. Tito comptait à nouveau officiellement depuis des mois parmi les « amis de l'URSS ».

En 1956, des intellectuels communistes ont réclamé que l'on dise au moins aux militants français ce qui fut révélé à Moscou. Aragon hurla en réponse des paroles inimaginables. En substance, il criait : « Quoi ? revendiquer, eux qui sont ici, libres et tranquilles ? De quel droit ? En URSS, des gens par milliers ont souffert et sont morts. Elsa elle-même a perdu quatre ("vous entendez ? quatre !") membres de sa famille dans ces tempêtes. Alors au nom de quoi gémissent-ils, ici, qu'on les trompe ? » Nul ne parvint à démontrer l'absurdité de cet amas de sophismes.

Ce fut un sommet de son « mentir-vrai ». Il brandissait Elsa et ses malheurs familiaux (jamais évoqués jusqu'ici) comme une bannière, comme un privilège du malheur... Et, à ceux qui voulaient confirmation de faits, il répondait par son *Roman inachevé*, sanglot d'un poète sur ses illusions et ses nostalgies.

Inexorablement, je porte mon passé.

---

1. P. Daix, *Aragon* (Flammarion, 1994).

Après le purgatoire — qu'on inflige souvent à leur mort aux « idoles » contestées —, le couple Aragon-Elsa resurgit.

C'est que le communisme n'est plus une menace. Il apparaît aux « politiques » comme un lieu d'équilibre face aux nationalismes extrêmes. Il les rassure à présent, semble plus fiable pour eux que les groupes d'opposition nouveaux, centrés sur l'environnement ou l'éthique, trop faibles et imprévisibles. Après l'implosion du « camp communiste », le marxisme redevient une doctrine « philosophique » et le communisme un lieu de querelles d'historiens, de polémiques d'idées. Et la mauvaise foi des « révisionnistes » de l'Histoire qui nient la réalité, l'horreur des camps nazis contribue, dans l'air du temps, à blanchir ceux qui avaient si longtemps nié l'horreur des camps soviétiques...

Pour Aragon les actes arbitraires, les mensonges parfois odieux de l'homme s'effacent et le poète réapparaît. Un jour il expliqua que ses colères, ses vengeances et ses injustices, que ses explosions de diva avaient toujours le même motif : défendre Elsa.

Je suis sourd à toute plainte qui ne sort pas de ta bouche
Je ne comprends les millions de morts que lorsque c'est toi qui gémis...

(Ces vers datent de 1959 et sont destinés à la fois à l'innocenter de n'avoir pas clamé plus tôt ce qu'Elsa avait tu et d'avoir, dans sa sphère de responsabilité littéraire, privilégié ceux qui plaisaient à « Elsa, ma vie ».)

Comme désormais Elsa croit à « l'univers du goulag » (le mot n'était pas encore adopté), il en est épouvanté.

Je ne suis pas de ceux qui trichent avec l'univers
J'appartiens tout entier à ce troupeau grandiose et triste des hommes
On ne m'a jamais vu me dérober à la tempête...
J'ai connu la tranchée et les chars
J'ai toujours dit au grand jour mes pires pensées

Il offre pour preuves de sa sincérité les rides et stigmates de son visage, de son corps. C'est « l'amour de toi » qui l'a fait tel,

L'amour de toi qui te ressemble — C'est l'enfer et le ciel mêlés...
Je n'ai pas le droit d'une absence — Je n'ai pas le droit d'être las —
... Je suis ton trône et ta puissance — L'amour de toi c'est d'être là.

(Nous avons vu par quels « jambages bleus » elle répondra, disant enfin comment elle ressentait le quotidien derrière le moucharabieh des litanies d'amour.)

Aragon, revenu sur le fluant océan de la renommée, ne peut ressusciter sans Elsa. Malgré la publication des lettres de Louis à une aimée — platonique — d'avant elle, c'est le couple qui resurgit avec la correspondance de guerre de Louis-Elsa avec Paulhan. Et, de plus, on traduit les lettres de Lili et d'Elsa [1]. Elsa valse et valsera...

A notre époque d'unions éphémères, le mythe du Couple devient légende. Daphnis et Chloé, Philémon et Baucis, vieillir ensemble tient du rêve. Elsa-Louis se sont connus à trente ans et séparés à la mort d'Elsa.

Couple-du-siècle donc ?

« Couple », vraiment ? m'a demandé un jeune homme ironique. Qui peut définir le couple ? Qui peut analyser ce qui, de deux individus, fait un couple ? L'intensité du désir ou la durée de la complicité ? L'entente, ou la complémentaire opposition ? Le besoin de se fondre l'un dans l'autre, ou le besoin de devenir soi par l'appui, la certitude de présence de l'autre ?

Le symbole du couple... c'est quoi ? Des amants enlacés ? le *Baiser* longuement sculpté de Rodin, ou le baiser surprise de la photo de Robert Doisneau ? l'*Arlequin et Colombine* de Picasso, dessiné avec toute la science des classiques ? ou les portraits bourgeois des notables flamands peints par des maîtres qui ne négligent ni l'orient d'une perle ni la forme de l'ongle ?

Un couple ? Les plus illustres amours n'ont pas fait couple. Dante entrevit à peine Béatrice. Laure échangea-t-elle un regard avec Pétrarque ?

Couple, Tristan et Yseut, couchés de part et d'autre de l'épée qui dessine leur séparation ? Couple, Héloïse et Abélard ? Ils ont bouleversé les générations futures quand, pour les châtier d'aimer, lui fut émasculé, elle fut enfermée et qu'ils ont créé sans se revoir un amour plus brûlant de ne pouvoir s'accomplir.

Pourrait-on nommer couple ceux qui jamais ne se sont effleurés mais dont nous gardons les lettres : qui parlent non d'elle ni de lui, mais de Dieu, de leur fusion ? Thérèse d'Avila et Jean de la Croix ?

Oui, il y a Sartre-et-Beauvoir. Plus jeunes que Louis-Elsa, mais de la même génération. Sartre est né en 1905 et Simone de Beauvoir, Castor, en 1908. De même culture, de même ardeur pour créer, ils ont très tôt signé leur contrat de liberté

---

1. Sous la direction du professeur Léon Robel.

et de transparence : pas de certificat de mariage. Chacun reste libre de suivre ses « passions adventices », à condition que l'autre le sache et que leur lien ne soit jamais rompu. Ils ont tenu cette promesse quoi que l'on puisse penser de leurs rapports avec « les autres » — jusqu'à la mort de Sartre en 1980. « Sa mort nous a séparés, ma mort ne nous rapprochera pas », a-t-elle dit, mais *La Cérémonie des adieux* montre qu'elle ne faisait cadeau des horreurs de la mort ni à lui ni au souvenir qu'elle gardait. Une lucidité éprouvante.

Les comparer à Elsa-Louis ? Sartre-Beauvoir étaient deux individus d'une égale liberté qui se sont l'un et l'autre — mais différemment — engagés dans l'Histoire. Lui jusqu'au bout dans toutes les causes — raisonnables ou non — qui lui paraissaient libératrices, elle dans la cause des femmes dont elle devint un emblème de 1949 à sa mort. Beauvoir sera d'accord sur l'incomparable supériorité de Sartre en philosophie. Il l'estimera plus douée que lui pour le roman. Ils n'avaient pas besoin de proclamer leur lien, Beauvoir n'aurait jamais pensé qu'il dût chanter sa gloire. Que *La Nausée* soit dédiée « au Castor », hommage transparent désormais pour tous, lui suffisait. Et lui acceptait avec simplicité d'être mis en scène, soit travesti — à peine — dans *Les Mandarins*, soit nommé dans les *Mémoires*. Aurait-il accepté l'« humain trop humain » de *La Cérémonie des adieux* ? Sans doute mieux qu'Aragon n'accepta d'être mythiquement tué par l'explosion atomique du *Cheval roux*.

Ce sont deux couples d'écrivains, liés à vie et ayant traversé la même époque, mais leur lien n'est en rien comparable. Les uns se sont donné pour règle la transparence, les autres ont tacitement tissé le voile d'or du « mentir-vrai » où les fils du « vrai » forment une trame fragile.

Sartre et Beauvoir, après des études semblables, désiraient s'affirmer l'un et l'autre dans des écrits scandaleux et neufs. Fonder une manière de penser et de vivre applicable à eux seuls et peut-être à leur entourage. La politique, jusqu'à l'Occupation, n'était qu'une discussion d'idées.

Entre la « jeune fille rangée » du boulevard Raspail et l'émigrée de l'hôtel Istria, aimée, désaimée, divorcée, un seul point commun : le « vouloir-vivre intensément ». Mais l'une avec un optimisme longtemps inentamable, l'autre avec un pessimisme venu de l'enfance...

Sartre enfant fut surprotégé, admiré, choyé par ses grands-parents, bourgeois fortunés, l'image du père mort servant d'ange gardien... L'enfant Louis flottait : ni père ni mère ni sœur n'étaient clairement désignés. Même son nom, Aragon, lui venait d'une décision et non par héritage.

Chez Sartre-Beauvoir, aucun n'a cherché à dominer ni à réduire l'autre. Aucun n'était pour l'autre « invivable ». Aucun n'a prétendu enfermer l'autre dans un amour exclusif. « L'amour de toi c'est d'être là » n'est pas le type d'amour qu'elle exigeait de lui. Ils avaient à l'avance défini un compagnonnage qui échappa aux règles. Aucun n'« apportait » à l'autre une famille, une stabilité, un pays : ils se voulaient chacun plus coupés de leurs racines qu'ils ne l'étaient vraiment. Ils voulaient tout inventer ensemble.

Leur entourage ? Chacun acceptait — plus ou moins — ceux qu'amenait l'autre, et qui souvent se sentaient attirés par les deux. Ils ont ainsi constitué, par ajouts successifs, par rejets imprévisibles, avec ceux qui voulaient rester, un cercle hétéroclite mais assez soudé pour former jusqu'à la fin une famille d'élection, avec les remous et, après coup, les haines des familles de sang. Sartre a toujours préféré la compagnie des femmes à toute autre... et Beauvoir aimait les deux.

Aragon, d'abord, fut un jeune homme dans un groupe d'hommes. On y célébrait « l'amour fou » — on l'éprouvait sans doute parfois, on le théorisait beaucoup, mais les femmes formaient une aura extérieure et, comme poètes, seuls les hommes comptaient.

Qu'étaient les femmes pour eux ? objets ? sujets ? Dans l'« Enquête sur la sexualité », Breton convient que le plaisir de la partenaire n'est pas son premier souci... Aragon répond : « Aimer une femme, c'est la considérer comme l'unique préoccupation de sa vie. » Et aussi : La pédérastie me paraît une habitude sexuelle au même titre que les autres [1]... »

Puis Aragon s'était lancé à corps perdu (je pèse les mots) dans l'amour-dévotion pour des femmes. Combien de fois, parlant de Nancy comme d'Elsa, a-t-il dit « comme un chien, c'est ma manière », ou « comme une ombre à tes pieds ». L'une, la première, Denise (cousine de l'épouse de Breton en ce temps), lui permit à peine une caresse ritualisée. L'autre, Nancy, tendre, cruelle, extrême dans la générosité comme dans le caprice, sans nul doute l'aima, et il l'aima. Sans exclusive peut-être, mais « comme un chien », c'est-à-dire désirant être là. Elle l'humilia assez pour offrir un alibi à la tentative de suicide, ce cri qui toujours risque de n'être pas entendu. Dans un élan de survie, sentant à nouveau le désespoir monter, il a tenté l'enracinement dans une femme qui était le contraire de lui. Une hors-venue.

---

1. *Recherches sur la sexualité* (Gallimard, 1990).

Une femme qui avait connu de l'intérieur ce rêve d'eux tous, la Révolution et qui l'avait fuie... pour un homme, disait-elle parfois. Mais elle avouera aussi plus tard que c'était à cause des punaises et des interdits réunis. Une séductrice hantée par l'obsession que personne ne l'aime (que personne n'aime personne). Une femme à l'air sage, même calculateur, et qui pourtant avait été prête à affronter le pire : le ridicule, le refus, le rejet, pour le garder, lui, « l'invivable ». Elsa a aimé cet homme d'autant plus qu'il fuyait. Quel triomphe si elle parvenait à l'arracher à ses démons ? Lui écrivait :

Un homme c'est un jeu de cartes battu
Le rouge et le noir des valets des rois et des reines (...)
Mon corps est fait de deux inconnus que je n'ai pas choisis (...)
Une pauvre âme qui ne savait que faire d'elle-même
A la dérive du temps présent (...)
Je n'ai jamais compris pourquoi tu as pris soin de mon âme

Pourquoi ? Parce qu'elle désespérait de la vie, elle aussi, et qu'elle cristallisa sur lui son besoin d'espérer ?

Tout poète bâtit la légende de sa Dame. Mais combien la préservent de quarante ans de quotidienne usure ?

Il savait qu'elle l'aimait mais se disait jaloux de son imaginaire parce que le fantasme la détournait de lui. Lui, le « toujours ailleurs », lui avec qui on ne pouvait rien « faire ensemble ». Lui l'Égotiste avide d'une constante attention.

Tous les compagnons de leur jeunesse sont d'accord : sur le caractère d'Elsa, capable d'exploser en scènes insupportables. Capable d'édicter des interdits révoltants (comme de défendre à Louis — devant témoins — d'aller vers Nancy mourante. « Fais ce que tu veux, moi, je ne la veux pas ici. » Il n'a pas osé partir vers l'hôpital, il l'a laissée mourir). Ils sont d'accord aussi sur l'amour « touchant » d'Elsa pour Louis.

Et l'entourage a connu la blessure — parfois incurable — des mots qu'Aragon savait tirer à bout portant.

Ils faisaient couple dans leur ambition. Celle de créer une œuvre, celle aussi de bâtir une durable statue. Désirait-il, lui, qu'elle fût double ? Ou bien a-t-il consenti aux *Œuvres croisées* comme à une dot de dédommagement ? Ou peut-être que ça l'amusa, l'impénitent surréaliste, le provocateur-mystificateur, l'amateur de scandales, de livrer à la postérité cet étrange entrelacs de deux créations si ostentatoirement inégales ? Et ces « intertextes », les récits de vie, qui mêlaient leurs auteurs ? A-t-il trouvé que c'était un « happening » insurpassable, lui qui, tombé en veuvage, paraîtra à la Fête de *L'Humanité* masqué de rouge et à la télévision masqué de blanc ? Ou peut-être, qui sait, cet homme aux goûts complexes préférait-il demeurer dans les mémoires comme le parfait compagnon d'une femme ? Laisser le souvenir d'un génie qui fait don de sa gloire à celle qui pendant quarante et un ans accepta de paraître auprès de lui si forte et de l'être si peu ?

Il dira d'eux qu'« étant des gens du même métier » ils avaient « des préoccupations du même ordre dans le même domaine de la création ». Il parle — c'est en 1968, c'est-à-dire quarante ans après leur rencontre — du partage « des dangers à la fois de l'esprit et de la vie ». Mais, ajoute-t-il, dans un dialogue on parle de façon que les voisins, s'ils l'entendent, ne puissent pas comprendre. Et toute cette préparation verbale était destinée à proclamer :

« ... eh bien je vous le dis au-delà de ce qui est d'évidence et peut paraître indécent, dans la poésie par laquelle je m'adresse à Elsa, je parle d'elle, je parle pour elle, cette poésie entre nous a des prolongements autres, et je ne ferai rien pour qu'on les découvre ».

Cette longue demi-confidence [1], quand il la fait en 1968, il a déjà lu la lettre dont il dira dans un roman que c'est « l'acte d'accusation le plus terrible qu'un homme puisse entendre du banc des criminels ».

Cette lettre, ces « jambages bleus du malheur », cette écriture couchée qui garde le souvenir des lettres cyrilliques, dit enfin le fond de l'âme, parle enfin du fond du cœur :

« Je te reproche de vivre depuis trente-cinq ans comme si tu avais à courir pour éteindre le feu... Il ne faut surtout pas s'aviser de faire quoi que ce soit *avec toi, ensemble...* J'étouffe de toutes les choses pas dites, sans importance, qui auraient rendu la vie simple, sans interdits. »

« Tu sembles oublier que nous vivons l'épilogue de notre vie, qu'ensuite il n'y aura plus rien à dire et que l'index lui-même d'autres le liront, — pas nous. »

Elle ajoute que la vie se passe comme quand ils sont dans la voiture où « je ne peux jamais te dire "Regarde !" puisque tu lis ou écris et qu'il ne faut pas te déranger ».

Ainsi, même dans le tête-à-tête, elle ne peut pas l'arracher à sa solitude. Lui qui prétend : « Je n'ai pas le droit d'une absence », l'isolement, il n'en sort que devant les « autres », les auditeurs, ceux pour qui on met le masque du mentir-vrai. Elsa crie vers lui comme le croyant abandonné crie vers son dieu absent : « Je te rappelle seulement l'heure : Nous en

---

1. A Dominique Arban, *Aragon parle.*

sommes à moins cinq. Ne me dis pas : moins six, parce que c'est la même chose. »

(Comme on entend l'éternelle manie d'argutie ou d'ironie d'Aragon : « Mais non, tu exagères, pas moins cinq, moins six au plus »...)

Il répond à cette lettre de pur désespoir, à cet appel, par quelques phrases d'*Aragon parle...* et on comprend mieux cette prudente confession masquée en sachant qu'il a reçu la lettre-bilan, le verdict à la fois gémi et crié. Il avoue qu'il fut « invivable », mais en rejetant l'aveu dans le passé. Il parle d'Elsa à une autre qui rendra ces paroles publiques.

Il répondra aussi dans *Blanche* en exprimant — ce n'était pas la première fois — sa jalousie envers « ces enfants de papier » qu'elle a créés dans un imaginaire où il n'existe plus. Ou bien, c'est pis : il existe tel qu'Elsa le décide. Depuis *Bonsoir, Thérèse* qu'il a feint d'applaudir, une femme, sa femme, lui impose son imaginaire.

Il acceptait le regard qu'elle portait sur son œuvre au début des années trente quand il lui lisait le premier chapitre des *Cloches de Bâle*. Elle jeta son commentaire pointu : « Et tu vas continuer longtemps comme ça ? » Il infléchit le parcours. C'est l'époque où elle était sa rampe de lancement vers « le monde réel ». Non pas une égérie : celle qui connaît le chemin et le but.

Mais depuis elle lui impose, à lui, de figurer dans son monde à elle, parfois très irréel. Ainsi dans *Le Cheval roux*, roman d'après l'apocalypse nucléaire où lui périt et dont elle sort défiguré (elle dira sous ce masque son horreur de l'âge : elle aime mieux passer pour une jeune femme défigurée que pour la vieille qu'elle est) [1].

> *Et chaque fois que je te regarde*
> *Je me souviens de ce que tu m'as tué comme on chante (...)*
> *Ces yeux-là se sont imaginé le monde sans moi*
> *Cette bouche a parlé de moi tout naturellement au passé*
> *Tout ceci en plein vingtième siècle*
> *Avec des satellites autour de la terre et des machines à penser*
> *Mais un couteau reste un couteau*
> *Et un cœur, un cœur*

Il la menace de convoquer dans ses poèmes toutes ses anciennes amours. Il le fera dans *Le Roman inachevé* et dans

---

1. Le roman laisse incertaine la mort de Louis. Mais la narratrice meurt en avion.

Blanche ou l'oubli. Il l'avait fait dans *Aurélien* — le roman se situe en 1922 — et Elsa reste absente, même de l'épilogue de 1939. Bérénice est seule en face d'Aurélien, formée sur le souvenir de Denise, la Dame des Buttes-Chaumont, l'inspiratrice principale de *Blanche ou l'oubli*, Denise Naville, la non-revue.[1]

Mais pour leur double statue, le poète a besoin de sa Dame de vie réelle :

> *Prenez ces livres de mon âme ouvrez-les partout*
> *n'importe où (...)*
> *On n'en retiendra qu'une chose (...)*
> *L'Ave sans fin des litanies (...)*
> *Ô ma raison ô ma folie*
> *Mon mois de mai ma mélodie*
> *Mon paradis mon incendie*
> *Mon univers Elsa ma vie*

C'est ce qu'elle exigeait ? C'est à quoi il œuvra.

Tout ce qu'Elsa-Louis ont fait croire et tout ce qu'ils ont cru s'est écroulé, recroquevillé, atomisé, consumé. Les poussières irradiées de cet éclatement nous rongent encore. Les frontières ont sauté ou se sont rétrécies. Les vieilles croyances reprennent vigueur, tandis que la foi nouvelle s'est effritée. Parfois elle se mêle à son contraire en alliages explosifs. Désespérer mène plus facilement vers le passé que vers un avenir qu'on ne peut plus rêver...

Plus d'Union soviétique. Mais déjà, des pays qui avaient arraché leur indépendance veulent renouer des liens étroits avec la Russie.

Plus de Yougoslavie. Les excommunications réciproques des titistes et antititistes sembleraient aujourd'hui une bouffonnerie, si elles n'étaient remplacées par une meurtrière, absurde et archaïque guerre entre ethnies jusqu'alors mêlées. Avec camps, tortures, viols collectifs constatés. « Épurations ethniques » au milieu de l'Europe. Génocides en Afrique. En Asie des horreurs semblables s'accomplissent, l'un des camps continuant à brandir comme une amulette le nom de Marx.

Elsa (1896-1970) et Louis (1897-1983) enjambent notre siècle. Aujourd'hui, une horloge compte le nombre d'heures qui nous séparent du vingt et unième siècle.

Donc ils sont restés blottis à l'extrême seuil de leur parti, sans jamais en sortir, sachant tout depuis plus longtemps et

---

1. P. Daix, *Aragon*, ouvr. cité.

mieux que quiconque, ne s'exprimant que par des métaphores qui détournent ou minimisent.

Autour d'eux, des proches sont partis, saignant de leurs plaies à l'espoir.

Pourquoi Elsa-Louis sont-ils restés ? Elle répétait à l'envi : « Je ne suis membre d'aucun parti » mais elle était l'épouse d'un membre du comité central. Elle disait : « Je me suis trompée parce qu'on m'a trompée », mais depuis bien longtemps elle voyait clair.

On a dit : « C'est qu'ils dépendaient du Parti pour leur train de vie et leur gloire. » Célèbres ? Célébrés dès les années soixante même par la presse « bourgeoise » ? Oui, mais que *La Semaine sainte* soit signée d'un « révolutionnaire » ajoutait du piquant à la redécouverte.

Sans les pays et partis communistes, la diffusion se serait réduite aux chiffres crus et nus du public ordinaire, fluctuant. Sans doute. Mais d'autres raisons ont joué.

Faire partie d'une confrérie, d'une famille aussi mondiale, aussi nombreuse qu'un Parti communiste avant sa dilution donne la certitude de trouver, où qu'on aille, des camarades fraternels. Ce qui vous emplit les poumons, vous avive le souffle. Quelle bouffée d'air, quel vent, les masses...

Et quelle armure ! Un livre, sitôt publié, devient dépeçable, calomniable, diffamable à merci : son écriture et sa structure, son sens évident et ses motivations cachées, tout est livré aux morsures, griffures, coups de bistouri, aux venimeuses piqûres de tout critique qui — parfois d'avance — n'aime pas ou l'auteur ou le genre ou le thème ou le style.

L'écrivain enraciné dans une communauté reçoit ces coups filtrés par l'illusion de n'être pas seul, de n'être pas personnellement en cause. Il se raconte qu'en lui l'adversaire persécute ses idées. Il est saint Sébastien. Chaque flèche se plante dans une chair insensibilisée par l'opium de la prophétie. Il est prophète d'un message d'avenir dont l'autre a peur.

Aragon porte les condamnations des journaux dont il est responsable comme une deuxième croix des braves, protégé par le mur des sœurs et frères, le blindage de l'idéologie. Sans eux, si on déteste le livre, c'est son auteur qu'on assassine. Nu devant ses juges... et de plus alourdi du plomb d'un passé rejeté. Les anciens frères crient à la « trahison de la classe ouvrière » et les autres au défroqué, au renégat, au repenti...

Pour Elsa, il y avait davantage. Quoi qu'elle ait — et depuis longtemps — pensé de l'URSS, il y avait Lili et quelques inamovibles affections. A mesure que le « personne ne m'aime » bourdonne plus fort en elle, l'aînée tant jalousée a pris place dans sa nostalgie. « Je suis une Russe qui écrit en français. » Elle ne peut pas rompre les amarres-défenses.

Alors ils ont fait silence sur les crimes qu'après Soljenitsyne — même s'ils le jugeaient « vieux-russe » et « réactionnaire » — ils ne pouvaient plus prétendre ignorer. Bien plus tard, Aragon prendra le parti des dissidents Siniavski et Daniel (mais le Parti français en était ravi). Il eut la chance que le Parti prenne position contre les chars russes à Prague.

Aujourd'hui, les partis communistes sont entrés dans l'ordre du mythe. Ce sont des sortes de respectables survivances qui équilibrent la politique.

Aujourd'hui demeurent deux questions.

« Comment ont-ils pu prétendre croire — et prétendre faire croire — des contre-vérités aussi grossières ? »

On ne croit soi-même que ce que l'on admet de croire... Voyez l'amour, la jalousie, l'aveuglement des passions. Et on croit toujours un peu ce que l'on veut faire croire. Des centaines de milliers de gens en France ont continué longtemps à « vouloir croire » que le socialisme réel pouvait être construit, « autrement ». Et ils prétendaient que cet « autrement » progressait ».

Je ne sais au nom de quoi on excuse ou condamne. On peut ne pas comprendre. On peut désapprouver, dire : « J'aurais (ou j'ai) agi autrement. » On peut essayer d'expliquer.

Et d'autre part, les jeunes disent : Nous vivons un temps où les gens en sont à rechercher leurs ancêtres, leurs dieux, leurs ethnies : ils se tiennent à leur passé. Parce que les autoroutes électroniques, ça vous laisse le cœur et le sang glacés. Même les massacres ne mobilisent plus. Au premier demi-siècle, les créateurs s'engageaient et les masses aussi. Certes le communisme dévorait les siens. Mais les « droits de l'homme » ne semblent pas sauver les hommes.

L'autre question n'est pas politique : Elsa « savait-elle » que Louis était bisexuel ?

Elle n'a pas pu ne pas le savoir. Les réponses d'Aragon à l'« Enquête sur la sexualité » des surréalistes — publiée dès 1929 — et sa façon d'être invivable ne veulent rien dire. Mais Elsa avait l'expérience des hommes, et comment les styles d'amour n'éclaireraient-ils pas sur les désirs ?

Dans l'entourage de Louis en 1928 certains savaient. Elsa aimait beaucoup René Crevel, elle a dû beaucoup lui parler.

Elle n'était pas une femme que ces « habitudes » pouvaient repousser. Elle espérait « prendre soin de son âme », c'est-à-dire de son désir, et elle a sans doute réussi à lui imposer pendant de longues années un masque, une carapace, rejetés rarement. A Nice, en 1941, elle a su « quelque chose » mais a pu préférer accepter l'explication de Louis : c'était un complot politique pour le « déshonorer ». Elle est partie... elle est revenue...

Elle a certainement éprouvé une passion où son corps fut atteint autant que son imaginaire. Elle a pensé remplir sa vie et sa création. Elle lui apportait le quotidien avec une femme, elle lui apportait aussi cette culture russe qui jouera dans son œuvre un rôle qui — d'après les chercheurs — n'a cessé, après la guerre, de grandir [1].

Elle l'a poussé vers le Parti ? Au début, oui, c'était une façon de l'attacher à elle. Ensuite ses « jambages du malheur » montrent qu'à ce jeu le frénétique gagne toujours. D'ailleurs, elle morte, il écrit :

« Mais à la fin cela m'agace (...) que notre vie ait été cette idylle qu'on prétend et que du coup je doive à Elsa mon destin politique. Notre vie n'a d'aucune façon, même politique à part, été cette image d'Épinal que bien des gens ont fini par croire. »

L'exécuteur testamentaire d'Aragon, Jean Ristat, fait remonter leur rencontre — à lui, jeune poète, avec le Maître — et leur lien à 1965, et n'a pas caché qu'ils se sont liés sur tous les plans, qu'Elsa tenta de le repousser, puis l'accepta...

Après la mort d'Elsa ils ont organisé ensemble des blasphèmes. Ils se sont fait mener au poste de police pour s'être « mal conduits » avec les statues de Maillol posées à même le gazon des Tuileries. Ils ont fait scandale sur les plages, au bord des piscines parisiennes, dans des bars ou « en boîte ». Aragon savait que le Parti, vidé de ses intellectuels glorieux par le départ ou par la mort, ne pouvait pas se permettre de l'exclure. Devait le subir. Enfin ! il se vengeait de la Famille, des honneurs toujours insuffisants, des humiliations, de la suppression des *Lettres françaises*, bref de tout ce qu'il avait subi.

Le jeune homme a publié une lettre écrite à Aragon :

« Je racontais tes courses folles, la nuit, lorsque tu marchais à grandes enjambées le long des plages, comme un animal sauvage à la recherche du plaisir. Tu n'étais jamais rassasié. »

Comme Elsa parlait de sa frénésie, de sa vie passée « à courir pour éteindre un incendie », Ristat nous le montre riant

---

1. Entretien avec Léon Robel.

au ciel, « seul théâtre de ta démesure », il nous le montre assassin-et-victime, homme-et-femme, vieillard et jeune homme. Tous les rôles... Ce qu'Aragon lui-même conte dans *Théâtre-Roman* comme dans *La Mise à mort*. Et le portrait d'Elsa grandeur nature tapissait l'entrée de la rue de Varennes.

A je ne sais plus combien d'heures du troisième millénaire, à l'heure où le sida devient épidémie mais où l'enfant peut être « fabriqué » avec la semence d'un homme, et les ovules d'une femme mêlés dans un utérus que ni l'un ni l'autre ne connaît, bref quand l'être humain est menacé dans son identité initiale, ce couple ambigu prend les couleurs d'un coucher de soleil sur la passerelle des Arts, sous la verrière du Grand Palais.

Et le fantôme dit au fantôme des vers que répètent les vivants sans savoir même qui les écrivit et pour qui :

> *J'ai tout appris de toi sur les choses humaines*
> *Et j'ai vu désormais le monde à ta façon*
> *J'ai tout appris de toi comme on boit aux fontaines (...)*
> *Tu m'as pris par la main dans cet enfer moderne*
> *Où l'homme ne sait plus ce que c'est qu'être deux*
> *Tu m'as pris par la main comme un amant heureux*

Ah bien sûr,

> *Le bonheur est un mot terriblement amer*

Mais on ne peut ni l'un ni l'autre les enterrer

> *comme une étoile au fond d'un trou*

ANNEXES

ANNEXES

Chronologie

1896 12 septembre. Naissance à Moscou de la deuxième fille de maître Youri Kagan. Ella (qui se débaptisera en Elsa). vient après Lili, une brillante aînée.

1897 Naissance à Paris de Louis Aragon, le 3 octobre.

1909 Elsa commence son *Journal*.

1912 Elsa rencontre le poète Vladimir Maïakovski.

1914 La guerre.

1915 Mort de maître Kagan. Lili, déjà mariée à Ossip Brik, rencontre Vladimir Maïakovski, devient sa muse et sa compagne.

1917 La Révolution en Russie. A Paris, Louis Aragon est mobilisé et rencontre André Breton, puis Philippe Soupault : le Groupe se forme. A Moscou, Elsa Kagan rencontre un officier français, André-Pierre Triolet, grâce à qui elle quitte l'URSS avec sa mère.

1918 Aragon est envoyé au front — « arête vive du massacre ». Médecin auxiliaire, il est décoré.

1919 Mariés, M. et Mme André-Pierre Triolet vivent à Tahiti. Aragon a commencé à écrire *Anicet ou le Panorama-roman*, publié l'année suivante.

1921 Elsa Triolet revient en Europe. Roman Jakobson veut l'épouser.

1923 Elsa est à Berlin. Son ami Viktor Chklovski publie un livre, *Zoo — Lettres qui ne parlent pas d'amour ou la Troisième Héloïse*. Elsa en est à la fois l'héroïne et le coauteur (lettres). Amours fugaces avec Roman Jakobson... et d'autres.

1925 Elsa revient à Paris puis fait un voyage à Moscou

où elle publie son premier roman, *Fraise des bois*, « paru, dit-elle, pendant mon séjour là-bas ». Roman Jakobson, amoureux éternel, lui écrit de Prague.

1926 Elsa est revenue à Paris.
Aragon publie *Le Paysan de Paris* et *Le Libertinage*. Il vit avec Nancy Cunard. Elsa aime-désaime Marc Chadourne.

1928 Elsa publie à Moscou son roman *Camouflage* — « un prologue au suicide », disent ses amis. Elle revient à Paris. Aragon tente de se suicider, en septembre, à Venise où il est avec Nancy.
Le 6 novembre, rencontre Elsa-Louis au bar de la Coupole.

1929- Elsa-Louis vivent à Paris,
1930 voyagent à Londres et Berlin. Elle fait des colliers qu'il vend.

1930 13 avril : suicide de Maïakovski à Moscou. Toute l'année, le « vertige soviétique ».
A l'automne Elsa-Louis partent pour Moscou puis pour Kharkov au congrès des écrivains.

1932 Elsa-Louis retournent en URSS.

1933 Hitler prend le pouvoir.
Aragon entre comme rédacteur à *L'Humanité* et à la revue *Commune*.

1934 Journées des 6, 9 et 12 février. Aragon écrit *Les Cloches de Bâle*, dédiées à Elsa.
Elsa-Louis retournent en URSS (congrès de l'Union des écrivains). Il écrit *Hourra l'Oural*.

1935 A Paris, congrès international de l'Association des artistes et écrivains révolutionnaires, avec Gide, Malraux, etc.

1936 Front populaire, en France. Mort de Gorki — Elsa-Louis sont à Moscou avec Gide qui publie *Retour de l'URSS*. On arrête le général Primakov
Guerre en Espagne — Elsa-Louis y passent dix jours.
Aragon obtient le Prix Théophraste Renaudot pour *Les Beaux Quartiers*.

1937 Aragon codirige *Ce Soir*.
Elsa commence à écrire en français.
Début des procès de Moscou. Le général Primakov, nouveau compagnon de Lili Brik, est fusillé.

1938 Munich.
Elsa publie *Bonsoir, Thérèse*, son premier recueil en français.

1939 Paris, 12 février. Mariage Elsa Kagan-Louis Aragon.
Aragon écrit *Les Voyageurs de l'impériale*.
Pacte germano-soviétique qu'Aragon justifie dans *Ce Soir*.
La guerre. Il part à l'armée le 2 septembre, comme médecin auxiliaire.

1940 La défaite, l'exode, la retraite. L'invasion, l'oc-

cupation.
Elsa-Louis se rejoignent.
Errances. Rencontrent Pierre Seghers à Carcassonne.
Villeneuve-lès-Avignon.
Puis en décembre Nice.

1941 Nice.
Les yeux d'Elsa et *Cantique pour Elsa* sont publiés clandestinement (en Suisse et à Alger). Aragon publie *Le Crève-cœur* à Paris. Elsa écrit des nouvelles, *Mille Regrets*, publiées à Paris.
21 juin. L'Allemagne attaque l'URSS.
Été. Les Aragon en voyage clandestin à Paris. Fondation du Comité national des écrivains et des *Lettres françaises* clandestines. Aragon en a la responsabilité pour la zone Sud. Les projets mettent un an à se réaliser.

1942 Elsa écrit *Le Cheval blanc* à Nice et Aragon commence *Aurélien*. Novembre : débarquement des Alliés en Afrique du Nord. La zone Sud est occupée par les Allemands et les Italiens.
Les Aragon fuient. Elsa achève *Le Cheval blanc*.

1943 Séjour à Lyon chez René Tavernier.
Puis, la Drôme.
Le Cheval blanc est publié officiellement à Paris, avec succès.
Les Voyageurs de l'impériale paraissent à Paris. En même temps, Aragon publie clandestinement *Le Musée Grévin*, signé François-la-Colère, et Elsa : *Les Amants d'Avignon*, signé Laurent Daniel. Elle écrit *La Vie privée d'Alexis Slavsky, artiste peintre* et *Cahier enterré sous un pêcher.*

1944 Elsa publie *Quel est cet étranger qui n'est pas d'ici ?* Termine son recueil de nouvelles.
Aragon termine *Aurélien.*
Elsa depuis un an accomplit des missions clandestines. Elle est responsable d'une publication clandestine, *La Drôme en armes.*
Automne : retour triomphal à Paris.

1945 Fin de la guerre le 8 mai.
Publication d'*Aurélien* (vente de 1 500 exemplaires). Elsa reçoit le Prix Goncourt 1944 (retardé) pour ses nouvelles intitulées *Le premier accroc coûte deux cents francs.*
Aragon publie *La Diane française* et redevient codirecteur de *Ce Soir.*

1946 Voyages. Elsa au procès de Nuremberg et à Varsovie puis les Aragon à travers les démocraties populaires et en URSS.
Début de la « pacification » française (guerre) en Indochine.
Elsa publie *Personne ne m'aime*, roman.

1947 Elsa publie *Les Fantômes armés*. Dissensions au CNE.
11 mai : les communistes sont exclus du pouvoir.
Débat sur « l'esthétique communiste ».

1948 Elsa publie *L'Inspecteur des ruines*.
Congrès-bombe des intellectuels en Pologne (Wroclaw). Mort de Jdanov. Aragon lance la campagne du « réalisme socialiste » dans les arts et les lettres. Applique les thèses de Jdanov à la France.

1949 Aragon prend en main *Les Lettres françaises*.

1950 Elsa organise « la Bataille du livre ».

1951 Ils participent au Mouvement de la Paix. Ils sont les « chefs » des intellectuels communistes. Aragon écrit *Les Communistes* (six volumes en trois ans). Achat du moulin de Saint-Arnoult-en-Yvelines.

1952 Voyage à Moscou où sévit une campagne antisémite qui menace Lili Brik. On arrête des médecins, « assassins en blouse blanche ». Les Aragon, las de leurs voyages successifs à Moscou, apprennent des vérités qu'ils taisent.

1953 Mort de Staline en mars. Affaire du portrait de Staline par Picasso. Elsa publie *Le Cheval roux*.

1954 Voyage en URSS. Les Aragon voient des communistes libérés des camps soviétiques. Ils murmurent et se taisent.

1956 XXe congrès du Parti communiste soviétique. Primakov est réhabilité. Rapport secret de Khrouchtchev. Répercussions en France.
Elsa publie *Le Rendez-vous des étrangers* et *Le Monument* (qui se passe en 1953).
Aragon écrit *Le Roman inachevé* : sa vie en poèmes.
Intervention des troupes soviétiques en Hongrie.
Démissions au CNE — la vente annuelle n'a pas lieu. Des intellectuels quittent le PCF. Les Aragon défendent les positions du Parti.
Début de la « pacification » (guerre) d'Algérie.

1957 Voyage à Moscou. Aragon reçoit le Prix Staline débaptisé en Prix Lénine.

1958 Elsa écrit les deux premiers volumes de *L'Age de Nylon* (*Roses à crédit, Luna-Park*).
Aragon publie *La Semaine sainte* et reconquiert ainsi un grand public. Elsa organise un débat autour du *Monument*.

1959-1960 Durant ces années, les Aragon deviennent un couple « très Tout-Paris », célèbres, célébrés. Elsa publie *Le Grand Jamais*, inspiré par les malheurs de Lili à qui on arrache le souvenir de Maïakovski. Puis, *Écoutez-voir* qui en est la suite. Entre les deux *Les Manigances*. Dans ses entretiens (avec Dominique Arban, avec Francis Crémieux), dans *Le Mentir-vrai*, dans les interviews, Aragon, pressé par Elsa, ne cesse de répéter qu'il ne chante pas une muse symbolique mais une femme « nommée et connaissable », une « femme de chair et de sang ». Le mythe du couple est porté à son comble. *Elsa Triolet choisie par Aragon*, anthologie et célébration, en marque en 1960 le point culminant.

Les *Œuvres romanesques croisées* illustrées par des peintres prennent corps.

Le couple s'installe 56, rue de Varenne, à Paris.

1965   Aragon publie *La Mise à mort*, roman du couple impossible, autobiographie morcelée et brisée, aveu de l'amour-haine qui fait tuer et rend fou.

1967   Aragon écrit *Blanche ou l'oubli*, nouveau roman de la passion destructrice, de l'amour-haine.

Elsa se sait condamnée à brève échéance par une maladie de cœur.

Aragon est élu à l'Académie Goncourt dont il démissionnera en... 1968.

Il écrit *Henri Matisse, roman* très autobiographique.

1968   Mai-juin. Révolte des étudiants ; grèves dans le pays entier. Aragon soutenu par un petit groupe est hué par des étudiants.

Août. L'intervention armée soviétique en Tchécoslovaquie est, sous la pression de Waldeck Rochet, désapprouvée par la direction du PCF. Aragon écrira dans une préface à un livre de Milan Kundera que c'était « un Biafra de l'esprit », un génocide.

1969   Elsa achève son dernier roman, *Le rossignol se tait à l'aube*, où elle décrit sa mort.

Elle a écrit un essai, *La Mise en mots*, en avril.

1970   Mardi 16 juin. Mort subite d'Elsa Triolet, au début de l'après-midi.

Elle est inhumée dans le parc de Saint-Arnoult.

1981   Au Festival de Lyon, Aragon fait interpréter une *Messe pour Elsa*.

1982   Vendredi 24 décembre à 0 h 5, mort d'Aragon.

Bibliographie

Les textes les plus utilisés sont les livres, articles, entretiens, interviews d'Elsa Triolet et de Louis Aragon.

La confirmation de beaucoup d'éléments biographiques se trouve dans les intertextes, pré- et postfaces des *Œuvres romanesques croisées*.

Tous les romans d'Elsa Triolet — sauf peut-être *Roses à crédit* — sont des autobiographies transposées, morcelées, travesties. Elsa paraît souvent sous les traits d'un homme (elle a dit : « Michel Vigaud *[Le Cheval blanc]* c'est moi ! », elle a dit aussi : « Antonin Blond *[L'Inspecteur des ruines]* c'est moi ! »). Mais elle se prête aussi à de multiples incarnations féminines. Les héroïnes, chanteuses, comédiennes ou femmes d'affaires sont ses porte-parole. Particulièrement Elisabeth Krüger qui apparaît dans trois récits, Olga Heller *(Le Rendez-vous des étrangers)*, d'autres encore.

Aragon a complaisamment avoué qu'Ingeborg d'Usher, Fougère, Murmure, bref la Femme de *La Mise à mort* et *Blanche ou l'oubli*, étaient Elsa. Il a glissé beaucoup d'éléments autobiographiques dans *Le Mentir-vrai* et surtout dans *Henri Matisse-roman*. *Le Roman inachevé* est une autobiographie en vers.

Les *Entretiens avec Dominique Arban* vont très loin dans les rapports du couple — surtout entre les lignes.

Pour le reste voici une bibliographie succincte.

ALEXANDRIAN Sarane, *André Breton par lui-même*. Seuil, 1971.
ARBAN Dominique, *Aragon parle...* (entretiens), Seghers, 1968.
AVELINE C., CASSOU J., CHAMSON G., FRIEDMANN G., MARTIN-CHAUF-

FIER L., VERCORS, *L'Heure du choix*, éd. de Minuit, 1947. *La Voie libre*, Flammarion, 1951.

BEAUJOUR KLOSTY Elizabeth, « The bilingualism of Elsa Triolet » (inédit, pour *Comparative Literature*, New York).

BIBROWSKA Sophie, *Une mise à mort. L'itinéraire romanesque d'Aragon*, « Les Lettres nouvelles », Denoël.

BOUGNOUX Daniel, « Le musicien déconcertant » in *Révolution*, 31.12.1982.

BOURLIOUK (en anglais BURLIUK) David, *L'Archer-cyclope*, L'Age d'Homme.
Color & Rhyme, n os 31, 41 et 49, New York.

BRIK Lili, *Entretiens*, éd. du Sorbier.
Souvenirs comprenant ceux d'Elsa Triolet, *Literatournoïe Nasledstvo*, 1956, vol. 64, et 1958.
« Propositions aux chercheur », Voprosy Literatoury, 1966, 4.
Lettres de Maïakovski à Lili Brik, Gallimard, 1969.

BRIK Ossip, « Elle n'est pas un compagnon de route » (en anglais), *Russian Literature Triquarterly*, 13, printemps 1966.

CASSOU Jean (voir Aveline)

CHARTERS Ann & Samuel, *I love. The story of Vladimir Maïakovski and Lili Brik* (le meilleur livre sur cette histoire et la meilleure biographie de Maïakovski), Farrar, Strauss et Giroux, New York.

CHANTALINSKI V., « *La parole retrouvée* », *Dans les archives du KGB littéraire*, R. Laffont, 1993.

CHISHOLM Anne, *Nancy Cunard*, Olivier Orban, 1980.

CHKLOVSKI Viktor, *Zoo, Lettres qui ne parlent pas d'amour ou la Troisième Héloïse* (trad. V. Pozner), Gallimard.
Tolstoï, Gallimard.

COHEN-SOLAL Annie & NIZAN Henriette, *Paul Nizan, communiste impossible*, Grasset, 1980.

COURTOT Claude, *René Crevel*, coll. « Poètes d'aujourd'hui », Seghers.

DAIX Pierre, *Aragon*, Flammarion, 1994

DESANTI Dominique, *Les Staliniens*, Fayard, 1975.
Drieu La Rochelle, du dandy au nazi, Flammarion, 1978.

DREIER Kath., *Burliuk*, New York.

EHRENBOURG, Ilya, *Mémoires*, 3 tomes, Gallimard.

EUROPE, revue, n° spécial : *Elsa Triolet et Aragon*, 1967.

GARAUDY, Roger, *L'Itinéraire d'Aragon*, Gallimard, 1961.

GIDE André, *Retour de l'URSS*, Gallimard, « Idées ».
Journal (1934-1940) , Gallimard, « Bibl. de la Pléiade ».

GILOT Françoise, LAKE Carlton, *Vivre avec Picasso*, Livre de Poche.

HERBART Pierre, *La Ligne de force*, Gallimard, « Folio ».

Huraud Alain, *Aragon, prisonnier politique*, André Balland.

Jakobson Roman (en anglais Yakobson), Commentaire sur un poème, « Lettre à Tatiana Yakovleva » (en anglais), *Russki Literaturnyi Archiv, Harvard College Library Bulletin* n° 1, 1956.
Maïakovski, inédit (en anglais), *Harvard College Library Bulletin* n° 9, 1955.
Six leçons sur le son et le sens, éd. de Minuit, 1976.
Russie, folie, poésie, Seuil, 1986.

Katanyan V., *Maïakovski comme artiste* (en russe), Moscou, 1963.

Lacouture Jean, *André Malraux, une vie dans le siècle*, Seuil, 1976.

Lazar Marc, « La Bataille du Livre » (inédit) pour *Communisme*.
Les Intellectuels communistes et le mineur de fond (inédit).

Lecherbonnier B., *Le Cycle d'Elsa*, Hatier.

Malraux Clara, *La Fin et le Commencement*, Grasset.

Malraux André, *Antimémoires*, Gallimard.

Mandelstam Nadejda, *Contre tout espoir*, Gallimard.

Marcenac Jean, *Je n'ai pas perdu mon temps*, éd. Messidor, coll. « Temps actuels », 1982.

Nadeau Maurice, *Histoire du surréalisme*, Seuil, 1945.

Ory Pascal, *Les Collaborateurs (1940-1946)*, Seuil, 1977.

Pasternak Boris, *Sauf-conduit*, Buchet-Chastel, 1959.
« Entretien avec Olga Carlisle », *Revue de Paris*, n° 24, 1960.
Correspondance avec Tsvétaieva, été 1926, Gallimard.

Paxton R. et Marus, *Vichy et ses Juifs*, Calmann-Lévy.

Pozner Vladimir, *Vladimir Pozner se souvient de...*, Julliard, 1972.
Mille et un jours, Julliard, 1967.
et divers articles sur Chklovski, Pasternak, Aragon, Elsa Triolet...
Recherches sur la sexualité, 1928-1932, présenté par José Pierre, Gallimard, 1990.

Roy Claude, *Moi, je*, Gallimard, 1969.
Nous, Gallimard, 1972.
Somme toute, Gallimard, 1976.

Rysselberghe Maria van, *Cahiers de la Petite Dame (Les)*, Mercure de France.

Sadoul Georges, *Aragon*, Seghers, coll. « Poètes de toujours ».
« Une femme, un homme » in *Europe*, n° spécial, 1967.

Seghers Colette, *Pierre Seghers, un homme couvert de noms*, R. Laffont.

Seghers Pierre, *La Résistance et ses poètes*, 2 vol., Marabout-Université, 1978.

Serge Victor, *Mémoires d'un révolutionnaire*, Seuil, 1978.

Soupault Philippe, *Le Surréalisme*, Vidéoline (Témoins, VHS/RCV).
Tavernier René, *Poésie 1*, n° 100.
« Mes poètes de la revue *Confluences* ».
Entretien avec Henri Rode.
Thirion André, *Révolutionnaires sans révolution*, Laffont, 1972.
Thomson Boris, « La Révolution prématurée » (en anglais), *Russian Literature and Society*, Londres, 1972.
Tsvétaieva Marina, Correspondance avec Pasternak et Rilke (« Correspondance à trois »), été 1926, Gallimard.
Vercors (voir Aveline)
et *Pour prendre congé*, Albin Michel, 1951.

Œuvres d'Elsa Triolet

Bonsoir, Thérèse, roman (Denoël, Éditeurs Français Réunis).
Mille Regrets, nouvelles (Denoël).
Le Cheval blanc, roman (Denoël).
Le premier accroc coûte deux cents francs, nouvelles (Denoël).
Les Amants d'Avignon (Éditions de Minuit).
Quel est cet étranger qui n'est pas d'ici, ou, Le Mythe de la baronne Mélanie (Seghers, Ides et Calendes).
Ce n'était qu'un passage de ligne (Seghers).
Anne-Marie, roman (Éditeurs Français Réunis).
  I. *Personne ne m'aime.*
  II. *Les Fantômes armés.*
L'Écrivain et le Livre ou La Suite dans les idées, essai (*Éditions sociales*).
L'Inspecteur des ruines, roman (Éditeurs Français Réunis).
Le Cheval roux ou Les Intentions humaines, roman (Éditeurs Français Réunis ; NRF, 1972).
L'histoire d'Anton Tchekhov (Éditeurs Français Réunis).
Le Rendez-vous des étrangers, roman (NRF).
Le Monument, roman (NRF).
L'Age de nylon, romans (NRF).
  Roses à Crédit.
  Luna-Park.
  L'Ame.
Les Manigances, roman (NRF).
Le Grand Jamais, roman (NRF).
Écoutez-voir, roman (NRF).
Le rossignol se tait à l'aube, roman (NRF).

La Mise en mots, essai (Skira).

Œuvres romanesques croisées d'Elsa Triolet et Aragon (Robert Laffont).

Traductions

Les Montagnes et les Hommes, de M. Iline (ESI).

La Jeune Fille de Kachine (journal intime et lettres d'Ira Konstantinova), Éditeurs Français Réunis.

Le Portrait de Nicolas Gogol (Éditeurs Français Réunis).

Vers et Proses de Maïakovski (Éditeurs Français Réunis).

Théâtre d'Anton Tchekhov (Éditeurs Français Réunis et Pléiade).

Anthologie de la poésie russe (Seghers).

Marina Tsvétaieva (NRF).

Au moment du bon à tirer du présent livre paraît *Elsa Triolet, les yeux et la mémoire* (Plon), par Lily MARCOU, historienne du Komintern.

Gratitude de l'auteur
à ceux qui ont rendu ce livre possible

Rien de joyeux comme de remercier ceux qui vous ont aidée, d'abord parce qu'on leur est reconnaissante du fond du cœur, ensuite parce que le livre est fini.

En premier vient
Raphaël Sorin, sans qui j'hésiterais sans doute encore au seuil d'Elsa et qui m'obligea, ce seuil, à le franchir.

Je remercie ceux qui ne sont plus là et auxquels je dois beaucoup :
Clara Malraux, qui portait sur Elsa et Louis un regard bienveillant mais acéré et m'a dit ce qu'elle a tu dans ses *Mémoires*.
Roman Jakobson, le grand linguiste qui a connu Elsa depuis sa naissance, est un personnage central de son premier roman en russe *Fraise des bois*, et resta son ami.

Ensuite ceux qui, malgré leurs vies très occupées, ont bien voulu me donner leur temps et leurs souvenirs :
Pierre Daix, camarade de longues années qui fréquenta quotidiennement Elsa et Louis depuis 1947 et qui, pour moi, a bien voulu compléter, en parlant, son livre *Aragon, une vie à changer*, qui m'a constamment servi d'appui.
Françoise Gilot, mon amie proche, qui sait, quand besoin est, se transformer en peintre « naïf » — c'est-à-dire minutieux — et montrer patiemment le passé à la loupe.
François Nourissier dont l'œil de romancier sait que derrière toute apparence surgit, dès que l'on creuse, une infinie succession de réalités.

405

Vladimir Pozner dont la tendresse demeure fidèle à l'Elsa « blondorée » qui lui apparut à Berlin en 1923 et qu'il fréquenta jusqu'à la fin.

Ida Pozner dont l'indulgence n'exclut pas le respect de la vérité.

Pierre Seghers, fidèle et parfois inconditionnel des souvenirs de sa jeunesse, mais qui ne se dérobe jamais devant ce qui s'est accompli.

Colette Seghers dont l'œil bleu fait surgir des reflets dans la soie de la poésie.

René Tavernier, témoin qui fut tendre, écrivant pour Elsa :

> *Parmi les papiers calcinés*
> *Que le vent doucement emporte*
> *Vos gestes que j'aimais*
> *Se mêlent aux cendres mortes*

mais qui sut tirer les leçons de ce qui lui est apparu.

Je remercie ceux dont les entretiens ont complété et enrichi les livres où les Aragon sont présents :

Philippe Sollers qui me conta ses heures rue de Varenne avant de les utiliser dans *Femmes* pour corser l'atmosphère.

André Thirion dont la conversation donne plus de chair encore aux *Révolutionnaires sans révolution*.

Et celles et ceux qui sur des moments de la vie d'Elsa m'ont apporté leur précieux éclairage :

Yvonne Baby que ses parents menaient chez Elsa-Louis et qui sait conter, montrer, mimer leurs façons de même qu'elle ressuscite avec une criante vérité Lili Brik septuagénaire. « Il faut avoir des romans, ma chérie ! Moi j'ai eu des hommes... mâ-gnifiques ! »

Jean-François Chabrun qui assista à des moments d'intimité conjugale pleins de sel.

Hélène Cingria-Guenne qui garde à Elsa son amie une fidélité admirative, son ami Boissieu du *Provençal* qui assista à des moments curieux à Villeneuve-lès-Avignon.

Dominique Eluard, à qui Elsa fut douce-amère.

Marek Halter qui fait revivre en artiste l'humour des thés et le ton de ses nostalgies.

Je remercie aussi Maria qui a pendant dix ans connu toutes les humeurs d'Elsa.

Grand merci aux trois contemporaines d'Elsa, d'origine russe, qui ont demandé l'anonymat :
à la dame de Sainte-Geneviève
à la dame de Brighton Beach (New York)

à la dame de l'église d'Auteuil.

Merci aussi au fonctionnaire retraité qui fut en poste à Nice en 1942.

Pour leur aide généreuse dans la découverte des documents, je remercie :

Elizabeth Beaujour Klosty, auteur d'une étude (en anglais) sur le bilinguisme d'Elsa Triolet, destinée à *Comparative Literature* (New York).

Annie Cohen-Solal que l'amitié rend prodigue de son temps et qui apporte à ses amis des informations inattendues.

Marc Lazar, du CNRS, auteur d'une étude sur *La Bataille du livre* et qui prépare une thèse sur cette époque et ce milieu.

Annie Kriegel qui a bien connu les Aragon et m'a orientée sur beaucoup de pistes.

Je remercie, enfin, ceux qui ont bien voulu prêter leur attention constructive à ce livre une fois écrit.

Je remercie ceux qui m'ont aidée à « repenser » la vie du couple ambigu, et surtout

Pierre Daix, le professeur Léon Robel,

et la revue *Recherches croisées* (Les Belles-lettres) où le professeur Michel Appel-Muller a publié des textes d'Elsa.

Index

411

414

Cet ouvrage a été composé par Nord-Compo
et imprimé par la S.E.P.C. (St-Amand Montrond/Cher)
pour le compte des Editions Belfond

Achevé d'imprimer le 21 octobre 1994

N° d'édition : 3228. N° d'impression : 2591.
Dépôt légal : octobre 1994.